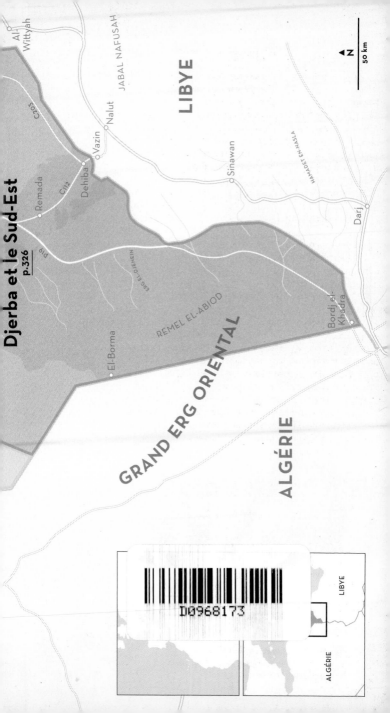

Djerba et le Sud-Est

p.326

Al-Wittyāh

C203

JABAL NAFUSAH

LIBYE

Nalut

Vazin

Remada

C112

Dehiba

P19

Sinawan

HAMADET EN-NASLA

Darj

ERG EL-DJENEIN

REMEL EL-ABIOD

El-Borma

GRAND ERG ORIENTAL

Bordj el-Khadra

ALGÉRIE

▲N

50 km

LIBYE

ALGÉRIE

 **Avis aux GEOVoyageurs**

Entre l'enquête faite sur le terrain
et la parution du guide, les établissements proposés
peuvent avoir disparu et certaines informations peuvent
avoir été modifiées : n'hésitez pas à nous faire part de
vos commentaires et de vos corrections !

Boîte aux lettres GEOGuide

5, rue Sébastien-Bottin 75328 Paris Cedex 07
www.geo-guide.fr contact@geo-guide.fr

GÉOGUIDE

Tunisie

Pierre-Yves Mercier
Vincent Noyoux
Faouzia Zouari

TUNISIE

Voyagez à la carte

Passionné d'architecture, amateur de sports nautiques, adepte des vacances en famille ou inconditionnel du shopping ? GEOGuide a sélectionné pour vous des lieux de séjour, des sites à visiter, des adresses-plaisir et des activités multiples. Choisissez ce qui vous ressemble et goûtez pleinement votre voyage...

AU GRÉ DE VOS ENVIES

TUNISIE

GEO**PANORAMA**

GEO**PRATIQUE**

Mode d'emploi

★ Incontournable touristique

☆ À ne pas manquer
dans la région

☺ Coup de cœur de l'auteur

● **Culture et patrimoine**

● Shopping

● **Cafés, bars et lieux de sortie**

● Sports et loisirs

● Activités familiales

● Restauration, hébergement

GEOREGION

GEODOCS

GEOPANORAMA

La Grande Mosquée (p.228), Kairouan.

COMPRENDRE
LA TUNISIE

Géographie

Milieux et paysages

Petit territoire (163 610km², soit 750km de long sur 150km de large) baigné au nord et à l'est par la Méditerranée et coincé entre l'Algérie à l'ouest et la Libye au sud-est, la Tunisie présente une étonnante variété de paysages. Des collines verdoyantes de la Kroumirie, au nord, aux dunes du Grand Erg oriental, au sud, des plages de la côte est aux rives encroûtées de sel du chott el-Djerid, à l'ouest, la carte postale change sans cesse, et l'œil ne se lasse jamais. Mais à ces paysages contrastés s'oppose un relief modéré : l'altitude moyenne est de 700m ; le plus haut sommet de Tunisie, le djebel Chambi, culmine à 1 544m et 65% du territoire se situe à moins de 350m. La Dorsale tunisienne, chaîne montagneuse qui traverse le pays d'est en ouest du djebel Zaghouan, au sud de Tunis, au djebel Chambi, à la frontière algérienne, n'en dresse pas moins une barrière climatique entre le Nord, méditerranéen, et le Sud, de plus en plus aride à mesure que l'on s'approche du Sahara.

LE NORD MÉDITERRANÉEN Cette région, qui s'étend de la côte nord à la Dorsale tunisienne, est la plus humide du pays : elle reçoit de 500mm à 1 500mm d'eau par an. De Bizerte à Tabarka, la Côte de Corail est festonnée de criques sauvages et de superbes fonds marins. Au sud de Tabarka, près de la frontière algérienne, le relief se plisse et se colore de vert. Nous voilà en Kroumirie, région montagneuse particulièrement arrosée, où dominent le chêne-liège, le chêne zéen et un maquis de bruyères arborescentes, de myrtes et d'arbousiers. Certains hivers, la neige couvre de son manteau blanc cette "Petite Suisse" où l'on pratique l'élevage laitier. Au sud de la Kroumirie, les monts du Tell étendent leurs forêts claires de chênes verts, de genévriers et de pins d'Alep. Entre ces deux massifs coule la Medjerda, seul fleuve permanent de Tunisie. Née en Algérie, la Medjerda alimente la plus grande plaine céréalière de Tunisie, avant de se jeter dans le golfe de Tunis. Ce dernier constitue la zone la plus urbanisée du pays : il abrite la capitale et ses banlieues résidentielles (Carthage, La Marsa, Gammarth, Sidi Bou Saïd, Le Kram, La Goulette et, plus au sud, Ez-Zahra et Hammam Lif). Au sud, pointé vers la Sicile, le cap Bon offre un autre visage façonné par l'homme. Cette péninsule au climat doux et au relief ondulé est livrée à la culture de la vigne, du blé, de l'olivier et des arbres fruitiers.

LE CENTRE SEMI-ARIDE Au sud de la Dorsale tunisienne règnent les steppes, hautes à l'ouest, basses à l'est. Ces immenses étendues qui ne reçoivent pas plus de 400mm d'eau par an sont tapissées d'une végétation rase (armoise, sparte et alfa) et livrées par endroits à l'arboriculture et à la céréaliculture. Les oueds, d'un débit trop irrégulier pour atteindre la mer, s'y perdent dans les dépressions, formant des sebkhas (marécages salés, sporadiquement asséchés). Les basses steppes ne portent qu'une ville, Kairouan. En revanche, leur façade littorale, le Sahel, est largement urbanisée, et ce depuis l'Antiquité : Sousse, Skanès-Monastir, Mahdia et Sfax, au large de laquelle s'égrènent les îles Kerkennah… Il est vrai qu'elle bénéficie des apports hydriques de la Méditerranée. Le Sahel vit de la culture intensive de l'olivier, du tourisme balnéaire et d'une activité industrielle et portuaire.

LE SUD ARIDE Il commence en deçà de la ligne Gafsa-Gabès et couvre plus de la moitié du territoire tunisien. La partie subdésertique est composée de zones sablonneuses et rocailleuses émaillées de grands chotts (lacs salés) et d'oasis qui se consacrent aux cultures maraîchères et fruitières : dattes, agrumes, grenades, abricots, etc. Chebika, Tamerza et Midès, près de la frontière algérienne, étalent leurs palmeraies au fond de gorges encaissées. Sur le littoral, Gabès possède l'unique oasis marine du Maghreb : sa palmeraie s'arrête à 20m de la mer ! Mais les plus belles sont celles du Djerid, ou "pays des Palmes" : Tozeur, Nefta et Douz. Elles s'étendent à proximité

Carte d'identité

Superficie 163 610km²
Population 10 400 000 hab.
Capitale Tunis (2 000 000 hab. en 2004)
Monnaie dinnar (DT)
Langue officielle arabe
Fête nationale 20 mars
Régime politique présidentiel fort
Chef de l'État Zine el-Abidine Ben Ali depuis 1987
PIB 7 102$/hab. en 2008
Tourisme 7 millions de visiteurs par an

du lac salé le plus vaste de toute l'Afrique du Nord, le chott el-Djerid. Asséchée et couverte de croûtes et d'efflorescences de sel la majeure partie de l'année, cette immense dépression se remplit d'eau saumâtre lors des hivers pluvieux. Le Sud-Est est plus rocailleux que le Sud-Ouest. Le Dahar forme un vaste plateau montagneux, qui s'étend de Matmata à la frontière libyenne, dominant de ses falaises abruptes l'aride plaine côtière de la Djeffara. Refuge immémorial des agriculteurs berbères de la plaine face aux envahisseurs, le Dahar est le pays des ksour (greniers fortifiés) et des maisons troglodytiques, creusées à l'horizontale dans la montagne ou à la verticale dans le sol, comme à Matmata. Quelques poches cultivées (oliveraies) ponctuent le littoral autour de Zarzis et de Ben Guerdane, mais c'est sur l'île de Djerba que l'on trouve les plus beaux vergers du Sud tunisien. Djerba a su recueillir au mieux de rares précipitations pour irriguer ses terres et faire pousser des oliviers, des palmiers dattiers et autres arbres fruitiers. Le relief de l'île autorise toutes les balades à vélo : son altitude ne dépasse pas 52m ! Au sud de Douz et à l'ouest du Dahar moutonnent les premières dunes du Grand Erg oriental, ou Sahara tunisien. La plupart des méharées en parcourent la partie septentrionale, les 4x4 descendent plus au sud, là où les dunes forment de véritables collines. Classé zone militaire, l'extrême Sud (en deçà de Remada) est inaccessible sans autorisation spéciale (cf. GEOPratique, Transports individuels).

Climat

Située dans la zone subtropicale, la Tunisie bénéficie de températures moyennes de 12°C en hiver et de 30°C en été. L'été, sous l'effet du sirocco (ou *chehili*) qui souffle du désert, le mercure peut grimper jusqu'à 40°C, mais cette chaleur reste supportable en bord de mer. Au nord de la Dorsale tunisienne, le climat est méditerranéen humide, avec une moyenne des précipitations annuelles supérieure à 400mm (1 534mm à Aïn Draham). La saison sèche dure de 3 à 5 mois. À Tunis, les températures moyennes sont de 11°C en hiver et de 30°C en été. Le centre du pays connaît un climat continental chaud, avec de 150 à 400mm de pluie/an. La température moyenne à Djerba est de 12°C en hiver et de 28°C en été. Dans les régions désertiques du Sud, les précipitations annuelles ne dépassent pas 178mm et le mercure peut grimper jusqu'à 50°C en été.

Flore

Ce n'est pas un hasard si ce pays porte le nom de "Tunisie verte". Et l'on devrait ajouter "fleurie". À commencer par son fameux jasmin qui embaume jardins et patios, les mimosas et bougainvillées qui parent les murs de ses maisons, ses lauriers-roses, ses lys et ses roses. Si la flore tunisienne est riche de 2 162 espèces, elle n'en compte que 34 endémiques, phénomène lié à la modération du relief. Dans le Nord dominent des essences méditerranéennes comme le chêne-liège, le chêne zéen et le pin d'Alep, avec l'eucalyptus (importé au XIXᵉ siècle). Dans le Sahel prospèrent surtout les oliviers et les arbres fruitiers (orangers, citronniers, mandariniers, caroubiers, grenadiers). Dans les oasis du Sud, domaines du palmier dattier, sont cultivés tomates, aubergines, courges, figues, abricots, piments, oignons… Dans le Grand Erg seuls survivent l'acacia, les graines de cramcram et le figuier de Barbarie, qui donne ce que les Tunisiens nomment "le sultan des fruits".

Faune

LA FAUNE TERRESTRE Si les fauves ont pratiquement disparu du pays, les sangliers sont encore nombreux dans les forêts du Nord, où ils côtoient lièvres, porcs-épics, daims, chacals, renards et chats sauvages. Les dernières gazelles ont quitté les plaines du Centre pour se réfugier dans les zones montagneuses. L'autruche à cou bleu, le mouflon à manchettes et deux variétés d'antilopes, l'addax et l'oryx, ont été réintroduits dans la savane du parc national de Bou Hedma, au sud-ouest de Sfax. Si le dromadaire est l'animal emblématique du désert, ce milieu aride est l'habitat d'une faune essentiellement nocturne : scarabée, criquet, vipère à cornes et scorpion venimeux, lézards, fennec et petits rongeurs, telles la gerbille et la gerboise.

UNE RICHE AVIFAUNE La Tunisie est aussi le rendez-vous hivernal de nombreux oiseaux migrateurs. Les immenses vasières du golfe de Gabès abritent la moitié des oiseaux aquatiques stationnant en Méditerranée en hiver, soit environ 350 000 individus : limicoles (courlis, pluviers), mouettes, goélands et échassiers (bécasseaux, chevaliers, hérons, aigrettes et flamants roses). D'octobre à mars, le lac d'Ichkeul, non loin de Bizerte, accueille également de grandes concentrations de canards siffleurs, chipeaux et souchets, de fuligules milouins, d'oies cendrées et de foulques noires. Quant aux cigognes blanches, elles nichent dans le Nord, près de la frontière algérienne, mais aussi à Sejnane, dans le Sud. On dit qu'elles viennent d'Alsace, ce qui leur vaut le surnom de Hadj Kassem ("Belkassem le pèlerin"). La moitié méridionale du pays est peuplée de traquets, de fauvettes, d'alouettes, de gangas et autres oiseaux de la steppe et du désert. Les îles sont habitées par des nuées d'hirondelles, d'alouettes, de mouettes et de sternes. Les villageois du cap Bon utilisent les éperviers et les faucons pour la chasse. Les bulbuls et les grives se nourrissent dans les eaux marécageuses des sebkhas.

DES EAUX POISSONNEUSES Située au carrefour des bassins occidental et oriental de la Méditerranée, la Tunisie possède 25 000 km^2 d'eaux territoriales et un littoral de 1 300 km. Ses grandes lagunes, ses rivages rocheux et ses caps aux superbes fonds marins la dotent d'une faune aquatique des plus riches et des plus colorées. À faible profondeur, girelles, serrans et blennies évoluent le long des côtes rocheuses parmi les éponges, les ascidies et les holothuries. Plus bas croisent des bancs de sars et des labres, tandis que murènes et poulpes s'abritent sous les rochers. Le littoral nord est réputé pour ses crevettes, langoustines et homards, que l'on trouve aussi à profusion dans l'île de Zembra, classée réserve naturelle en 1987. Les Tunisiens de la côte apprécient le généreux "couffin de la mer" que la nature leur offre : poissons bleus (maquereaux, thons et sardines), loups, daurades, rougets, soles et mulets. Les fruits de mer (moules, poulpes et calamars, crevettes et langoustes) se trouvent sur tous les étals, et certains crustacés, comme les oursins, s'achètent sur la plage à de petits vendeurs qui n'omettent pas de les arroser de jus de citron frais. Il faut toutefois noter que la faune marine, naguère luxuriante dans certains golfes, a pâti de l'industrialisation des côtes et de la pêche. Le poisson d'élevage, auquel les Tunisiens ont donné le sobriquet de "fils de famille", pour insister sur son côté "bien élevé", a tendance à se substituer au poisson sauvage dans les restaurants.

PANORAMA

Histoire

La préhistoire

La présence d'hominidés en Tunisie remonterait à un million d'années. La préhistoire s'y distingue par le développement, entre 7000 et 4500 avant notre ère, de la civilisation capsienne (autour de Gafsa), caractérisée par l'exploitation d'"escargotières". L'Hermaïon d'El-Guettar, un monument votif vieux de 40 000 ans, retrouvé dans la même région, est considéré comme l'une des premières expressions religieuses de l'humanité. Les premiers habitants connus du pays sont les Libyques, éleveurs semi-nomades ancêtres des Berbères, présents sur son sol il y a au moins 6 000 ans, mais c'est avec les Phéniciens que la Tunisie entre véritablement dans l'Histoire.

Carthage et la civilisation punique (814-146 av. J.-C.)

Originaires de la Syrie et du Liban actuels, les commerçants phéniciens traversent la Méditerranée pour fonder, sur le territoire tunisien, Utique en 1101 avant notre ère, puis Carthage en 814 av. J.-C. Selon la légende, c'est la princesse tyrienne Élissa (la Didon de *L'Énéide*) qui, ayant fui son royaume après l'assassinat de son époux, décide de s'installer dans le golfe de Tunis. Qart Hadasht, la "Ville neuve", supplante rapidement Utique et s'impose aux autres comptoirs anciens (Sousse et Bizerte). Carthage est, au Ve siècle, la ville la plus peuplée et la plus riche de Méditerranée. Avec sa langue et son écriture alphabétique, ses cultes, son organisation sociale et son art, fruits d'un syncrétisme culturel et religieux entre Phéniciens et Libyques, la civilisation punique fascinera nombre d'historiens et d'artistes, tel Flaubert qui, dans *Salammbô*, dépeint une Carthage fantasmée, à la fois opulente et conquérante, barbare et civilisée. Carthage a tous les atouts pour asseoir sa suprématie en Afrique du Nord : une armée puissante, une économie florissante, qui repose sur une importante flotte marchande, et une agriculture (cultures en terrasses, introduction de la vigne et de l'olivier) qui force l'admiration des Grecs et des Romains. Du VIIe au IIe siècle av. J.-C., les Carthaginois sont les maîtres de la Méditerranée occidentale. Un siècle et demi après la fondation de Carthage, ils s'installent à Ibiza, puis étendent leur influence au sud-ouest de la Sicile, à Malte, à la Sardaigne et au sud de l'Espagne. Vers 500 av. J.-C., le navigateur Hannon explore les côtes ouest de l'Afrique jusqu'au golfe de Guinée. Un peu plus tard, Himilcon atteindra la Cornouaille, peut-être l'Irlande. Mais Rome voit d'un mauvais œil l'hégémonie de Carthage. Les deux puissances se disputent la Sicile avant de s'affronter dans un conflit en trois actes : 264-241, 218-201 et 149-146 av. J.-C. Au cours de la deuxième guerre punique, en 218 av. J.-C., Hannibal traverse les Alpes avec son armée d'éléphants et manque de peu de prendre Rome, mais à l'issue de la troisième et dernière guerre punique, les Romains se rendent maîtres de Carthage au terme d'un long siège. La ville est pillée puis incendiée. Scipion Émilien fait ensuite raser ses remparts et ses bâtiments officiels.

Hannibal Barca, général et homme d'État

Né en en 247 av. J.-C. à Carthage, le fils aîné du général Hamilcar Barca aurait appris l'art de la guerre d'un précepteur spartiate. Élevé dans la haine de Rome, il suit son père et son beau-frère dans leur conquête de la péninsule Ibérique. À 26 ans, il est proclamé chef par l'armée carthaginoise et consolide les possessions puniques à l'ouest de l'Èbre. En s'emparant de Sagonte, cité alliée de Rome, il déclenche la deuxième guerre punique en 219 av. J.-C. L'année suivante, parti de Carthagène avec 102 000 hommes et 37 éléphants, il franchit les Pyrénées et les Alpes pour marcher sur Rome. Victorieux au Tessin, à la Trébie (218), au lac Trasimène (217) et à Cannes (216), il s'attarde à Capoue, laissant ainsi à l'ennemi le temps de se reprendre. Tandis qu'Hannibal piétine dans le sud de l'Italie, Scipion chasse les Carthaginois de Sicile et d'Espagne de 212 à 206 av. J.-C. Puis, en débarquant en Afrique, il oblige son adversaire à y retourner et le bat à Zama en 202. La paix signée, Hannibal entre en politique. Élu suffète (1er magistrat) de Carthage, il s'efforce de rendre à la cité sa prospérité et doit bientôt s'exiler pour échapper aux foudres des oligarques. Il séjourne à Tyr, à Éphèse – conseillant Antiochos III dans ses préparatifs de guerre contre Rome –, en Crète, puis en Asie Mineure, auprès de Prusias Ier de Bithynie. En 183 av. J.-C., les Romains demandent au roi de leur livrer le Carthaginois. Pour leur échapper, Hannibal s'empoisonne. Il demeure l'un des plus brillants statèges de l'histoire.

Une province romaine (44 av. J.-C.-437 apr. J.-C.)

La cité renaît cependant à l'initiative de… Rome ! Délimités par un fossé allant de Tabarka à Sfax, les territoires côtiers conquis par les Romains forment la province d'Africa. En 46 av. J.-C., César s'empare de la Numidie voisine et, deux ans plus tard, décide de relever Carthage pour en faire le siège de la colonie agrandie. Le site commande idéalement, il est vrai, les deux bassins, occidental et oriental, de la Méditerranée. C'est Octave, futur Auguste, qui met la décision de son père adoptif à exécution. Très vite, Carthage retrouve dynamisme et prospérité. Il en va de même pour les autres cités romaines d'Africa : Sbeïtla, Makthar, Dougga, El-Djem, Bulla Regia, Thuburbo Majus… Les théâtres, hippodromes, bains publics et villas mis au jour par les archéologues témoignent de leur prospérité. Une opulence liée à un commerce florissant (huile d'olive et vin) et aux progrès agricoles, qui font de l'Africa le grenier de l'Empire romain. À travers la province se propagent, surtout aux IIe et IIIe siècles, la langue et la culture latines, le modèle municipal jouant un rôle intégrateur fondamental en promouvant les élites locales par l'accession à la citoyenneté romaine. Très tôt christianisée, la province voit naître de grands théologiens comme Tertullien (v. 155-222), saint Cyprien (v. 200-258) et saint Augustin (354-429). C'est grâce à ces Pères africains de l'Église que le latin deviendra la langue du christianisme d'Occident.

PANORAMA

Vandales et Byzantins (437-670)

Les Vandales prennent pied en Africa en 430 et dévastent Carthage en 439. Fidèles à l'arianisme, ils persécutent les chrétiens, mais adoptent vite le mode de vie local et le latin, en respectant le plus souvent les institutions romaines. Un siècle plus tard, en 533, ils sont chassés par les armées de Justinien. L'Empire byzantin entreprend de restaurer les villes pour effacer les traces de l'occupation vandale et fait bâtir de nombreuses forteresses pour contenir la menace des tribus berbères de l'intérieur ou se protéger d'éventuels assauts maritimes. Mais Constantinople peine à maintenir son autorité sur cette lointaine colonie. En 648, les Arabes opèrent un premier raid victorieux sur Sufetula (Sbeïtla). En 670, le général Oqba ibn Nafi fonde Kairouan, ville qui deviendra la base arrière de l'expansion arabo-musulmane dans tout le Maghreb et jusque dans le sud de l'Espagne. En 698, les armées de Hasan ibn el-Numen sonnent le glas de la présence byzantine en s'emparant de Carthage.

La conquête musulmane (670-800)

La Kahina, la "reine des Aurès" (Algérie orientale), réunit sous sa bannière les forces berbères éparpillées et anime une farouche résistance à la conquête, mais sa mort, en 702, met fin à la révolte. Convertis à l'islam, les Berbères sont enrôlés dans l'armée musulmane et ils participeront à la conquête de l'Espagne, en 711, et à l'invasion de la Gaule jusqu'à Poitiers, en 732. Mais se sentant méprisés et lésés par les Arabes, ils embrassent le kharidjisme, une doctrine rigoriste prônant l'égalité de tous les musulmans, et s'emparent de Kairouan en 745. Cette révolte contre le pouvoir central durera peu ou prou jusqu'au début du ixe siècle. Mais rien n'y fera : l'Africa devient l'Ifriqiya, terre d'islam qui relève du califat omeyyade de Damas jusqu'en 750, puis du califat abbasside de Bagdad.

Les Aghlabides (800-909)

Peu à l'aise sur l'eau, les Arabes choisissent de s'établir à Tunis, dans les terres, plutôt qu'à Carthage. En 800, le gouverneur Ibrahim ibn el-Aghlab obtient des Abbassides le titre d'émir et fonde la dynastie des Aghlabides, dont le règne sera un âge d'or. Le commerce transsaharien avec le Soudan s'épanouit, des travaux hydrauliques relancent l'agriculture, et la prospérité favorise le développement de l'artisanat. Bâtisseurs de talent, les Aghlabides agrandissent la Grande Mosquée de Kairouan, reconstruisent celle de Tunis, ponctuent la côte de monastères fortifiés (ribat), redessinent Tunis, Sousse et Sfax. Kairouan, leur capitale, est l'un des foyers spirituels les plus brillants du monde islamique. On y enseigne le droit, la médecine, les sciences et les lettres. Surtout, les préceptes du Coran qu'on y inculque sont diffusés à travers toute l'Afrique du Nord. Sûrs de leur puissance, les maîtres de Kairouan se lancent dans une guerre sainte contre les chrétiens. Ils conquièrent la Sicile et opèrent des raids sur Malte et la Sardaigne.

Fatimides et Zirides (909-1159)

En 909, après plusieurs années d'activisme religieux et politique et à l'issue de rudes combats, les Fatimides succèdent aux Aghlabides. Le fondateur de la dynastie, Obaïd Allah, prétend descendre de Fatima, la fille de Mahomet. Il s'appuie sur le chiisme, doctrine schismatique qui reconnaît les Alides (héritiers de Fatima et d'Ali, son époux) comme seuls successeurs légitimes du Prophète, pour rejeter la souveraineté abbasside. En 916, il délaisse Kairouan pour s'établir à Mahdia. Si l'âge d'or de l'Ifriqiya est passé, la dynastie parvient à moderniser la région en engageant d'importants travaux d'irrigation et à nouer de fructueux liens commerciaux avec les autres puissances méditerranéennes. Néanmoins, Abou Yazid, un Berbère kharidjite, n'a aucun mal à soulever une population écrasée par le poids des impôts destinés à financer les visées expansionnistes du califat. Surnommé l'Homme à l'Âne, il lève une armée et fait le siège de Mahdia durant plusieurs mois. Sa tentative échoue et son emprisonnement, en 947, met fin à la révolte. Tout à leur rêve de conquête du califat universel, les Fatimides partent s'établir au Caire, qu'ils viennent de fonder, en 973. Ils confient l'Ifriqiya à une famille berbère vassale. Ces Zirides adoptent le sunnisme de rite malékite et tentent de gagner leur indépendance en 1048. Les Fatimides répliquent aussitôt en lançant sur l'Ifriqiya les Beni Hilal, pillards nomades de Haute-Égypte dont ils souhaitent se débarrasser. Ces derniers mettent le Sud et le Centre à feu et à sang, obligeant les Berbères des plaines à se réfugier dans les montagnes. Le pouvoir central en est profondément ébranlé, au point que les cités côtières de l'Est, décidées à assurer elles-mêmes leur protection, s'érigent en principautés indépendantes. Génois, Pisans et Amalfitains profitent du chaos pour attaquer Tunis et Mahdia à la fin du xie siècle. Entre 1134 et 1148, les Normands de Sicile s'emparent de Mahdia, de Gabès, de Sfax et de l'île de Djerba.

Almohades et Hafsides (1159-1574)

Le renouveau vient de l'Ouest, en 1159, avec les Almohades. Ces Berbères originaires du Haut Atlas marocain vont pacifier et unifier l'ensemble du Maghreb et l'Espagne musulmane. Repoussant les Hilaliens et les Normands, ils établissent un gouverneur à Tunis. Mais l'éloignement du centre du pouvoir suscite des troubles. En 1230, le gouverneur Abou Zakariya el-Hafsi proclame l'indépendance de son État et s'arroge le titre d'émir. Son fils, Abou Abd Allah, surnommé El-Mustansir (1249-1277), obtiendra celui de calife. Devenue, en 1235, la capitale hafside, Tunis se pare de palais, de mosquées et de medersas (écoles coraniques). Les juifs et les musulmans chassés d'Espagne par la Reconquista catholique importent leur savoir-faire agricole, artisanal et commercial, participant à l'essor économique du royaume comme à son rayonnement intellectuel et artistique. Le XIVe siècle est celui du grand historien Ibn Khaldun (cf. Penseurs tunisiens) et des échanges commerciaux avec les puissances de la Méditerranée occidentale : Venise, Gênes, Pise, Marseille, Barcelone, l'Aragon, la Sicile… Hélas, cet âge d'or ne dure pas. La fin du XVe siècle est marquée par les errements politiques de la dynastie hafside et par les premières attaques espagnoles et ottomanes.

La Tunisie ottomane (1574-1705)

Au XVIe siècle, la Tunisie devient un enjeu crucial dans la lutte que se livrent l'Espagne et l'Empire ottoman pour la maîtrise du commerce méditerranéen. En 1535, Charles Quint arrache Tunis à Barberousse, un pirate turc qui s'est rendu maître de la région et fait régner la terreur en Méditerranée. Mais la victoire espagnole est de courte durée : en 1574, les Ottomans reprennent Tunis et annexent le pays. Le gouverneur (pacha) de la nouvelle province est secondé par une milice composée de 4 000 janissaires, dont les officiers supérieurs forment le conseil de gouvernement (divan). Mais les révoltes des janissaires, les luttes de pouvoir entre le chef des armées et responsable de la collecte des impôts (bey) et les officiers subalternes de la milice (deys) fragilisent considérablement l'administration, d'autant que les pirates jouent un rôle clef dans l'économie et la politique locales. Au début du XVIIe siècle, le bey Murad, un Corse converti à l'islam, obtient le titre de pacha et le droit de le transmettre à son fils. La dynastie mouradite se maintiendra ainsi au pouvoir jusqu'en 1702.

Les Husseinites (1705-1957)

En 1705, Hussein Ben Ali prend le titre de bey et de pacha et fonde une dynastie indépendante, sinon de droit, du moins de fait, vis-à-vis d'Istanbul. Les Husseinites pacifient le pays et s'efforcent de le réorganiser. Mais les difficultés financières et diplomatiques s'accumulent. Au XVIIIe siècle, aux querelles successorales s'ajoutent les intrigues du dey d'Alger et un interventionnisme croissant des Européens. En 1826 et 1827, les Anglais et les Français mettent un terme aux activités de piraterie, privant les Husseinites de leur principale source de revenu. Les dépenses somptuaires des beys et la concurrence des produits européens, qui envahissent le marché tunisien, minent l'économie, amenant l'État au bord de la banqueroute. Or les princi-paux créanciers des Husseinites sont la France, la Grande-Bretagne et l'Italie, pays qui ont des ambitions expansionnistes en Afrique du Nord... L'étau colonial se resserre quand les Français s'emparent d'Alger en 1830. La Tunisie n'en est pas moins le premier pays musulman à abolir l'esclavage (1846) et à se doter d'une Constitution (1861).

Le protectorat français (1881-1956)

Le 12 mai 1881, le traité du Bardo autorise la France à occuper militairement la Tunisie, et la convention de La Marsa, le 8 juin 1883, lui donne toute lati-tude pour exercer son "protectorat" sur le pays. Celui-ci perd sa souveraineté internationale et un résident général, représentant de Paris, contrôle tous les actes et décrets du bey. D'importantes réformes judiciaires, administratives et éducatives sont entreprises sur le modèle français. Les finances sont assainies et le paysage se transforme grâce à la construction de ports et d'un important réseau ferré et routier, à la modernisation de l'agriculture et à la mise en valeur des ressources minières (phosphate et fer, surtout). Toutefois, les fruits de la croissance sont loin de profiter à tous. Tandis que la diffusion des produits manufacturés européens continue de mettre à mal l'artisanat tunisien, les sociétés françaises, les colons et une partie de l'élite locale accaparent les richesses nationales, suscitant un sentiment de frustration et d'injustice au sein de la population. La création, en 1907, du parti des Jeunes Tunisiens traduit ce ressentiment en même temps qu'il exprime une profonde aspiration du pays à son indépendance. À l'issue des émeutes et des grèves de 1911-1912, le résident général fait arrêter les dirigeants des Jeunes Tunisiens et instaure l'état d'urgence, qui sera maintenu jusqu'en 1921. Le Parti libéral constitutionnel, ou Destour (1920), puis le Néo-Destour, fondé en 1934 par Habib Bourguiba, confirmeront ces revendications nationalistes, mais leurs demandes de réformes ne seront pas mieux prises en compte. En 1938, au terme de nouvelles émeutes, les autorités coloniales interdisent le Néo-Destour, emprisonnent ses chefs et restaurent l'état d'urgence.

La Seconde Guerre mondiale et ses lendemains

Les Américains débarquent à Tunis en novembre 1942 tandis que les forces germano-italiennes occupent tout le sud du pays. Les troupes du général Patton et du maréchal Montgomery contraignent néanmoins les hommes du maréchal Rommel à abandonner la ligne Mareth en mars 1943 et libèrent la Tunisie en mai. Bourguiba, qui s'est déclaré partisan des Alliés, incarne désormais la cause nationaliste et favorise la création de l'UGTT (Union générale des travailleurs tunisiens) de Farhat Hached en 1948. Au début des années 1950, le système du protectorat entre en crise. Bourguiba est arrêté en janvier 1952 et, désespérant de trouver une solution politique, les nationalistes suivent l'exemple de leurs voi-sins algériens et engagent des actions de guérilla contre les colons. Des activistes pieds-noirs fondent alors la Main rouge, une organisation qui pourchasse les nationalistes et assassine Farhat Hached en décembre 1952. Dès lors, les grèves, les attentats et les émeutes se multiplient. En 1954, à Carthage, le président du Conseil, Pierre Mendès France, accorde à la Tunisie son autonomie interne.

La République tunisienne (de 1956 à nos jours)

Le 20 mars 1956, la Tunisie obtient son indépendance. La République sera proclamée le 25 juillet 1957, scellant le sort du régime beylical des Husseinites. Habib Bourguiba, chef du Néo-Destour, devient président. Le 13 août 1956, il dote son pays d'un Code du statut personnel, alors sans équivalent dans le monde arabo-musulman : le principe de l'égalité entre l'homme et la femme est expressément garanti par les textes constitutionnels et législatifs tunisiens. Ce code abolit la polygamie et la répudiation au profit du divorce judiciaire, fixe l'âge minimum du mariage à 17 ans pour la fille et attribue à la mère, en cas de décès du père, le droit de tutelle sur ses enfants mineurs. Bourguiba laïcise l'enseignement et la justice, modernise les infrastructures et tente de réadapter les structures économiques bouleversées par le départ des Français. Si, dans ce domaine, les années 1960 sont placées sous le signe des nationalisations et de l'interventionnisme étatique, la décennie suivante est celle de l'*infitah* ("ouverture"), d'inspiration libérale. Au fil des ans, cependant, le "Combattant suprême" exerce un pouvoir de plus en plus autoritaire. Nommé président à vie en 1974, Bourguiba voit la fin de son règne entachée par une montée de l'opposition islamiste et des émeutes populaires. Le 7 novembre 1987, à 84 ans, il est contraint de laisser son fauteuil à son Premier ministre, le général Zine el-Abidine Ben Ali, pour raisons de santé – Bourguiba s'éteindra en 2000, à 96 ans. Son successeur, qui se présente comme l'homme du renouveau, multiplie les gestes d'ouverture : la Cour de sûreté de l'État et les tribunaux d'exception sont supprimés, les prisonniers politiques libérés, la présidence à vie est abrogée, la liberté d'association reconnue… Dans les années 1990, sa politique d'inspiration libérale est récompensée par une croissance régulière, tandis que sa lutte acharnée contre l'islamisme rassure les puissances occidentales. Le président Ben Ali est réélu à une écrasante majorité en octobre 2004 et 2009.

Politique

La Tunisie est une République unitaire dotée d'un régime présidentiel fort. Le président détient la majeure partie du pouvoir exécutif. Élu au suffrage universel direct pour un mandat de cinq ans renouvelable, il est à la fois chef de l'État, chef des armées et chef du gouvernement, dont il nomme les membres. En 2002, une réforme constitutionnelle a aboli la limite des mandats présidentiels et repoussé de 70 à 75 ans l'âge de l'éligibilité des candidats à la magistrature suprême. Le pouvoir législatif est exercé par un Parlement monocaméral, la Chambre des députés, elle aussi élue au suffrage universel pour cinq ans. En cas de vacance du pouvoir, c'est son président qui assure l'intérim et doit organiser une nouvelle élection présidentielle. La structure administrative, très centralisée, s'inspire du modèle français. Le territoire est découpé en 23 gouvernorats et conseils régionaux (*wilayat*), placés sous l'autorité d'un gouverneur (*wali*). Ils se subdivisent en 254 délégations (*mutamadia*) et maintes municipalités (*baladia*).

Les partis politiques

Le multipartisme a été instauré en 1988. Les principaux partis sont le Rassemblement constitutionnel démocratique (RCD, parti gouvernemental et émanation de l'ancien parti unique), le Mouvement des démocrates socialistes (MDS), le Parti de l'unité populaire (PUP), l'Union démocratique unioniste (UDU), le mouvement Ettajdid (ancien Parti communiste), le Parti social-libéral (PSL), le Parti démocratique progressiste (PDP) et le Forum démocratique pour le travail et les libertés (FDTL).

Économie

Partie, dans les années 1950, d'une situation de sous-développement avéré, ne possédant que son potentiel agricole et de maigres ressources minières, hormis le phosphate, l'économie tunisienne a fait un bond prodigieux depuis le début des années 1990, avec un taux de croissance annuelle moyen de 5%. Elle possède aujourd'hui le revenu moyen par habitant le plus élevé du Maghreb (env. 2 500 euros en 2007). La population active représente 3,3 millions de personnes (sur 10 millions d'habitants). Le taux de chômage est passé de 16% en 1994 à 14% en 2008. C'est la politique libérale, lancée au début des années 1970 par le Premier ministre de Bourguiba, Hedi Nouira, et poursuivie par le président actuel, qui a valu à la Tunisie cette réussite économique. Elle s'est appuyée sur un vaste programme de privatisations et une ouverture du pays sur l'extérieur. L'allégement des barrières douanières et la création de zones franches ont permis d'attirer les investisseurs étrangers. Les exportations (textile, agroalimentaire, pétrole et dérivés en tête) et le tourisme contribuent à l'équilibre de la balance des paiements. Toutefois, la dette extérieure reste importante et les échanges témoignent d'une grande dépendance vis-à-vis de l'Union européenne : cette dernière représente trois quarts des sources d'approvisionnement et des débouchés. La France est le premier partenaire commercial de la Tunisie.

Agriculture

Elle emploie 22% de la population active et compte, avec la pêche, pour 12,9% du PIB et environ 10% des exportations. Ses principales productions sont l'huile d'olive, les agrumes, les céréales (blé et orge) et les dattes. L'oléiculture occupe plus du tiers des surfaces cultivées (4 000 000ha en tout, dont 360 000ha sont irrigués) et permet au pays de se classer deuxième producteur (après l'Union européenne) et deuxième exportateur mondial d'huile d'olive après la Grèce, avec des recettes estimées pour 2006 à 850 millions de dinars, soit 79% du revenu agricole et agroalimentaire à l'exportation. La production de dattes (90 000t en 2006) représente 1% du PIB. Avec une production céréalière de 18 millions de quintaux en moyenne (et autour de 25 millions en 2009), le pays équilibre sa balance commerciale alimentaire.

Industrie

La production pétrolière, qui couvre les besoins nationaux, et les ressources minières (phosphates, fer, plomb et zinc) alimentent des industries de base : chimie, sidérurgie et métallurgie. Mais c'est aux industries légères que l'économie tunisienne doit sa croissance. Le textile et l'habillement, qui représentent près de la moitié des exportations industrielles, risquent de pâtir prochainement de la concurrence asiatique sur le marché européen. Mais le secteur a amorcé une diversification prometteuse, axée sur la sous-traitance : chimie, agroalimentaire, industries mécaniques (équipements automobiles), électronique et nouvelles technologies.

Tourisme

Le tertiaire est le secteur le plus développé (60,4% du PIB en 2006), et le tourisme constitue sa vitrine. Avec près de sept millions de visiteurs par an, la Tunisie est l'une des premières destinations touristiques d'Afrique. Ce record, elle le doit à une politique volontariste qui remonte aux années 1960 et qui a misé sur un développement du parc hôtelier grâce aux investissements de l'État d'abord, à ceux du secteur privé ensuite, à ceux, enfin des Occidentaux et des pays du Golfe. La multiplication des infrastructures d'information, de transport et de promotion a permis à ce secteur de connaître un essor remarquable. Le tourisme est le plus gros employeur national et le premier pourvoyeur de devises.

Société

Une population urbanisée

La Tunisie compte plus de 10 millions d'habitants (10 383 577 selon des estimations de juillet 2008), soit 61 habitants au km². L'espérance de vie est passée de 68 ans en 1992 à 75 ans en 2006. Conséquence de l'exode rural lié à l'industrialisation du pays, au développement des services et du tourisme, 65% des Tunisiens vivent désormais dans les régions côtières et en ville. Le district de Tunis abrite 20% de la population nationale alors qu'il ne représente que 2% du territoire. Les autres grandes villes sont Sfax, Sousse et Bizerte.

Une population homogène

À 99% de langue et de culture arabes, la population tunisienne est d'une grande homogénéité. Mais elle ne l'a pas toujours été. Les invasions phénicienne, romaine, vandale et byzantine ont fait du pays, berbère à l'origine, un carrefour de civilisations. Seule la conquête arabe, qui s'est déroulée par vagues du VIIe au XIe siècle, a pu imposer sa religion et sa langue. L'arrivée ultérieure des Normands de Sicile, des Espagnols, des Juifs de Livourne, des Maures expulsés d'Espagne, des Turcs et des Français eut un impact plus limité, l'identité arabo-musulmane s'étant déjà forgée. Les quelques familles berbères qui ont conservé leurs traditions et leur langue (1 ou 2% de la population) sont confinées dans les montagnes du Sud, aux portes du Sahara et dans l'île de Djerba. Djerba abrite aussi la plupart des 2 000 Juifs qui vivent aujourd'hui en Tunisie. L'implantation de la communauté mosaïque remonte à plus de 2 000 ans dans le pays et elle s'est enrichie de vagues successives d'immigration, principalement d'Espagne et du Portugal aux XIVe et XVe siècles, et plus tard d'Italie, notamment de Livourne. Mais la majeure partie des 120 000 Juifs qui vivaient dans le pays en 1947 l'a quitté au moment de l'indépendance ou des conflits israélo-arabes.

PANORAMA

PANORAMA

Religion

L'islam est la religion d'État et la quasi-totalité des Tunisiens se déclarent sunnites, de rite malékite (85%) ou hanafites (15%). Connus pour leur modération, leur tolérance et leur sens de la fête, moins pieux que leurs voisins maghrébins, ils ont su endiguer l'islamisme qui menaçait le pays dans les années 1980 et mettait le régime en difficulté.

Planning familial

La population tunisienne est passée de 2 millions en 1920 à 10 millions en 2004. Mais ce bond démographique a été freiné dès l'indépendance, et le taux d'accroissement naturel n'a cessé de baisser depuis : il a été ramené de 3% en 1961 à 2,35% en 1994. Cette chute spectaculaire est due au lancement, dans les années 1960, d'une Direction du planning familial subventionnant l'importation et la vente de produits contraceptifs, puis autorisant l'avortement médical et limitant le bénéfice des allocations familiales aux foyers de trois enfants. Résultat : alors que les Tunisiennes mettaient au monde 7,3 enfants en moyenne en 1966 et qu'elles vouaient 24 années à des activités liées à la maternité (grossesses, allaitement, éducation), elles n'y consacraient plus qu'une dizaine d'années en 1994. Aujourd'hui 73% d'entre elles recourent à une méthode contraceptive. L'indice de fécondité, ramené à 1,73 en 2008, est le plus faible du monde arabe et rapproche la Tunisie des pays européens.

L'ÉDUCATION

Dès l'indépendance, Habib Bourguiba fit de l'éducation son cheval de bataille, promettant un diplôme pour chaque enfant de Tunisien engagé dans la lutte anticoloniale et, plus tard, dans la construction de la Tunisie. Il y consacra un budget supérieur à celui de la Défense, implantant écoles et collèges sur tout le territoire et fournissant une aide substantielle de l'État. Depuis 1996, l'école est obligatoire jusqu'à 16 ans et 22% des 20-24 ans suivent aujourd'hui des études supérieures.

Statut de la femme

S'il est un point sur lequel la Tunisie peut s'estimer en avance sur le reste du monde arabo-musulman, c'est bien le statut de ses femmes. En 1956, le père de l'indépendance, Habib Bourguiba, promulgua un Code du statut personnel fondé sur une interprétation fort audacieuse du droit musulman (cf. Histoire). Comprenant que l'émancipation des femmes engageait la Tunisie dans la dynamique de la modernité et constituait un rempart contre l'intégrisme, l'actuel président, Zine el-Abidine Ben Ali, fit de la consolidation de leurs acquis la pierre de touche de sa politique sociale dès 1987. Le Code du statut personnel a reçu une série d'amendements dans les années 1990 : la notion coranique d'"obéissance de la femme au mari" a cédé la place à celles de "respect mutuel" et d'"entraide dans la gestion du foyer et des affaires des enfants" que se doivent les époux. La femme divorcée et ses enfants sont désormais protégés par un "fonds de garantie de la pension alimentaire" ou par une "rente de divorce", et le mariage des enfants mineurs est soumis au consentement de la mère. Des amendements apportés au Code pénal et au

Code du travail renforcent les sanctions encourues en cas de violence conjugale et assurent la non-discrimination entre l'homme et la femme dans tous les aspects du travail. Ces mesures se sont traduites par un progrès social évident : l'espérance de vie des Tunisiennes est passée de 51 ans en 1966 à 76 ans en 2007. La moitié des étudiants sont des étudiantes et la représentation des filles dans les filières de sciences expérimentales et économiques atteignait 52% en 2006. De nombreuses professions se sont également féminisées. Ainsi, le quart des juges et des journalistes, la moitié des enseignants, 57% des chirurgiens-dentistes et 63% des pharmaciens sont des femmes. Si cette émancipation est moins sensible dans le domaine politique (11,5% des parlementaires), signalons l'accréditation de plusieurs ambassadrices et, pour la première fois de l'histoire de la Tunisie, la nomination d'une mairesse et d'une femme gouverneur. Plus significative, la conquête de métiers traditionnellement masculins permet de mesurer la féminisation de la vie publique. La société tunisienne compte, en effet, des femmes policiers, agents de la circulation, dockers, pêcheurs ou chauffeurs de bus. Les femmes ne constituent plus seulement le gros de la main-d'œuvre agricole, elles partagent ou assument la gestion de domaines fonciers. L'image d'agricultrices juchées sur leur tracteur frappe davantage l'imaginaire collectif, et force à reconnaître que la "Tunisie des femmes" n'est ni une chimère ni un slogan, encore moins un féminisme de façade.

Art de vivre

Costumes

Le patrimoine vestimentaire tunisien est l'un des plus riches du Maghreb, chaque région possédant ses habits distinctifs, ses textiles et ses couleurs. Dans les campagnes du Nord et du Sud, les femmes portent la *melia* ou le *huli*, un drapé sans coutures hérité de l'Antiquité, retenu au niveau de la poitrine par des fibules et à la taille par une ceinture en fils de coton. Ce costume est agrémenté de foulards superposés sur des châles appelés *hrem* ou *dharraya*. Les citadines du littoral portent des habits coupés et cousus, avec ou sans manches, mais toujours brodés : *qmajja* (tunique ample), cafetan ou *caderoun* (robe). En ville, la plupart des hommes ont adopté le costume occidental. Dans les zones rurales, ils portent encore la *djebba* (tunique sans manches) sur une *kiswa* (chemise et gilet) et un *seroual* (pantalon bouffant), et ceux du Nord la *kachabiyya* (manteau de laine à capuche) en hiver. Afin de remettre en valeur ce patrimoine, des ateliers de confection réhabilitent des méthodes de tissage et de broderie anciennes et de jeunes stylistes s'en inspirent pour leurs défilés. Dans un effort d'invention évident, on brode *djebba* et burnous, qui étaient jadis des pièces du costume masculin, à l'intention d'une clientèle féminine friande de nouveautés. Les Tunisiennes ne connaissent pas le *hidjab* dans sa conception moderne. Le voile, interdit par circulaire dans les écoles et les administrations, réapparaît depuis quelques années dans la rue, sous sa forme islamique, mais dans des proportions bien moins alarmantes qu'en Égypte ou en Turquie. Les citadines (d'un certain âge) ont recours au *safsari*, un grand voile de soie ou de laine fine dont elles s'enveloppent pour sortir, tandis que les paysannes travaillent nu-tête dans les champs.

PANORAMA

Bijoux

De tout temps, les Tunisiennes ont été friandes de bijoux ouvragés en métal précieux. À preuve, Tertullien parlait déjà au IIe siècle des "continents et des îles qui pendent aux oreilles des richissimes bourgeoises de Carthage"! Qu'elles vivent en ville ou en milieu rural, elles aspirent à en posséder un grand nombre lors de leur mariage. La parure de bracelets, de colliers et de boucles d'oreilles offerte en dot par le mari est censée permettre à la femme de subvenir à ses besoins en cas de séparation, même si le compte-épargne a remplacé le "pécule" des temps anciens. Parmi les bijoux traditionnels figure la *khomsa*, accrochée le plus souvent en pendentif et improprement appelée "main de Fatma". Son motif des cinq doigts n'a, en effet, rien d'un signe religieux musulman. Il remonte à l'époque carthaginoise et symbolise la déesse Tanit. Il en va de même du *khlel*, fibule dont se servent encore les paysannes pour retenir les deux pans de leurs *melia*, et du *kholkhal*, un anneau de cheville en argent ou en or déjà signalé par Hérodote. Ces parures antiques se sont enrichies, au fil des siècles, sous l'influence orientale et européenne. Ainsi, Tunis est connue pour ses colliers et diadèmes en argent et en or massif inspirés des parures turques, le Nord-Ouest pour ses motifs berbères très proches de l'artisanat algérien, le Sud pour ses bijoux en argent travaillés en filigrane ou ornés d'émaux rouges, verts et bleus, spécialités des artisans djerbiens.

Des mariages et autres fêtes

Les mariages, plus précisément les festivités qui précèdent la cérémonie nuptiale – généralement avec robe blanche et couronne à l'occidentale pour la promise –, sont l'occasion de sortir des coffres, lors des *outiyya* et autres veillées de la mariée, des costumes typiques – chaque région ayant sa coupe, sa trame de fils et ses broderies – relevés de bijoux non moins personnalisés. Il faut dire que, l'été, la Tunisie se transforme en une gigantesque salle des mariages, avec toutes sortes de cérémonies et de rituels. On se marie avec entrain jusque dans les localités les plus reculées, dans toutes les catégories sociales et de 17 à 77 ans, la vieillesse n'étant pas un handicap pour les hommes. Signalons un net recul de l'âge moyen au premier mariage, plus particulièrement chez les femmes, où il est passé de 20,7 ans en 1966 à 27,8 ans actuellement. Outre l'amélioration du niveau d'instruction des Tunisiennes, qui les rend plus indépendantes, le coût de la noce est l'une des raisons qui font reculer l'âge du mariage. Les familles des futurs mariés doivent, en effet, constituer le trousseau de la jeune femme (bijoux, vêtements et meubles), payer ses soins de beauté (épilation, teinture des cheveux et tatouage au henné, ou *harkous*, pratiqués par une *hannana*, esthéticienne traditionnelle), la location de la mairie, de la sono et de vedettes de la chanson, sans oublier les honoraires des *adoule*, notaires traditionnels. C'est dire si la modique somme de 1 dinar (à peine 1 euro) que la loi tunisienne exige du fiancé pour la dot de l'épouse est symbolique, la noce étant autrement plus onéreuse… Autre événement familial donnant lieu à de grandes réjouissances, la circoncision. Si elle symbolise l'entrée du garçon dans le monde adulte, elle est souvent effectuée de nos jours dès son plus jeune âge. Les fêtes religieuses sont nombreuses : l'Aïd es-Séghir qui clôt le mois de ramadan, l'Aïd el-Kébir, fête du sacrifice du mouton, le Mouloud, anniversaire de la naissance du Prophète, l'Achoura, journée de commémoration de la mort de Hussein, petit-fils de Mahomet, et de recueillement dans les cimetières (hommes et femmes se fardent les yeux de khôl pour l'occasion), et les *zarda*, festivités liées au culte des saints locaux. Certains Tunisiens fêtent aussi Noël, et tous, la Saint-Sylvestre. (cf. GEOPratique, Fêtes, festivals et jours fériés).

Langues

L'arabe est la première langue des Tunisiens. Classique, il est utilisé dans l'enseignement, les médias et le discours des instances officielles. Dialectal, il dérive du premier et représente la langue courante. Contrairement à ce que l'on constate dans le reste du Maghreb, le berbère n'est plus parlé que dans quelques villages du Sud. Deuxième langue, le français est enseigné dès l'école primaire et il est la langue principale d'enseignement dans le cycle universitaire. L'anglais arrive en troisième place. De nombreux Tunisiens parlent aussi couramment l'italien, langue qu'ils ont apprise au contact des touristes ou en regardant des chaînes de télévision comme la RAI.

Architecture

L'architecture punique

Héritière de l'art phénicien, l'architecture punique témoigne d'emprunts importants au répertoire égyptien (volumes simples et massifs, stylisation, corniche à gorges), auquel elle superpose des références mycéniennes, chypriotes et hellénistiques.

Hélas, ne nous en sont parvenus que de rares témoignages. Carthage, la fastueuse capitale punique (IXe-IIe s. av. J.-C.), n'a guère laissé de traces de sa splendeur. La faute en revient d'abord aux Romains, qui, en 146 av. J.-C., rasèrent les remparts et les principaux monuments de la cité. Les Vandales et les Arabes se chargèrent de détruire et de piller le reste. Puis, au lendemain de la Seconde Guerre mondiale, les bulldozers transformèrent le site en une banlieue résidentielle chic de Tunis, causant de gros dégâts dans les couches archéologiques. Ne subsistent que les fondations de quelques maisons puniques à Carthage et à Kerkouane, dans la péninsule du cap Bon.

LA VILLE CARTHAGINOISE La ville archaïque occupait le bas de la colline de Byrsa. Au Ve siècle av. J.-C. se développa dans la plaine côtière une cité nouvelle défendue, d'après Tite-Live, par une puissante muraille en grand appareil longue de 34km et garnie de tours.

LES PORTS PUNIQUES Symboles de la puissance maritime de Carthage, ses deux ports intérieurs en étaient sans doute la réalisation la plus spectaculaire. Le complexe se composait d'un bassin rectangulaire ou hexagonal destiné aux navires de commerce prolongé par un bassin circulaire réservé à la marine de guerre et à son arsenal. Tout autour de cette seconde darse rayonnaient des cales sèches ; au milieu, sur un îlot rond, se dressait le pavillon de l'amirauté. Une enceinte et des portes protégeaient le port militaire, le rendant invisible au port de commerce. Ce dernier était lui-même caché par des remparts de l'avant-port ouvert sur la mer, où relâchaient les navires étrangers. Ainsi, du large, toute flotte punique qui regagnait Carthage semblait disparaître dans la cité.

LA MAISON PUNIQUE Les archéologues ont dégagé les fondations d'un quartier résidentiel de la fin du IIIe siècle et du début du IIe sur le flanc de la colline de Byrsa. Le lotissement est constitué d'unités d'habitation rectangulaires, probablement à plusieurs niveaux, alignées le long de rues rectilignes et étagées par paliers successifs, de façon que toutes bénéficient d'une vue sur la mer et le lac de Tunis. La maison type est distribuée autour d'un patio qui communique avec la rue par un couloir coudé. La grande pièce de façade sert de magasin ou de salle de réception, tandis que les communs (cuisine, salle d'eau avec baignoire sabot, cellier) s'abritent au fond de la courette. Les pièces d'habitation occupent les étages. Une vaste citerne aménagée au sous-sol et alimentée par les eaux de pluie pourvoit aux besoins en eau de la maison. Au IIe siècle av. J.-C., les plus grandes maisons s'ordonnent autour de cours à portique. Les pièces sont décorées de stucs polychromes et leurs sols en ciment sont incrustés d'éclats de marbre et de céramique ou revêtus de mosaïque.

LE MOBILIER FUNÉRAIRE L'architecture des temples nous est fort mal connue. On peut supposer que, dans sa dernière période, au moins, elle fai-

L'art de la mosaïque

Apparu vers le IVe siècle av. J.-C. dans le monde punique, l'art de la mosaïque prend son essor au IIe siècle de notre ère et se perpétuera jusqu'au haut Moyen Âge en Tunisie. On suppose que les mosaïstes de l'Antiquité travaillaient en équipes itinérantes. Le *pictor imaginarius* exécutait le dessin retenu par le client, sans doute dans un catalogue de modèles ; le *tessellarius* réalisait le motif en *opus vermiculatum* (petits cubes de pierre, de terre cuite ou de pâte de verre aux arêtes jointives, très finement taillés pour épouser les lignes du dessin), un apprenti apposait l'encadrement en *opus tessellatum* (simples cubes de 1 à 2 cm de côté), et le ponceur finissait l'ouvrage. Les mosaïques qui nous sont parvenues se distinguent par la variété de leur répertoire décoratif et par leur polychromie raffinée. Cycle des saisons, scènes dionysiaques, chasse et pêche en sont les thèmes dominants. Les plus belles sont rassemblées au musée du Bardo, à Tunis.

sait montre du même éclectisme que le mausolée libyco-punique de Dougga, érigé au IIIᵉ siècle av. J.-C. Avec ses demi-colonnes ioniques et sa corniche à gorge "égyptienne", ce monument funéraire bâti pour un prince numide illustre le caractère composite de l'art punique et son goût du métissage. Si de tels vestiges sont rares et, hélas, assez peu évocateurs, les archéologues ont exhumé un important mobilier funéraire, souvent d'importation ou copié sur des modèles étrangers : amulettes égyptiennes, lampes à huile de Campanie, vases en terre cuite de style hellénisant, dont des cotyles, coupes à la paroi très fine et décorée produites en série à Corinthe. Les nécropoles de la fin du IVᵉ siècle ont livré de beaux sarcophages en marbre en forme de temples grecs ou portant sur leur couvercle l'effigie d'un homme barbu la tête posée sur un coussin à la mode étrusque.

L'architecture romaine

Les Romains ont laissé en Tunisie de nombreuses cités, dont Carthage, Dougga, Utique, Sbeïtla, Bulla Regia et Thuburbo Majus, reliées par plus de 20 000km de chaussées. Maints monuments témoignent encore de leur génie architectural.

LA CITÉ ROMAINE Les grands axes orthonormés de la cité convergent vers le forum, son centre administratif, commercial et religieux. Cette vaste esplanade à portique est dominée par le capitole, temple généralement pourvu de trois niches dédiées chacune à l'une des divinités de la grande triade romaine : Jupiter, Junon et Minerve. À Sbeïtla, ces niches sont devenues trois temples distincts, posés chacun sur un podium et reliés par des arcades. Sur le forum donnent d'autres temples et les principaux édifices publics : la curie et la basilique civile (tribunal et Bourse du commerce). À côté se tient souvent le marché. La cité abrite également des thermes, des arcs de triomphe, un théâtre, parfois un cirque. La construction de tous ces édifices publics, généralement monumentaux, est financée par les notables de la localité quand ils obtiennent la citoyenneté romaine ou, ce faisant, quand ils accèdent à de hautes charges impériales. Certains grands travaux retiennent l'attention par leur gigantisme et témoignent de l'opulence de l'Africa romaine : l'amphithéâtre d'El-Djem (IIIᵉ s.) est le troisième du monde antique par ses dimensions, tandis que l'aqueduc de Zaghouan, édifié vers 122 pour alimenter Carthage en eau, s'étend sur 120km.

LES DEMEURES PATRICIENNES Les riches *villæ* de la Tunisie romaine témoignent d'un art de vie raffiné. Elles s'organisent autour d'une ou de plusieurs cours à portique (atrium), agrémentées d'un bassin destiné à recueillir les eaux de pluie (impluvium), d'une fontaine ou d'un jardin. De part et d'autre s'ouvrent salon d'apparat (œcus), salle à manger (triclinium), autres pièces à vivre et chambres, toutes dallées ou pavées de mosaïques plus ou moins somptueuses. Les demeures les plus riches possèdent leurs propres thermes. À Bulla Regia, des appartements souterrains sont distribués autour d'un atrium à péristyle, sur le même plan que les pièces du rez-de-chaussée.

PANORAMA

L'architecture musulmane citadine

LA MÉDINA La ville arabe traditionnelle s'ordonne sur un plan ovoïde, comme à Tunis, ou plus souvent rectangulaire. Elle est ceinturée d'une épaisse muraille en pierre ou en brique, hérissée de tours (*bordj*) et généralement crénelée. Ces remparts sont percés d'un nombre limité de portes (*bab*), fermées la nuit et le vendredi, par crainte d'une attaque lors de la grande prière hebdomadaire. La casbah, résidence fortifiée du souverain ou du gouverneur, aménagée dans un angle des remparts, domine la médina et renforce ses défenses. Le cœur de cette ville close est occupé par les édifices publics : la Grande Mosquée, les autres fondations et centres d'enseignement religieux (zaouïas et medersas), les commerces et activités artisanales regroupés par corporation (souks), les caravansérails où séjournent pèlerins, voyageurs et marchands de passage (fondouks), les fontaines et les bains publics. Les ruelles couvertes qui cernent la Grande Mosquée abritent les commerces nobles (bijoutiers, tailleurs, libraires, drapiers, etc.), tandis que les activités bruyantes et polluantes, comme la teinturerie et la ferronnerie, sont reléguées à la périphérie. Autour de ce cœur religieux et commerçant s'étalent les quartiers résidentiels, dont les venelles tranquilles sinuent entre d'épais murs aveugles. Comme la demeure romaine, la maison arabe tourne, en effet, le dos à la rue pour mieux protéger ses habitants des bruits de l'extérieur et de la chaleur. Seules, au fond des impasses, des portes en bois peint, parfois cloutées et rehaussées d'un encadrement de pierre sculptée (comme le *khdal*, un calcaire clair), signalent l'entrée des demeures.

LA DEMEURE BOURGEOISE ET ARISTOCRATIQUE ("DAR") Passé la porte, il faut traverser un vestibule en chicane (*skifa*) avant de déboucher sur la cour intérieure. Cette petite pièce décorée de carreaux de faïence et meublée de banquettes en bois accueille les visites courtes des hommes extérieurs au cercle familial. Le patio central est le plus souvent carré et, quand son propriétaire peut se le permettre, dallé de marbre et bordé sur un ou plusieurs côtés d'un portique à arcades. Sur ce patio donnent quatre pièces d'habitation aménagées sur le même plan : deux alcôves latérales abritant des couches montées sur une estrade que dissimulent des panneaux de bois ajourés auxquels s'adossent des banquettes. Dans les grandes demeures, la cloison du fond de la pièce masque deux cabinets privés que sépare une profonde niche centrale qui sert d'espace de réception. Les maisons aristocratiques sont constituées de trois ensembles distincts : la résidence principale (*dar*), les communs (cuisine, magasin à provisions et hammam) et la maison des hôtes. Aménagée à l'étage du *dar* ou accolée à lui, cette dernière jouit parfois d'une entrée indépendante. Dans les pièces se répètent les mêmes éléments décoratifs : portes à arc outrepassé, base des murs ornée de zelliges (petits morceaux de céramique assemblés pour former des motifs géométriques ou floraux), plafonds peints ou couverts de stucs à stalactites (*muqarnas*).

LES FONDOUKS Ces hôtelleries médiévales s'organisent, elles aussi, autour d'une cour, carrée ou rectangulaire, parfois ceinte d'un portique, sur laquelle donne une série de cellules : écuries et magasins au rez-de-chaussée, chambres à l'étage. Ces caravansérails sont encore nombreux à Tunis et à Houmt Souk, à Djerba.

L'architecture religieuse

LA MOSQUÉE Lieu de culte, de rencontre et d'enseignement, la mosquée est le principal édifice public de la ville musulmane. L'oratoire du Prophète, à Médine, sert de modèle aux premières mosquées : un enclos rectangulaire comprenant une salle de prière et une cour. Toutefois, au VIIIe siècle, s'impose le plan de la Grande Mosquée des Omeyyades à Damas : une salle de prière hypostyle (*haram*), couverte d'une toiture-terrasse et donnant sur une cour rectangulaire à portique (*sahn*), dont les murs sont percés de portes. Seul le *sahn* éclaire la salle de prière. Au fond de la nef centrale, une niche en cul-de-four coiffée d'une coupole et abondamment décorée (mihrab) indique la direction de La Mecque (qibla), vers laquelle les fidèles doivent s'orienter pour prier. Outre l'escalier en bois ou en marbre surmonté d'une chaire à prêcher (minbar) qui se dresse près du mihrab, le mobilier liturgique se résume à des lutrins, à des tapis et à des lustres. La Grande Mosquée de Kairouan est la plus ancienne et la plus sacrée du Maghreb (670). Reconstruite au IXe siècle, elle a prêté ses traits architecturaux à nombre d'oratoires tunisiens. Tout d'abord son allure de forteresse : son enceinte fortifiée, aux puissants contreforts, rappelle que les premières mosquées servaient souvent de refuge en cas d'attaque. La cour s'incline légèrement vers un siphon central qui collecte et filtre l'eau de pluie, stockée dans une vaste citerne souterraine. Son minaret crénelé, de plan carré, a tout d'une tour de guet. Il se dresse au milieu du mur nord de l'enceinte, dans l'axe de la nef centrale de la salle de prière. Autres particularités, cette travée centrale est coiffée d'une coupole à ses deux extrémités, et, comme celle qui longe le mur de qibla, plus large et plus haute que les autres. À partir du XIIe siècle, sous l'influence almohade, puis avec l'afflux de réfugiés en provenance du sud de l'Espagne, sous les Hafsides (1229-1574), se diffusent les caractéristiques de l'art hispano-mauresque. Le décor se développe avec l'emploi des muqarnas (stalactites en pierre, en brique ou en stuc dont les motifs en alvéoles ornent les arcs et les coupoles) et des entrelacs géométriques. Les coupoles sur trompes se multiplient, les toits se parent de tuiles vertes vernissées, la cour s'agrandit et le minaret carré prend les formes plus élancées de la Giralda de Séville. La salle de prière hypostyle des mosquées de l'époque ottomane (1574-1705) est similaire à

PANORAMA

celles des mosquées hafsides. En revanche, la cour étroite qui la ceint s'articule en plusieurs parties. À l'instar de la mosquée Hammouda Pacha (XVIIᵉ s.), à Tunis, le complexe abrite souvent le mausolée (*tourbet*) de son fondateur et des siens. Le minaret ottoman, dit hanéfite – école juridique de l'islam sunnite dont se réclament les musulmans turcs – est de plan octogonal et plus fuselé que les minarets hafsides. La décoration privilégie les motifs floraux.

LA MEDERSA Cet établissement d'enseignement religieux et général est bâti sur un schéma qui n'a guère changé depuis l'époque hafside. Le vestibule en chicane débouche sur une cour à portique, autour de laquelle sont distribuées une salle de prière, des salles d'étude et les cellules des étudiants. Dans un angle du complexe sont aménagées une salle d'ablutions et des latrines. Le mausolée de son fondateur (prince ou pieux mécène) jouxte parfois la medersa.

LA ZAOUÏA La zaouïa est une fondation religieuse bâtie autour du tombeau d'un saint homme (*sidi*). En ville, elle est souvent érigée sur les vestiges de sa demeure. Au marabout, pièce cubique coiffée d'une coupole qui abrite le tombeau du sage, s'ajoutent une salle de prière, de petites chambres, un minaret et une salle d'ablutions. Citons la zaouïa de Sidi Sahab, à Kairouan, référence de l'art islamique pour la délicatesse de sa décoration (cf. GEORégion Le Sahel, Kairouan). Souvent moins monumentales, les zaouïas de campagne n'en sont pas moins nombreuses.

LE RIBAT La côte orientale de la Tunisie est jalonnée de ribat, monastères fortifiés bâtis par les conquérants musulmans à partir du VIIIᵉ siècle pour se prémunir des assauts chrétiens. Le ribat a une vocation militaire (surveiller la côte, servir de point de départ aux expéditions maritimes en Méditerranée occidentale, abriter les populations en cas d'attaque ennemie) autant que religieuse (enseigner le Coran, accueillir les pèlerins qui se rendent à La Mecque). Les moines soldats qui le défendent et y enseignent sont appelés *mourabitoun* ("défenseurs de la foi"), terme francisé en "marabout", et qui désignera par extension les lieux où sont enterrés des saints. Les ribat de Sousse et de Monastir, les plus spectaculaires, présentent des remparts massifs ponctués d'un *nador* (tour de vigie ronde) et un système de barbacanes (meurtrières).

L'architecture rurale

À la campagne, le village s'est souvent développé autour d'une zaouïa. Les maisons y sont traditionnellement plus vastes et d'un plan moins régulier que leur pendant urbain. Les exploitations agricoles sont constituées de plusieurs bâtiments disposés autour d'une cour, la pièce d'habitation principale faisant face à l'entrée. Aux matériaux traditionnels (briques de terre crue mêlée à de la paille pour les murs, chaume pour le toit à double pente) se substituent progressivement parpaing et ciment. Dans le sud du pays, cette architecture a dû s'adapter à des conditions climatiques plus rudes, à des ressources hydrauliques moindres et à une insécurité plus grande. Ainsi, à Djerba, les maisons chaulées de blanc des exploitations agricoles ont l'allure de cubes ou de blocs rectangulaires fortifiés, sans fenêtres, dotées de citernes de façon à pouvoir vivre en autarcie. Si le blanc domine sur l'île des Lotophages, le pisé associé à la brique colore d'ocre les murs des oasis sahariennes. Mais c'est dans le Sud-Est berbère que l'architecture rurale revêt ses formes les plus étonnantes : celles des ksour et des maisons troglodytiques.

LE KSAR Ces greniers fortifiés en pierres jointoyées et chaulées de blanc furent bâtis dans les hauteurs du Dahar par les paysans berbères pour mettre leurs récoltes et leurs biens les plus précieux à l'abri des pillards. Le ksar est constitué de cellules oblongues, de 4 ou 5m de profondeur et de 2m de hauteur, couvertes d'une voûte en berceau et agglutinées sur plusieurs étages comme les alvéoles d'une ruche. Devant chacune de ces

ghorfa est aménagé un espace où l'on peut se tenir debout pour hisser les produits. De préférence établis sur des hauteurs difficiles d'accès, mais à proximité du village, les ksour étaient protégés par de hauts murs et un couloir voûté fermé par une porte et habités par un gardien et sa famille. Le ksar Ouled Soltane demeure l'un des plus impressionnants.

LES HABITATIONS TROGLODYTIQUES Le village de Matmata est célèbre pour ses étranges maisons creusées à la verticale dans le sol. On en dénombre environ 700, toutes bâties autour d'une cour à ciel ouvert, avec les dépendances au rez-de-chaussée et les pièces à vivre au 1er et au 2e étage. La terre est si tendre que la maison peut s'agrandir au rythme de la famille. Ces maisons souterraines présentent l'avantage de garder la fraîcheur l'été et la chaleur en hiver. Dans la région, d'autres villages troglodytiques sont creusés à l'horizontale dans la montagne ou dans un piton rocheux, comme à Tamezret ou, plus au sud, à Douiret et à Chenini.

L'architecture coloniale

Le protectorat français (1881-1956) a marqué de son empreinte l'architecture urbaine. À la périphérie des médinas se sont bâties des villes à l'européenne avec leurs grands axes rectilignes, leurs jardins publics, leurs immeubles et leurs édifices publics (hôtels de ville, gares, postes, banques et ministères) au décor souvent ostentatoire. À Tunis, les immeubles Art nouveau édifiés autour de l'avenue Habib-Bourguiba présentent des façades aux balcons ouvragés et aux moulures d'un blanc éclatant. Avec ses courbes et ses motifs végétaux, le théâtre municipal est l'un des fleurons de l'Art nouveau en Tunisie. Dans l'entre-deux-guerres, de nombreux immeubles de style Art déco sont bâtis dans les villes européennes, de Tunis à Bizerte. Les architectes coloniaux ne se contentent cependant pas de reprendre platement les termes du vocabulaire

PANORAMA

architectural occidental. Certains puisent dans le répertoire décoratif local (arcs outrepassés, arcades, tuiles vertes, carreaux de faïence). Les ministères de la place du Gouvernement, à Tunis, et l'hôtel de ville de Sfax illustrent fort bien ce mélange des styles colonial et islamique. On qualifie ce métissage architectural de style arabisant.

Penseurs tunisiens

Les antiques et les classiques

Petite par la taille, la Tunisie n'en a pas moins donné de grands noms à l'histoire de la pensée. C'est dans ce pays héritier de la province romaine d'Africa que sont nés le philosophe stoïcien Cornutus (Ier s.), le rhéteur Fronton de Cirta (v. 100-v. 175), dont l'éloquence égalait celle de Cicéron, les théologiens Tertullien (v. 155-v. 222) et saint Cyprien (mort en 258), évêque de Carthage, et, bien sûr, saint Augustin (354-430), illustre Père de l'Église et auteur des fameuses *Confessions* et de *La Cité de Dieu*. La Tunisie musulmane a vu éclore le génie des penseurs et théologiens Sahnun (777-854) et Al-Qaysi (966-1045), l'œuvre du grand médecin Ibn al-Jazzar (mort en 1067), les études critiques d'Ibn Charaf et d'Ibn Rachiq, et, surtout, les *Prolégomènes* du grand historien Ibn Khaldun (1332-1406), l'un des pionniers de la sociologie. Abou Ali al-Houssari (1029-1095) a transformé, quant à lui, la poésie et la lexicologie arabes, tout comme Ibn Mandhour (1233-1311), auteur d'un remarquable dictionnaire littéraire de la langue du Coran, *Lisân al-Arab*. Enfin, c'est à Ibn al-Fadhl Nefzaoui que l'on doit le *Jardin parfumé*, un audacieux traité d'érotologie rédigé au XIIe siècle.

Penseurs modernes

C'est de cette lignée de penseurs novateurs que se réclament les intellectuels tunisiens contemporains. Citons d'abord Tahar Haddad (1899-1935), auteur de *La Femme dans la loi musulmane et la société*. Son appel à la séparation du religieux et du politique, à l'émancipation de la femme et à la généralisation de l'enseignement inspira le Code du statut personnel du président Habib Bourguiba. Faisant la même relecture des textes fondateurs de l'islam, l'historien et islamologue Mohamed Talbi (né en 1921) prône une réactualisation de la charia. Mohamed Charfi (1936-2008), ancien ministre de l'Éducation, lui emboîte le pas avec *Islam et Modernité* (1998), approche tolérante et ouverte de cette religion. Abdelmajid Charfi, son cousin, s'attache à un travail plus profond en dénonçant les déviations théologiques par rapport au texte coranique. *Le Coran en bande dessinée* de Youssef Seddiq (né en 1943) souleva un tollé en 1992. C'était, en effet, le premier ouvrage pédagogique qui obligeait le lecteur musulman à quitter l'apprentissage linéaire du Coran pour le découvrir dans un espace tabulaire et des bulles ! Sa publication valut à l'auteur une fatwa des autorités religieuses, qui lui reprochaient d'avoir désacralisé la figure prophétique. Moins provocatrice, mais essentielle, *La Grande Discorde* (1990) de l'historien Hicham Djaït (né en 1935) donne une lecture exhaustive des schismes et des guerres qui ensanglantèrent l'Arabie après la mort de Mahomet et dont les répercussions se font encore sentir de nos jours. C'est dans cette lignée que s'inscrivent *La Sexualité en Islam* (1975) d'Abdelwahab Bouhdiba (né en 1932) et *La Nuit brisée* (1988) de Fethi Benslama, ouvrages qui ont ouvert la voie de la psychanalyse en terre musulmane. Citons enfin *Le Portrait du colonisé* (1957) d'Albert Memmi (né en 1920) et *Le Désenchantement national* (1982) de Hélé Béji (née en 1948), essais qui ont marqué la pensée sociopolitique.

Littérature

Les auteurs d'expression latine

La Tunisie antique a donné à la littérature mondiale de grands auteurs d'expression latine. Ainsi, Térence (v. 185-159 av. J.-C.), dont les comédies de mœurs (*L'Andrienne*, *L'Eunuque* et l'*Heautontimoroumenos*) inspirèrent Molière, entre autres, demeure l'un des plus grands dramaturges de tous les temps. Parmi les pères de la littérature tunisienne figurent aussi le Berbère Apulée (125-v. 180), auteur du roman *L'Âne d'or*, les poètes Manilius (Ier s.) et Terentianus Maurus (193-235).

Les modernes

À la période classique s'illustrèrent surtout des théologiens et des essayistes. La littérature tunisienne moderne, placée sous une double influence arabe et française, ne jouit pas d'une grande notoriété internationale. C'est pourtant le romancier Béchir Khraïef (1917-1983), auteur de *Régimes de dattes*, qui redonna souffle au roman arabe dans les années 1930 en introduisant le dialecte dans la langue classique et en ouvrant la voie au "roman réaliste". Ali Douaji (1909-1949) est le précurseur de la nouvelle. Cet écrivain naturaliste et satiriste a eu pour successeurs Mustapha Fersi, Mohamed Laroussi Metoui, Mohamed Salah Jabri et, surtout, Mahmoud Messaadi (1911-2004), dont le roman philosophique *Le Barrage* demeure un monument de la littérature arabe. Dans les années 1960, des intellectuels progressistes comme Salah Garmadi (1933-1982) introduisent le fantastique et la révolte en littérature et forgent une écriture expérimentale mêlant langue savante et expressions populaires, rêve et réalité, destin collectif et parcours individuel. Écrivain et dramaturge prolifique formé à l'école brechtienne, Ezzeddine Madani conteste encore plus violemment le style classique. Ces iconoclastes vont inspirer la prose crue et insoumise d'un Hassouna Misbahi et le ton caustique d'un Hassan Ben Othmane.

De la poésie...

Les Tunisiens considèrent Abou el-Kacem Chebbi (mort à 25 ans en 1934), comme leur poète national, mais c'est du côté de ses successeurs qu'il faut chercher une rupture avec la facture classique et une métrique sans entrave. C'est ainsi que Tahir Hammami, Moncef Louhaybi et Mohamed Ghozzi s'éloignent des thèmes de la lutte nationale pour donner à leur œuvre une dimension lyrique, voire cosmique. Les poétesses Fadhila Chabbi et Jamila Majri se sont imposées dans un registre jusque-là exclusivement masculin.

PANORAMA

Toutefois, la voix la plus âpre de la poésie tunisienne contemporaine est celle de Seghaïr Ouled Ahmed. Ce poète qui a la fibre contestataire d'Al-Moutanabbi et le ton irrévérencieux d'Abou Nouwass renoue avec la tradition arabe des écrivains maudits.

Le roman en langue française

Si les écrivains tunisiens de langue française ne bénéficient pas de la même notoriété que leurs confrères algériens et marocains, c'est probablement parce que leur prose est moins "connotée" et plus universelle. À preuve, les romans de Mustapha Tlili, tels *La Rage aux tripes* et *La Montagne du Lion*, ceux d'Abdelawahab Meddeb, de Faouzi Mellah, de Nine Moati et de Moncef Ghachem. Certains, tels Ali Bécheur et Moncef Ben Mrad, ont volontiers recours à la parabole et au fantastique pour décrire librement les maux de la société. Majid el-Houssi, Fawzia Zouari, Tahar Bekri, Amina Saïd et d'autres écrivains expatriés en Europe abordent les thèmes de l'exil, de la réminiscence ou de l'"entre-deux" culturel. À noter que l'un des plus fins historiens de cette littérature est Jean Fontaine, grand arabisant et chroniqueur hors pair du moindre événement ou fait littéraire tunisien. L'on peut également consulter les anthologies et études critiques de Taoufik Baccar et de Tahar Bekri.

Théâtre

Le théâtre tunisien jouit d'une aura certaine dans le monde arabe. Dès les années 1960, une politique volontariste introduit l'activité théâtrale dans les collèges et lycées, suscite la naissance de nombreuses troupes et donne un coup de fouet au théâtre régional. L'heure de gloire arrive avec le grand dramaturge Ali Ben Ayed à Tunis et Moncef Souissi au Kef. Les expériences du Nouveau Théâtre, créé par Mohamed Driss, vont recourir au dialecte tunisien pour traiter des mutations sociales et des insuffisances politiques dans *La Noce* (1976), *L'Instruction* (1977) et *L'Héritage* (1976). Elles feront école avec le Théâtre organique, le Théâtre Phou et le théâtre de la Terre. Aujourd'hui, le 4e art tunisien compte des metteurs en scène de notoriété internationale, comme Fadhel Jaïbi, Taoufik Jebali, Fadhel al-Jaziri, et des comédiens de talent, tels Lamine Nahid et Jalila Baccar.

Musique

De toutes les formes d'expression artistique tunisiennes, la musique est la plus répandue et peut-être la plus chargée d'émotion. Classique ou populaire, profane ou religieuse, elle est omniprésente, et elle participe, avec la danse, à toutes les cérémonies qui accompagnent les grandes étapes de la vie.

Le *malouf*

Qui dit musique tunisienne dit *malouf*, un genre proche du *chaabi* algérien et du *malhoun* marocain, mais qui s'en distingue par la grande précision de ses arrangements. Introduit par la communauté judéo-arabe expulsée d'Andalousie au xve siècle, il supplanta rapidement les autres répertoires, s'imprégna de rythmes berbères, s'enrichit d'apports ottomans et devint la musique courante des Tunisiens. D'où son nom de *malouf*, "ce qui est fidèle à la tradition". Le *malouf* se compose de treize *nouba*, ou suites, qui alternent chants et pièces instrumentales, mouvements lents et rapides, selon un ordre donné. L'orchestre est constitué d'instruments à percussion (darbouka, tambourin, timbales), d'instruments à cordes comme le luth, le violon et la cithare, et de flûtes. Les paroles relèvent d'un répertoire poétique très ancien et souvent anonyme. Faute d'un système de notation, la transmission de ce patrimoine musical s'est faite oralement jusqu'au XXe siècle. Il fallut attendre la tenue du Ier Congrès de musique arabe au Caire, en 1932, et la fondation de l'association musicale la Rachidiya, en 1937, pour que l'on entreprenne sa transcription et sa sauvegarde. C'est de la Rachidiya que sont issus les meilleurs compositeurs et interprètes du malouf, tels Khemayyes Ternane (1894-1964) et le virtuose du luth Tahar Gharsa (1933-2003). Les compositions d'Ahmed el-Wafi (1850-1921) et de Sayed Chatta (1897-1985) témoignent d'une influence de la musique des pays du Machrek, Égypte et Syrie notamment.

La chanson populaire

La chanson populaire citadine et rurale, en arabe moderne, est un autre grand genre illustré par les compositions de Ridha Qalaï, de Salah el-Mahdi, d'Ouannes Krayem et d'Abdelhamid Sassi dans les années 1960. Il faut y ajouter la chanson judéo-arabe, représentée par les frères Bardaa et Cheikh el-Ifrit (1884-1939).

LES GRANDES CHANTEUSES Si Habiba Messika donna également un nouveau souffle à la chanson judéo-arabe, c'est surtout elle qui, dans les années 1920, ouvrit la scène aux femmes, en imposant le solo et en faisant admettre le chant comme une prestation légale. Une véritable révolution dans une région où la tradition assimilait naguère toute artiste à une femme de mauvaise vie. Fadhila Khitmi, une musulmane, prit la relève, bientôt imitée par Fathia Khaïri, Hana Rached, Chafia Rochdi – vedette incontestée de la troupe nationale de la Rachidiya – et surtout Saliha (1914-1958), dont les romances sont restées gravées dans la mémoire collective tunisienne. Puis naît en 1992 un orchestre composé exclusivement de femmes – une première dans le monde arabe – sous l'égide d'Amina Srarfi, fille de l'illustre violoniste et compositeur Kadour Srarfi (1913-1977). Les chanteuses en vogue actuellement sont Amina Fakhet, Sofia Sadek et Latifa Arfaoui.

LES VEDETTES MASCULINES Parmi les musiciens et chanteurs tunisiens les plus célèbres, citons Hedi Jouini (1909-1990), Mohamed Jammoussi (1910-1992), Ali Riahi (1912-1970), Ridha Kalai et Raoul Journo. Avec Lotfi Bouchnak et Anouar Brahem, la musique tunisienne s'écarte de la tradition pour flirter avec le jazz et les musiques du monde.

Autres genres musicaux

Outre le *malouf* et la musique populaire moderne, on peut distinguer deux grands genres musicaux : le chant sacré d'inspiration soufie et la musique folklorique (chants accompagnés de percussions et d'instruments à vent). Le chant religieux est sorti du cercle d'initiés auquel il était resté confiné grâce à Fadhel Jaziri. Les processions géantes, Hadhra et Nouba, montées en spectacle par ce metteur en scène de théâtre et de cinéma restituent le patrimoine mystique tunisien à l'aide d'instruments modernes et de techniques élaborées.

Cinéma

La Tunisie fait une entrée précoce dans le monde du 7e art grâce à Albert Samama-Chikli, ami des frères Lumière, qui organise les premières projections cinématographiques à Tunis en 1897, puis tourne deux courts-métrages, *Zohra* en 1922, et *La Fille de Carthage*, en 1924. En 1950, un instituteur de province, Tahar Cheriaa, fonde la Fédération tunisienne des ciné-clubs (FTCC), la première d'Afrique. En 1957 est mise sur pied la première société nationale de production, la Satpec. Il faut toutefois attendre les années 1960 et la création d'un ministère de la Culture pour que naisse un cinéma national. L'ouverture de la première salle d'art et d'essai, Le Globe, la sortie du long-métrage *L'Aube*, d'Omar Khlifi, l'inauguration d'un complexe industriel de cinéma à Gammarth et la première session des Journées cinématographiques de Carthage (JCC), à l'initiative de Tahar Cheriaa, marquent les années 1965-1967. Dans les années 1970 et 1980 se font remarquer Ridha Behi (*Soleil des hyènes*), Naceur Ktari (*Les Ambassadeurs*), Abdellatif Ben Ammar (*Une si simple histoire, Aziza*), Taïeb Louhichi (*L'Ombre de la Terre*), Nacer Khemir (*Les Baliseurs du désert*) et Mahmoud Ben Mahmoud (*Traversées*). Les années 1990 propulsent le cinéma tunisien au sein des palmarès. Reconnu comme le "cinéma phare du monde arabe", il doit son succès au traitement de thèmes jusqu'alors tabous, comme l'homosexualité, le viol, la frustration sexuelle ou la communauté juive. Des images qui, par leur "licence", déchaînent les foudres d'une certaine presse arabe, imposent les noms de Nouri Bouzid (*Bezness*), Férid Boughedir (*Halfaouine*), et Moufida Tlatli, dont *Les Silences du palais* seront projetés sur les écrans du monde entier. Saluons également le travail de Nidhal Chatta (*No Man's Love*), dont le symbolisme esthétique et la quête existentialiste rejoignent le cinéma européen en ce qu'il a de plus intimiste et confirment le fait que le 7e art tunisien a consacré la naissance de l'individu dans le monde arabe.

Peinture

On peut considérer la mosaïque comme l'art premier de la Tunisie. Elle ornait, en effet, les monuments publics, les demeures carthaginoises et romaines, et en constitue les plus remarquables vestiges. La majeure partie de ce patrimoine, l'un des plus riches du monde, est conservée au musée du Bardo, à Tunis. Vient ensuite la peinture sous verre, plus populaire et plus imagée, dont Sadika Kamoun a remis à l'honneur l'une des variantes, le verre soufflé, dans son grand atelier de Gammarth (cf. GEORégion Tunis et ses environs).

NAISSANCE DE LA PEINTURE DE CHEVALET Tunis la découvre le 1er mai 1894, lors du premier Salon de peinture tunisienne. Cette manifestation inaugurée par le résident général se renouvellera avec succès jusqu'à la veille de la Grande Guerre. Seul problème : aucun peintre tunisien de souche n'y participe ! De fait, l'islam prohibant toute représentation humaine, les artistes tunisiens se sont cantonnés jusque-là, à l'instar de leurs coreligionnaires, à la calligraphie et aux arts décoratifs. Mais voilà qu'ils découvrent les travaux des peintres dits "coloniaux" établis en Tunisie, tels Pierre Boucherle, Alexandre Roubtzoff, Henri Gustave Jossot, Moïsès Lévy et Jules Lellouche. De plus, les expatriés européens initient l'aristocratie locale à la peinture de chevalet. La cour beylicale et les notables tunisiens commencent à se faire immortaliser en costume d'apparat par les peintres étrangers. Au début du xxᵉ siècle, des artistes européens comme Paul Klee et August Macke visitent la Tunisie, sillonnent ses campagnes et en captent la lumière sur leur toile. C'est ainsi que des musulmans décident de manier le pinceau à l'européenne, poussant l'audace jusqu'à reproduire des êtres humains et des scènes de la vie quotidienne. Ils s'appellent Ben Osman, Hédi Kayachi (deux portraitistes de la cour beylicale) et Abdelwahab Jilani, dit Abdul, dont la facture réaliste rencontre un vif succès. Le coup de force contre l'imagerie figée de la peinture orientaliste européenne n'aura lieu, cependant, que dans les années 1920, quand une élite influencée par la peinture moderne va s'essayer à l'expressionnisme et au symbolisme. En 1923 est fondé un Centre d'enseignement d'art, qui deviendra l'École des beaux-arts de Tunis sept ans plus tard.

LES MODERNES Dans les années 1960 s'affirme une génération formée dans les ateliers et les universités européennes, qui s'illustre dans tous les styles : renouveau des techniques figuratives (Mahmoud Sehili, Habib Bouabana), approche surréaliste (Belgacem Lakhdar, Gouider Triki), abstraction (Néjib Belkhoja, Mahmoud Sehili, Rafik el-Kamel). Nja Mahdaoui et d'autres font de la calligraphie la base de leur recherche formelle. Abderrazak Sahli est le premier à transformer ses expositions en happenings. Les femmes ne sont pas en reste : les toiles de Feriel Lakhdar, de Meriem Bouderbala, d'Asma Mnaouar et de Rim Karoui ajoutent à la richesse d'une peinture qui, d'une façon globale, attend un écho international largement mérité.

L'école de Tunis

En 1949, naît l'école de Tunis, dont le "saint patron", Ammar Farhat (1911-1988), va enraciner la peinture dans la culture tunisienne. Yahia Turki, le premier à vivre de son art, appartient à cette école, tout comme Ali Ben Salem et Amara Debbèche. D'autres peintres les y rejoindront, tels Azzabi, Rafik El-Kamel, Chakroun et Brahim Dahak. Se réappropriant le patrimoine musulman de la miniature et des motifs floraux, Ali Ben Salem, Gorgi, Jalel Ben Abdallah, Ali Bellagha et Zoubeir Turki créent un univers où dominent un inventaire du patrimoine décoratif, le portrait miniaturiste et un espace onirique très personnel.

PANORAMA

Festivals

Avec plus de 400 festivals par an, dont 360 pour la seule période estivale, la Tunisie détient le record des rendez-vous culturels du pourtour méditerranéen. Chaque agglomération organise son *mahrajane* pour célébrer son histoire, son folklore ou la mémoire de ses saints. L'été, petites et grandes villes s'animent dès la tombée de la nuit pour le rituel de la sortie en famille, la *kharja*. Des voitures municipales, munies de micros, sillonnent les artères pour annoncer le programme et, bientôt, converge vers la grand-place, le théâtre ou la maison de la culture une foule pressée avec, sous le bras, une chaise pliée, un coussin ou une petite laine. Car le Tunisien est porté sur la fête, bon public s'il en est, et nombre d'artistes du Machrek lui doivent leur notoriété. Les festivals de Carthage et de Hammamet (théâtre, danse, musique et chant) sont les plus anciens et les plus cotés. Tabarka séduit les fans de jazz, tandis que les amateurs de musique classique se retrouvent dans l'amphithéâtre d'El-Djem. La perle du Sahel, Sousse, fête chaque année son très ancien Festival d'Aoussou (musique et folklore), tandis que dans le Sud, le Festival d'Ulysse, à Djerba, rivalise avec celui de Douz pour présenter le quotidien des gens du désert et leurs dépaysantes traditions millénaires. Enfin, le Festival de Mahrès, consacré aux arts plastiques, est devenu un rendez-vous incontournable de la peinture. Deux autres événements marquent la vie culturelle tunisienne : les Journées cinématographiques de Carthage, le plus vieux festival des cinémas arabe et africain, qui a lieu tous les deux ans en alternance avec les Journées théâtrales de Carthage. Enfin, à Tunis, lors du mois de ramadan, le Festival de la Médina permet d'écouter les tubes du moment et les grands classiques profanes ou sacrés.

Gastronomie

Couscous à l'agneau, bricks à l'œuf ou au thon, *chakchouka* (ratatouille aux poivrons, tomates, oignons et œufs), poisson arrosé d'huile d'olive figurent parmi les plats emblématiques de la cuisine tunisienne. Mêlant traditions berbère, arabe, juive, italienne et espagnole, cette dernière fait de chaque moment de la journée une occasion de manger : de la *bsisa*, à base de céréales et de miel, du matin, au *lablabi*, plat du pauvre à base de pois chiches devenu l'encas des jeunes à la sortie des boîtes de nuit.

ENTRÉES Les légumes de saison remplissent les assiettes de savoureuses entrées : fenouil et radis l'hiver, tomate, concombre et poivron l'été. Les salades crues tout autant que la *méchouia* (mélange de tomates et de poivrons grillés) assaisonnés d'huile d'olive et de citron sont un régal. Les soupes à base de grains d'orge ou de pâtes de blé dur (*hlalem*) sont appréciées quand il fait froid ou lors de la rupture du jeûne.

VIANDE ET POISSON Ils se consomment grillés, frits ou sous forme de ragoûts longuement mitonnés. Le record est détenu par la *mloukhia*, plat de viande de bœuf ou d'agneau et de poudre de corète (une plante aromatique), qui mijote pendant sept heures ! Ce qui réserve cette recette aux grandes occasions comme l'Aïd. Assurément les plus épicés du Maghreb, les plats tunisiens se passent rarement de harissa, invitée de toutes les *marqa* (sauces), qu'elles soient aux petits pois, aux pommes de terre, aux artichauts ou aux gombos. Le goût des boulettes de viande ou des sardines s'en trouve également rehaussé. Si les gens du Nord-Ouest sont de grands consommateurs de viande d'agneau, les Sahéliens ont une prédilection pour le poisson, qu'ils accommodent de façons diverses, du loup grillé, humecté d'huile d'olive et de cumin, au couscous au mérou, à la matelote de crevettes et de calamars cuite en gargoulette. Les volailles sont à la portée de toutes les bourses, et les œufs donnent l'*ojja*, une omelette au coulis de tomate qui fait le bonheur des ménagères pressées. La cuisine juive enrichit cette carte de spécialités comme l'*akoud* (ragoût de tripes à la tomate), le "complet poisson" (mulet ou thon frit accompagné d'un œuf, de frites, de tomates et de poivrons poêlés), ou la *bkeila*, ragoût de bœuf aux épinards frits. Tous ces plats sont précédés de la fameuse *kamia*, un assortiment de légumes crus, marinés ou en purée, d'olives, de fèves, de pistaches et d'amandes qui "ouvrent" l'appétit. Gros mangeurs de pain comme leurs voisins italiens, les Tunisiens le préparent sous plusieurs formes et avec divers ingrédients – graines de sésame, orge, graisse pimentée –, surtout dans le Nord-Ouest, grenier de la Rome antique où l'on compte pas moins d'une vingtaine de pains différents.

DESSERTS Les nombreuses sucreries turques dont les Tunisiens ont hérité et les spécialités d'origine berbère garnissent la plus belle table de pâtisseries du Maghreb. Ainsi, les baklavas et autres gâteaux à base de pistaches et de pignons (prisés des citadins) voisinent-ils avec le *makroud* (gâteau de semoule fourré aux dattes et trempé dans le miel) et la *ghraïba* (gâteau à base de farine de blé, de pois chiches ou de sorgho), qui font partie du patrimoine national. Les *assida*, crèmes onctueuses de sorgho ou de poudre de pignons grillés, sont servies lors du mois de ramadan et pour commémorer la naissance du Prophète.

BOISSONS En été, quand pastèques et melons ne suffisent pas à étancher la soif, on peut boire une citronnade ou un sirop d'orgeat. Les oranges locales, appelées maltaises, sont très juteuses, tout autant que le lime, un citron doux. Signalons deux boissons alcoolisées typiquement tunisiennes : le *legmi*, un vin de palme, et la *boukha*, une eau-de-vie de figue. Le Nord, et plus particulièrement la presqu'île du cap Bon, fournissent de bons vins. Le kelibia, un blanc sec et fruité, accompagne fort bien le poisson et les fruits de mer. Les rouges charnus de l'AOC Grand Cru Mornag se boivent avec des viandes ou du gibier. L'AOC Côteaux de Tebourba produit aussi de bons rouges, tel le Magon, et les domaines de Saint Augustin (AOC Sidi Salem) donnent d'excellents rosés.

PANORAMA

GÉOPRATIQUE

Bédouins et dromadaires, près de Ksar Ghilane (p.383).

INFORMATIONS
UTILES DE A À Z

PRATIQUE

ALLER EN TUNISIE EN AVION

de France

Tunisair La compagnie relie Paris-Orly à Tunis (3 vols/j.), Djerba, Monastir, Sfax, Tozeur. Comptez 2h25 de vol. AR Paris-Tunis à partir de 202€ en offre spéciale. Également des vols pour Tunis à partir de Lyon, Marseille, Nice, Strasbourg, Toulouse, Bordeaux. *Rens.* www.tunisair.com 15, av. Friedland 75008 Paris Tél. info. 0820 044 044

Air France Propose 5 vols/j. Paris-Tunis (2h35). AR à partir de 242€ au tarif J-42. Départs possibles de Marseille, Lyon, Nice et Toulouse. Renseignez-vous bien sur les tarifs appliqués par Air France : gamme "Évasion" pour les vols en Europe et au Maghreb (J-42, J-30, J-21). Par ailleurs, des tarifs préférentiels sont accordés aux moins de 25 ans, aux étudiants, aux couples, aux familles, aux seniors et aux enfants non accompagnés. Les cartes "Flying blue" et "Fréquence Jeune" permettent d'additionner des miles afin de bénéficier de billets gratuits (carte nominative valable sur les vols France et étranger). En ligne : promotions et aussi "Coup de cœur" le mer. matin (à partir de minuit) pour la semaine à venir. *Rens.* www.airfrance.com **France** Tél. info. 36 54 **Belgique** Tél. info. 070 22 24 66 **Suisse** Tél. info. 022 827 87 87 **Canada** Tél. info. 1800 667 2747

Transavia Cette nouvelle compagnie aérienne à bas coûts, indépendante au sein du groupe Air France-KLM et tournée principalement vers le bassin méditerranéen, a commencé son activité au départ de Paris-Orly en juin 2007. Elle assure des liaisons directes vers Djerba (AR à partir de 132€), Monastir et Tozeur. *Rens.* www.transavia.com **France** Tél. info. 0892 05 88 88 **Belgique** Tél. info. 027 106 421

de Belgique

Tunisair Un vol Bruxelles-Tunis tlj. sauf mer. et dim., et 1 vol Bruxelles-Djerba le mar. et le sam. Un vol Bruxelles-Monastir le sam. Comptez 2h40 et à partir de 255€ l'AR. *Rens.* www.tunisair.com Av. Louise 182, 1050 Bruxelles Tél. 02 627 0550/51/52/53

de Suisse

Tunisair Des vols pour Tunis à partir de Genève (tlj. sauf mer.) et de Zurich (mer. et sam.). Vols pour Djerba à partir de Genève et de Zurich le sam. Billet AR Genève-Tunis à partir de 281€, 1h50 de vol. *Rens.* www.tunisair.com 5, rue du Mont-Blanc, 1201 Genève Tél. 0840 07 07 07

du Canada

Air Canada Il n'y a pas de liaisons aériennes directes entre le Canada et la Tunisie. Se renseigner pour une correspondance à Paris (cf. "de France"). Montréal-Paris : 7h de vol. *Rens.* www.aircanada.com Tél. info. 1888 247 2262

mesures de sécurité pour le bagage en cabine

Rappelons que, lorsqu'ils passent aux points de contrôle de sécurité des aéroports européens et canadiens, les voyageurs peuvent avoir en possession des produits liquides (gels, substances pâteuses, lotion, contenu des récipients à pression, dentifrice, gel capillaire, boissons, potages, sirops, parfums, mousse à raser, aérosols...) à condition que les contenants ne

ÉCRIVAINS VOYAGEURS

an O'Brien
es bisons
e Broken Heart

Olivier Germain-Thomas
Le Bénarès-Kyôto

David Fauquemberg
Nullarbor

Nicolas Bouvier
Le vide et le plein

PRIX RENAUDOT ESSAI
2007

PRIX NICOLAS BOUVIER
2007

folio
vous lirez loin

PRATIQUE

dépassent pas, chacun, 100ml ou 100g et qu'ils soient regroupés dans un sac en plastique transparent à fermeture par pression et glissière, bien scellé, d'une capacité maximale de 1l (environ 20cmx20cm). Les articles ne doivent pas remplir le sac à pleine capacité ni en étirer les parois. Un seul sac est permis par personne. Les aliments pour bébé et le lait, quand les passagers voyagent avec un enfant de deux ans ou moins, de même que les médicaments vendus sur ordonnance et les médicaments essentiels en vente libre ne sont pas soumis à ces restrictions. Nous vous conseillons donc de placer dans vos bagages de soute, avant l'enregistrement, tous les produits liquides dont vous n'aurez pas besoin en cabine.

ALLER EN TUNISIE EN VOITURE

De France, de Belgique et de Suisse, il s'agit de rejoindre le port de Marseille pour y prendre un ferry à destination de la Tunisie.

de France

De Paris, il faut suivre l'A6 jusqu'à Lyon, puis l'A7 jusqu'à Marseille (cf. "en bateau").

de Belgique

Rejoignez Dijon par l'A26 (via Reims et Troyes), ou par l'E25 (via Luxembourg) puis l'A31 (via Metz et Nancy), pour suivre l'A6 jusqu'à Lyon, puis l'A7 jusqu'à Marseille.

de Suisse

De Genève, il faut passer par Lyon ou Grenoble. Dans le premier cas, suivre l'A40, puis l'A42. À Lyon, emprunter l'A7 en direction de Marseille. Via Grenoble, suivre l'A41, puis l'A49 pour rejoindre Valence et l'autoroute A7.

formalités

Pour circuler dans l'Union européenne, munissez-vous des papiers du véhicule, de votre assurance responsabilité civile, de votre permis de conduire et d'une carte d'identité nationale ou d'un passeport.

ALLER EN TUNISIE EN BATEAU

de France

SNCM (Société nationale Corse Méditerranée)/CNT (Compagnie tunisienne de navigation) Liaisons Marseille-Tunis en général le jeu. (départ à 14h, arrivée le lendemain à 11h) et le sam. (départ à 11h30, arrivée le lendemain à 8h30) ; retour le mer. (départ à 11h, arrivée le lendemain à 8h) et le dim. (départ à 12h30, arrivée le lendemain à 10h30). AR 2 passagers + une voiture : 920€ env. *Rens.* www.sncm.fr www.ctn.com.tn *Tél. info.* 32 60

AMBASSADES ET CONSULATS

en France

Ambassade de Tunisie 25, *rue Barbet-de-Jouy 75007 Paris Tél. 01 45 55 95 98 www.amb-tunisie.fr*
Consulat général de Tunisie 17-19, *rue de Lübeck 75016 Paris Tél. 01 53 70 69 10 paris.cgt@wanadoo.fr ; 14, av. du Maréchal-Foch 69009 Lyon Tél. 04 78 89 21 07/93 42 87 cgt.lyon@wanadoo. fr ; 8, bd d'Athènes 13001 Marseille Tél. 04 91 50 28 68 cgt.marseille@ wanadoo.fr*
Également des consulats à Grenoble, Nanterre, Nice, Strasbourg et Toulouse.

en Tunisie

Ambassade de France *1, pl. de l'Indépendance 1000 Tunis Tél. 71 105 111 www.ambassadefrance-tn.org*
Consulat général de France *2, pl. de l'Indépendance 1000 Tunis Tél. 71 105 000 www.consulfrance-tunis.fr*
Maison de la France *9, av. Habib-Bourguiba, 3000 Sfax el-Bahr Tél. 74 221 533 Fax 74 296 362*
Ambassade de Belgique *47, rue du 1er-Juin 1002 Tunis-Belvédère Tél. 71 781 655 www.diplomatie.be/tunis*
Ambassade de Suisse *Immeuble Stramica Rue du lac d'Annecy 1043 Les Berges du Lac, Tunis Tél. 71 962 997 www.tunisie.ch*
Ambassade du Canada *3, rue du Sénégal 1002 Tunis Tél. 71 104 000 www.dfait-maeci.gc.ca/tunisia*

en Belgique

Ambassade de Tunisie *Avenue de Tervueren, 278, 1150 Bruxelles Tél. 02 771 73 95 amb.detunisie@brutele.be*
Consulat général *Bd Saint-Michel, 103, 1040 Bruxelles Tél. 02 732 61 02 cgtbxl@chello.be*

au Canada

Ambassade de Tunisie *515 O'Connor Street, Ottawa, Ontario K1S 3P8 Tél. (613) 237 03 30/32 Fax (613) 237 79 39*
Consulat de Tunisie *511, place d'Armes, suite n° 501, Montréal, Québec H2Y 2W7 Tél. (151) 4844 69 09 Fax (151) 4844 58 96*

en Suisse

Ambassade de Tunisie *Kirchenfeldstrasse 63, 3005 Berne Tél. 031 352 82 26/27 at.berne@bluewin.ch*

ARGENT, BANQUES ET CHANGE

monnaie

L'unité monétaire est le dinar tunisien (DT). Il se divise en 1 000 millimes. On trouve des pièces de 5, 10, 20, 50, 100, 500 millimes et de 1 et 5 dinars, et des billets de 5, 10, 20 et 30 dinars.

change

Selon le marché des changes interbancaires, 1 dinar (DT) vaut 0,52€ et 1€ = 1,92DT. On ne peut pas acheter de dinars hors de Tunisie. Bureaux de change en ville, dans les aéroports, les bureaux de poste et à la réception de certains hôtels. Le taux de change est partout le même. Devises et chèques de voyage s'échangent dans les banques tunisiennes avec une carte Visa ou Eurocard/Mastercard. Avant de quitter la Tunisie, on peut changer ses dinars restants contre des euros à concurrence de 30% de la somme introduite à l'arrivée, à condition d'avoir conservé tous les bordereaux délivrés par les banques, bureaux de change et distributeurs automatiques de billets.

cartes de crédit et chèques de voyage

L'usage des cartes de crédit est assez répandu. Les cartes de paiement internationales Visa, Eurocard/Mastercard et American Express (plus rarement) sont acceptées dans les grands hôtels et restaurants, les agences de location de voitures, les grands magasins et les boutiques agréées par l'Office de l'artisanat tunisien (Socopa). On trouve de nombreux distributeurs automatiques de billets dans les grandes villes et centres touristiques. Attention : chaque paiement par carte bancaire, chaque retrait d'espèces (aux distri-

PRATIQUE

PRATIQUE

buteurs de billets ou aux guichets de banque) est majoré d'une commission et d'un droit fixe. Pour éviter les mauvaises surprises, tâchez de ne pas multiplier les petits retraits bancaires. Les chèques de voyage sont généralement acceptés dans les magasins, hôtels et bureaux de poste.

TVA

Comptez 18% de taxe sur les produits et services courants, 29% sur les articles de luxe et 6% sur les produits de première nécessité (alimentaires).

ASSURANCES

assurance voyage, assistance

Il est conseillé de souscrire un contrat d'assurance assistance pour être dédommagé en cas d'annulation du séjour, de perte ou de vol de ses bagages et en cas de maladie – remboursement des frais médicaux engagés sur place et, au besoin, rapatriement sanitaire. Vérifiez qu'un tel service n'est pas déjà inclus ou proposé à moindre coût par votre assurance bancaire, mutualiste, automobile ou domestique. Les compagnies aériennes et les agences de voyages proposent aussi des contrats assurance-assistance. Éventuellement, vérifiez que l'assurance couvre les accidents liés aux sports à risques, telle la plongée.

Europ-Assistance 1, promenade de la Bonnette 92230 Gennevilliers Tél. 01 41 85 85 41 www.europ-assistance.fr

Mondial Assistance 2, rue Fragonard 75807 Paris Tél. 01 40 25 52 25 www.mondial-assistance.fr

BOISSONS

Bien que la consommation d'alcool soit considérée comme illicite (haram) par l'islam, on trouve assez facilement de la bière, du vin (tunisien uniquement) et de l'alcool de datte (Thibarine) ou de figue (boukha). Les cafés ne servent pas de boissons alcoolisées, mais certains restaurants et bars d'hôtel possèdent la licence requise. Il est déconseillé de boire l'eau du robinet. On trouve partout de l'eau plate, comme la Sabrine ou la Safia, les deux principales eaux minérales du pays. Veillez à ce que la bouteille soit décapsulée devant vous.

BUDGET

Le **budget minimum** par jour et par personne atteint 30DT/pers. pour une nuit au camping, un en-cas à midi (brick à l'œuf ou salade tunisienne), une visite et un repas complet le soir. Le **budget moyen** avoisine 70DT/pers. avec des repas plus copieux et un hébergement de bon standing comprenant le petit déjeuner. Comptez le double pour les **gros budgets**. À ce prix-là, on peut attendre un hôtel très confortable avec piscine, vue sur la mer et une très bonne table le soir. La voiture reste le moyen de transport le plus onéreux. Prévoyez 350-400€ la semaine de location pour une voiture de catégorie A, type Fiat Uno, avec

GAMME DE PRIX	RESTAURATION	HÉBERGEMENT
Très petits prix	moins de 5DT	moins de 15DT
Petits prix	de 5DT à 15DT	de 15DT à 30DT
Prix moyens	de 15DT à 25DT	de 30DT à 60DT
Prix élevés	de 25DT à 40DT	de 60DT à 100DT
Prix très élevés	plus de 40DT	plus de 100DT

kilométrage illimité. Le car ne vous coûtera que quelques dinars (environ 15DT pour le trajet Tunis-Gabès). Les louages (taxis collectifs) sont encore moins chers. Mais on y est moins à l'aise ! N'oubliez pas de réserver quelques dinars aux **pourboires**, à donner par exemple aux guides de village. Dans les souks, le **marchandage** est de rigueur. De façon générale, négociez les prix s'ils ne sont pas affichés. Toutefois, ne discutez pas pour quelques dinars, les mesquins ne sont pas toujours bien vus !

Les fourchettes de prix des **hébergements** s'entendent pour une chambre double avec petit déjeuner en haute saison (juillet-août). Les tarifs varient en fonction de la catégorie de l'établissement. N'hésitez pas à demander une remise en basse ou moyenne saison, surtout pour les longs séjours. Certains hôtels de luxe, qui souffrent de la crise du tourisme, consentent d'importantes ristournes saisonnières, notamment sur leurs forfaits chambres+cure de soins en thalassothérapie. Profitez-en ! Les gammes de prix des **restaurants** sont établies sur la base d'un repas (entrée et plat ou plat et dessert) sans la boisson.

CARTE D'ÉTUDIANT

Reconnue dans le monde entier, la carte internationale d'étudiant ISIC donne droit à des réductions sur les sites archéologiques, dans les musées et dans les transports à certaines conditions. Elle est délivrée aux étudiants, lycéens, collégiens (à partir de 12 ans) et adultes en formation à temps complet. On peut se faire établir la carte en justifiant de son statut, avec une photo d'identité et en payant 12€.
ISIC (International Student Identity Card) 2, rue de Cicé 75006 Paris Tél. 01 40 49 01 01 www.isic.fr

CARTES ET PLANS

cartes routières

La carte Michelin n°744 au 1/800 000 détaille le relief et le réseau routier tunisiens. L'IGN édite aussi une carte du pays (n°85044) au 1/750 000. On peut se contenter de la Michelin n°958 Algérie-Tunisie ou de la Kummerly & Frey (1/1 000 000), moins précises. Pour circuler sur les pistes du Sud tunisien, une carte indiquant les points GPS est nécessaire. L'ouvrage de Jacques Gandini, *Pistes du Sud tunisien à travers l'histoire* (éd. Extrem-Sud, www.extrem-sud.com), détaille plus de 50 itinéraires, avec le relevé de 870 points GPS.

plans de ville

Les offices de tourisme des grandes villes délivrent des plans de ville, souvent gratuits, mais hélas ! pas toujours à jour et dans l'ensemble assez approximatifs. La plupart des villes possèdent une avenue Habib-Bourguiba, à la fois axe principal et centre des commerces et des services. Une fois cet axe repéré, le travail d'orientation se trouve facilité !

CASINOS

On recense quatre grands casinos en Tunisie : le Grand Casino et le Cleopatra à Hammamet, le Caraïbes à Sousse et le Pasino à Djerba. Comme ces établissements n'acceptent que les devises, les Tunisiens – qui ne sont pas autorisés à en détenir – en sont exclus. Une pièce d'identité est exigée à l'entrée.

COURS DE LANGUE

L'apprentissage de la langue n'est pas facile : la lexicologie de l'arabe classique est très riche, et sa syntaxe

PRATIQUE

PRATIQUE

assez complexe, sans compter qu'il faut en assimiler l'alphabet. Autre défi à relever, la prononciation ! On peut tout de même apprendre phonétiquement quelques formules bien utiles pour entrer en contact avec les gens du cru, grâce à *L'Arabe tunisien de poche* (éd. Assimil, 8). Par ailleurs, l'Institut Bourguiba des langues vivantes, à Tunis, organise des cours d'initiation et de perfectionnement pour adultes, Tunisiens comme étrangers. On peut y apprendre l'arabe moderne standard, l'arabe tunisien et l'arabe spécialisé. Des sessions intensives sont organisées en été.

Institut Bourguiba des langues vivantes *47, av. de la Liberté, Tunis Tél. 71 832 418/923 www.iblv.rnu.tn*

DÉCALAGE HORAIRE

Depuis 2005, la Tunisie a adopté le système des heures d'hiver et d'été. Cependant, le passage à l'heure d'été s'effectue un mois après la France.

DÉSERT

Le Sahara tunisien, ou Grand Erg oriental (40 000km²), est composé pour l'essentiel de dunes douces de sable fin, ce qui en fait un milieu relativement confortable pour tous : familles avec enfants, novices et accros de l'aventure... Autre atout, Tozeur et Djerba sont à 2h30 de vol en moyenne de la plupart des grandes villes européennes. Et les temps de transfert entre les deux petits aéroports et les premières dunes ne sont pas démesurés. Ce qui permet de passer sa première nuit en Tunisie sous la voûte étoilée du désert ! On peut partir à la découverte du Grand Erg oriental à pied, à dos de dromadaire, en 4x4, à moto et même en quad. Mais une incursion dans le désert ne s'improvise pas. Pour des

questions de sécurité, il est vivement conseillé d'organiser l'excursion ou la randonnée en passant par une agence, soit dans son pays d'origine, soit sur place. Il est facile de planifier des périples de 1 à 15 jours, voire de 3 semaines, sur mesure... et de combiner un périple saharien avec un séjour balnéaire ou avec un circuit culturel en Tunisie.

conseils pratiques

POINTS DE DÉPART Les premières dunes du Grand Erg s'étendent à 80km au sud de Douz, ce qui en fait la ville la mieux placée pour servir de tête de pont à des excursions et la mieux dotée en agences organisatrices, nombreuses également à Djerba, Matmata ou Tozeur.

DURÉE Toutes les agences proposent des formules allant d'une journée à deux semaines. Une durée supérieure à deux semaines devra faire l'objet d'une demande et d'une organisation particulières. Une journée, c'est un peu court et il serait dommage de ne pas passer au moins une nuit dans le désert. Nombre d'agences proposent une formule avec une nuitée dans des campements de base, situés pour la plupart au sud de Douz.

QUAND PARTIR ? La "saison du désert" commence en octobre. De fin octobre à fin novembre, les nuits sont douces et les températures diurnes excèdent rarement 25°C. En décembre, mois le plus froid, les journées sont courtes, mais les luminosités diurne et nocturne sont superbes. La nuit, le thermomètre peut descendre à 0°C et, au petit matin, le givre recouvrir les collines. En janvier et surtout en février, des pluies épisodiques ne sont pas rares. Bon à savoir, l'hiver est aussi la saison où scorpions et vipères... hibernent ! Mars et avril sont nettement plus chauds (25°C-30°C) et, de mi-mars à fin avril, le vent peut provoquer des tempêtes de sable. C'est à cette époque que vous croiserez dans le Grand Erg oriental des Bédouins avec leurs troupeaux. Il est fortement déconseillé d'effectuer une randonnée de juin à septembre, les températures diurnes avoisinant souvent 50°C.

MATÉRIEL Faute de chaussures de randonnée, une bonne paire de tennis peut faire l'affaire. Prévoyez des sandales pour le bivouac. Chaussettes en laine, couteau, lampe frontale pour le dîner, quart pour boire, gourde isotherme, baume pour les lèvres, lunettes solaires, passe-montagne, polaire et bonnet pour la nuit (surtout l'hiver), chèche ou chapeau, sac de couchage (chaud l'hiver), petit sac à dos pour transporter quelques affaires dans la journée, très peu de vêtements pour voyager léger, papier hygiénique et briquet pour le brûler, quelques médicaments basiques (fébrifuge, antalgique, antidiarrhéique). Emportez aussi plusieurs sacs hermétiques pour protéger votre appareil photo du sable, des lunettes de vue plutôt que des verres de contact et prévoyez un peu d'argent liquide pour les pourboires des chameliers (environ 4€ par jour et par personne).

se déplacer dans le désert

La marche à pied est sans nul doute le mode de découverte le plus agréable, car on s'imprègne lentement du désert, de son silence et de sa sérénité, à raison de 6h de marche par jour en moyenne. Les bagages peuvent être transportés par des 4x4 que l'on retrouvera le soir au bivouac, ou par des dromadaires. Mieux vaut être un adepte de la marche ou s'être un peu entraîné avant de se lancer dans cette aventure. Ne confondez pas randonnée chamelière (l'excursion se fait à pied, mais des dromadaires assurent le transport des bagages) et méharée (randonnée à dos de dromadaire). Cette dernière permet de découvrir le désert au rythme des caravanes d'antan, tout en se ménageant de courtes promenades à pied pour se dégourdir les jambes. Attention, le pas chaloupé des dromadaires peut donner mal au cœur. En 4x4, on relie assez rapidement les lieux souhaités. Inconvénient majeur : on ne s'immerge pas vraiment dans le milieu désertique. Certains groupes traversent le Grand Erg à moto, parfois avec le soutien logistique d'une agence. Les agences organisent aussi de courtes balades en quad et même à cheval dans les dunes.

les sites

Des collines tabulaires et de rares points d'eau, dont le plus célèbre reste l'oasis de Ksar Ghilane, ponctuent le Grand Erg. Parmi les sites les plus spectaculaires – et les plus dépaysants – figurent Tembaïn, Houidet Erreched, Dekanis Gour, el-Kleb et El-Mida. La randonnée de Douz à Ksar Ghilane commence par la traversée de petites dunes jusqu'à Djebil. Cette première zone dunaire ne présentant pas un grand intérêt, on peut gagner Djebil en 4x4 et poursuivre à dos de dromadaire. De Djebil, il est possible d'effectuer d'autres parcours en boucle dans l'Erg. Autre colline tabulaire, le mont Tembaïn constitue un véritable "observatoire" sur la mer de sable et son point d'eau en fait un site idéal pour de beaux bivouacs. Via Tine Souane, on peut aussi rejoindre Houidet Erreched, "la Source". Ce lieu difficile d'accès mérite le détour pour son plan d'eau alimenté par une source chaude et cerné de tamaris et de roseaux que fréquentent de nombreux oiseaux. Dekanis el-Kébir, la "Grande Montagne noire", est un lieu de bivouac obligatoire, d'où que l'on vienne. Très souvent, les circuits de 15 jours se terminent dans le secteur de Bir Aouine, poste de contrôle militaire, où l'on peut profiter de la source chaude de Gelb el-Ahmar.

PRATIQUE

les prestataires

Les agences proposent de nombreuses formules et, surtout, organisent des circuits à la carte. La plupart assurent aussi les transferts entre les aéroports de Djerba ou Tozeur et le point de départ de la randonnée. Les prix varient selon la saison, le type d'excursion et sa durée. À titre indicatif, une randonnée chamelière pour un groupe de plus de 3 personnes coûte environ 60DT par jour et par personne hors transferts et, bien entendu, sans le vol. Une excursion de 24h avec une nuit dans les dunes (campement sous une tente bédouine ou à la belle étoile) revient à environ 45DT par personne. Douz et Tozeur comptent une vingtaine d'agences. On en trouve aussi à Kebili, à Nefta et à Matmata. Certaines ont une succursale à Djerba. En voici une sélection.

EN FRANCE
Club Aventure 18, rue Séguier 75006 Paris ; 2, rue Vaubecour 69002 Lyon Tél. 0826 88 20 80 www.clubaventure.fr
Déserts 30, rue Saint-Augustin 75002 Paris Tél. 01 55 42 78 42 www.deserts.fr
Nomade Aventure 40, rue de la Montagne-Sainte-Geneviève 75005 Paris ; 43, rue Peyrolières 31000 Toulouse ; 10, quai Tilsitt 69002 Lyon Tél. 0825 701 702 www.nomade-aventure.com
Sangho 28*bis*, rue de Richelieu 75001 Paris Tél. 01 42 97 14 00 www.sangho.fr
Terres d'aventure 30, rue Saint-Augustin 75002 Paris Tél. 01 43 25 69 37 Tél. 0825 700 825 www.terdav.com
Tamera 26, rue du Bœuf 69005 Lyon Tél. 04 78 37 88 88 www.tamera.fr

À DOUZ
Horizons Déserts Une agence sérieuse et bien organisée. Nombreux circuits en 4x4, à pied et à dos de dromadaire ainsi que des combinés désert-thalassothérapie… Campement saharien à 80km au sud de Douz en bordure du Grand Erg oriental, accessible en 4x4 (1h30 env.). 9, rue El-Hanine Tél. 75 471 688/788 www.horizons-deserts.com
Nefzaoua Voyages Bureau à l'hôtel du 20-Mars. Rue du 20-Mars Tél. 75 472 920 age.nefzaoua@planet.tn
Ramla Voyages Campement à Ksar Ghiliane. Rue du 7-Novembre Tél. 75 472 805 www.ramlavoyages.com.tn
Zaïed Travel Agency Spécialiste des randonnées chamelières. Dispose d'un campement à Nouïl. Avenue Taïeb-Mehiri Tél. 75 455 118 www.zaied-travel.com
La Mer des Sables Dispose d'un campement près de Zaafrane, au creux des premières dunes du Sahara. Hôtel Zaafrane **Zaafrane** (10km de Douz) Tél. 75 450 032 agence@lamerdessables.com

À TOZEUR
Tunisie Voyages Zone touristique Tél. 76 452 404 (Tunis) Tél. 71 205 500 www.tunisie-voyages.com
Hafsi Travel Propose une formule de 24h dans le désert avec une nuit dans les dunes à partir de 85DT par personne (6 pers. min.). Route de Nefta Tél. 76 452 611 Fax 76 452 549

DOUANES

La tolérance pour les produits exonérés de taxes (*duty free*) est de 1l d'alcool (ou 2 bouteilles de vin) et de 2 cartouches de cigarettes (ou 50 cigares) par personne. Les animaux sont acceptés avec un vaccin antirabique et un certificat de bonne santé. Assurez-vous que la direction de votre hôtel accepte les animaux. Une fiche de renseignements en deux volets vous sera remise dans l'avion. Conservez le second volet, il vous servira de carte d'identité en Tunisie. Le matériel photo ou vidéo ne nécessite aucune déclaration s'il n'est pas volumineux. L'importation de devises n'est pas limitée.

ÉLECTRICITÉ

Comme en France, le voltage est de 220V, même s'il subsiste quelques installations en 110V. Les prises sont au standard européen, c'est-à-dire à deux fiches rondes. Inutile donc d'emporter un adaptateur.

FÊTES, FESTIVALS ET JOURS FÉRIÉS

Aux fêtes laïques, qui suivent le calendrier grégorien (solaire), s'ajoutent des fêtes religieuses régies par le calendrier islamique (lunaire), qui fait débuter l'ère musulmane en 622, année de la fuite (hégire) du prophète Mahomet de La Mecque à Médine. L'année lunaire étant plus courte d'environ 11 jours que l'année solaire, les fêtes musulmanes sont avancées d'autant d'une année sur l'autre. Tributaire de l'apparition (visible à l'œil nu) de la nouvelle Lune, la date précise des fêtes et célébrations religieuses, peut varier d'un jour par rapport aux dates prévisionnelles.

Ras el-Am el-Hijri Le jour de l'An hégirien. Premier jour du premier mois (Mouharram).

Achoura La fête des Morts. Cette commémoration de l'assassinat de Hussein ibn Ali, petit-fils du Prophète, à l'origine du schisme entre musulmans sunnites et chiites, est célébrée le 10 du mois de mouharram.

Mouloud L'anniversaire de la naissance du Prophète est l'une des fêtes les plus importantes de l'année islamique. Elle a lieu le 12 de rabi-el-awal, troisième mois du calendrier musulman.

Ramadan Le 9e mois de l'année islamique est celui de la révélation du Coran à Mahomet. C'est un mois de jeûne et d'abstinence, du lever au coucher du soleil, obligatoire pour les musulmans dès la puberté. C'est aussi un mois de réjouissances, une fois la nuit tombée : les croyants peuvent enfin se restaurer, dans une atmosphère de fête. Les villes et villages, qui vivent au ralenti dans la journée, s'animent alors soudainement. Soyez prévoyants car beaucoup de restaurants sont fermés la journée, et les cigarettes ou l'alcool peuvent faire l'objet de restrictions.

Aïd es-Séghir ou Aïd el-Fitr La "Petite Fête" (Aïd es-Seghir) ou "fête de la Rupture" (Aïd el-Fitr) marque la fin du ramadan. Elle dure trois jours, qui sont fériés. L'occasion pour les Tunisiens de s'échanger des cadeaux et de faire la fête en famille.

Aïd el-Kebir (Grande Fête) ou Aïd el-Adha (fête du Sacrifice) Cette grande fête est donnée 70 jours après l'Aïd es-Seghir. Durant les festivités, on égorge un mouton en mémoire du sacrifice imposé à Abraham. C'est la période du hadj, le départ des pèlerins pour La Mecque.

PRATIQUE

calendrier

FÊTES RELIGIEUSES (dates prévisionnnelles)

	année 1431	année 1432	année 1433
Jour de l'An	18/12/2009	8/12/2010	27/11/2011
Achoura	27/12/2009	17/12/2010	6/12/2011
Mouloud	26/02/2010	16/02/2011	5/02/2012
Début du ramadan	11/08/2010	1/08/2011	20/07/2012
Aïd es-Séghir	10/09/2010	31/08/2011	19/08/2012
Aïd el-Kébir	17/11/2010	7/11/2011	26/10/2012

FÊTES LAÏQUES CHÔMÉES

Nouvel An	1er janvier
Fête de l'Indépendance	20 mars
Fête de la Jeunesse	21 mars
Fête des Martyrs	9 avril
Fête du Travail	1er mai
Fête de la République	25 juillet
Journée de la femme	13 août
Accession au pouvoir de Ben Ali	7 novembre

MANIFESTATIONS SPORTIVES

avril	**Sud du pays** Rallye Optic 2000 Tunisie (autos, motos, camions)
juillet	Saint-Tropez/Tabarka ou Saint-Raphaël/Tabarka Régate "Transméditerranée" (voile)
septembre	**Djerba** Régate internationale de planche à voile
octobre	**Kebili/Douz/Tozeur** Le Chott (montgolfières, ULM...)
novembre	**Chott el-Jerid** Les Foulées du Chott (marathon, VTT)
	Oasis du Sud Les Montgolfiades (montgolfières)

FESTIVALS

mars	**Îles Kerkennah** Festival des poulpes
avril	**Nabeul** Fête des orangers
	Tataouine Festival des ksour (arts et traditions populaires)
juin	**Bizerte** Festival de la chanson méditerranéenne
	El-Haouaria Festival de l'épervier (dressage, chasse, fantasias)
	Meknassy Festival de la cavalerie (course de pur-sang)
juin-juillet	**Testour** Festival international de Testour (musique arabe et andalouse)
juillet-août	**Bizerte** Festival international de Bizerte (musique, chant, danse)
	Carthage Festival international de Carthage (théâtre, musique et danse)
	Djerba Festival Ulysse (films historiques et légendaires)
	Dougga Festival de théâtre (antique et classique)
	El-Djem Festival international d'El-Djem (musique symphonique)

juillet-août	**Hammamet** Festival international d'Hammamet (théâtre, danse, musique)
	Îles Kerkennah Festival des sirènes (fête de la Mer)
	Mahres Festival de Mahres (arts plastiques)
	Monastir Festival de Monastir (théâtre, poésie et humour)
	Sfax Festival de Sfax (musique et arts populaires)
	Sousse Festival d'Aoussou (variétés, folklore)
	Tabarka Festival international folklorique (théâtre, danse et musique)
août	**Kelibia** Festival du film amateur (tous les 2 ans)
	Tabarka Festival de jazz
septembre	**Bulla Regia** Festival de Bulla Regia (théâtre, danse et musique)
octobre	**Acropolium** Octobre musical de Carthage (musique classique)
	Tunis Journées cinématographiques ou théâtrales de Carthage (tous les 2 ans)
novembre	**Djerba** Festival international de marionnettes
12 novembre	Journée nationale du tourisme saharien
décembre	**Douz** Festival international du Sahara (courses, fantasias)
	Kebili Festival de la cueillette des dattes
	Tozeur Festival des Oasis (courses, arts et trad. populaires)
ramadan	**Tunis** Festival de la Médina (théâtre, musique et danse)

PRATIQUE

HAMMAM

Les visiteurs ne pensent pas toujours à faire un saut au hammam. Ces bains de vapeur permettent de se refaire une santé dans un décor envoûtant et une atmosphère... torride ! Le but du hammam n'est pourtant pas tant de transpirer que de détendre le corps et de nettoyer la peau. Les hommes s'y rendent généralement le matin (6h-13h et le dim. 6h-19h) et les femmes, l'après-midi (lun.-sam. 14h-19h). Il faut penser à apporter sa serviette, son short ou son bas de maillot de bain, son savon, son gant de crin et ses tongs. Tous les hammams ne sont pas en mesure de dépanner les étourdis ! On peut aussi acheter ses brosses, ses *felaya* (peigne très fin), *kessa* (pierre ponce), *tassa* (gobelet de cuivre) et son *tfal* (shampoing à l'argile).

une tradition antique

Inspirés des bains grecs et romains, les hammams ont fleuri un peu partout en Tunisie. Pas une ville ni une bourgade qui ne possède son bain de vapeur ! Même les hôtels s'y mettent, pour répondre à l'attente des touristes. Contrairement aux thermes romains, les bains maures sont souvent de dimensions modestes, alliant voûtes basses et petits bassins pour les établissements les plus typiques, comme le hammam Kachachine de Tunis. La pratique du hammam s'est développée dans le monde arabe au VIIe siècle, quand le prophète Mahomet en fit l'apologie. Le "bain turc" répondait, en effet, parfaitement aux règles d'hygiène et de purification prescrites par l'islam. La chaleur des bains est fournie par un foyer, mais il arrive qu'on utilise aussi la chaleur de sources naturelles,

PRATIQUE

comme à Korbous, à Hammam Zriba, à El-Hamma (près de Tozeur) et à Kebili. Rappelons que la chaleur et l'humidité sont parfois contre-indiquées pour les personnes sujettes à des problèmes circulatoires, cardiaques ou dermatologiques. Avant une première visite au hammam, mieux vaut en parler à son médecin.

le rituel du hammam

Après s'être déshabillé dans la salle de repos, on revêt la *fouta* (sorte de paréo) avant de passer dans une succession de pièces de plus en plus chaudes : la salle tiède (*bet el-mtouasta*), le sudarium (*arraka*) et la salle très chaude (*beit el-skhoun*). Il convient de ne pas brûler les étapes... pour ne pas se brûler ! Veillez à vous asperger d'eau et à tremper vos pieds dans les bassines d'eau froide pour faire chuter la température du corps. Par ailleurs, ne restez pas debout : l'air chaud monte et se concentre dans la partie haute des pièces. Après une bonne sudation, on peut se faire masser dans la pièce tiède. Les masseurs (*tayeb* pour les hommes, *harza* pour les femmes) vous laveront et vous frotteront avec ardeur avec votre gant de crin. Certains ont leur propre gant en poil de chameau ou de chèvre (*kessa*). Les femmes peuvent se faire épiler au *sokor*, mélange de caramel et de citron. On termine enfin sa séance dans la salle de repos, où l'on s'allonge sur des couchettes. Attention : ne prévoyez pas de hammam si vous souffrez de coups de soleil. La séance coûte environ 2DT, le massage, le gommage et l'épilation étant en supplément.

HANDICAPÉS

La plupart des hôtels haut de gamme sont accessibles aux personnes à mobilité réduite et certains disposent de chambres spécialement aménagées. Le tableau est moins réjouissant dans les hôtels de moyenne et de basse catégorie. Les lieux publics et les sites touristiques sont loin d'être tous équipés. Pour en savoir plus, prendre contact avec la Fédération tunisienne de l'hôtellerie et, concernant les sites touristiques, l'Agence de mise en valeur du patrimoine et de la promotion culturelle (AMVPPC).

Fédération tunisienne de l'hôtellerie *62, rue d'Iran 1005 Tunis-Belvédère Tél. 71 847 200 www.fth.com.tn*

AMVPPC *Agence de mise en valeur du patrimoine et de la promotion culturelle 12, rue 8010 Montplaisir, 1002 Tunis, Belvédère Tél. 71 782 264 www.patrimoinedetunisie.com.tn*

HÉBERGEMENT

La Tunisie ne manque pas d'hôtels. Le tourisme flamboyant des années 1970 et 1980 a poussé les investisseurs à bâtir à qui mieux mieux et parfois en dépit du bon sens, comme à Djerba, Zarzis, Monastir, Sousse ou Hammamet. Citons Yasmine Hammamet, gigantesque zone hôtelière de 17 000 lits bâtie au sud de Hammamet... et boudée par les touristes. La crise que traverse le tourisme tunisien touche de plein fouet le marché de l'hôtellerie. Plus besoin d'attendre l'hiver pour trouver des couloirs vides et des plages désertes ! Certains établissements sont par conséquent contraints de revoir leurs tarifs à la baisse... ce qui permet de faire de bonnes affaires, surtout dans les 4-étoiles ! Le parc hôtelier offre toutes les gammes de prix et de confort dans les zones touristiques. En revanche, le choix est plus limité en dehors des circuits habituels. La grande majorité des hôtels sont ouverts toute l'année.

Les prix que nous indiquons dans ce guide comprennent une nuit en chambre double avec petit déjeuner, en haute saison.

hôtels

La classification établie par le ministère du Tourisme tunisien va de 1 à 5 étoiles, mais il ne faut pas trop s'y fier. Généralement, il faut enlever une étoile pour retomber sur les normes européennes. Certains hôtels ne méritent pas leurs quatre étoiles, d'autres en mériteraient une ou deux de plus, et certains établissements non classés se révèlent aussi tout à fait corrects. Les hôtels classés ont des prix fixes, qui doivent être affichés à la réception et dans les chambres. Ces prix peuvent varier du simple au double selon la saison, le pic étant atteint en juillet-août. N'hésitez pas à négocier, surtout hors saison. Des réductions sont souvent accordées aux enfants (-50% de 2 à 12 ans) et au troisième adulte (-30%). Dans les zones balnéaires, les hôtels offrent à peu près les mêmes prestations : des chambres avec vue sur mer, une ou plusieurs piscines, un accès direct à la plage (il n'existe pas de plage privée en Tunisie), des installations sportives et, pour les mieux équipés, un hammam, un centre de thalassothérapie, un miniclub et une discothèque. La plupart des hôtels ont leur(s) propre(s) restaurant(s) et proposent trois formules : logement avec petit déjeuner (LPD), demi-pension (DP), avantageuse pour les vacanciers sédentaires car guère plus chère que la formule LPD, et la pension complète (PC). En ville, demandez à visiter la chambre avant de poser vos valises. Les sommeils sensibles prendront garde à ne pas choisir un hôtel trop proche d'une mosquée : l'appel du muezzin vers 4h peut écourter la nuit !

appart'hôtels et *time sharing*

Les pensions de famille sont rares en Tunisie. En revanche, les appart'hôtels et appartements à jouissance partagée (*time sharing*) se développent dans les zones balnéaires. Les appart'hôtels sont des appartements à louer, comprenant une ou plusieurs chambres à coucher, un salon, une cuisine équipée et une salle de bains. Ils représentent une bonne solution pour les familles ou les groupes d'amis qui ont décidé de passer une semaine dans une région donnée. La prudence est recommandée avant de signer un contrat pour un appartement en *time sharing*. Les prestations ne sont pas toujours assurées et les affaires d'escroquerie jugées au tribunal se multiplient.

hôtels-clubs et villages-vacances

Les familles avec enfants choisissent bien souvent de passer leurs vacances dans ces grandes structures où tout est organisé : animations sportives et musicales, jeux, balades en calèche ou à dos de dromadaire, excursions en bateau à la journée, etc. Pour ne pas vous retrouver dans un établissement vieillissant et morne, faites un tour sur les sites et les forums Internet pour juger de l'état des bâtiments et des animations proposées. La plupart des hôtels-clubs sont installés sur les golfes de Tunis et de Hammamet, à Sousse, Monastir, Mahdia, Djerba et Zarzis.

auberges de jeunesse

Généralement localisées en ville, elles offrent un confort sommaire mais suffisant aux voyageurs à petit

PRATIQUE

budget. Les lits sont alignés dans des dortoirs, et les sanitaires collectifs. La plupart des auberges de jeunesse occupent d'austères bâtiments en béton, mais certaines jouissent d'un cadre magnifique, comme l'AJ Tunis, installée dans un vieux *dar* (demeure) de la médina.

anciens caravansérails et maisons troglodytiques

Loin des barres d'immeubles, certains hôtels proposent un hébergement original dans un cadre traditionnel. À Houmt Souk, sur l'île de Djerba, on peut ainsi loger dans d'anciens caravansérails (fondouks), tandis qu'à Matmata, si l'on veut, on passera la nuit sous terre dans de vieilles maisons troglodytiques. Le confort est souvent sommaire (oubliez eau, chauffage et électricité), mais l'expérience vous dépaysera à coup sûr ! De plus, elle est à la portée de toutes les bourses.

camping

Les campings sont rares en Tunisie et souvent excentrés. Dans les zones touristiques, ils peuvent être situés loin du bord de mer et, dans les agglomérations, loin du centre-ville. Si l'on y ajoute des équipements rudimentaires, des terrains durs et pas toujours bien ombragés et les risques de vol, le tableau n'est guère engageant ! Le Sud tunisien fait un peu exception. Douz, Tozeur, Kebili et Gafsa comptent quelques campings agréables, au sol sablonneux et ombragés de palmiers. Il faut les distinguer des "campements" (Douz, Ksar Ghilane), qui appartiennent généralement à des agences de voyages et où l'on occupe à la nuit, comme une chambre d'hôtel, l'une des tentes berbères montées pour

l'année. Pour plus d'exotisme, il reste le camping sauvage. Il est possible de camper sur certains terrains bien situés, mais avec l'accord du propriétaire, et de planter sa tente dans les dunes du désert, à condition d'avoir prévenu les autorités locales. Enfin, les excursions dans le Grand Erg oriental permettent de bivouaquer à la belle étoile. Le matériel est, dans ce cas, fourni par le prestataire du trek ou de la méharée.

HORAIRES

Le dimanche est le jour du repos hebdomadaire.

banques

Ouvertes en hiver du lundi au vendredi de 8h30 à 12h et de 14h30 à 17h. En été, du lundi au vendredi, de 7h à 14h30. Fermées les week-ends et jours fériés.

poste

Ouverte en été, du lundi au samedi, de 7h30 à 13h. Le reste de l'année, du lundi au jeudi de 8h à 12h et de 14h à 18h, et du vendredi au samedi, de 8h à 13h. Pendant le ramadan, du lundi au samedi de 8h à 15h. Certains bureaux assurent un service continu jusqu'à 18h.

bureaux et administration

Ouverts de 8h à 13h et de 15h à 18h en hiver. Les administrations ferment le vendredi après-midi, le samedi après-midi et le dimanche. En été, les bureaux et l'administration pratiquent la "séance unique" (journée continue) : ils ouvrent tôt le matin et ferment à 13h30 ou 14h. Pendant le mois de ramadan, ils ferment vers 14h (vendredi 13h).

boutiques et commerces

Les horaires varient sensiblement d'un magasin à l'autre. Certains artisans et commerçants considèrent le vendredi comme férié. Il ne faut donc pas s'étonner de voir des échoppes fermées ce jour-là. En haute saison, les magasins peuvent rester ouverts les dimanches et jours fériés. Pendant le mois de ramadan, les boutiques ferment au moment de la rupture du jeûne (au coucher du soleil) pour rouvrir ensuite jusque tard dans la nuit.

musées et sites touristiques

Les musées et sites sont le plus souvent fermés le lundi (parfois le vendredi), mais certains ferment le dimanche et sont ouverts le lundi. Ils ouvrent généralement de mi-septembre à mars.

INTERNET ET E-MAIL

On trouve sans trop de peine des cybercentres dans les principales villes. Ils sont signalés par des panneaux "Publinet". La connexion ne bat pas des records de vitesse et il n'est pas possible de consommer de boissons sur place, comme dans les cybercafés occidentaux. Les prix restent néanmoins très abordables (environ 1,50DT/h). Les hôtels de grand standing sont généralement équipés.

LA TUNISIE EN LIGNE

www.tunisietourisme.com.tn Le site de l'Office national du tourisme tunisien offre une manne d'informations très utiles pour préparer son séjour : hébergements, activités, transports, actualités...

www.tunisie.com Un autre site très complet, qui traite aussi bien de l'his-toire que de l'économie, de la culture, de la société et de l'environnement. À noter les liens sur les médias tunisiens et celui sur les plus belles mosaïques de Tunisie.

www.bab-el-web.com Ce portail assez complet traite de thèmes d'actualité grâce à une intéressante revue de presse.

www.radiotunis.com Le site de la radio nationale tunisienne diffuse son programme sur Internet. On peut ainsi écouter le journal du soir ou les tubes du moment.

www.artisanat.nat.tn Malgré une présentation austère, ce site présente l'histoire de l'artisanat tunisien (des tapis aux poteries) ainsi qu'une large banque de données avec les adresses de chaque artisan, par spécialité ou par région.

www.culture.tn Le site du ministère de la Culture dresse la liste des principaux festivals et expositions qui se déroulent en Tunisie. Également une présentation du cinéma et de la littérature nationale.

www.onh.com.tn Un site qui dit tout sur l'huile d'olive... tunisienne, bien sûr.

www.meteotunisie.com La météo de toute la Tunisie, de Bizerte à Remada, de Tozeur à Djerba, avec des prévisions sur 5 jours (cf. aussi www.meteo.tn).

www.yatounes.net Le Web Populaire Tunisien, ce site répertorie entre autres, les points Internet (Publinet) présents dans une vingtaine de villes tunisiennes. On peut également trouver des liens vers des pages culturelles, sportives ou pratiques.

PRATIQUE

PRATIQUE

MÉDIAS

presse écrite

Quatre des neuf quotidiens tunisiens sont publiés en français : *Le Quotidien* (www.lequotidien-tn.com), *Le Temps* (www.letemps.com.tn), *La Presse* (www.lapresse.tn) et *Le Renouveau* (www.tunisieinfo.com/LeRenouveau). Ce dernier est l'organe du Rassemblement constitutionnel démocratique (RCD), le parti gouvernemental. Ces quotidiens présentent l'essentiel de l'actualité nationale et internationale. On y trouve aussi des informations pratiques, comme les horaires de bus, de train, d'avion et de bateaux à Tunis (*Le Renouveau*). *La Presse* publie chaque vendredi un supplément balades intitulé "vadrouille". Notons également l'existence des hebdomadaires francophones *Tunis Hebdo* (www.tunishebdo.com.tn) et *Réalités* (www.realites.com.tn) et du bimensuel économique *L'Économiste maghrébin* (www.leconomiste.com.tn). Les nostalgiques de la presse française trouveront leurs quotidiens (*Le Monde*, *Le Figaro*, *Le Parisien*, *L'Équipe*, etc.) et magazines préférés dans les librairies des grandes villes et des sites touristiques.

radio

La RTCI (Radio Tunis Chaîne internationale) émet en français (98,6 et 92 MHz). Vous pourrez capter les programmes de France Inter, RMC et RFI la nuit sur un bon poste. La radio nationale (www.radiotunis.com) émet en arabe uniquement. Depuis 2003, une radio privée émet en Tunisie : Mosaïque FM, sur 94,7 MHz. Elle est concurrencée depuis 2005 par une deuxième radio privée, Radio Jawhara.

télévision

La chaîne nationale, TV7, diffuse des feuilletons, émissions, documentaires et bulletins d'information en arabe. Le public jeune regarde plutôt Canal 21 et son programme de jeux et de clips musicaux. Il existe également deux chaînes de télévision privées, Hannibal TV et Nesma TV. Pour plus de choix, il y a la parabole ! De fait, les Tunisiens apprécient les chaînes étrangères : Al-Jazira pour les informations dans le monde arabe, les chaînes généralistes françaises, TV5Monde, France 24, les chaînes musicales égyptiennes et libanaises... Notons que la chaîne italienne Rai Uno se capte par voie hertzienne. Attention, dans les hôtels, la réception n'est pas toujours fameuse.

OFFICES DE TOURISME

en Tunisie

Office national du tourisme tunisien (ONTT) *1, av. Mohammed-V 1001 Tunis Tél. 71 341 077 www.bonjour-tunisie.com*

en France

Office national du tourisme tunisien *32, av. de l'Opéra 75002 Paris Tél. 01 47 42 72 67 www.bonjour-tunisie.com*
Office national du tourisme tunisien *12, rue de Sèze 69006 Lyon Tél. 04 78 52 35 86 Fax 04 72 74 49 75*
Institut du Monde arabe (IMA) *1, rue des Fossés-Saint-Bernard, pl. Mohammed-V 75236 Paris Cedex 05 Tél. 01 40 51 38 38 www.imarabe.org Ouvert mar.-dim. 10h-18h Fermé 1er Mai Bibliothèque mar.-sam. 13h-20h*

en Belgique

Office national du tourisme tunisien (ONTT) *Galerie Ravenstein 60, 1000*

Bruxelles Tél. 02 511 1142 tourismetunisien @skynet.be

en Suisse

Office national du tourisme tunisien (ONTT) *Bahnhofstrasse 69, 8001 Zurich Tél. 01 211 48 30 Fax 01 212 13 53 info@tunisie.ch www.tunisie.ch*

au Québec

Office national du tourisme tunisien (ONTT) *1253 McGill College Bureau 655 Montréal Québec H3 B2 Y5 Tél. (514) 397 1182 tunisinfo@ qc.aira.com*

PHOTOGRAPHIE ET VIDÉO

On trouve facilement, dans tout le pays, des pellicules photo à bon marché. Vérifiez bien la date d'expiration des pellicules que vous achetez sur place. Veillez à ce qu'elles soient conditionnées dans des boîtes étanches, à l'abri du soleil. Pendant votre voyage, prenez soin de ne pas laisser votre appareil photo en plein soleil. Si vous comptez vous rendre dans le désert, prévoyez des sacs ou boîtes étanches pour protéger votre matériel du sable. Si vous emportez un matériel photo ou vidéo conséquent, n'oubliez pas de le déclarer à la douane. La forte luminosité en extérieur réclame des films peu sensibles (100 ASA), mais pour capturer l'atmosphère de pénombre des souks, prévoyez des pellicules plus sensibles (200 ASA et plus). Certaines règles de convenance sont à respecter : demandez l'autorisation des Tunisiens avant de les immortaliser, surtout dans les zones peu touristiques, comme le Sud-Est. Les Berbères, notamment, sont très réservés et acceptent rarement d'être photo-graphiés. Enfin, il est strictement interdit de photographier les bâtiments officiels et sites stratégiques (postes de police, postes militaires, gares et aéroports, etc.).

PLAGES

Les 1 300 km de côtes de Tunisie n'offrent pas tous le même visage. Les criques de la côte de Corail, au nord, n'ont pas grand-chose à voir avec les longs rubans de sable de Hammamet, de Djerba et de Zarzis. Parmi les plus belles plages, citons celles de Kelibia et de Mahdia pour leur eau turquoise, celle de Tabarka pour ses jolis fonds et celles des îles Kerkennah pour leur très beau sable fin et leur eau limpide. En revanche, la propreté des plages se dégrade dès qu'on s'éloigne des zones balnéaires. Nous vous déconseillons de vous baigner à proximité des villes à fort trafic maritime, comme Gabès, Sfax ou La Goulette. Le nudisme est formellement interdit. Mesdames, par décence et pour votre sécurité, gardez votre haut de maillot !

POIDS ET MESURES

La Tunisie a adopté le système métrique.

POSTE

Les timbres s'achètent dans les bureaux de poste et certains bureaux de tabac. Comptez 0,60 DT pour une carte postale envoyée à l'étranger. Le courrier met 4 ou 5 jours pour arriver en France s'il est posté dans une grande ville. Les grands bureaux disposent de fax, de distributeurs automatiques de billets et changent les devises. Pour les heures d'ouverture des bureaux de poste, reportez-vous à la rubrique "horaires".

PRATIQUE

POURBOIRE

Le pourboire est une coutume en Tunisie. Il constitue le salaire d'une foule de petits métiers : porteurs de bagages, gardiens de parking, guides, serveurs, etc. Ils comptent sur les quelques dinars que vous leur laisserez. Donnez en conséquence du service rendu. Généralement, on laisse 5 à 10% de la note dans les restaurants et les taxis.

QUAND PARTIR ?

L'une des premières destinations touristiques d'Afrique, la Tunisie est visitée tout au long de l'année. En hiver, seuls Djerba et le Sud, du côté de Douz et de Tozeur, bénéficient de températures diurnes réellement douces. Mais attention, les prix ont tendance à y flamber au moment des fêtes de fin d'année. Un bon ensoleillement et des températures agréables font d'avril-mai et de septembre-octobre les deux meilleures périodes pour visiter le reste du pays. L'été, la chaleur est étouffante dans l'intérieur et dans le Sud, mais les plages sont rafraîchies par la brise marine.

RESTAURATION

L'offre est variée. Pour quelques dinars, vous pourrez faire un excellent repas dans une gargote populaire. Au menu, des plats simples : salade *méchouïa*, *ojja*, couscous, *kamounia*, etc. Vous pouvez aussi manger sur le pouce des bricks et des fricassées, à des prix dérisoires. On trouve de bons restaurants de poissons sur la côte tandis que, dans les terres, la cuisine fait la part belle aux couscous et aux viandes (méchouis, *koucha*, etc.). Dans les restaurants chics, privilégiez les spécialités locales aux plats "internationaux", pâles copies des mets occidentaux. Les hôtels bien classés disposent d'un service de restauration. Tous les restaurants ne servent pas d'alcool. À quelques exceptions près, les vins servis sont exclusivement tunisiens. En été, il est conseillé de réserver sa table dans les endroits courus (tables gastronomiques, restaurants de poissons du bord de mer, etc.), surtout le soir, les week-ends et jours fériés. La plupart des établissements ouvrent de 12h à 15h et de 19h à 22h (plus tard en été). Lors du ramadan, ils sont fermés le midi et ne servent pas d'alcool. Entre les repas, n'hésitez pas à aller au café (sauf si vous êtes une

climat et saisons

Saison touristique

octobre-mai	Sud désertique
avril-octobre	reste du pays
juil.-août	pic de fréquentation

Températures	**Tunis**	**Djerba**	**Tozeur**
min./max. en février	7,4°C/20°C	9,2°C/22°C	8,2°C/22°C
min./max. en août	20,8°C/45°C	22,9°C/45°C	25°C/48°C
Précipitations			
moyenne en février	57mm/12j.	21mm/6j.	9mm/3j.
moyenne en août	7mm/2j.	2mm/1j.	2mm/1j.
Ensoleillement			
moyenne en février	5h/j.	7h/j.	7h/j.
moyenne en août	10h/j.	11h/j.	10h/j.
Température de la mer			
moyenne en février	14°C	15°C	
moyenne en août	25°C	26°C	

femme seule). Certains cafés maures, lotis dans les vieux quartiers ou les vieux villages, valent le détour rien que pour leur ambiance. Les Tunisiens s'y retrouvent pour fumer la chicha et siroter un thé à la menthe en jouant aux cartes ou aux dominos.

SANTÉ ET DÉSAGRÉMENTS

Si aucun vaccin n'est exigé pour entrer en Tunisie, il est toutefois préférable d'être vacciné contre les hépatites A et B, surtout si l'on séjourne dans les régions sahariennes. Avant le départ, mieux vaut souscrire un contrat d'assurance-maladie et rapatriement (cf. Assurances). La Sécurité sociale française couvre les frais médicaux sur présentation des factures et ordonnances.

se soigner

Le réseau hospitalier est assez dense et moderne. Chaque grande ville dispose d'un ou plusieurs centre(s) de soins et de nombreuses pharmacies. Nous indiquons dans chaque ville les pharmacies de nuit, hôpitaux et cliniques principales.

troubles de santé

Même si les produits alimentaires tunisiens sont sains, il se peut que vous soyez affecté par des troubles intestinaux. Pour éviter de gâcher votre voyage, surveillez votre nourriture. Lavez et pelez fruits et légumes, évitez les fritures et plats en sauce dans les gargotes douteuses et les lieux reculés et buvez beaucoup, surtout en été. Attention aussi à ne pas abuser de la harissa, qui est toujours proposée en amuse-bouche. Ne consommez pas de boissons trop glacées ni de glace. Évitez aussi les bois-

sons exposées trop longtemps au soleil. Dans les grandes villes, l'eau du robinet est potable, mais préférez-lui l'eau minérale en bouteille (veillez, au restaurant, à ce que la bouteille soit décapsulée devant vous). Les boissons chaudes (thé, café) ne présentent pas de risque car faire bouillir l'eau élimine les germes éventuels. En cas de maux de ventre, diarrhées et vomissements, consommez des féculents, des figues de Barbarie et buvez beaucoup d'eau (2 ou 3l/jour). Il est bon de compléter ce régime avec un désinfectant intestinal (Ercéfuryl) et un antidiarrhéique (Imodium). Si la fièvre ou les vomissements se prolongent au-delà de quelques jours, consultez un médecin.

chaleur

Coups de soleil, brûlures, insolations... Le soleil peut être dangereux. Il convient de s'en protéger en respectant quelques règles élémentaires : buvez beaucoup d'eau, évitez les expositions prolongées, couvrez-vous la tête et protégez votre peau avec une crème solaire à fort indice. Inutile de vous précipiter en plein soleil pendant les heures chaudes de la journée, votre organisme en souffrirait. En été, nous vous conseillons de porter des vêtements légers (coton, lin).

SÉCURITÉ

La Tunisie est un pays sûr. L'importante présence policière a l'avantage de rassurer les touristes et de dissuader les voleurs de passer à l'acte. Des pickpockets opèrent tout de même dans les souks, les médinas et les lieux de visite très fréquentés. Ouvrez l'œil ! Pour ne pas tenter le diable, évitez de porter vos bijoux les plus précieux (et les plus voyants), ne vous déplacez pas avec de fortes sommes d'argent et ne laissez rien de

PRATIQUE

Palmeraie de Nefta (p.300), à l'ouest de Tozeur.

Vente de dattes, un fruit dont la Tunisie est un grand exportateur.

visible dans la voiture. Surveillez aussi vos affaires sur la plage. En cas de vol, de perte ou d'incident, contactez la police touristique. Il est recommandé de placer ses objets de valeur en lieu sûr (coffre-fort d'hôtel) et d'emporter en Tunisie une photocopie de son passeport ou de sa carte d'identité. L'accueil, la douceur et la bonhomie légendaires des Tunisiens connaissent quelques exceptions dans les endroits très touristiques. Ici, c'est un vendeur un peu trop insistant, là, c'est un guide qui demande plus que la somme convenue... Ces petits soucis doivent se régler avec tact et diplomatie. Soyez ferme mais poli ! Il arrive que le visiteur devienne l'agresseur. Par respect pour la population locale, bannissez les tenues provocantes, déchaussez-vous à l'entrée des mosquées et ne pratiquez pas le nudisme sur les plages. Les femmes seules doivent prendre garde à ne pas soutenir les regards insistants : ils peuvent être considérés comme des invitations. Mieux vaut aussi éviter l'auto-stop, les cafés (lieux exclusivement masculins) et les quartiers excentrés la nuit.

SHOPPING

Les souks et bazars touristiques regorgent de boutiques vendant le meilleur comme le pire. Malgré la concurrence des produits industriels s'est maintenu un artisanat tunisien de qualité, notamment dans la confection des tapis et des bijoux. Reste qu'il faut savoir fouiner parmi les chameaux en peluche et les objets en toc pour dénicher l'objet rare. L'Office national de l'artisanat tunisien (Socopa) dispose de magasins à prix fixes dans tout le pays (Nabeul, Monastir, Sfax, Djerba, Tozeur, Tunis et aéroport de Tunis-Carthage). Les objets vendus dans ces magasins d'État reviennent certes un peu plus cher qu'ailleurs, mais leur qualité est

indiscutable. De plus, les vendeurs vous renseigneront avec d'autant plus d'objectivité qu'ils ne touchent pas de commission sur les ventes.

bijoux et argenterie

L'art de la bijouterie, sans nul doute l'un des fleurons de l'artisanat tunisien, remonte à l'époque punique et il s'est enrichi d'apports romains, byzantins, arabes, turcs et andalous. Autrefois, les bijoux jouaient un rôle de protection symbolique et économique. Les bijoux offerts par le fiancé à sa promise (chaînes, anneaux de cheville, colliers, fibules et bracelets) constituaient pour cette dernière un pécule qu'elle conservait en cas de répudiation. La distinction entre le bijou d'argent rural et le bijou d'or citadin (Tunis, Djerba, Sfax) s'est depuis longtemps estompée et les parures traditionnelles tendent à disparaître, remplacées par des bijoux à l'occidentale. À Tunis et Djerba, certaines échoppes vendent des bijoux anciens, mais on a plus de chance de trouver des bagues, colliers et bracelets d'inspiration traditionnelle mais de facture récente : en forme de *khomsa* ("main de Fatma"), incrustés de pierres semi-précieuses ou d'émaux, etc. L'argent est assez couramment employé dans l'ornementation de bibelots précieux, de coffrets à bijoux et de miroirs de toilette. Les techniques du repoussé et du filigrane sont encore usitées. L'or tunisien titre moins que l'or vendu en France. Les prix sont plus intéressants à Djerba, mais le choix est plus large à Tunis.

bois d'olivier

Le bois d'olivier est surtout sculpté à Sfax. Aux ustensiles de cuisine (planche à découper, cuillère, bol, boîte à épices) se sont ajoutés les jouets (toupie, jeux de quilles, etc.)

PRATIQUE

et autres objets relevant de la décoration intérieure. Meubles, coffres, cadres de miroirs et objets décoratifs sont parfois sculptés et peints de motifs aux couleurs vives.

cuirs et peaux

Jadis, la confection des selles d'apparat en cuir brodé constituait la vitrine de luxe de l'artisanat tunisien. Aujourd'hui, les artisans du cuir se tournent vers la maroquinerie : sacs, serviettes et sacoches, portefeuilles et nécessaires de bureau. Les prix sont dans l'ensemble assez abordables. Autre produit vedette : les babouches. Un souk leur est consacré à Tunis. Enfin, à Douz, on trouve de jolies chaussures bédouines en cuir orné de motifs, les *balgha*.

cuivre

Les souks regorgent d'ustensiles en cuivre ciselé ou martelé, jaune (plateaux, lanternes, coffrets, théières et services à thé) ou rouge (marmites, puisettes à eau). Prenez le temps de choisir, de comparer les prix et de marchander, comme il se doit, aux souks du cuivre de Tunis, de Sfax et de Kairouan.

épices, poudres et parfums

Les étals colorés de henné et d'épices envahissent les souks de tout le pays. Profitez-en, leur prix est sans commune mesure avec ceux pratiqués en France. On trouve aussi facilement du khôl et diverses essences de parfums (le jasmin en tête).

fer forgé

En arpentant les ruelles de Tunis ou de Sidi Bou Saïd, vous tomberez peut-être sous le charme des belles grilles de fenêtres en fer forgé, arrondies en volutes. On retrouve aussi la finesse du travail des ferronniers dans les élégantes cages à oiseaux forgées à la main par les artisans de Sidi Bou Saïd, de Sfax et de Raf Raf. Le fer forgé entre aussi dans la réalisation de meubles (bancs, tables, guéridons, etc.).

poterie

La poterie tunisienne est née à Guellala (Djerba), avant de s'étendre au reste du pays. Aujourd'hui, l'essentiel de la production nationale vient de Nabeul. Là, les usines fabriquent à la chaîne des plats, des vases, des assiettes et des cuviers aux motifs fantaisie, destinés à la clientèle étrangère. La qualité de la poterie tunisienne a, hélas ! pâti de cette industrialisation. Les oxydes chimiques donnent des couleurs vives mais pas toujours très résistantes. Les poteries les plus authentiques ne sont donc pas les plus spectaculaires. On trouve encore, en cherchant bien, des articles aux lignes moins régulières, aux couleurs plus sobres dues à des pigments naturels. L'idéal est de visiter des ateliers où l'on peut observer la fabrication.

tapis

La réputation des tisserands de tapis tunisiens n'est plus à faire. L'art du tissage a gagné ses lettres de noblesse avec le tapis de Kairouan. Au IXe siècle, déjà, les princes aghlabides payaient en tapis kairouanais une partie de leur tribut au calife de Bagdad. Longtemps, les tapis à usage familial ont été tissés exclusivement par les femmes, et les tapis destinés à la vente, par les hommes. Aujourd'hui, il est possible d'acheter indistinctement ces deux productions. Il faut distinguer le tapis à points noués, originaire de Kairouan, et le tapis tissé (à poil ras). Le premier révèle des inspirations turques dans son décor (un champ central hexagonal et des bordures en bandes parallèles) comme dans ses couleurs, aux dominantes rouges, bleues et vertes. Les techniques de teinture modernes permettent de fabriquer des "kairouans" de toutes les couleurs. Parmi les tapis à poil ras, citons le kilim (qui combine losanges et triangles) et le *mergoum* (qui alterne rayures unies et bandes à décor géométrique). Les néophytes auront du mal à s'y retrouver. Pour bien choisir son tapis, on peut se renseigner auprès des vendeurs de la Socopa (magasins d'État). Sachez toutefois que la qualité d'un tapis est proportionnelle au nombre de points noués au mètre carré. La teinture doit être bien fixée et il faut que les motifs se détachent nettement sur le fond. Attention, les marchands de tapis sont de redoutables commerçants ! Certains abreuvent leurs clients d'informations invérifiables, prétendent être agréés par l'État, montrent de fausses estampilles au revers des tapis... Gare à l'achat impulsif, un tapis ne se choisit pas en quelques minutes ni sans marchander.

tissus traditionnels

La richesse des costumes tunisiens (cf. GEOPanorama) donnera peut-être quelques idées aux amateurs de tissus. On trouve de la laine, de la soie et du coton à bons prix, principalement à Tunis et à Djerba. Les femmes peuvent se tourner vers les créations élégantes de la boutique Fella (à Tunis et Hammamet) ou vers les vêtements traditionnels, comme les *bakhnough* (châles en laine rouge) de Toujane, qui sont encore fabriqués à la maison par les femmes du village. Les hommes peuvent acheter ou se faire confec-

tionner une authentique *jebba* ou un burnous dans la médina de Tunis. La chéchia fera le bonheur des enfants. Ce bonnet de feutre rouge, encore porté par les vieux Tunisiens, est une spécialité tunisoise. Au moins douze personnes participent à la confection d'une chéchia...

vannerie

La natte de jonc qui tapisse traditionnellement le sol des maisons et lieux publics a donné naissance à un artisanat varié : sets de tables, couffins, paniers, paillassons, etc. L'alfa remplace parfois le jonc, comme au village de Jeradou, et, dans le sud du pays, la feuille de palme est le matériau roi. Les artisans travaillent d'autres fibres (roseau, osier) au gré de leur inspiration.

verre

Abandonnée au XIVe siècle, la technique du verre soufflé a été réintroduite il y a quelques années par Sadika Keskes. Cette dernière tient à Gammarth (nord-est de Tunis) un atelier-boutique qui a inspiré d'autres artisans. Services à thé, lampes d'intérieur, photophores, bonbonnières, vases et plats sont peints à la main ou décorés de fer forgé, voire d'argent filigrané. Du travail d'orfèvre. Les prix sont en conséquence.

SPORTS ET LOISIRS

golf

Six grandes villes touristiques ont leur(s) golf(s) : Djerba, Hammamet, Monastir, Port el-Kantaoui, Tabarka et Carthage. Une septième, Tozeur, a même fait sortir un golf des sables du désert. Pour jouer, il est préférable de disposer de la carte verte. On peut

PRATIQUE

louer du matériel dans tous les club-houses. Des stages d'initiation et de perfectionnement sont également proposés. Nos coups de cœur : le golf Flamingo de Monastir et ceux de Djerba et de Tabarka.

méharée et randonnée équestre

Les excursions de plusieurs jours dans le désert à dos de dromadaire sont une vraie valeur ajoutée à votre voyage. Plus qu'une simple promenade guidée, la méharée est une expérience à part, un moment de sérénité et de solitude où chacun se retrouve face à lui-même (cf. Désert). Notons que, lors des randonnées chamelières, les marcheurs sont accompagnés de dromadaires qui portent le matériel (bagage, nourriture). La plupart des méharées partent de Douz, aux portes du Grand Erg oriental. À noter que de nombreux prestataires proposent des balades à cheval et à dos de dromadaire dans les grandes zones balnéaires.

plongée

On trouve des clubs de plongée agréés CMAS et Padi à Hammamet, Monastir, Mahdia, Port el-Kantaoui, Bizerte et Tabarka. C'est au large de cette dernière station que les fonds se révèlent les plus spectaculaires. Hammamet est un bon endroit pour passer son baptême. Tous les clubs proposent des baptêmes, stages, voire plongées de nuit. La meilleure période pour pratiquer ce sport s'étend de juin à octobre.

randonnée pédestre

Les forêts de Kroumirie, les plateaux montagneux de la chaîne du Dahar, les vallons verdoyants du cap Bon... les buts de randonnée pédestre ne manquent pas en Tunisie. Hélas ! les sentiers balisés sont quasi inexistants. Il faut donc accepter de partir un peu à l'aventure. Mais pas n'importe comment : emportez une carte détaillée de la région, de l'eau, chaussez-vous bien et couvrez-vous la tête. Dans le Sud, tâchez de communiquer au réceptionniste de votre hôtel ou à toute autre personnne de votre connaissance l'itinéraire que vous comptez suivre. L'idéal est de vous faire accompagner par un villageois... et de le rétribuer comme il se doit.

sports nautiques

Les 1 300 km de côtes tunisiennes se prêtent à la pratique des sports nautiques. Au choix : plongée, planche à voile, pêche au gros, jet-ski, parachute ascensionnel, voile, ski nautique, etc. Une dizaine de stations balnéaires (Hammamet, Monastir et Djerba en tête) sont particulièrement bien équipées. Pendant que les parents s'amusent, les enfants ne restent pas sans surveillance. De nombreux hôtels disposent de miniclubs qui proposent jeux et animations aux petits.

vols en ULM

On peut voler au-dessus du désert en ULM à partir de Douz.

TAXE D'AÉROPORT

Elle est généralement comprise dans le prix du billet d'avion et doit apparaître sur le billet ou le justificatif de paiement.

TÉLÉCOMMUNICATIONS

Toutes les localités disposent de "taxiphones", centraux téléphoniques généralement ouverts de 8h à 23h, voire jusqu'à minuit. Les appareils fonctionnent avec des pièces de 100, 500 millimes et de 1 dinar. La plupart des centraux disposent d'un télécopieur, à l'instar des bureaux de poste des grandes villes. Les cabines à cartes sont rares. On a plus de chances d'en rencontrer dans les grandes stations touristiques comme Port el-Kantaoui.

de l'étranger vers la Tunisie

L'indicatif du pays est le 216. De l'étranger, il faut donc composer 00216 suivi de l'indicatif de la zone (par exemple, 71 pour Tunis) et du numéro à 6 chiffres du correspondant.

de Tunisie vers l'étranger

De Tunisie, composer le 00 + l'indicatif du pays (33 pour la France, 32 pour la Belgique, 41 pour la Suisse, 11 pour le Canada, etc.) + le numéro du correspondant sans l'éventuel 0 initial.
Renseignements internationaux pour la Tunisie 32 12

appels locaux

D'une zone à l'autre, composez l'indicatif de zone avant le numéro du correspondant. À l'intérieur d'une zone, composez directement le numéro du correspondant.
Renseignements tunisiens Tél. 120

portables

Les détenteurs de téléphones portables peuvent solliciter une extension "international" de leur forfait avant leur départ. Tunisie Télécom propose un service de location de portables. Pour un appel local à partir d'un portable, composez toujours l'indicatif de la zone avant le numéro du correspondant.

THALASSOTHÉRAPIE

Stressé(e) ? Besoin de repos ? Produit phare du tourisme de bien-être, la thalassothérapie offre un bain de jouvence aux voyageurs fatigués après une marche dans le désert... ou aux citadins surmenés par une vie trépidante ! Grâce à une hôtellerie haut de gamme, une longue arrière-saison ensoleillée et un rapport qualité-prix souvent avantageux, la Tunisie est une excellente "destination thalasso". Les centres spécialisés dans les thérapies marines y ont connu un développement fulgurant, et la Tunisie s'est imposée dans ce domaine comme la deuxième destination mondiale, derrière la France. De Gammarth à Djerba en passant par Hammamet, Sousse et Mahdia-Monastir, tout hôtel qui se respecte se doit d'avoir un espace consacré au bien-être de ses clients. Au programme : bains d'eau de mer, douches à jets, enveloppements d'algues, massages asiatiques, etc. Tout seul ou en couple, à la journée ou à la semaine, les clients peuvent se concocter leur cure sur mesure. Dernier atout de la thalassothérapie tunisienne : le sérieux et la

PRATIQUE

indicatifs des principales zones

71	Tunis	75	Gabès, Djerba, Tataouine, Zarzis, Douz
72	Hammamet, Nabeul, Bizerte	76	Tozeur, Gafsa, Nefta
73	Sousse, Monastir, Mahdia	77	Kairouan, Kasserine
74	Sfax	78	El-Kef, Tabarka

PRATIQUE

compétence du personnel, ajoutés à l'élégance de salles donnant sur la mer. Faites-vous plaisir...

la thalasso en deux mots

La thalassothérapie utilise, à des fins préventives et curatives, les propriétés thérapeutiques de l'eau, des algues et des boues marines (chargées de sels minéraux et d'oligoéléments) sous différentes formes : bains chauds ou douches froides, enveloppements, etc. Attention de ne pas confondre "thalasso" et balnéothérapie, traitement par les bains d'eau de source, donc d'eau douce. Le spa (*sanitas per aqua*) est l'autre nom de la balnéothérapie. Il est fréquemment utilisé dans les brochures pour donner plus de dynamisme au concept de thalassothérapie.

ses bienfaits

Soulager, détendre, recharger, revitaliser... Les vertus de l'eau de mer et du massage sont connues depuis l'Antiquité. Même si elles attirent le plus souvent des personnes souffrant de stress, d'une surcharge pondérale, de rhumatismes chroniques, de maux de dos ou encore de troubles circulatoires, les cures de thalassothérapie s'adressent à tous : il n'est pas indispensable de se sentir mal pour se faire du bien ! Les différents programmes de remise en forme intéresseront ceux qui souhaitent gommer les effets d'une fatigue accumulée au fil des mois (bains relaxants, douches tonifiantes) mais aussi se faire chouchouter par des mains expertes (massages apaisants).

les soins

À quelques variantes près, les centres de thalasso tunisiens proposent tous les mêmes soins : bains multijets, douches à jets ou à affusion, enveloppements d'algues et de boue, aquagym. Peuvent s'ajouter des soins "secs" (pressothérapie, massages, drainage lymphatique, stretching) et des soins énergétiques (shiatsu, réflexologie plantaire, reiki), qui optimisent l'effet des cures. La palette des massages, soin favori des curistes, est assez large : hydromassage (massage par jets sous-marins), massage sous affusion (une fine pluie diffusée sur le corps), massage ayurvédique, massage aux huiles essentielles, etc. Dans certains centres, on peut aussi prendre des "bains de fleurs" : une baignoire remplie d'eau chaude à la surface de laquelle flottent des pétales de fleurs, le comble de la volupté ! Les centres proposent tous des cures thématiques : "remise en forme" (cure classique avec quatre soins quotidiens, dont trois individuels et un collectif, en piscine), cures "antitabac", "jeune maman", "mal de dos", "jambes lourdes", etc. Mais on peut aussi se faire établir son propre programme de soins pour suivre une cure sur mesure. Depuis peu, certains instituts proposent des forfaits couples. Quelle que soit la formule choisie, comptez au moins six jours de cure, à raison de quatre soins quotidiens, pour en sentir tous les bienfaits.

bien choisir son centre de thalasso

L'eau de mer perdant ses propriétés thérapeutiques si on la transporte, les centres de thalassothérapie sont installés sur la côte. Ils sont, le plus souvent, rattachés à des hôtels de luxe. La présence d'un médecin au moins et de cadres paramédicaux spécialisés (kinésithérapeutes, notamment) garantit le sérieux de l'établissement. Aucun programme de cure ne saurait être établi sans une consultation médicale préalable. Les établissements tunisiens haut de gamme disposent, généralement, d'une grande piscine d'eau de mer équipée de jets sous-marins, de baignoires hydro-massantes, de cabines de soins, d'un espace détente (jacuzzi, hammam, sauna, parfois salle d'aromathérapie, tisanerie), d'un espace forme (salles de fitness, de gymnastique et de musculation) et d'un espace beauté (cosmétique, manucure, pédicure, gommage, épilation, éventuellement coiffure). Si la propreté est primordiale, le cadre compte aussi ! Avant de vous inscrire, demandez à visiter les installations pour vous assurer que vous y trouverez harmonie et intimité. Fuyez les centres de thalasso qui se limitent à une enfilade de cabines sans âme. S'il est possible de bénéficier des mêmes soins et services dans la plupart des établissements, certains ont toutefois leurs spécialités. Ainsi, les centres de la chaîne Hasdrubal proposent des bains de fleurs, des gommages au miel et aux graines de sésame et une "matinée mémorable", soit 3h de prise en charge totale. Ulysse se signale par ses massages mandaras (à quatre mains) et sa cure "Elle et lui", destinée aux couples. Il est aussi possible de combiner thalasso et golf dans les centres du groupe Hasdrubal, à l'Abou Nawas, au Yadis Golf et au Thalasso Palace.

lexique

Algothérapie : enveloppement d'algues riches en minéraux et vitamines.
Cryothérapie : traitement par le froid.
Drainage lymphatique : massage réalisé par de petites pressions manuelles visant à relancer le système lymphatique et, ainsi, stimuler le processus d'élimination des déchets organiques.

Hydrochromathérapie : thérapie par la couleur. Le rayonnement des couleurs stimule l'énergie organique déficiente ou calme l'excès d'énergie.
Hydromassage : massage par jets sous-marins.
Massage ayurvédique : ce massage, venu d'Inde, se fonde sur la connaissance des plantes médicinales, le pouvoir des parfums sur le corps et l'esprit, la méditation et les massages énergétiques.
Massage mandara : mélange de shiatsu et de réflexologie plantaire, c'est un massage aux huiles parfumées effectué par deux personnes.
Pressothérapie : technique de drainage mécanique et pneumatique qui opère un massage par compression et décompression d'accessoires (bottes, manchons, ceinture).
Réflexologie plantaire : ce massage des pieds permet de rétablir l'équilibre énergétique du corps, représenté en miniature dans nos pieds.
Shiatsu : massage japonais effectué par des pressions des pouces, des mains, des coudes et des avant-bras.

où faire une agréable thalasso en Tunisie?

À CARTHAGE
Carthage Palace Dans l'enceinte d'un hôtel cinq-étoiles, ce centre de thalasso parfaitement équipé propose plusieurs types de cures (jambes légères, antistress, arthro-rhumatismale, biolifting, remodelage du corps-minceur, etc.). *Les Côtes de Carthage* **Gammarth** *Tél.* 71 910 111 *www.miramartunisia.com*

The Residence "Les Thermes marins de Carthage" Ce superbe 5-étoiles du front de mer abrite un beau centre de thalasso, avec salon de coiffure et institut de beauté, piscine d'eau de mer, hammam et sauna. Pour parfaire

PRATIQUE

PRATIQUE

son régime, des cocktails de jus de fruits et de légumes sont proposés, ainsi qu'une cuisine allégée. Cures de remise en forme au masculin et au féminin. Forfait "journée découverte" avec 4 soins à 220DT. *Les Côtes de Carthage* **Gammarth** *Tél. 71 910 101 www.theresidence-tunis.com*

À DJERBA
Athénée et Ulysse Thalasso Sur la plage de Sidi Marhès, le luxueux centre de thalassothérapie des hôtels Mövenpick et Athénée Palace propose la formule classique de quatre soins quotidiens comprenant douche à jets et enveloppement d'algues. La cure permet de profiter de la piscine d'eau de mer chauffée, du jacuzzi, du sauna et du hammam. Également des soins à la carte (shiatsu, massage mandara, etc.). Personnel sérieux et qualifié. Cure classique de 3 jours : env. 560DT. Réservation conseillée. *Accès par l'Athénée Palace Tél. 75 758 188 www.utic.com.tn*

Hasdrubal Thalassa & Spa Ce centre de thalassothérapie aurait des leçons de modernité et de fraîcheur à donner à son hôtel ! Le bâtiment, lumineux, abrite deux piscines d'eau de mer, une tisanerie, un espace beauté, une salle de remise en forme, un hammam et un sauna. Nombreuses formules de soins à la carte, dont la fameuse cure Mandara, qui comprend un massage à quatre mains et un bain de pétales de fleurs. 980DT la cure de 6 jours (4 soins/j.) en haute saison. Réserver pour fév.-avr. et sept.-nov. *Zone touristique Tél. 75 730 657 www.hasdrubal-hotel.com*

Karthago Djerba Forfait 4 soins/ jour pendant 6 jours : 845DT. Cures bien-être, minceur, antistress, jambes légères, etc. Grand choix de massages. *Tél. 75 751 000 www.karthago.com*

Sofitel Palm Beach Djerba Cet élégant spa propose des programmes de remise en forme, avec aquathérapie, massages mauresques et cryothérapie. Bassin multijets, douches à affusion, hammam, sauna, jacuzzis, massage, salle de fitness. Programmes de cure de 2, 4 et 6 jours. Comptez 320DT la formule 3 jours avec 2 soins par jour. *Route touristique Tél. 75 757 777 palmbeach.palace@gnet.tn*

Vincci Alkantara Thalassa Le centre Algotherm Alkantara Thalassa propose des cures de 4 à 12 jours. La cure de 6 jours revient à 650DT (4 soins/j.). Également des cures antistress, spécial dos, bien-être, minceur, jambes légères. Le centre est bien équipé : deux hammams, un sauna, piscines d'eau de mer et d'eau douce. *Tél. 75 751 140 alkantara.thalassa@planet.tn*

Yadis Thalasso Golf Forfait 4 soins pa jour pendant 6 jours : 729DT. Soins proposés : jambes légères, antistress, jeune maman, cure marine du dos, beauté, remise en forme. Un forfait thalasso et golf permet de combiner les plaisirs de la thalasso avec ceux du green. *Tél. 75 74 51 15 www.yadis.com*

À HAMMAMET
Bio Azur Thalasso Parmi les massages japonais, chinois et indiens, retenons le "massage aux pierres volcaniques", prodigué par quatre mains expertes (1h, 120DT). Comptez 700DT la cure de 6 jours (4 soins/j.). Il faut ajouter 22DT pour la visite médicale. Également des cures antistress, jambes légères, antitabac, etc. Hammam, piscines intérieure et extérieure d'eau de mer. *Hammamet Nord Tél. 72 278 310 www.tunisia-orangers.com*

Hasdrubal Thalassa & Spa Outre la qualité des soins prodigués et l'élégance du cadre, il faut souligner la compétence du personnel. Formule santé de 6 jours (4 soins/j.) à 985DT. Également de nombreux soins à la carte. *Yasmine Hammamet Tél. 72 244 000 www.hasdrubal-hotel.com*

Olympe Thalasso Cures antistress, anticellulite, mal de dos, jambes légères. La cure "jeunes mariés" permet de partager les plaisirs du hammam, du sauna ou de l'enveloppement d'algues. 865DT la cure de remise en forme de 6 jours (4 soins/j.). *Yasmine Hammamet Tél. 72 249 855 www.olympe-thalasso.com*

Hôtel Karthago Hammamet Dans un envoûtant décor oriental, les soins classiques (hydromassages, enveloppement d'algues, massages, etc.) sont dispensés par un personnel sérieux et compétent. Hammams, belle piscine d'eau de mer à jets sous-marins, tisanerie et nombreuses chambres de relaxation... Formule 6 jours (4 soins/j.) à 825DT. *Yasmine Hammamet Tél. 72 240 666 www.karthagohotels.com*

À MONASTIR-MAHDIA
Royal Miramar Thalassa Tous les soins classiques de la thalasso : hydromassages, enveloppements d'algues, douches à jets et à affusion, etc. Forfait de 4 soins par jour pendant 6 jours à 815DT. *Skanès Monastir Tél. 73 521 444 www.miramartunisia.com*

Thalassa Beach : "Thalassa Mahdia" Remise en forme, soins beauté, soins antistress, cure maman/bébé, marine du dos, etc. Forfait avion+hôtel (7 nuits en chambre double) + remise en forme 6 jours à 1 510€/pers. (haute saison). *Mahdia Tél. 73 682 333/520 520 Fax 73 682 300*

Thalasso Palace Ce centre très sérieux propose un large choix de soins, à la carte ou en formules. Cure antitabac, cure beauté, cure postnatale, cure minceur, etc. Le forfait oriental, avec ses 12 soins, est à 380DT, et la cure de 6 jours, à 720DT. *Zone touristique (entre le Nour Palace et le Mahdia Palace), Mahdia Tél. 73 682 713 www. thalassopalace.com*

À SOUSSE
Abou Nawas Boujaafar Cures proposées : minceur, remise en forme, antistress, antitabac, anti-insomnie, arthrorumatismale, jambes légères, prénatale, postnatale, "tonic" spécial homme, forme et beauté, santé du dos. *Tél. 73 226 030 www.abounawas.com*

Hasdrubal Thalassa & Spa Port el-Kantaoui De tous les soins prodigués, le fameux bain de roses remporte la palme ! Seul ou en couple, il permet d'allier détente et soins. À tester également : le vaporarium (minisauna embaumant le jasmin), le gommage au miel pailleté de graines de sésame, le massage hawaïen à l'huile essentielle et les massages mandara et ayurvédique. Joli décor à l'orientale. Comptez 985DT pour 4 soins par jour pendant 6 jours. *Port el-Kantaoui Tél. 73 348 944 www.hasdrubal-hotel.com*

À TABARKA
Olympe Thalasso Face à la mer, cet excellent centre, installé dans un hôtel de luxe, est équipé d'une piscine d'eau de mer chauffée, de cabines de soin, de salles de massages et de repos, d'un sauna, d'un hammam... Il dispense des soins classiques (hydromassages, enveloppement d'algues, boues marines, douche à affusion, douche à jets) et des massages. N'oublions pas l'espace forme (gymnase, piscine, solarium) et l'espace beauté. Neuf cures sont proposées. Nombreux soins à la carte. *Zone touristique Tél. 73 276 070 Fax 73 240 280*

PRATIQUE

À ZARZIS
Odyssée Resort : "Odyssée Thalasso" Dans le cadre saisissant d'un palace à l'architecture berbère, ce centre fort bien équipé, propose un forfait de 4 soins par jour sur 6 jours à 840DT. Cures minceur, jeune maman, spécial dos, anti-âge, etc. *Tél. 75 705 705/700 www.odysseeresort.com*

TRANSPORTS INDIVIDUELS

le réseau routier

Il est dense et bien entretenu. L'unique autoroute du pays relie Tunis à Bizerte au nord et à Sousse au sud (péage). Les routes sont goudronnées, y compris dans le Sud. Les villages accessibles seulement par des chemins de terre sont de plus en plus rares. Pas besoin, donc, de louer un 4x4 pour explorer les environs de Tataouine et de Tamerza. Il arrive toutefois que des oueds coupent la voie en période de crue. Ne vous y engagez pas, à moins de considérer que le débit est faible et ne présente pas de danger. En ville, conduisez lentement car le danger peut arriver de tous les côtés (portières ouvertes brusquement, piétons – et animaux dans les villages – qui traversent sans regarder, etc.). Sur les routes, les vélos et les carrioles ont parfois des trajectoires hasardeuses.

ESSENCE L'essence est environ 2,5 fois moins chère qu'en France. Les stations-service sont nombreuses dans tout le pays, mais elles se raréfient au sud de Gabès. Pensez alors à faire le plein dans les gros bourgs. Attention, très rares sont les stations qui acceptent les cartes bancaires.

CODE DE LA ROUTE Le port de la ceinture de sécurité est obligatoire. La vitesse est limitée à 50km/h en ville, 90km/h sur route et 110km/h sur autoroute. À Djerba, il est interdit de dépasser 70km/h sur toute l'île. Le feu vert clignote avant de passer au rouge et l'orange s'allume quand le rouge doit passer au vert.

SIGNALISATION Sur les grands axes, les panneaux sont écrits en français et en arabe. Le cartouche GP (grand parcours) signale une nationale et MC (moyenne communication) une route secondaire. Dans le Sud, les panneaux indicateurs sont assez rares et souvent approximatifs. N'hésitez pas à demander votre chemin voire, pour les destinations reculées, à prendre un guide local. En ville, les plaques de rue sont souvent écrites en arabe et en français. Dans les médinas, les choses se compliquent : les plaques de rue sont parfois dissimulées derrière des devantures de boutique. Il arrive qu'il n'y en ait pas du tout, comme dans les médinas

Distances interurbaines

(en km)	Bizerte	Djerba	Gabès	Kairouan	Sfax	Sousse	Tozeur
Djerba	563						
Gabès	457	85					
Kairouan	229	377	215				
Sfax	340	243	135	136			
Sousse	213	370	264	68	127		
Tozeur	521	324	210	300	283	349	
Tunis	71	535	406	155	260	142	450

de Tozeur et de Nefta ! Pour vous orienter, prenez des repères (mosquée, porte d'entrée) et demandez votre chemin aux commerçants plutôt qu'aux "guides improvisés" qui risquent de vous balader partout et d'exiger un pourboire.

GRAND SUD Attention : l'extrême sud du pays est une zone militaire. Les voyageurs individuels qui souhaitent s'y rendre doivent impérativement demander un permis de circuler au moins 15 jours d'avance au gouvernorat ou au syndicat d'initiative de Tataouine, qui fera suivre.

Gouvernorat de Tataouine *Tél. 75 870 352/323*

Syndicat d'initiative de Tataouine *Tél. 75 850 850 Fax 75 850 999 Tél./ fax 75 853 402*

location de voitures

Les agences de location exigent du conducteur qu'il ait 21 ans révolus (Hertz fait payer un supplément aux conducteurs de moins de 25 ans) et son permis depuis deux ans. Avant de vous engager, vérifiez que votre contrat d'assurance automobile vous autorise à conduire en Tunisie. On trouve des sociétés de location dans toutes les villes et aéroports. En haute saison, comptez de 70DT à 90DT/jour en kilométrage illimité pour un véhicule de catégorie C (type Fiat Punto), et de 80DT à 100DT pour une catégorie D (type Renault Clio Classique). Les agences locales appliquent des tarifs plus attractifs. En été, il est préférable de louer une voiture climatisée. Dans tous les cas, il faut vérifier la police d'assurance et l'état du véhicule (rayures, phares, freins, roue de secours, ventilation). Certains voyagistes proposent des forfaits "avion + location de voiture" intéressants. Un 4x4 se loue obligatoirement avec chauffeur. Comptez de 150DT à 180DT/jour.

Hertz *Tél. 71 754 000 ou 71 231 822 Fax 70 837 722 hertz.tat@planet.tn*

Budget *2079, Aéroport de Tunis-Carthage Tél./fax 71 842 670*

Avis *Aéroport de Tunis-Carthage Tél. 71 205 347 www.avis.com*

Europcar *2035, Aéroport de Tunis-Carthage Tél. 71 233 411 Fax 71 941 185 www.europcar.com*

Ada *Aéroport de Tunis-Carthage Tél./ fax 71 767 023 ada-carthage@ada-tunisie.com www.adatunisie.com*

Anouar Rent A Car *35, av. de Madrid, 1001 Tunis. Tél. 71 350 617 Fax 71 255 024 info@tunisiarentacar.com www. tunisiarentacar.com*

motos, scooters, quads et vélos

On peut en louer à Sousse, Douz, Hammamet, Tozeur, Nefta, Zarzis et Djerba, île qui se prête très bien aux balades en deux-roues et en quad (cf. Mode d'emploi des villes citées).

taxis

De couleur jaune, ils ne circulent qu'à l'intérieur de la ville ou de la commune. Ils doivent être équipés d'un compteur, mais mieux vaut s'enquérir du prix de la course avant le démarrage. Chaque ville dispose d'une ou de plusieurs station(s) de taxis. Dans les petits bourgs, la station de taxis fait office de gare routière (cars et louages). Les tarifs sont intéressants, mais majorés de 50% de 21h à 5h.

calèches

Les enfants adorent, les visiteurs fatigués de marcher aussi ! On trouve de jolies calèches sur presque tous les grands sites touristiques (Tunis, Sfax, Tozeur, Djerba, Gabès, Nefta, Douz).

PRATIQUE

PRATIQUE

Avant de monter, pensez à bien fixer le prix de la balade, cela vous évitera de mauvaises surprises.

TRANSPORTS COLLECTIFS

avion

Les vols intérieurs (bien plus pratiques que les voyages en car) sont assurés par Tuninter. Cette filiale de Tunis Air relie Tunis à Djerba (plusieurs fois par jour), à Tozeur (trois fois par semaine) et à Sfax (deux fois par semaine). Il existe aussi des liaisons vers Gafsa, Monastir et Tabarka. Il est préférable de réserver son billet en haute saison et pendant les fêtes. Tarifs promotionnels le week-end.
Réservation centrale Tuninter *Tél. 71 942 626 Fax 71 942 272 reservation@ tuninter.com.tn www.tuninter.com.tn*

train

Le réseau de la Société nationale des chemins de fer tunisiens (SNCFT) met en service des trains tous les jours entre les principales villes du pays, excepté Kairouan et Tozeur. Les trains tunisiens sont assez lents et moyennement confortables (sauf en classe "grand confort"). En revanche, ils sont bon marché et généralement à l'heure. Mieux vaut les prendre pour les longs trajets, type Tunis-Gabès. Les trains "express" sont plus rapides que les "directs" et que les omnibus. Parmi les principales lignes, citons Tunis-Bizerte, Tunis-Hammamet (Bir Bou Regba)-Nabeul, Tunis-Sousse-Mahdia, Tunis-Sousse-Sfax-Gabès et Sfax-Gafsa-Metlaoui (d'où on prend le car pour Tozeur). La ligne Tunis-Ghardimaou s'arrête à la frontière algérienne, tandis que la ligne Tunis-Kalaat Khasba conduit vers le sud-ouest. À leur arrivée à Gabès, les voyageurs qui souhaitent gagner Djerba ou Zarzis trouveront un service de cars. De la même façon, on peut prendre un car pour Tozeur à la gare de Metlaoui. Compter 6h de trajet entre Tunis et Gabès, 1h40 entre Tunis et Bizerte. La "carte bleue", réservée aux étrangers, donne droit à un nombre illimité de voyages sur une période de 7, 15 ou 21 jours sur tout le réseau SNCFT (à partir de 19,50DT en seconde classe). La "carte jeune" est réservée aux étudiants qui résident sur place. Les enfants de moins de 4 ans voyagent gratuitement entre Metlaoui et Selja.
Gare SNCFT de Tunis *Pl. de Barcelone Tél. 71 345 511/254 440 Fax 71 348 540*
Lézard rouge Ce petit train touristique privé, offert par la France au bey de Tunis en 1940, a été réhabilité pour le tourisme. Il circule presque tous les jours de l'année entre Metlaoui et Redeyef en passant par les gorges du Selja. Le trajet aller-retour dure 2h (lun., mer., ven. et dim. départ à 10h30, mar. et jeu. départ à 10h, départ le sam. à 10h durant les vac. scol.). Adulte 20DT, enfant 12,50DT. *Bureau du Lézard rouge, Metlaoui Tél. 76 241 469 Fax 76 241 604*

car

Ils desservent toutes les villes et les bourgs du pays, ce qui en fait le moyen de transport le moins cher et le plus pratique. Les cars de la SNTRI, la compagnie nationale, sont sûrs, rapides, économiques, confortables et souvent climatisés. Il existe d'autres compagnies, le plus souvent à vocation régionale. Les cars longue distance se prennent à la gare routière des grandes villes. Tunis possède deux gares routières : Bab Saadoun et Bab el-Fellah.
SNTRI *1, av. Mohamed-V, Tunis Tél. 71 784 484 arm@sntri.com.tn*

Gare de Bab Saadoun Cars pour le nord du pays. *Tél. 71 562 532/299*
Gare de Bab el-Fellah Cars à destination du Sud. *Tél. 71 399 391*

taxi collectif (louage)

Le taxi collectif, ou louage, est un moyen de transport bon marché, très utilisé par les Tunisiens car il couvre tout le pays. Le principe est simple : la voiture part lorsque toutes les places passagers (de 5 à 8) sont occupées. L'attente varie de quelques minutes pour un trajet entre deux grandes villes à une heure ou deux pour les destinations moins demandées. Les voyageurs pressés peuvent acheter toutes les places libres s'ils veulent que le louage parte immédiatement. On distingue les voitures à bande bleue, qui ne sortent pas des limites du gouvernorat, de celles à bande rouge, qui couvrent les longues distances. La destination est généralement affichée à l'arrière du véhicule. Les tarifs sont fixes. Renseignez-vous auprès du chef de la station de louage.

bac et ferry

Un bac relie quotidiennement La Goulette, sur la rive nord du golfe de Tunis, à Radès, sur la rive sud, ce qui évite d'avoir à traverser la capitale pour rejoindre le cap Bon ou le nord du golfe de Tunis (en attendant l'achèvement du pont en cours de construction). Des ferries relient Sfax aux îles Kerkennah, distantes d'une vingtaine de kilomètres. Dans le Sud, un bac fait tous les jours la navette entre Djorf et Djerba.

métro léger

À Tunis, le "métro" est le tramway qui sillonne la ville. Confortable et rapide, il compte cinq lignes et dessert, notamment, le musée du Bardo. La station principale se trouve place de Barcelone. Très pratique, le "Métro du Sahel" de Sousse dessert Monastir, l'aéroport de Monastir-Skanès et Mahdia.
Société du métro léger de Tunis (SMLT) *60, rue Jean-Jaurès Tél. 71 348 555 www.snt-smlt.com.tn*
Métro du Sahel *Tél. 73 463 580 Fax 73 462 261*

TGM

Ce petit train de banlieue (bondé en été !) relie Tunis à La Marsa en passant par La Goulette, Carthage et Sidi Bou Saïd. Départs toutes les 10min. Comptez env. 1,50DT pour aller jusqu'à La Marsa. Départs de 5h à 22h (hiver), 5h-0h30 (été).
Gare TGM à Tunis *À l'extrémité est de l'av. Habib-Bourguiba Tél. 71 341 077*

bus

On en trouve dans les grandes villes, mais il est plus simple de s'y déplacer à pied, en taxi ou, à Tunis, en "métro" (tramway). Les bus desservent surtout les banlieues, ils ne sont pas climatisés, et l'on aura du mal à trouver un plan des itinéraires. On peut, en revanche, prendre les bus qui font la navette entre un aéroport et le centre-ville.

URGENCES ET HÔPITAUX

Pour tout renseignement, composez le *1200* (numéro vert).

urgences

SAMU *Tél. 190*
Police secours *Tél. 197*
Protection civile *Tél. 198*
Direction générale des douanes *Tél. 71 333 700*
Commissariat de Tunis *Tél. 71 840 622/845 618*

PRATIQUE

PRATIQUE

urgences médicales

Allô docteur *Tél. 71 599 000/900*
SOS médecin *Tél. 71 341 250 ou 71 346 767*
Centre antipoison *Tél. 71 341 807 ou 71 335 500*
Médecins de nuit *Tél. 71 717 171*
Allô Ambulance *Tél. 71 780 000 ou 71 781 000*
Ambulance service *Tél. 71 791 145*
Allô toubib *Tél 71 569 600*
Tunisie ambulance *Tél. 71 725 555*

hôpitaux

Hôpital Charles-Nicolle *Bab Saadoun Tél. 71 578 007/346/627*
Hôpital Habib-Thameur *Tél. 71 397 000*
Clinique El-Manar *El-Manar I Tél. 71 885 000*
Clinique Saint-Augustin *17, rue Abou-Hanifa, Tunis Tél. 71 783 033/791 093*

US ET COUTUMES

Bien qu'elle soit tournée vers l'Occident, la Tunisie reste un pays de culture musulmane où tous les comportements ne sont pas permis. En dehors des plages et des stations touristiques, il convient de se vêtir avec discrétion en prohibant les tenues moulantes et/ou courtes. Il est interdit de se promener torse nu dans les villes et villages. Sur la plage, le nudisme et les seins nus sont à proscrire. Les femmes seules éviteront de se rendre au café, un lieu qui demeure éminemment masculin. Peuple méditerranéen et particulièrement chaleureux, les Tunisiens aiment bavarder avec les étrangers. Évitez donc de leur battre froid, comme le font parfois certains touristes quand ils pensent avoir affaire à des personnes intéressées ou mal intentionnées, et n'hésitez pas à apprendre quelques mots d'arabe (cf. GEODocs, Lexique),

ils feront incontestablement leur petit effet. Lors de votre séjour, on vous offrira souvent du thé à la menthe ; ne le refusez pas, vous risqueriez en effet de vexer vos hôtes. Dans les souks, il est inutile de répondre aux sollicitations de tous les vendeurs et rabatteurs. Si vous notez certains comportements agressifs, passez votre chemin et ne répondez pas, vous risqueriez d'envenimer la situation. Surtout, n'en venez jamais aux mains ! On évitera d'aborder des sujets de conversation polémiques (la politique, la religion, la femme), surtout dans les bars qui servent de l'alcool. Ces lieux ne sont pas toujours les mieux fréquentés... Pendant le ramadan, respectez le jeûne des Tunisiens en évitant de fumer, de boire et de vous restaurer en public. Demandez l'accord des personnes que vous souhaitez photographier.

VACCINS

Aucun vaccin n'est exigé pour entrer en Tunisie, mais il est conseillé d'emporter un carnet de vaccination à jour.

VALISE

Inutile de trop vous encombrer : emportez des vêtements amples et légers (coton ou lin), un maillot de bain et une petite laine pour les soirées de mi-saison. Un vêtement de pluie ne vous servira pas beaucoup, sauf dans le nord du pays. Si vous comptez bivouaquer dans le désert ou à proximité, choisissez des vêtements plus chauds (pulls, pantalons, chaussettes épaisses), car les nuits sont froides dans le Sahara. N'oubliez pas d'emporter un couvre-chef (chapeau, bob, casquette), des lunettes de soleil et, si vous prévoyez de marcher un peu, des chaussures de randonnée. Les pharmacies tunisiennes sont bien approvisionnées, mais il est prudent d'emporter une petite trousse de secours. Glissez-y un désinfectant intestinal (Ercéfuryl) et un antidiarrhéique (Imodium, Smecta), du paracétamol, un désinfectant pour les égratignures, piqûres et brûlures, des pansements et une bombe antimoustique. N'oubliez pas une crème solaire à fort indice de protection et, éventuellement, de la pommade Biafine contre les coups de soleil. Si vous prévoyez d'explorer une région reculée, emportez des comprimés pour stériliser l'eau (Micropur).

VOYAGISTES

Séjour, circuit, croisière ou aventure... à vous de définir les critères de votre voyage. Vous pouvez vous renseigner auprès de différents prestataires : spécialistes de la Tunisie, généralistes, centrales d'achat de vols et séjours dégriffés, spécialistes des voyages pour jeunes, séjours sportifs, à la carte ou en club.

spécialistes

Authentique Vols secs, séjours, location de voitures, réservations d'hôtels, pour seulement un week-end ou en groupe. *Rens. www.otentic.com* **France** *27, rue Joubert 75009 Paris Tél. 01 48 78 04 04*

Hyper Vacances Séjours, circuits, croisières, week-ends ou thalasso en individuel ou en groupe. *Rens. www. hypervacances.com* **France** *1, av. de la République, 75011 Paris Tél. info. Paris 01 55 28 31 00, Lyon 04 72 67 00 19*

Marmara Spécialiste des vacances en Tunisie, ainsi qu'au Maroc, en Égypte, en Grèce et en Turquie. Hébergement possible dans l'un des hôtels-clubs du groupe Marmara. *Rens. www.marmara.*

com **France** *Tél. info. séjours, circuits et croisières 0892 160 180 Tél. info. vols 0892 160 190*

Mondécom Spécialiste du Bassin méditerranéen. Séjours, circuits, week-ends. *Rens. www.mondecom.fr* **France** *38, rue René-Boulanger 75010 Paris Tél. 01 42 02 20 00*

Odegam Spécialiste du séjour en hébergement de prestige et du voyage personnalisé en Tunisie. Différentes activités sont proposées : golf, thalasso, excursions à la carte. *Rens. www.odegam.fr* **France** *1, rue Lyautey 75016 Paris Tél. 01 45 20 21 21*

Oriensce Voyages Voyages culturels, à la carte ou en groupe. Possibilité d'être accompagné d'un conférencier. *Rens. www.oriensce.fr* **France** *164, rue Jeanne-d'Arc 75013 Paris Tél. 01 43 36 10 11*

Royal First Travel Location de voitures, réservation de vols secs et séjours dans des hôtels de loisirs, de charme, en club ou en thalasso. *Rens. www.royalfirst.com www. tunisiediscount.com* **France** *3, rue Molière 75001 Paris Tél. 01 49 27 01 01 Tél. info. 0892 239 240*

Sangho Hôtels, séjours, circuits ou combinés en Tunisie et au Maroc ainsi que des séjours de golf ou en centre de thalasso. *Rens. www.sangho.fr* **France** *28 bis, rue de Richelieu 75001 Paris Tél. 01 42 97 14 00*

Symphonie Voyages Circuits, voyages à la carte avec hébergement de charme, essentiellement vers la Tunisie, le Maroc, l'Afrique australe et les îles de l'océan Indien. *Rens. www. symphonievoyages.com* **France** *1-3, av. Jules-Jusserand 69003 Lyon Tél. info. 0820 150 600*

PRATIQUE

PRATIQUE

Tabarka Évasion Séjours et circuits. Organisation du circuit de votre choix, location de voitures et une sélection de "coins" (restaurants, cafés ou sites touristiques). *Rens.* www.tabarkaevasion.com *France* 1, av. de Corbéra 75012 Paris *Tél.* 01 43 40 64 90

TUI/Tunisie Voyages Découvrir la Tunisie en séjour excursion ou sportif (tennis, golf, plongée...) via un circuit, en thalasso ou en croisière. *Rens.* www.tunisie-voyages.com www.voyagerentunisie.com *France Tél. info.* 216 71 205 500

vols et séjours dégriffés

ABC Voyage Tous les soldes des voyagistes, présentés avec un descriptif complet. *Rens.* www.abcvoyage.com www.airway.net

Airstop/Taxistop Taxistop s'efforce de remplir les voitures (covoiturage, eurostop) ou les logements (échange de maisons, B&B). Airstop s'est spécialisé dans la vente de billets de dernière minute toutes destinations. *Belgique* Airstop *Tél. info.* 07 023 31 88 www.airstop.be Taxistop *Tél. info.* 070 222 292 www.taxistop.be

Amplitude Vacances Spécialisé dans les voyages discount : séjours, circuits ou thalassothérapies au soleil. *Rens.* www.amplitude-vacances.com *France Tél. info.* 01 56 61 72 40

Anyway Centrale de réservation en ligne auprès de 420 compagnies aériennes et 6 000 hôtels vers plus de 1 000 destinations. *Rens.* http://voyages.anyway.com *France Tél. info.* 0892 302 301

Bourse des vols/Bourse des voyages Centrale de réservation en ligne. Vols secs et tarifs dégriffés auprès de 40 voyagistes et 80 compagnies aériennes. *Rens.* www.bourse-des-vols.com www.bourse-des-voyages.com *France Tél. info. voyages* 0892 888 949, *vols* 0899 650 649

Budget Voyages Centrale d'achat en ligne de voyages, vols, location de voitures, d'hôtels... *Rens.* www.budgetvoyages.com *France Tél. info.* 01 53 14 61 16

Carlson Wagonlit Travel/Travelonweb Billets d'avion à prix négociés, hôtels, voitures, cabarets et spectacles, séjours, croisières et week-ends dans le monde entier. *Rens.* www.travelonweb.com *France* Pour trouver l'agence la plus proche tél. 0826 824 826

Directours Voyagiste sans intermédiaire : séjours, circuits et vols secs vers les destinations soleil (notamment en Méditerranée) à bas prix. *Rens.* www.directours.com *France Tél. info.* 01 45 62 62 62

Easy Voyage Centrale de réservation réunissant les offres de 80 touropérateurs et comparant en ligne les tarifs de 1 200 hôtels dans le monde. *Rens.* www.easyvoyage.com *France Tél. info. voyages* 0899 700 320, *vols* 0899 700 207

Expedia.fr Pour organiser son voyage en ligne selon vos envies : détente, vie nocturne, shopping... *Rens.* www.expedia.fr *France Tél. info.* 0892 301 300

Go Voyages Ce spécialiste du vol sec trouve le billet au meilleur prix. Remboursement de la différence si vous dénichez une offre en ligne équivalente dans les 24h après l'achat. *Rens.* www.govoyages.com *France Tél. info. vols* 0899 651 951, *séjours* 0899 650 242, *week-ends* 0899 651 851

Jeréserve.com Pour réserver en ligne un vol, un hôtel, un séjour, un week-end, une location de voiture, une croisière... *Rens. www.reservatweb.com www.jereserve. com France Tél. info.* 0890 025 008

Lastminute/Reductour/Dégriftour/ Travelprice.com Centrale de réservation en ligne de 11 mois à 1 jour avant votre départ. *France Tél. info.* 0899 78 50 00 *www.fr.lastminute.com Belgique Tél. info.* 090 010 370 *http:// travelprice.cwtonline.be*

Promovacances.com Circuits, séjours, croisières ou week-ends, voyages sportifs et thalasso, au total : 4 000 offres de voyages en ligne toutes destinations. *Rens. www.promovacances. com France Tél. info.* 0899 652 650

Voldiscount Centrale de réservation en ligne de vols, séjours, circuits et croisières vers la Tunisie, la Turquie, le Maroc, l'Égypte et la Grèce. *Rens. www.voldiscount.com France Tél. info.* 0892 888 959

Voyager moins cher Pour choisir votre voyage selon votre région de départ, votre budget, un thème, ou pour le réaliser à la carte. *Rens. www. voyagermoinscher.com*

jeunes et étudiants

STA Travel Voyages pour étudiants dans le monde. Réservation de vols secs, location de voitures... Cartes jeunes ISIC (étudiants). *Suisse www. statravel.ch Tél. info.* 058 450 49 20

USIT Connect Réseau mondial spécialisé dans les voyages pour les jeunes et les étudiants. *France* 31 bis, rue de Linné 75005 Paris Tél. info. 01 44 08 71 23 et autres agences en France *Belgique* Rue du Midi, 19-21

1000 Bruxelles Tél. 02 550 01 30 Tél. info. 070 233 313 www.connections.be

Voyage Campus Séjours linguistiques, PVT (Programme-Vacances-Travail), bénévolat... *Rens. www.travelcuts.com Canada* Plusieurs agences dans tout le pays dont Université mcGill Tél. 514 398 06 47

PRATIQUE

séjours sportifs

Adventure Center Tour-opérateur canadien qui organise safaris, expéditions et des voyages de trekking et VTT sur plus de 700 itinéraires dans le monde. *Rens. www.adventurecenter.com Canada Tél. infi.* 1800 228 8747

Aéromarine Voyages Spécialiste de la plongée sous-marine. Séjours sportifs. *Rens. aeromarine@wanadoo.fr www.aeromarine.fr France* 22, rue Royer-Collard 75005 Paris Tél. 01 43 29 30 22

Allibert Spécialiste de la randonnée à pied, à skis ou à VTT dans les montagnes et déserts du monde. Circuits pour tous niveaux. *Rens. www.alliberttrekking.com France* 37, bd Beaumarchais 75003 Paris Tél. 01 44 59 35 35 *Tél. info.* 0825 090 190 *Belgique Tél. info.* 02 526 92 90 *Suisse Tél. info.* 022 849 85 51

Atalante Spécialiste de la randonnée aux quatre coins du monde, avec une philosophie du voyage fondée sur le respect de la nature et de l'autre. Itinéraires à la carte selon trois niveaux de difficultés. *Rens. www.atalante.fr France* 5, rue du Sommerard 75005 Paris Tél. 01 55 42 81 00 et Lyon Tél. 04 72 53 24 85 *Belgique* Continents Insolites Rue César-Frank, 44A 1050 Bruelles Tél. 02 218 24 84

PRATIQUE

Chemin du Sud Ce spécialiste de la randonnée propose des voyages en petit groupe et sans portage. *Rens.* www.chemindusud.com *France* Tél. 04 90 09 06 06

Désertours Voyages sur mesure en 4x4 et en moto sur le continent africain. *Rens.* www.desertours.com *France* 47, bd Pierre-Benoit BP 331 64500 Ciboure Tél. 05 59 47 47 47

Déserts Le désert à votre mesure (en circuit, en individuel, en famille). En Tunisie, méharées dans le Grand Erg oriental, circuits désert et thalasso, autotours, etc. *Rens.* www.deserts. fr *France* 75, rue de Richelieu 75002 Paris Tél. 0892 236 636

Fun&Fly Plongée, golf, planche à voile, kite-surf et surf. *Rens.* www.fun-and-fly.com *France* 55, bd de l'Embouchure 31200 Toulouse Tél. info. 0820 420 820

Grand Angle Agence spécialisée dans les voyages à pied ou à vélo dans le monde entier. *Rens.* www.grandangle. fr *France* Tél. info. 04 76 95 23 00

Horizons nomades Voyages sportifs (trekking, randonnées) et séjours culturels. *Rens.* www.horizonsnomades.com *France* 8, rue des Pucelles 67000 Strasbourg Tél. 03 88 25 00 72

Montagne Évasion Pour randonner dans les reliefs d'Afrique du Nord et d'Europe. *Rens.* www.montagne-evasion.com *France* 4, rue des Vosges 88400 Gérardmer Tél. 0820 888 561 De l'étranger 033 329 631 750

Sport Away Voyages Séjours sportifs toutes destinations (golf, voile, plongée, windsurf, randonnée). *Rens.* www.sport-away.com *France* Tél. info. 0826 881 020

Terres d'aventure Spécialiste du voyage à pied. *Rens.* www.terdav.com *France* 30, rue Saint-Augustin 75002 Paris Tél. info. 0825 700 825

UCPA (Union nationale des centres sportifs de plein air) Organisateur de voyages sportifs à l'étranger et en France. Une soixantaine d'activités proposées : "Air" (parachutisme, planeur), "Eau" (voile, surf, raft) ou "Terre" (escalade, équitation). *Rens.* www.ucpa.com *France* Tél. info. 0892 680 599

Zig-Zag Randonnées culturelles au choix parmi les itinéraires proposés ou à la carte. *Rens.* www.zigzag-randonnees.com *France* 54, rue de Dunkerque 75009 Paris Tél. 01 42 85 13 93 (d'autres agences à Nancy et Épinal) *Belgique* Sfera Tours Rue Grétry 22, 1000 Bruxelles Tél. 02 223 49 48

séjours culturels

Arts et Vie Circuits, week-ends et forums culturels (approche des arts et civilisations) dans le monde entier. *Rens.* www.artsetvie.com *France* 251, rue de Vaugirard 75015 Paris Tél. 01 40 43 20 21 (autres points de vente à Marseille, Lyon, Nice et Grenoble)

Clio Itinéraires culturels classiques (animés par un conférencier) ou thématiques (festivals musicaux, expositions) dans plus de 80 pays. *Rens.* www.clio.fr *France* 27, rue du Hameau 75015 Paris Tél. 0826 101 082 De l'étranger 0033 153 68 48 43

Intermèdes Voyages culturels : circuits accompagnés par des conférenciers historiens ou historiens de l'art. *Rens.* www.intermedes.com *France* 60, rue La Boétie 75008 Paris Tél. 01 45 61 90 90

Terre Entière Séjours culturels et itinéraires spirituels. *Rens.* www.terreentiere.com **France** *10, rue Mézières 75006 Paris Tél. 01 44 39 03 03*

Voyageurs du monde Spécialiste du voyage individuel sur les cinq continents. *Rens.* www.vdm.com **France** *Cité des Voyageurs 55, rue Sainte-Anne 75002 Paris (autres points de vente à Bordeaux, Grenoble, Lille, Lyon, Marseille, Nantes, Nice, Rennes et Toulouse) Tél. info. 0892 23 73 73 De l'étranger 0033 173 008 188*

séjours en club

Club Med Voyages Vacances en club, "Séjours et Aventures", croisières (Club Med Croisières), circuits de découverte à partir des villages (Club Med Découverte) et clubs en ville (Club Med World). *Rens.* www.clubmed.com **France** *Points de vente dans toute la France Tél. info. 0810 810 810*

FRAM Clubs Framissima à Monastir, Tozeur, Hammamet et Djerba. *Rens.* www.fram.fr **France** *Tél. info. 0826 463 727*

Jet Tours Plusieurs Clubs Eldorador en Tunisie. *Rens.* www.jettours.com **France** *Tél. 0825 302 010*

Look Voyages Clubs Lookéa à Hammamet, Djerba et Tunis. *Rens.* www.look-voyages.com **France** *Tél. info. 01 45 15 31 70*

VVF (Villages Vacances Famille) Séjours en club dans le Bassin méditerranéen. *Rens.* www.vvf-vacances.fr **France** *Tél. info. 0825 121 314*

croisières

ABCroisière Croisières sur toutes les mers du monde. *Rens.* www.abcroi-siere.com **France** *Tél. info. 0800 666 445* **Belgique** *Tél. info. 0800 78 925* **Suisse** *Tél. info. 0800 562 239* **Canada** *Tél. info. 1877 275 95 01*

Costa Croisières Cette compagnie organise des croisières entre autres en Méditerranée. *Rens.* www.costacroisières.fr **France** *Tél. info. 0821 200 144*

MSC Croisières La Méditerranée à bord d'un paquebot de luxe... *Rens.* www.msccroisieres.fr **France** *153, av. d'Italie 75013 Paris Tél. info. 0800 506 500*

PRATIQUE

GÉO RÉGION

Vestiges de Carthage (p.111), près de Tunis.

TUNIS
ET SES ENVIRONS

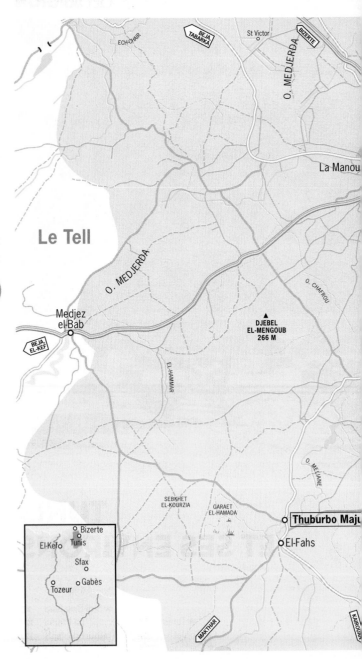

SEBKHET
EL-ARIANIA

CAP GAMMARTH

Gammarth

La Marsa

Sidi Bou Saïd

Carthage

ariana

Salambo
Le Kram
Kheireddine

GOLFE
DE TUNIS

LAC
DE TUNIS

Tunis

LAC
DE TUNIS

La Goulette

Bardo

Mégrine

Radès

Ez-Zahra

Ben
Arous

Hammam Lif

**BOU KORNINE
576 M**
▲

Soliman

Menzel
Bouzelfa

O. EL BEY

Mohammédia

O. MELIANE

Aqueduc
romain

Oudna

HAMMA

Grombalia

Le cap Bon

O. MOUSSA

Bir Bou
Regba

Hammamet

Zaghouan

Temple
des Eaux

Hammam
Zriba

▲
**DJEBEL
ZAGHOUAN
1 295 M**

Zriba l'Ancien

Djeradou

GOLFE DE
HAMMAMET

Bou
Ficha

Village Ken

SOUSSE-
ENFIDA

N
▲
5 km

★ TUNIS

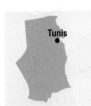

Les touristes sous-estiment souvent Tunis, lui préférant les plages de Hammamet et les coquettes villas de Sidi Bou Saïd. Une injustice à réparer d'urgence. Perchée sur une colline et séparée de la mer par un vaste lac, la capitale tunisienne présente deux visages : celui d'une cité arabe abritant l'une des plus belles médinas du monde et celui d'une ville européenne foisonnant d'élégants immeubles de style colonial. Cette union des styles et des cultures fait de Tunis une étape incontournable. De plus, la ville est agréable et facile à visiter à pied. Consacrez-lui au moins une journée.

BANLIEUE DE CARTHAGE, CAPITALE DES HAFSIDES L'origine de "Tunes" remonte au moins au IVe siècle av. J.-C. L'ascension de Carthage, la capitale de l'Empire punique, relègue rapidement ce comptoir phénicien au rang de bourgade. Conquise et détruite par Scipion, comme son illustre voisine, en 146 av. J.-C., Tunis devient romaine, vandale, puis byzantine. Elle revient sur le devant de la scène en 698, à la faveur de la conquête musulmane. Peu sûrs de leur puissance maritime, les Arabes désertent Carthage et s'installent à Tunis, dans les terres, pour mieux surveiller le golfe. La cité se développe autour d'une première mosquée, construite en 703 à l'emplacement de l'actuelle Zitouna. Du IXe au XIe siècle, sous les Aghlabides, les Fatimides et les Zirides, le commerce apporte à Tunis prospérité… et bientôt puissance. Les Almohades en font, en effet, leur capitale orientale en 1159 et, en 1235, le fondateur de la dynastie hafside y installe son gouvernement. Durant 350 ans, Tunis vit son âge d'or. La casbah, siège du pouvoir, est entièrement reconstruite, les mosquées se multiplient et les premières medersas ouvrent. Des vagues d'immigration renforcent la puissance économique et intellectuelle de la capitale : des musulmans et des juifs chassés d'Espagne par la Reconquista, des Génois et des Vénitiens. Sous leur impulsion, l'artisanat et le commerce prospèrent. Les souks, autour de la Zitouna, prennent l'aspect qu'on leur connaît aujourd'hui.

NAISSANCE DE LA VILLE EUROPÉENNE Le XVIe siècle marque le début d'une période de troubles. Les pirates turcs occupent Tunis et chassent le sultan de son palais. Appelé à la rescousse, Charles Quint reprend la ville en 1535, mais celle-ci passe sous contrôle ottoman en 1574. Elle le restera jusqu'à l'établissement du protectorat français, conclu lors du traité du Bardo (1881). Une ville nouvelle émerge alors peu à peu à l'est des remparts de la médina. Les ministères et les bâtiments administratifs s'alignent le long de grandes artères tracées au cordeau. Leurs façades chargées de volutes adoptent un audacieux style Art nouveau, teinté d'éléments arabisants. L'essor de la ville nouvelle se fait au détriment de la médina, qui périclite jusque dans les années 1960. Depuis 1967, une association de sauvegarde se bat pour restaurer et faire revivre le cœur historique de Tunis. Le pari est en voie d'être gagné : peu à peu, les *dar* (demeures traditionnelles) sont restaurés et réoccupés par des Tunisois ou des étrangers.

MODE D'EMPLOI

EN AVION
Aéroport de Tunis-Carthage Il est situé à 8km au nord-est de Tunis. On y trouve un bureau d'informations touristiques, un bureau de poste ouvert 24h/24, trois distributeurs automatiques de billets et des guichets de change ouverts 24h/24. Parking payant à 0,50DT/2h. *Accès à Tunis en bus (ligne 35 de 6h à 20h, 760 millimes) et en taxi (5DT le jour, 10DT de 21h à 5h). Tél. 754 000 ou 755 000*

EN TRAIN
Trains quotidiens en provenance du nord (Bizerte) et du sud du pays (Nabeul, Sousse, Monastir, Sfax, Gabès, Gafsa, etc.). Le trajet de Tunis à Gabès dure 6h (env. 14,50DT). Formule train + car jusqu'à Djerba, Zarzis (via Gabès) et Tozeur (via Gafsa).
Gare (plan 3, A4) *Pl. de Barcelone Tél. 345 511 ou 254 440*

EN CAR
On distingue deux gares routières.
Gare de Bab Alioua (plan 1, C3) Elle accueille les cars en provenance du Sud : Sousse, Sfax, Kairouan, Djerba, Tataouine, Gafsa, Tozeur, etc. Départs de 6h à 21h15 tlj. Réservez 24h avant pour les longs trajets (au-delà de Sfax). Cars de nuit Tunis-Djerba : 21h45-5h15 via Kairouan et Gabès avec la STCI (Tél. 483 666). *Au-dessus du cimetière du Djellaz Tél. 399 391*
Gare de Bab Saadoun (plan 1, B1) Cars à destination du Nord : Bizerte, Tabarka, El-Kef. *Tél. 562 532/299*

EN TGM
Le TGM (Tunis-La Goulette-La Marsa) est un petit train qui relie Tunis à La Marsa en passant par La Goulette, Carthage et Sidi Bou Saïd.
Gare de Tunis (plan 1, D2) Départs toutes les 15min. Comptez env. 1,50DT pour aller jusqu'à La Marsa. *Extrémité est de l'av. Habib-Bourguiba Tél. 348 555 Fax 338 100 Service 5h-22h (hiver) 5h-0h30 (été)*

EN BATEAU
Liaisons régulières avec Marseille et Gênes (Italie) : quotidiennes en été, hebdomadaires le reste de l'année. Comptez environ 20h de traversée.
Port de La Goulette (plan 1, hors plan) *www.ctn.com.tn*

EN LOUAGE
Il existe trois stations : **Bab Alioua**, à côté de la gare routière du même nom (plan 1, C3) et le **garage Moncef Bey**, av. Moncef-Bey (plan 1, C3) pour les liaisons avec les villes du Sud, le cap Bon, Hammamet, le Sahel et le Centre (Kairouan, Sousse, Monastir) ; et **Bab Saadoun**, à côté de la gare routière du même nom (plan 1, B1) pour le Nord (Tabarka, Bizerte).

Il faut distinguer la ville ancienne (la médina) de la Tunis moderne (le quartier colonial). La médina s'organise autour de la Grande Mosquée. La rue Djamaa-ez-Zitouna, qui relie cette dernière à la porte de France (ou Bab el-Bahr), en est l'artère principale. Le quartier colonial s'étend quant à lui à l'est de la vieille ville, de la porte de France jusqu'au lac de Tunis.

La médina C'est à coup sûr l'une des plus belles du monde musulman. Fondée au VIIe siècle par les Arabes, elle a été inscrite en 1979 sur la Liste du patrimoine mondial. La variété et la richesse de ses bâtiments sont étourdissantes : mosquées et mausolées (*tourbet*), palais et demeures bourgeoises (*dar*), zaouïas et medersas rivalisent d'opulence et d'élégance. Ses remparts du IXe siècle ont disparu, mais les portes qui en gardaient l'accès sont encore debout.

La ville moderne Ce quartier, qui s'est développé au XIXe siècle, possède de grandes avenues en damier et des façades Art nouveau teintées d'éléments arabisants. Il est traversé d'est en ouest par l'imposante avenue Habib-Bourguiba. Deux points de repère sur cet axe : la haute silhouette noire de l'hôtel Africa et la place du 7-Novembre, avec sa tour aux allures de Big Ben orientale.

informations touristiques

Office de tourisme (plan 3, B2) Le personnel est serviable, mais la documentation culturelle manque. Demandez quand même le plan de la ville, très clair. *1, av. Mohammed-V Tél. 341 077 Fax 350 997 Numéro vert (de Tunis) 80 100 333 info@tourisme-tunisia.com Ouvert lun.-jeu. 8h30-13h et 15h-17h45, ven.-sam. 8h-13h, dim. et j. fér. 9h-12h ; ramadan : lun.-sam.*

8h-14h30, dim. 9h-12h Également un bureau à la **gare de chemin de fer** *(plan 3, A4) Pl. de Barcelone Tél. 345 511 Ouvert lun.-sam. 8h-18h, dim. 9h-12h ; ramadan : lun.-sam. 8h-15h, dim. 9h-12h*

visite guidée de la médina

☺ **Jamila Binous (plan 2, A2)** Cette historienne et urbaniste retraitée anime un excellent circuit de découverte de la médina tous les samedis. Départ à 9h45 devant Le Diwan, fin de la visite vers 13h. La visite des *dar* (palais), mosquées et souks s'accompagne d'explications passionnantes sur l'histoire, l'architecture et l'économie de Tunis. Circuits à thème (céramiques, palais occupés) sur demande et, pendant le ramadan, visite du faubourg nord, à ne pas manquer. Réservation nécessaire, sauf pour le circuit du samedi. *Diwan 10, rue Dar-el-Jeld Tél. 715 765 ou 22 539 808 ou 98 368 485 Tarif 15DT*

représentations diplomatiques

Ambassade de France (plan 3, A3) *1, pl. de l'Indépendance Tél. 105 111 www.ambassadefrance-tn.org* **Consulat général de France (plan 3, A3)** *2, pl. de l'Indépendance Tél. 105 000 www.consulfrance-tunis.fr* **Ambassade de Belgique (plan 1, C1)** *47, rue du 1er-Juin (Tunis-Belvédère) Tél. 781 655 www.diplomatie.be/tunis*

Tableau kilométrique

	Tunis	Carthage	Sidi Bou Saïd	Bizerte	Zaghouan
Carthage	17				
Sidi Bou Saïd	18	12			
Bizerte	71	88	89		
Zaghouan	60	77	78	131	
El-Fahs	63	80	81	134	30

Ambassade du Canada (plan 1, C1)
*3, rue du Sénégal (Tunis-Belvédère)
Tél. 104 000 www dfait-maeci.gc.ca/
tunisia*
Ambassade de Suisse (hors plan)
*Immeuble Stramica, rue du Lac-d'An-
necy, 1053 Les Berges du Lac Tél. 962
997 vertretung@tun.rep.admin.ch*

circulation et stationnement

Problématique ! La circulation est difficile, surtout le matin, dès 7h30, et en
fin d'après-midi. Mieux vaut garer sa
voiture sur l'un des parkings munici-
paux payants (1,50DT/demi-journée)
et explorer le cœur de la capitale à
pied. Attention ! Le sabot ou la four-
rière attendent les véhicules mal
garés.

transports urbains

MÉTRO (TRAMWAY)
Ce "métro" est en fait un tramway. Il
compte cinq lignes et s'avère intéressant pour se rendre au musée du Bardo
(ligne n°4, 0,45DT). La ligne n°1 mène à
la gare routière sud (Bab Alioua).
Station principale (plan 3, A2) *Pl. de
Barcelone*

TAXI
Les taxis, de couleur jaune, sont légion
à Tunis. Comptez 0,30DT de prise en
charge. Les prix sont majorés de 50%
de 21h à 5h.

poste et change

**Bureau de poste principal (plan 3,
A3-A4)** Un distributeur automatique
de billets et un bureau de change. *Rue
Charles-de-Gaulle Ouvert sept.-juin :
lun.-sam. 8h-18h, dim. 9h-11h ; juil.-août :
lun.-jeu. 7h30-13h et 17h-19h, ven.-sam.
7h30-13h30, dim. 9h-11h ; ramadan :
lun.-sam. 8h30-15h, dim. 9h-11h*

banques

Plusieurs agences sur l'avenue Habib-
Bourguiba. On trouve facilement
des distributeurs automatiques sur
cet axe et dans les rues adjacentes
(rue Charles-de-Gaulle, avenue de
Carthage, rue Habib-Thameur), mais
aussi dans la médina (STB à l'entrée
est de la médina, ATM rue Djamaa-
ez-Zitouna, UBCI rue Sidi-Ben-Arous,
Amen Bank au souk El-Trouk) et à la
gare (place de Barcelone).

accès Internet

Partout dans la ville, vous trouverez
de nombreux cybercafés. Certains
restent ouverts toute la nuit en été.
@ Cyber Internet (plan 3, A2-B2)
*1,50DT/h. 35, rue Mokhtar-Attia
Tél. 333 893 Ouvert tlj. 8h-0h*

urgences

Pharmacie de nuit (plan 3, B3) *43, av.
Habib-Bourguiba Tél. 252 507 ou 330
663 Ouvert tlj. 19h30-8h30*

fêtes et manifestations

Festival de la médina Spectacles
donnés dans toute la ville par des
musiciens, des troupes de théâtre,
des chanteurs arabes. Des animations
de qualité. *Tous les ans, pendant le
mois de ramadan*
Printemps musical de Tunis
Concerts et spectacles de rue. *En
avril, av. Bourguiba et place de la
Casbah*
**Journées cinématographiques de
Tunis** Projections de films orientaux,
africains et occidentaux. *En octobre,
une année sur deux*
Journées théâtrales de Tunis *En
octobre, en alternance avec les Journées cinématographiques*

Plan 1 Tunis agglomération

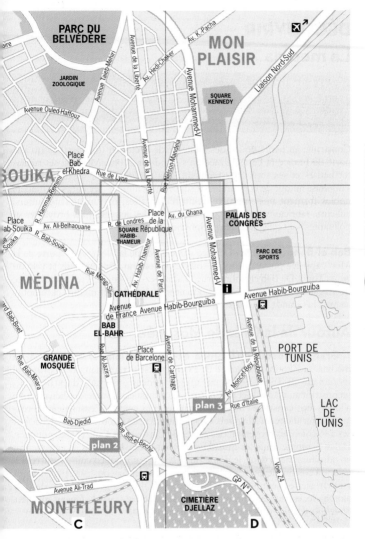

PARC DU BELVÉDÈRE

JARDIN ZOOLOGIQUE

MON PLAISIR

SQUARE KENNEDY

Liaison Nord-Sud

Avenue Ouled-Haffouz

Avenue Taïeb-Mehiri

Av. Hedi-Chaker

Avenue de la Liberté

Avenue Mohammed-V

Av. K. Pacha

Place Bab-el-Khedra

Rue de Lyon

Avenue de la Liberté

Rue Nelson-Mandela

SOUIKA

R. Hammadi-Kemim

Place ab-Souika

Av. Ali-Belhaouane

R. Bab-Souika

-Souika

Place de la République

SQUARE HABIB-THAMEUR

R. de Londres

Av. du Ghana

PALAIS DES CONGRÈS

PARC DES SPORTS

MÉDINA

Rue Monji-Slim

Av. Habib-Thameur

Avenue de Paris

CATHÉDRALE

Avenue Mohammed-V

Avenue de France

Avenue Habib-Bourguiba

Avenue Habib-Bourguiba

BAB EL-BAHR

Rue Al-Jazira

Place de Barcelone

Avenue de Carthage

Avenue de la République

PORT DE TUNIS

rd Bab-Bnet

GRANDE MOSQUÉE

Rue Bab-Mnara

Av. Moncef Bey

LAC DE TUNIS

Bab-Djedid

Rue Sidi-el-Bechir

Rue d'Italie

plan 3

plan 2

Voie Z4

Avenue Ali-Trad

GP N°1

MONTFLEURY

CIMETIÈRE DJELLAZ

C

D

DÉCOUVRIR
La médina

☆**Les essentiels** La Grande Mosquée, les trois medersas, le palais Dar Ben Abdallah, le Tourbet El-Bey **Découvrir autrement** Enivrez-vous des senteurs du souk El-Belat, flânez dans le magasin d'artisanat Ed-Dar, faites une pause au café M'Rabet ➤ **Carnet d'adresses p.102**

Construite en pente douce des hauteurs de la casbah (à l'ouest) jusqu'à la porte de France (à l'est), la médina s'étend sur 270ha. Même si ses ruelles tortueuses et ses souks dessinent un lacis apparemment inextricable, elle s'organise autour de la Grande Mosquée (ou Zitouna) : les corps de métiers nobles forment une première ceinture (libraires, parfumeurs, bijoutiers, tailleurs, fabricants de chéchias), tandis que les activités plus bruyantes et polluantes sont reléguées à la périphérie.

Bab el-Bahr (plan 2, B2) Dressée sur la place de la Victoire, la "porte de la Mer", appelée porte de France sous le protectorat, séparait jadis la ville du lac de Tunis. De Bab el-Bahr, la rue Djamaa-ez-Zitouna, artère étroite bordée de magasins de souvenirs et d'antiquaires, plonge dans la médina et remonte jusqu'à la Grande Mosquée.

Autour de la Grande Mosquée

☆ **Grande Mosquée (Djamaa ez-Zitouna)** (plan 2, A2) Cœur de la médina, la Zitouna (mosquée de l'Olivier) est le plus vieux et le principal monument de Tunis. Fondé par un gouverneur omeyyade du VIIIe siècle, reconstruit au IXe siècle et remanié par les dynasties suivantes, ce lieu de culte a longtemps constitué l'un des plus importants centres d'enseignement religieux et juridique du Maghreb. La salle de prière en impose avec ses 15 nefs et ses 186 colonnes provenant des ruines de Carthage et d'autres sites antiques. Hélas ! comme seuls les musulmans y ont accès, les autres se consoleront en admirant, de la cour, le dôme du *bahou* (XIe s.), qui en coiffe l'entrée. La galerie à colonnade qui cerne la cour sur trois côtés fut construite par les Turcs au XVIIe siècle. Le minaret (1834), décoré d'entrelacs géométriques de style almohade, est copié sur celui de la mosquée de la Casbah. *Ouvert sam.-jeu. 8h-12h Tarif 3DT (éviter toute tenue trop suggestive)*

Tourbet Aziza Othmana (plan 2, A2) Ce mausolée (*tourbet* désigne un monument funéraire turc) est celui de la fille du bey Othman, décédée vers 1646. À la fin de sa vie, cette pieuse musulmane affranchit ses esclaves et confia tous ses biens à des œuvres charitables, demandant seulement que sa tombe fût toujours fleurie. Au bout de la *skifa* (vestibule en chicane), parée de zelliges bleus en étoile, s'ouvre une superbe cour aux arcades ottomanes. Au fond, une cloison en bois ajourée protège le tombeau de la princesse, ceux de ses proches et de ses serviteurs. *9, impasse Ech-Chammaia Entrée libre*

Mosquée Hammouda Pacha (plan 2, A2) Face au souk des Chéchias, cette élégante mosquée du XVIIe siècle accueille nombre de cérémonies nuptiales tunisoises. Son minaret (1655) et le *tourbet*, à l'un des angles de la cour, sous lequel repose son fondateur, trahissent ses origines ottomanes. *23, rue Sidi-Ben-Arous Fermé ven.*

La Rachidia (plan 2, A2) Cette école de musique andalouse fondée par le bey de Tunis en 1934 dissimule une cour aux arcades bicolores d'une incroyable pureté. Notez la variété et la finesse des chapiteaux des colonnes (de styles turc, italien et romain). *5, rue Edday (la porte jaune face au restaurant Dar Hammouda Pacha) Entrée libre sur demande*

Mosquée Sidi Youssef (plan 2, A2) La toute première mosquée de rite hanéfite de Tunis fut bâtie par les Ottomans en 1616. Son fondateur, Youssef Dey, mit à profit son règne (1610-1637) pour doter la ville des souks El-Trouk, El-Berka (marché aux esclaves) et El-Béchamkia. Le minaret de la mosquée est typiquement turc : de forme octogonale, il est agrémenté d'un balcon circulaire et d'un lanternon coiffé de tuiles. La cour abrite le tombeau richement orné (arcs, nids d'abeilles) de Youssef Dey. *Rue Sidi-Ben-Ziad*

☆ ☺ **Les trois medersas (plan 2, B2)** Destinées à accueillir les étudiants en théologie, les medersas se sont logiquement développées autour de la Grande Mosquée, sur un plan identique : une cour centrale carrée sur laquelle donnent, au rez-de-chaussée, des salles de cours et de prière et, à l'étage, les cellules où dorment les étudiants. La medersa Bachia, bâtie en 1752 par Ali Pacha, a été reconvertie en école d'artisanat. Juste à côté, au 29, rue des Libraires, le *tourbet* d'Ali Pacha possède l'une des plus belles coupoles en stuc de la médina. Il se visite sur demande comme la medersa es-Slimania, qui s'élève à deux pas. Cette dernière fut dédiée en 1754 par Ali Pacha à son fils Souleymane, mort empoisonné par son frère. La medersa Mouradia (1673) était un foyer réservé aux étudiants malékites de la Zitouna. À l'étage, les chambres abritent désormais des ateliers de tissage (soieries, tapisseries) et de sculpture sur bois. *Medersa Bachia 19, rue des Libraires Medersa es-Slimania Angle du souk des Libraires et de la rue Kachachine Fermé lun. matin Medersa Mouradia 39, souk des Étoffes Entrée libre*

Dar Bouderbala (plan 2, A2) Trois générations ont vécu dans cette belle demeure de l'époque beylicale, reconvertie en galerie d'art. La qualité des expositions est inégale, mais une visite du dar donne l'occasion d'admirer quelques beaux meubles d'époque. Comme c'est parfois le cas dans les maisons bourgeoises, le patio est installé à l'étage et non au rez-de-chaussée. *11, rue Dar-el-Djeld Tél. 561 377 Ouvert lun.-sam. 15h-19h Fermé fin juin-mi-sept. Entrée libre*

Dar El-M'Nouchi (plan 2, A2) Ne manquez pas d'entrer dans ce bazar pour admirer les remarquables céramiques du XVIIIe siècle qui parent ses murs : scènes animées, poèmes calligraphiés sur la partie haute et thèmes classiques turco-persans déclinés sur des carreaux aux magnifiques tonalités de bleu. *54, souk El-Leffa Entrée libre*

Place du Gouvernement (plan 2, A2) Cette vaste esplanade plantée de ficus a remplacé la casbah, siège du pouvoir depuis le XIIᵉ siècle. Si l'imposant palais royal hafside a disparu, subsiste, au sud-est de la place, la mosquée de la Casbah, dont le beau minaret almohade servit de modèle à celui de la Zitouna. Autour de la place s'élèvent des bâtiments administratifs dont l'architecture mêle au style européen des éléments néomauresques. Sur le côté sud, le Dar El-Bey (1795) abrite les bureaux du Premier ministre.

● **UN CAFÉ HISTORIQUE**
Sans doute le plus vieux café de Tunis, le M'Rabet est une institution ! Les banquettes couvertes de nattes de la salle à péristyle paraissent ne pas avoir bougé depuis un siècle. Coupé de l'agitation du souk El-Trouk, on sirote un thé à la menthe (0,50DT) ou aux pignons (1,50DT) dans la plus parfaite sérénité.
☺ **Café M'Rabet** (plan 2, A2) 27, souk El-Trouk Ouvert tlj. 7h-19h

Les souks

Souk El-Trouk (plan 2, A2) Créé sous Youssef Dey (1610-1637) à l'intention des tailleurs turcs, le souk des Turcs (transformé en souk "El-Trouk") n'abrite plus que des boutiques de souvenirs, assez hautes en couleur. En descendant la pente, on rejoint le souk El-Attarine.

Souk El-Attarine (plan 2, A2-B2) Aménagé sous les Hafsides au XIIIᵉ siècle, le souk des Parfums longe la façade nord de la Grande Mosquée. Il a gardé sa fonction d'origine, même si les flacons de parfums, d'huiles essentielles et les bâtons d'encens y côtoient des souvenirs passe-partout. On y vend aussi des berceaux et paniers en dentelle.

Souk El-Koumach (plan 2, A2) Le souk des Étoffes longe le côté ouest de la Grande Mosquée. Les boutiques de son allée principale s'abritent sous de belles arcades à chapiteaux hispano-mauresques. Il se prolonge au sud-est par le souk des Femmes, au sud-ouest par le souk El-Leffa (souk des Tapis) et au nord-est par le souk de la Laine (désormais consacré aux bijoux).

Souk El-Berka (plan 2, A2) Qui croirait que sa placette couverte cernée d'échoppes de bijoutiers accueillait jadis un marché aux esclaves ? Les malheureux capturés par les pirates turcs y étaient vendus à la criée sur une estrade en bois. Elle n'accueille plus que les transactions des orfèvres.

☺ **Souk El-Belat** (plan 2, B2) Le marché aux herbes est sans doute l'un des plus pittoresques et des plus attachants de Tunis. Les étals débordent d'herbes médicinales, accrochées jusque sur les portes des boutiques. Les senteurs qui s'en dégagent ajoutent encore à la magie de ce souk.

Souk Ech-Chaouachiya (plan 2, A2) Le réseau de passages couverts du souk des Chéchias se divise entre le petit et le grand souk. On peut y voir les artisans cadrer, presser, découper et brosser les chéchias. Cet art fut légué aux Tunisois par les Andalous au XIIIᵉ siècle. Si vous entrez dans le petit souk par la rue Sidi-Ben-Arous, ne manquez pas la belle boutique ancienne, à gauche.

Plan 2 Tunis médina

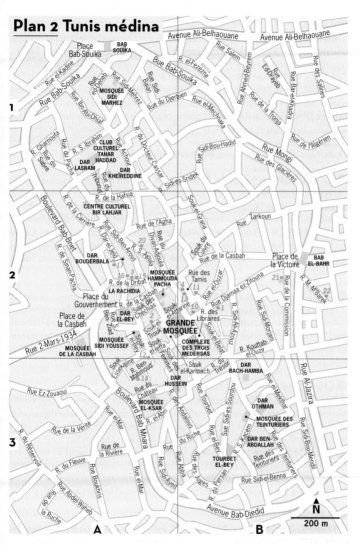

CAFÉS, BARS ET LIEUX DE SORTIE (n° 1 à 4)

Café Ezzitouna	**1** B2
Café M'Rabet	**2** A2
Chez Oncle Hassim	**4** B2
Dar Hammouda Pacha	**3** A2

RESTAURATION (n° 10 à 17)

Dar Bel Hadj	**13** B2
Dar El-Jeld	**16** A2
Essaraya	**14** A3
Le Diwan	**17** A2
Mahdaoui	**10** B2
Restaurant Dar Hammouda Pacha	**15** A2
Restaurant Echeikh	**11** B2
Restaurant El-Abed	**12** A2

HÉBERGEMENT (n° 20 à 22)

Auberge de jeunesse Tunis Médina	**20** A2
Grand Hôtel de France	**22** B2
Hôtel Marhaba	**21** B2

● Où faire du shopping ?

☺ **Ed-Dar (plan 2, A2)** Cet excellent magasin d'artisanat et d'antiquités occupe une maison du XVe siècle parfaitement conservée. Ses nombreuses pièces regorgent de poteries, de tissus, de tapis et d'objets d'art. Une vraie caverne d'Ali Baba, où l'ancien côtoie la création, accessible à toutes les bourses. CB acceptées. *8, rue Sidi-Ben-Arous et 30 souk El-Trouk Tél. 570 201 www.ed-dar. com Ouvert lun.-sam. 9h-17h, ramadan : après la rupture du jeûne*

Espace Diwan (plan 2, A2) Cette librairie propose un large choix de beaux livres sur Tunis, la Tunisie et le monde arabe. Elle réédite aussi des ouvrages anciens. CB acceptées. *9, rue Sidi-Ben-Arous Tél. 572 398 espacediwan@hotmail.com Ouvert lun.-sam. 9h-18h, ramadan : après la rupture du jeûne*

● ☺ Où boire un jus de fruit frais ?

Cette échoppe voisine du Dar Bel Hadj sert d'excellents jus de fruits pour 0,60DT. Sa spécialité reste le "lait de poule", boisson lactée aux dattes, fraises, amandes et bananes. Certains de ses fidèles clients demandent à la consommer avec un jaune d'œuf, comme son nom l'indique ! Essayez aussi le jus de fraises et le très nourrissant jus de fruits secs (noisettes, amandes, pistaches). Les boissons sont préparées sous l'œil des consommateurs. **Chez Oncle Hassim (plan 1, B2)** *Rue des Tamis Ouvert tlj. 7h-15h*

● Où savourer un *makroud* ?

Ces consistantes pâtisseries aux dattes enrobées de pâte de semoule se consomment généralement à l'occasion des fiançailles et des mariages. Ici, à deux pas de la Zitouna, on les dévore debout dans la rue, en observant le pâtissier à l'œuvre. Comptez 4DT le kg. **Marchands de *makroud* (plan 2, B2)** *À l'angle du souk El-Bilet et de la rue Djamaa-ez-Zitouna*

● Où boire un thé et fumer la chicha ?

☺ **Dar Hammouda Pacha (plan 2, A2)** Les amoureux s'échangent des confidences sur les confortables banquettes disposées dans les alcôves de ce café, les autres clients laissent filer le temps en sirotant des boissons à 2DT (thé, café, soda). *Rue de la Dribat Tél. 566 584 Ouvert lun.-sam. 9h-19h*

Café Ezzitouna (plan 2, B2) Après la fermeture des souks, quand les commerçants viennent faire leurs comptes, il fait bon fumer une chicha sur un guéridon en bois et en cuivre de ce café traditionnel. Bien plus agité en journée. Chicha à 2,50DT, thé à la menthe à 0,50DT. *Rue Djamaa-ez-Zitouna Ouvert tlj. 5h-21h*

● Aller au hammam

☺ **Hammam Kachachine (plan 2, B2)** Sans conteste le plus beau hammam de la médina. Réservé aux hommes, il semble tout droit sorti d'une gravure ancienne. La coupole verte, les colonnes et la fontaine du hall, les murs bleu ciel, les banquettes sur lesquelles transpirent des hommes recouverts d'une serviette composent une ambiance délicieusement surannée. 1,20DT le bain, plus 1,50DT pour le massage. *Rue des Libraires Ouvert lun.-sam. 7h-16h, dim. 7h-12h Fermé 20 jours en juil.*

Hammam Halfaouine (plan 2, B2) Avis aux cinéphiles ! Rendu célèbre par le film *Halfaouine, l'enfant des terrasses* de Ferid Boughedir (1990), ce hammam accueille les hommes de 5h à 12h et les femmes de 13h à 19h. 1,20DT le bain, 1,50DT le massage. *Rue Sidi-el-Alaoui (derrière la pl. Halfaouine) Ouvert tlj.*

Le sud de la médina

☺ **Dar Bach-Hamba (plan 2, B3)** Ce palais du XVIIIe siècle, occupé par des franciscaines sous le protectorat, abrite la fondation Orestiadi et les expositions sur les arts de la Méditerranée qu'elle organise. Le *dar* possède de splendides intérieurs. Sur le patio dallé et encadré de colonnes en marbre de Carrare donnent, à chaque étage, quatre pièces dont les plafonds en bois peint présentent des motifs italianisants d'une grande richesse. L'originalité du *dar* tient à l'importance de l'espace réservé aux invités : ils disposaient d'une véritable maison dans la maison, avec patio et entrée particulière. *9, rue du Bach-Hamba Tél. 325 115 Ouvert lun.-ven. 9h30-16h30, sam. 9h30-13h ; ramadan : lun.-sam. 9h30-14h Tarif 1,60DT, réduit 1DT*

☺ **Dar Othman (plan 2, B3)** Même si ce palais qu'Othman Dey (1594-1609) destinait à son usage personnel est resté inachevé, il ne manque pas d'élégance ! Les travaux, lancés en 1594, furent arrêtés en 1598, avant que soit construit le premier étage. Le bâtiment conjugue les styles ottoman (arcs brisés à claveaux noirs et blancs), hispano-mauresque (chapiteaux des colonnes) et italien. Les pièces présentent de superbes zelliges rapportés d'Andalousie et un plafond en bois de cèdre peint. Le *dar* est occupé par le Centre de conservation des monuments de la médina. *16 bis, rue El-M'Bazaa Ouvert lun.-sam. 8h30-13h et 15h-17h45, sauf j. fér. Entrée libre sur présentation du ticket de la Grande Mosquée, du musée des Arts et Traditions populaires ou du tourbet El-Bey*

Mosquée des Teinturiers (plan 2, B3) La silhouette élancée de son minaret octogonal, au lanternon coloré, domine la rue des Teinturiers. *Fermé ven.*

☆☺ **Dar Ben Abdallah – musée des Arts et Traditions populaires (plan 2, B3)** Cet imposant palais édifié en 1796 et restauré au XIXe siècle dans le style italianisant est l'un des plus beaux de Tunis. Sa *skifa* débouche sur un patio d'une élégance rare. Les pièces, parées de marbres, de céramiques et de stucs délicats possèdent de remarquables plafonds peints. On peut y admirer des costumes rebrodés d'or, des coffres de mariage et divers objets usuels évoquant le quotidien d'une famille tunisoise vers 1900. La somptueuse salle d'apparat, dans laquelle est reconstituée une scène de préparation d'une mariée, mérite à elle seule la visite. En ressortant du *dar*, sur la droite, vous pourrez admirer une belle collection d'outils utilisés par les différents corps de métiers des souks. *Impasse Ben-Abdallah Tél. 256 195 Ouvert mar.-dim. 9h30-16h30 ; ramadan : lun.-sam. 9h-15h Tarif 1,60DT (droit photo 1DT)*

☆ **Tourbet El-Bey (plan 2, B3)** Cet imposant mausolée bâti sous Ali Pacha II (1759-1777) abrite les tombeaux des princes husaïnides (les beys) qui régnèrent sur la Tunisie de 1705 à 1957, ceux de leurs parents et de certains de leurs ministres et fidèles serviteurs. Les chambres funéraires présentent de somptueuses coupoles en stuc ciselé, des colonnes en marbre de Carthage, des céramiques et de remarquables vitraux colorés. Les tombeaux en marbre sont ornés d'admirables bas-reliefs et surmontés de cippes (stèles funéraires) coiffées de turbans ou de tarbouchs (chéchias plates) sculptés dans la pierre, dans la tradition ottomane. *62, rue El-Bey (à l'angle avec la rue Sidi-es-Sourdou) Ouvert avr.-15 sept. : lun.-sam. 9h30-16h30 ; 16 sept.-mars : lun.-sam. 9h30-13h30 ; ramadan : lun.-sam. 9h30-15h Tarif 1,60DT (droit photo 1DT)*

Rue des Andalous (plan 2, B3) Dans cette rue jalonnée de belles voûtes en brique logeaient les immigrés venus d'Espagne du XIIIᵉ au XVᵉ siècle.

Le nord de la médina

☺ **Dar Lasram (plan 2, A1)** Cet admirable palais de la fin du XVIIIᵉ siècle et du début du XIXᵉ est devenu le siège de l'Association de sauvegarde de la médina (ASM). On peut demander la permission de le visiter à l'accueil. Le patio dessert quatre appartements, dont l'architecture mêle des éléments andalous (stucs, faïences) et italiens (travail du marbre, faux plafonds en bois peint). *24, rue du Tribunal Tél. 561 409 Ouvert sept.-juin : lun.-jeu. 8h-13h et 15h-17h45, ven. 8h30-13h, sam. 8h30-15h30 ; juil.-août : lun.-sam. 7h30-13h30 ; ramadan : lun.-jeu. 8h-14h, ven. 8h-13h Entrée libre*

Club culturel Tahar-Haddad (plan 2, A1) Le club occupe les anciennes écuries du Dar Lasram et organise toute l'année des expositions, des concerts, des représentations théâtrales et des conférences dans ce bâtiment aux voûtes en pierre et brique. *20, rue du Tribunal (à droite en sortant du Dar Lasram) Tél. 564 695 maisoncult.taharhaddad@email.ati.tn Ouvert lun.-sam. 9h-18h*

Dar Kheïreddine – musée de la Ville de Tunis (plan 2, A1) Cette résidence ministérielle du XIXᵉ siècle abrite un musée d'art contemporain. Son architecture vaut vraiment le coup d'œil. Certaines pièces sont richement décorées (zelliges et marbre), d'autres dépouillées. *Rue du Tribunal Tél./fax 561 780 Ouvert lun.-sam. 10h-19h Entrée libre*

Mosquée Sidi Marhez (plan 2, A1) À l'extrémité nord de la médina, les dômes blancs de cette mosquée ottomane (fin du XVIIᵉ s.) s'inspirent de ceux de Sainte-Sophie d'Istanbul (avec, à l'intérieur, une coupole centrale contournée de quatre demi-coupoles). Juste à côté se dresse la zaouïa de Sidi Mahrez, dédiée au saint patron de Tunis. *Pl. Bab-Souika Fermé ven.*

La ville moderne

☆ **Les essentiels** Le marché central, le musée national du Bardo **Découvrir autrement** Admirez les immeubles coloniaux de l'avenue Habib-Bourguiba, appréciez la vue sur Tunis du parc du Belvédère, rendez-vous en TGM à La Marsa et La Goulette ➤ **Carnet d'adresses p.102**

Immeubles coloniaux (plan 3) Les fleurons de l'architecture coloniale s'élèvent sur les grandes artères de la ville moderne : les avenues Habib-

Bourguiba (plan 3, B3), de Carthage (plan 3, B3-4) et de Paris (plan 3, A1-2). Sur les façades académiques, Art nouveau et Art déco, aux balcons ouvragés, on note parfois des détails arabisants. Arrêtez-vous devant la façade blanche délicieusement tarabiscotée du 114, rue de Yougoslavie (plan 3, A3), avec ses balcons gonflés de moulures en volutes. Admirez les mosaïques dorées qui couronnent le vieil immeuble à colonnade du 9, rue Charles-de-Gaulle (plan 3, A3). Au 21, rue Al-Jazira (plan 3, A4), un immeuble aux balcons ventrus et coiffé d'un dôme abrite l'Arab Tunisian Bank. Faites un détour par la Grande Poste (1888) (plan 3, A4) qui fait l'angle des rues d'Angleterre et Jamel-Abdennasser, ou encore au 39, avenue Habib-Bourguiba (plan 3, B3), face à l'hôtel Africa. Sur cette

Tunis et ses environs en amoureux	
Une balade romantique	
Villas romaines de Carthage	113
Sidi Bou Saïd	117
Une table raffinée	
Essaraya (Tunis)	103
Dar Zarrouk (Sidi Bou Saïd)	122
Le Golfe (La Marsa)	125
Le Grand Bleu (Gammarth)	126
Une chambre de charme	
Villa Didon (Carthage)	117
Dar Saïd (Sidi Bou Saïd)	122
Village Ken	135

TUNIS ET SES ENVIRONS

même avenue, à l'angle de la rue de Grèce, s'élève le théâtre municipal (plan 3, A3), surnommé la "Bonbonnière". Inauguré en 1902 et restauré dans les années 1950, il présente une belle façade blanc cassé, aux courbes typiques du style "nouille". Au nord de l'avenue Bourguiba, d'autres façades valent le détour, comme celle du 45, avenue de Paris (non loin de l'hôtel Majestic) (plan 3, A2). Un superbe immeuble se dresse à côté du Contrôle général des Finances, à l'angle de la rue de Rome et de la rue des Tanneurs (plan 3, A2). Enfin, la Trésorerie générale (10, rue Habib-Thameur) (plan 3, A2) occupe un élégant bâtiment de style néomauresque.

☆ ☺ **Marché central (plan 3, A3)** Les étals colorés dressés sous sa charpente métallique de style Baltard, restaurée, regorgent de fruits et légumes, de poissons luisants et d'épices odorantes. Pas un touriste en vue : c'est le marché des Tunisois ! Il faut faire un tour au petit marché aux fleurs (côté rue du Danemark), où les fleurs d'oranger, les géraniums et les roses s'achètent en gros. *Entre les rues d'Allemagne, d'Espagne, du Danemark et Charles-de-Gaulle Ouvert tlj. 6h-14h*

Cathédrale Saint-Vincent-de-Paul (plan 3, A3) Bâtie en 1882, elle présente une architecture néobyzantine assez pompeuse. *Pl. de l'Indépendance*

Parc du Belvédère (plan 1, C1) Ce parc adossé à la colline reposera les visiteurs fatigués par une journée de marche. Les enfants se distrairont au zoo. Sur les hauteurs, la koubba (XVIIIe s.) vaut le coup d'œil. De ce pavillon, le regard englobe Tunis. On distingue les dômes de la mosquée Sidi Mahrez et, sur la gauche, le lac de Tunis. *En métro à partir de la pl. de la République (arrêt à la station Mohammed-V, puis 10min de marche) Ouvert juin-oct : mar.-dim. 9h-19h ; nov.-avr. : mar.-dim. 9h-17h Tarif 4DT, réduit 1,50DT*

TUNIS ET SES ENVIRONS

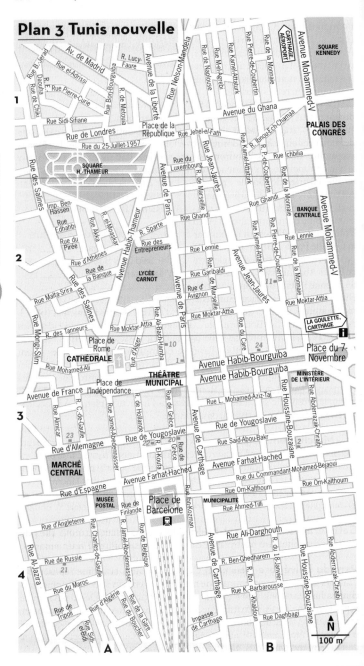

Plan 3 Tunis nouvelle

CARTHAGE AÉROPORT

SQUARE KENNEDY

Av. de Madrid

R. Lucy-Faure

Rue B.-Jerad
Rue el-Madrid
Rue el-Adrissi
Rue Pierre-Curie
Daouha
R.E.T.
Rue de Chiki
Avenue Ghar-el-Oued
R. de Metouia
Avenue de la Liberté
Rue Nelson-Mandela
Rue el-Fath
Rue de Naplouse
Rue Kamel-Attaturk
Rue M-el-Agrebi
Rue Pierre-de-Coubertin
Rue de la Monnaie

Avenue Mohammed-V

Rue Sidi-Sifiane

Rue de Londres

Place de la République

Avenue du Ghana

PALAIS DES CONGRÈS

Rue du 25-Juillet-1957

Rue Jehel-el-Fath

R. Ibnou-Ech-Chamaa
Rue Kamel-Attaturk
R. P.-de-Coubertin
Rue Ichbilia

SQUARE H.-THAMEUR

Rue du Luxembourg

R. de Marseille

Rue Jean-Jaurès

BANQUE CENTRALE

Rue des Salines

Imp. Ben-Hassen

Rue Edhahbi
Rue Akka
R. el-Moaktar
Avenue Habib-Thameur
R. Sparte
Rue Ghandi
Rue Ghandi
Rue de la Monnaie

Avenue Mohammed-V

Rue du Pirée

Rue des Entrepreneurs

Rue Lennie
Rue Pierre-de-Coubertin
Rue Kamel-Attaturk
Rue Lennie
Rue de la Monnaie

Rue d'Athènes

LYCÉE CARNOT

Rue Lennie
Rue Garibaldi

Rue de la Banque

Avenue de Paris

Rue d' Avignon
R. de Marseille
Avenue Jean-Jaurès

Rue Malta-Srira
Rue des Salines

Rue Moktar-Attia

11

Rue Moktar-Attia

Rue Mongi-Slim

R. des Tanneurs

Rue Moktar-Attia
Ali-Bach-Hamba
10
Rue du Caire
24

LA GOULETTE, CARTHAGE

Place de Rome

Rue d'Anger
1

CATHÉDRALE

Rue Mohamed-Ali

Avenue Habib-Bourguiba

Place du 7-Novembre

THÉÂTRE MUNICIPAL

Avenue Habib-Bourguiba

Avenue de France

Place l'Indépendance

MINISTÈRE DE L'INTÉRIEUR

Rue L. Mohamed-Aziz-Taj

Rue Houssine-Bouzaiane
Rue Abderrazak-Chraibi

Rue Almicar
C.-de-Gaulle
Rue Jamel-Abedennasser
Rue de Hollande
Rue de Grèce
Avenue de Carthage

Rue de Yougoslavie

23

Rue d'Allemagne
Rue de Yougoslavie
El-Koufa
22
20
Rue de Grèce
Rue Said-Abou-Bakr
2

MARCHÉ CENTRAL

Avenue Farhat-Hached

Avenue Farhat-Hached

Rue du Commandant-Mohamed-Bejaoui

Rue d'Espagne

Rue Om-Kalthoum
Rue Om-Kalthoum

MUSÉE POSTAL

Rue de Finlande

Place de Barcelone

MUNICIPALITÉ

Rue Ahmed-Tilli

Rue d'Angleterre
Rue Charles-de-Gaulle
R. Jamel-Abedennasser
Rue de Belgique
Rue Ibn-Kozman
Avenue de Carthage
Rue Ali-Darghouth

Rue Al-Jazira
Rue de Russie

21

R. Ben-Ghedharem
R. du 18-Janvier
Rue Houssine-Bouzaiane
Rue Abderrazak-Chraibi

Rue du Maroc
Rue de la Gare
Rue d'Algérie
Rue du Boucher
R. Ibn-Khaldoun

Rue de Tripoli
Rue Sidi-el-Bidi
Impasse de Carthage
Rue K.-Barbarousse
Rue Daghbabi

N

100 m

A   **B**

● ☺ **Où craquer pour une pâtisserie ?** Cette excellente pâtisserie fait l'unanimité à Tunis. On vient de très loin choisir parmi ses petits gâteaux fins, notamment les *kaak* (en forme d'anneaux), les *m'labess* (boules rondes aux amandes ou aux pistaches) et les tajines à la pistache. **Pâtisserie Les Galets (plan 1, C1)** *69 bis, av. Taïeb-Mehiri Tél. 796 359 Ouvert lun.-sam. 8h30-19h30 (jusqu'à 0h pendant le ramadan)*

● **Où prendre un verre ?**
Bar Jamaica (plan 3, A3) Du dixième étage de l'hôtel El-Hana, vue à 360° sur Tunis et son lac. Saisissant ! *49, av. Habib-Bourguiba Tél. 331 144 Fax 349 071 Ouvert lun.-sam. 16h-0h*
☺ **Théâtre de l'Étoile du Nord (plan 3, B3)** Plus qu'un café, un "concept". Ce théâtre privé, qui accueille de septembre à juin des concerts, des films et des pièces de théâtre, propose aussi des animations culturelles tous les jours à 18h dans son foyer : lectures, concerts, etc. Un lieu intéressant, assez "intello". L'entrée pour une ou deux personnes donne accès au spectacle quotidien et à une boisson. Sur place, restauration légère et un bar sans alcool. *41, av. Farhat-Hached Tél. 80 100 229/230 (10h-18h) www.etoiledunord.org Ouvert lun.-sam. 9h-0h (voire plus tard, selon les animations)*

Le musée du Bardo

☆ ☺ **Musée national du Bardo (plan 1, A1)** Sa visite est incontournable ! Et pour cause : le Bardo possède la plus belle collection au monde de mosaïques antiques. Les six départements du musée occupent un vaste palais de style hispano-mauresque, fondé par les Hafsides et notablement agrandi au milieu du XIXe siècle. *À 6km à l'ouest du centre Prendre la ligne de métro n°4 (0,45DT de la station République) Tél. 513 650 www.information-tunisie.com/museebardo Ouvert mai.-oct. : mar.-dim. 9h-17h ; nov.-avr. : mar.-dim. 9h30-16h30 Tarif 7DT, moins de 6 ans gratuit*
Rez-de-chaussée Sur la collection du département de préhistoire (1, à droite de l'entrée) se détache l'Hermaïon d'El-Guettar, retrouvé près de Gafsa. Ce monument votif vieux de 40 000 ans, composé d'un amas de galets, de silex et d'ossements, est considéré comme l'une des premières expressions religieuses de l'humanité. La salle 2 doit son nom à une statuette en terre cuite du Ier siècle qui représente Baal Hammon, la principale divinité carthaginoise, coiffé de plumes et assis sur son trône. Les stèles puniques exposées dans la salle 3 viennent du *tophet* de Carthage, sanctuaire où l'on sacrifiait des enfants aux divinités. Dans la salle 4, vous verrez les stèles de Maghroua (dites de la Ghorfa, IIe s.), qui illustrent la rencontre des croyances puniques et gréco-romaines en milieu berbère. La salle

paléochrétienne (5), à gauche de l'entrée, abrite de belles mosaïques et des objets funéraires ainsi que des pavements d'églises paléochrétiennes. Au centre trône un baptistère du VIᵉ siècle provenant d'El-Kantara (Djerba). La salle de Bulla Regia (6) abrite des statues monumentales, dont un *Apollon citharède* (IIᵉ s.), et une délicate mosaïque représentant Persée et Andromède (IIIᵉ s.). L'un des sarcophages exposés dans l'allée qui mène aux salles 8 et 9 figure un couple de défunts aux portes du paradis (Korba, IIIᵉ s.). La salle de Thuburbo Majus (9) renferme des mosaïques, des statues et des bas-reliefs exhumés sur le site de Thuburbo Majus (cf. *infra*).

1ᵉʳ étage Dans la cour du palais sont exposés de nombreux pavements, statues et bas-reliefs provenant de la Carthage romaine. Sous le haut plafond richement orné de la salle de la Carthage romaine (10), une mosaïque représente Dionysos sous les traits d'un éphèbe, offrant du raisin au roi de l'Attique, Ikarios (Oudna, IIIᵉ s.). Sur le sol de la salle de Sousse (11), une ancienne salle d'apparat, s'étale le *Triomphe de Neptune* : une mosaïque de 137 m² dont le motif central montre le dieu nu sur un char tiré par quatre chevaux marins. Les 56 médaillons qui l'entourent représentent les Néréides chevauchant des monstres marins, des tritons et des sirènes (IIᵉ s.). La mosaïque dite du seigneur Julius (Vᵉ s.) permet de se faire une idée de l'opulence des grands propriétaires terriens de l'Antiquité tardive. Dans la salle de Dougga (12), une autre mosaïque particulièrement élégante et équilibrée figure le *Triomphe de Neptune* entouré des *Quatre Saisons*. Outre des *xénia* (natures mortes) découvertes à El-Djem, la salle 13 renferme un *Triomphe de Bacchus* (IIIᵉ s.). La salle d'Ulysse (14) est célèbre pour sa mosaïque du VIᵉ siècle représentant le héros de l'Odyssée attaché au mât de son navire pour mieux résister au chant des sirènes. Dans la salle de Virgile (18) – antichambre des appartements du bey, à la décoration recherchée –, on admirera la plus ancienne représentation connue du poète (IIIᵉ s.). Drapé dans sa toge, il tient un rouleau de papyrus sur lequel est inscrit le huitième vers de *L'Énéide*. Vers 70-80 av. J.-C., un bateau venu du Pirée, pris dans une tempête, sombra au large de Mahdia. Des fouilles menées de 1908 à 1913 ont permis de remonter de l'épave une émouvante collection de bronzes et de marbres hellénistiques présentée dans la salle de Mahdia (21). Un petit palais beylical (1831-1832) soigneusement restauré abrite la section consacrée à la civilisation islamique. Les salles 24 et 25, qui donnent sur son splendide patio, présentent des céramiques hafsides, des poteries fatimides, des costumes et du mobilier anciens.

2ᵉ étage Salle 26, plusieurs mosaïques d'Utique, de Thuburbo Majus et de Carthage rivalisent d'élégance. La pièce maîtresse reste le *Triomphe de Dionysos*, représenté debout sur un char tiré par deux centaures marins.

CARNET D'ADRESSES

Restauration

Le choix est vaste. Essayez absolument l'une des tables chics de la médina, pour vous régaler dans le cadre somptueux d'un vieux palais. Attention : les restaurants populaires de la médina n'ouvrent qu'à midi.

🍴 petits prix

☺ **Mahdaoui (plan 2, B2)** Pour goûter une savoureuse cuisine familiale dans une ambiance survoltée. Le service est efficace et les tables installées sur la très passante rue Djamaa-ez-Zitouna permettent de profiter de l'animation du souk. Plats du jour autour de 5DT. Essayez les artichauts farcis ou le tajine. *Rue Djamaa-ez-Zitouna* **Médina** *Ouvert lun.-sam. 12h-16h*

Restaurant Echeikh (plan 2, B2) Quelques tables posées de guingois en plein passage permettent de profiter du spectacle du souk El-Attarine. On peut croquer un poisson grillé en observant un artisan marteler des plats de cuivre ! Dépaysant à défaut d'être intime. *26, rue des Tamis, souk El-Attarine* **Médina** *Ouvert lun.-sam. 11h-15h Fermé pendant le ramadan*

☺ **Restaurant El-Abed (plan 2, A2)** Une excellente *chaouaï* (grilladin), très prisée des Tunisois. Le décor ne paie pas de mine, mais les grillades au charbon de bois sont délicieuses et à des prix dérisoires : env. 8DT le repas. *Souk Essakajine n°2 (à la jonction des souks Essakajine et El-Leffa)* **Médina** *Ouvert lun.-sam. 11h-15h*

🍴 prix élevés

☺ **Dar Bel Hadj (plan 2, B2)** Ce palais ottoman du XVIIe siècle reconverti en restaurant chic a conservé sa somptueuse cour couverte, ornée de stucs et de mosaïques. On se régale de spé-

cialités tunisiennes autour de 20DT le plat. Essayez le *mosli* d'agneau au four ou le *kabkabou* de poisson. Dommage que l'accueil ne soit pas toujours à la hauteur. CB acceptées. *17, rue des Tamis, souk El-Attarine* **Médina** *Tél. 200 894 Fax 200 872 Ouvert lun.-sam. 12h-15h et 19h30-23h*

☺ **Essaraya (plan 2, A3)** Dîner dans un palais des Mille et Une Nuits sans se ruiner, c'est possible ! Ce fastueux dar recyclé en table gastronomique offre un excellent rapport qualité-prix. On ira de préférence le soir y savourer de délicats mets tunisiens sous la coupole du patio ou sous les boiseries peintes des salles ornées de zelliges... à la lueur des chandelles et au son de l'oud. L'expérience envoûtante prendra fin quand un vieil homme muni d'une lanterne vous aura raccompagné jusqu'à la sortie de la médina. Env. 30DT-35DT le repas complet. CB acceptées. Il convient de réserver le soir. *6bis, rue Ben-Mahmoud, Bab Mnara* **Médina** *Tél. 560 310/563 091 www.essaraya-tunis.com Ouvert été : lun.-sam. 12h-15h et 20h-0h ; hiver : lun.-sam. 12h-15h et 20h-0h, dim. 20h-0h*

Restaurant Dar Hammouda Pacha (plan 2, A2) L'ancienne résidence du bey Hammouda Pacha (XVIIe s.) accueille un restaurant gastronomique. Le cadre est aussi remarquable que ceux du Dar El-Jeld et de l'Essaraya, mais la cuisine semble un peu moins convaincante. Essayez le suprême de daurade, le *marka hlowa* (ragoût d'agneau sucré-salé) ou le

GAMME DE PRIX	RESTAURATION	HÉBERGEMENT
Très petits prix	moins de 5DT	moins de 15DT
Petits prix	de 5DT à 15DT	de 15DT à 30DT
Prix moyens	de 15DT à 25DT	de 30DT à 60DT
Prix élevés	de 25DT à 40DT	de 60DT à 100DT
Prix très élevés	plus de 40DT	plus de 100DT

poulet à l'orange et aux raisins secs. Prévoyez 3ODT-4ODT le repas. CB acceptées. Réservation conseillée. *56, rue Sidi-Ben-Arous* **Médina** *Tél. 566 584/561 746 hamouda.pacha@gnet. tn Ouvert tlj. 12h30-15h et 19h30-23h (horaires variables)*

☺**Chez Slah (plan 3, B2)** Cette table appréciée des hommes d'affaires tunisois se cache dans une ruelle proche de la place du 7-Novembre. Dans une salle immaculée égayée de nattes et de lampes orientales, on se régale de fruits de mer et de poisson grillé (daurade, rouget, mérou, loup, espadon, etc.). De 11DT à 16DT le plat. Service stylé et prévenant. *14 bis, rue Pierre-de-Coubertin* **Ville nouvelle** *Tél. 258 588/332 463 Ouvert mar.-dim. 12h30-14h et 19h30-21h45 Fermé pendant le ramadan*

Restaurant L'Orient (plan 3, A3) Une cuisine tuniso-européenne de bonne tenue servie dans une salle un peu kitsch d'inspiration andalouse. L'attention se porte sur le couscous, les crevettes royales et le poisson grillé. Pour changer, savoureuse noix de veau rôtie (1ODT). Bon choix de vins et de liqueurs. CB acceptées. *7, rue Ali-Bach-Hamba* **Ville nouvelle** *Tél. 252 061 lorient@tunisiafind.com Ouvert tlj. 12h-15h et 19h-22h30*

🍴 prix très élevés

☺**Dar El-Jeld (plan 2, A2)** Sans conteste la meilleure table de Tunis. Dans le décor fastueux de ce vénérable *dar*, qu'éclairent des lustres de Venise, on s'attend à croiser un pacha ottoman dans le sublime patio d'apparat ou dans les pièces en "T", plus intimes. Les maîtres d'hôtel, tirés à quatre épingles, assurent un service irréprochable. Côté cuisine, tout n'est que raffinement. Au menu, le *mosli*

d'agneau (cuit à l'étouffée avec sauce safranée) fait figure de plat vedette, mais on ne regrettera pas le couscous au poisson, accommodé avec des coings et des raisins secs, ou la kammounia de seiche. Menus de 45DT à 8ODT. Réservation impérative. CB acceptées. *5, rue Dar-el-Jeld* **Médina** *Tél. 560 916 www.dareljeld.tourism.tn Ouvert lun.-sam. 12h30-14h30 et 2Oh-22h30 Fermé en août et à midi en juil.*

Le Diwan (plan 2, A2) Même propriétaire que le Dar El-Jeld... et même carte. La cuisine, recherchée, est très prisée du Tout-Tunis. Avec ses zelliges et ses plafonds mauresques, Le Diwan accueille plutôt des groupes, mais il accepte aussi les particuliers quand le Dar El-Jeld est plein. Au rdc, belle galerie d'art (bijoux, tissus, ferronnerie, poteries, vêtements anciens). *1O, rue Dar-el-Jeld* **Médina** *Tél. 560 916 www.dareljeld.tourism.tn Ouvert lun.-sam. 1Oh-Oh Fermé en août*

Hébergement

À Tunis, le choix se limite à des hôtels vieillissants, non dénués de charme mais parfois vétustes, ou des hôtels de luxe récents, sans charme mais confortables.

🧳 très petits prix

☺**Auberge de jeunesse Tunis Médina (plan 2, A2)** Au cœur de la médina, l'unique AJ de la capitale a pour cadre un palais rénové. Les 6 dortoirs (65 lits), décorés de zelliges et dotés de lits en bois, donnent sur un superbe patio climatisé et coiffé d'une coupole en verre. La salle de réunion est digne d'un palais et le salon ne dépare pas, avec son plafond peint et ses céramiques. Un cadre exceptionnel à prix dérisoires : 8DT par personne avec petit déjeuner. Carte d'adhérent

Mosaïque romaine du musée du Bardo (p.101), Tunis.

obligatoire. Réservez pour la période allant de juin à août. *25, rue Saïda-Ajoula* **Médina** *Tél./fax 567 850*

Hôtel Marhaba (plan 2, B2) Un confort sommaire mais de tout petits prix, à deux pas de la porte de France. Ses 14 chambres avec lavabo et lits en fer ne sont pas insonorisées. Sanitaires sur le palier (1DT la douche), 15DT la double sans petit déjeuner. Réservez une semaine d'avance. *5, rue de la Commission* **Médina** *Tél. 327 605/325 452*

petits prix

☺ **Grand Hôtel de France (plan 2, B2)** L'immeuble, de 1903, a gardé de beaux éléments Art nouveau : la façade avec ses balcons "nouille", le hall, les hauts plafonds moulurés des pièces... Ce 1-étoile est, par ailleurs, bien tenu. Les 56 chambres sont spacieuses et fraîches en été. Préférez celles qui donnent sur la cour, plus calmes. 41DT pour deux avec petit déjeuner. Ajoutez 5DT pour la clim. Pas de CB. *8, rue Mustapha-M'Barek* **Médina** *Tél. 326 244/324 991 hotelfrancetunis@yahoo.fr*

Hôtel Salammbô (plan 3, A3) Un hôtel de style colonial, au confort acceptable et au charme désuet. Les 55 chambres sont spacieuses et bien entretenues mais ne possèdent pas toutes des sanitaires. TV et clim. en supplément (2DT et 3DT). Pas de CB. Accueil courtois. De 28DT à 36DT pour deux avec douche et WC. *6, rue de Grèce* **Ville nouvelle** *Tél. 334 252/350 732 www.hotelsalammbo.com*

prix moyens

Hôtel de Russie (plan 3, A4) Avec sa belle façade égayée de bougainvillées et sa situation (à un jet de pierre de

la médina), ce 2-étoiles a tout pour convaincre. Les 24 chambres sont décorées de faïences et bien équipées (ventilateur, clim. l'été, TV, baignoire), mais elles souffrent hélas ! d'un certain laisser-aller. Petit déjeuner décevant et accueil mou. Une reprise en main s'impose ! Prix corrects : 50DT pour deux. Parking payant à deux rues de l'hôtel. *18, rue de Russie* **Ville nouvelle** *Tél. 328 883 Fax 327 267*

Hôtel La Maison Dorée (plan 3, A3) Les 50 chambres régulièrement repeintes donnent de l'air et de la lumière à cet hôtel du quartier colonial. Les plus tranquilles sont au quatrième étage. Accueil souriant et courtois. De 40DT (douche sans WC) à 55DT (bain ou douche et WC) pour deux. Supplément clim. pour 3DT (juin-sept.). Un restaurant et un bar. Pas de CB. *3, rue El-Koufa et 6 bis, rue de Hollande* **Ville nouvelle** *Tél. 240 631/240 632 Fax 332 401*

Hôtel Commodor (plan 3, A3) Face au marché central, ce petit hôtel à l'entrée peu engageante dispose de 43 chambres repeintes régulièrement, calmes et très propres. Des sandalettes sont mêmes prévues pour la sortie de la douche ! Certes, on ne retrouve pas l'architecture coloniale des hôtels voisins, mais le confort est là. Les prix, un peu excessifs, sont négociables : 100DT pour deux. *17, rue d'Allemagne* **Ville nouvelle** *Tél. 324 286 Fax 324 274*

prix élevés

Hôtel Carlton (plan 3, B3) Bien placé sur l'av. Bourguiba, près de la médina, le Carlton dispose de chambres confortables, bien équipées (minibar, TV, clim.) mais sans fantaisie. Celles qui donnent sur l'avenue permettent d'admirer de belles façades coloniales, mais elles ne se réservent pas et, malgré leur double vitrage, restent bruyantes. Comptez 90DT la double avec petit déj. Réduction de 50% pour les moins de 12 ans. CB acceptées. Parking payant (5DT/j.). *31, av. Habib-Bourguiba* **Ville nouvelle** *Tél. 330 644* *www.carlton.com.tn*

LA GOULETTE

Ind. tél. 71

L'avant-port de Tunis est aussi une station balnéaire populaire. Aux beaux jours, les familles tunisoises viennent s'y baigner et se régaler de poisson grillé dans les gargotes de l'artère principale. Si elle jouit d'une belle vue sur le djebel Bou Kornine, la plage n'est pas des plus propres ni toujours des mieux fréquentées. La Goulette n'en reste pas moins, pour beaucoup, évocatrice d'une enfance heureuse passée dans une ville où les communautés chrétienne, juive et musulmane vivaient en harmonie.

UN BASTION DISPUTÉ Le site doit son nom au goulet qui sépare la mer du lac de Tunis. Construite pour fournir un port à Tunis, La Goulette a connu une histoire agitée. En 1534, le pirate turc Barberousse s'en empare. Un an plus tard, Charles Quint se rend maître de la ville, qu'il dote d'un fort (*bordj*). La domination espagnole prend fin en 1574 avec l'arrivée des Turcs. Le fort sert alors d'entrepôt à esclaves. Sous le protectorat, on y enferma des forçats.

MODE D'EMPLOI

accès

EN TGM
Trains toutes les 12min de 5h à 20h et toutes les 30min de 20h à 0h30. De Tunis, descendez à la station La Goulette-Vieille (0,50DT, 10min de trajet).

EN VOITURE
Un pont reliant Radès à La Goulette a été inauguré en mars 2009. Il enjambe le lac de Tunis et permet d'éviter de passer par la ville.

orientation

Tous les restaurants de La Goulette s'alignent le long de l'avenue Franklin-Roosevelt, axe principal, parallèle au front de mer (baptisé avenue de la République). La place du 7-Novembre fait figure de place centrale.

poste, banques et change

Poste On peut y changer son argent et en retirer au distributeur automatique. *Av. Farhat-Hached (face au fort) Ouvert juil.-août : lun.-sam. 7h30-13h ; sept.-juin : lun.-sam. 8h-12h ; ramadan : lun.-sam. 8h-12h30*
Également des distributeurs automatiques de billets place du 7-Novembre (UIB, Banque de Tunisie) et avenue Bourguiba (Amen Bank devant le marché couvert).

TUNIS ET SES ENVIRONS

marché

Halle Signalée par une mosaïque représentant Ulysse et les sirènes, cette halle aux poissons, fruits, légumes et volailles constitue un but de promenade sympathique. *Av. Franklin-Roosevelt (presque en face du restaurant Stambali) Ouvert tlj. 9h-18h*

CARNET D'ADRESSES

Restauration, hébergement

Nombre de gargotes n'ouvrent que de juin à la fin de l'été. Les restaurants de l'avenue Franklin-Roosevelt servent généralement du bon poisson grillé.

petits prix

Chez Mohsen Le "roi de la brick", comme le proclame sa devanture, sert des plats simples pour une bouchée de pain : brick (avec une grande salade), merguez et viandes variées. La harissa est forte mais le service rapide et souriant. Une adresse populaire, un cran au-dessus de ses concurrents. *Av. Franklin-Roosevelt Ouvert tlj. 10h-0h*

Stambali Un coup d'éponge sur la toile cirée suffit pour mettre la table ! Les plats sont simples mais savoureux et bon marché : *lablabi* (soupe de pois chiches), bricks, grillades, poisson, spaghettis, *ojja*. *13, av. Franklin-Roosevelt Ouvert juin-août : tlj. 18h-0h ; reste de l'année : le matin jusqu'à 15h*

prix élevés

☺ **Mamie Lily** Le temple de la cuisine judéo-tunisienne. La maison, à peine signalée et coupée de la rue par un jardinet, n'abrite que 6 tables. Les plats du jour varient selon l'humeur du chef, mais il faut à tout prix goûter aux classiques de la maison : émincé de volaille au citron accompagné de couscous à la menthe, émincé de volaille à la rose et *machmachia* (émincé de bœuf aux abricots, pruneaux, raisins secs et amandes). La cuisine donnant sur la salle, on peut suivre l'élaboration de ces recettes traditionnelles. Comptez environ de 25DT à 30DT/pers. avec boisson. Formule dégustation pour découvrir la cuisine à plusieurs (idéal pour 4 pers). *14, av. Pasteur Tél. 737 633 Ouvert en général 9h-15h et 19h30-22h*

Le Café vert Le restaurant vedette de La Goulette présente un bon rapport qualité-prix pour son poisson et ses fruits de mer. Les beignets aux chevrettes (petites crevettes) et les clovisses proposés en entrée sont un régal. L'été, il faut commander un "complet poisson" : une darne de mulet accompagnée de *testira* (pipe-

GAMME DE PRIX	RESTAURATION	HÉBERGEMENT
Très petits prix	moins de 5DT	moins de 15DT
Petits prix	de 5DT à 15DT	de 15DT à 30DT
Prix moyens	de 15DT à 25DT	de 30DT à 60DT
Prix élevés	de 25DT à 40DT	de 60DT à 100DT
Prix très élevés	plus de 40DT	plus de 100DT

rade) à 15DT. De 25DT à 30DT/pers. le repas complet. 68, av. Franklin-Roosevelt Tél. 736 156 Ouvert mar.-dim. 12h30-15h30 et 19h-1h

Hôtel La Jetée Bien placé au-dessus de la plage de La Goulette, il loue 59 chambres toutes roses, de la baignoire au poste de télévision ! Le confort (clim.) et la propreté sont irréprochables. De là à mériter 4 étoiles... La piscine n'est mise en eau qu'en juillet-août et le sauna ne fonctionne qu'en hiver. Comptez 120DT pour deux. 2, rue de la Mosquée Tél. 736 000 www.lajetee-hotel.com

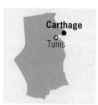

★ CARTHAGE

Ind. tél. 71

Carthage déçoit souvent les visiteurs qui s'attendent à voir surgir intacte devant eux la célèbre capitale de l'Empire punique. Les éléphants d'Hannibal sont un lointain souvenir et les maigres ruines peinent à évoquer la puissance de cette cité qui fit trembler Rome. Occupant un promontoire, au creux du golfe de Tunis, Carthage offre le visage d'une paisible ville résidentielle, aux luxueuses villas avec jardins et parkings. Il faut donc faire un effort d'imagination et laisser parler les vestiges puniques et romains dispersés à travers la ville...

"DELENDA EST CARTHAGO" L'origine de Carthage relève à la fois de l'histoire et de la légende. Dans son *Énéide*, Virgile raconte que la cité a été fondée en 814 av. J.-C. par Élissa Didon, princesse de Tyr écartée du trône phénicien par son frère Pygmalion. Quand elle choisit de s'établir sur ce rivage, la coutume locale interdisait aux étrangers d'acquérir un terrain plus vaste qu'une peau de bœuf. Pour contourner la loi, Élissa découpa une peau de bœuf en minces lanières qu'elle mit bout à bout pour délimiter un vaste territoire. Carthage était née. Bâtie sur la colline de Byrsa, la ville reçoit le nom de Qart Haddasht, "Ville nouvelle". Rapidement, les colons phéniciens s'enrichissent par le commerce et établissent des comptoirs sur le littoral maghrébin. Bientôt Carthage supplante Tyr, et ses liens commerciaux avec la Grèce, l'Étrurie et l'Égypte lui assurent une puissance économique inégalée en Afrique et en Méditerranée occidentale. Ambitieux, les Carthaginois s'aventurent jusque dans le golfe de Guinée et vers les îles Britanniques. À son apogée, leur empire englobe le sud de l'Espagne, les Baléares, la Corse, la Sardaigne, la Sicile et Malte. Au Ve siècle av. J.-C., Carthage se heurte toutefois aux Grecs pour le contrôle de la Sicile, puis aux Romains. Elle perd la première des trois guerres puniques (264-241 av. J.-C.), et la révolte consécutive de ses mercenaires impayés inspirera à Flaubert son bouillonnant *Salammbô*. La deuxième guerre punique (218-201 av. J.-C.) est marquée par la marche sur Rome d'Hannibal, qui réussit à passer les Alpes avec son armée d'éléphants. Pourtant, défaite à Zama, Carthage doit abandonner l'Espagne, après la Sicile. Rome n'est pas rassurée pour autant : la richesse de la cité punique reste insolente. "*Delenda est Carthago*" ("Il faut détruire Carthage"), répète inlassablement Caton l'Ancien au Sénat. À l'issue d'une troisième guerre punique (149-146 av. J.-C.), Rome met à exécution ses plans. Selon la légende, Scipion Émilien détruit Carthage, laboure son sol, y répand du sel et le déclare maudit.

LA RENAISSANCE ET LE DÉCLIN La ville renaît pourtant de ses cendres grâce à… Rome ! Comprenant l'importance de ce site, qui commande l'accès aux deux parties ouest et est de la Méditerranée, César (dès 44 av. J.-C.) puis Auguste entreprennent de relever Carthage de ses cendres. La cité, promue capitale de la province romaine d'Afrique, retrouve prospérité et dynamisme. Elle devient même le centre intellectuel et religieux de l'Afrique romaine puis chrétienne, en voyant naître le théologien Tertullien et saint Augustin. Ébranlée par la chute de l'Empire romain, Carthage est pillée par les Vandales en 439. Relevée par les Byzantins en 530, elle est mise à sac par les Arabes en 698. Les bâtisseurs tunisois transforment alors ses ruines en une carrière de réemploi. "Le marbre est si abondant à Carthage dans l'amphithéâtre, le cirque, les thermes que, si tous les habitants de l'Ifriqiya se rassemblaient pour en tirer des blocs, ils ne suffiraient pas à la tâche", note un voyageur du XIe siècle. En 1270, Saint Louis, en route pour la 8e croisade, y meurt de la dysenterie. Depuis la Seconde Guerre mondiale, les villas ont fleuri sur la colline de Byrsa, recouvrant les ruines antiques. La construction des piscines, caves et garages a causé d'importants dégâts dans les couches archéologiques. Les bulldozers semblent avoir fait autant de mal en quelques années que les destructions romaines, vandales et arabes en deux mille ans d'histoire…

MODE D'EMPLOI

accès

EN TGM
Le TGM s'arrête dans six stations différentes. Trains toutes les 12min (18min les dim. et j. fér.) de 5h à 21h, puis toutes les 30min de 21h à 0h30. Tarifs : 0,95DT de la station Carthage-Amilcar à Tunis, 0,50DT de Sidi Bou Saïd.

EN VOITURE
À 17km à l'est de Tunis par la GP9.

orientation

Carthage est dominée par la colline de Byrsa, que coiffe l'Acropo-lium (ancienne cathédrale). Son axe principal, l'avenue Habib-Bourguiba, la traverse du nord au sud. Les sites antiques, éparpillés dans toute la ville, sont bien signalés.

banque

On trouve un distributeur automatique de billets UBCI avenue Habib-Bourguiba, à côté du restaurant Tchevap.

fêtes et manifestations

Festival international de théâtre (plan 4, B1) Au théâtre antique. *En juil.-août*
Festival international de Carthage Présentation d'artistes nationaux et

internationaux, de films, de pièces de théâtre... *www.festival-carthage.com. tn En juil.-août*

Festival international de musique classique ou Octobre musical (plan 4, B1) À l'Acropolium. *En oct.*

DÉCOUVRIR
Carthage

☆**Les essentiels** Les thermes d'Antonin, le Musée national archéologique de Carthage, l'Acropolium **Découvrir autrement** Profitez du panorama sur la mer de la terrasse de la maison de la Volière, découvrez les plats de poissons grillés du restaurant Neptune ➤ **Carnet d'adresses p.116**

Un billet acheté sur l'un des sites (amphithéâtre, villas romaines, théâtre romain, Musée paléochrétien, musée de Carthage, *tophet* et thermes d'Antonin) permet d'accéder aux six autres, mais uniquement le même jour. Ils sont ouverts tlj. de 8h à 19h (8h-15h lors du ramadan). Le billet coûte 7DT. Comptez 1DT de droit photo.

Les vestiges puniques

Il reste hélas ! peu de traces de la Carthage punique. Les épais remparts de 34km de long qui défendaient la cité suscitèrent l'admiration des Grecs et des Romains. Ponctués d'une tour tous les 60m, ils abritaient plusieurs garnisons et des écuries pour trois cents éléphants et quatre mille chevaux.

Tophet (sanctuaire de Tanit et Baal Hammon) (plan 4, A2) Le *tophet* désigne une aire sacrificielle à ciel ouvert, transformée en nécropole au fil du temps. C'est dans ce petit enclos que les Carthaginois sacrifiaient des enfants à leurs divinités, Baal Hammon et Tanit. Les victimes étaient incinérées. Leurs cendres, recueillies dans des urnes, étaient enterrées aux emplacements marqués par les cippes, stèles gravées du signe de Tanit (un triangle barré à son sommet et coiffé d'un cercle). Le *tophet* rassemble trois couches d'urnes empilées. Ces funestes cérémonies se pratiquèrent du VIIe siècle à 146 av. J.-C., pour solliciter l'aide des dieux face aux dangers (attaques extérieures, sécheresses, épidémies) et les remercier dans un geste d'offrande. À l'époque néopunique, on substitua des animaux aux victimes humaines.

Ports puniques (plan 4, A2) Deux petits bassins bordés d'opulentes villas : voilà tout ce qu'il reste des ports qui firent la puissance et la gloire de Carthage. On distingue bien le port marchand, rectangulaire, du port militaire, circulaire et jadis dissimulé par une muraille. Le second abrite en son centre un îlot, ancien siège de l'amirauté. Il pouvait accueillir deux cent vingt vaisseaux à flot et trente en cale sèche sur l'îlot. En 200 av. J.-C., les Romains transformèrent celui-ci en un port de commerce. En attendant la reconstitution du port militaire (en cours), on se contentera d'observer sur l'île les maigres vestiges des entrepôts romains, une cale sèche de l'époque punique et un petit musée présentant une maquette des deux ports. *Musée ouvert tlj. 9h-19h*

Détail de porte ancienne, Sidi Bou Saïd (p.117).

Quartier Magon (plan 4, B2) Cet ancien quartier punique était protégé, côté mer, par un rempart imposant garni de tours carrées et de portes fortifiées, dont subsistent les fondations de quelques brise-lames. À l'arrière gisent des vestiges de maisons puniques des v⁰ et ii⁰ siècles avant notre ère.

Les vestiges romains

☆ ☺ **Thermes d'Antonin** (plan 4, B2) Les majestueuses ruines des thermes d'Antonin s'étendent dans un vaste parc archéologique tourné vers la mer, au pied du palais présidentiel. Commencés sous Hadrien et inaugurés sous Antonin, au milieu du ii⁰ siècle, les thermes se décomposent en une suite de bâtiments dédiés aux soins du corps et construits en double, de façon à accueillir aussi bien les hommes que les femmes. On distingue le caldarium (salle chaude octogonale), les tepidaria (salles tièdes), les palestres (salle d'exercices physiques) et surtout l'immense frigidarium (salle froide). Huit grandes colonnes de granit de plus de 20m de haut soutenaient la voûte de la salle froide. Les thermes étaient alimentés par les citernes de la Malga, au sommet de la colline de Byrsa, elles-mêmes approvisionnées par l'aqueduc de Zaghouan. Le reste du parc intéressera ceux qui ont du temps. Les ruines éparses montrent une ancienne *schola* (siège d'association) dont on voit encore le péristyle et la salle de réception en trèfle au sol de mosaïques. À quelques pas de là, une basilique chrétienne à trois nefs présente un pavement de mosaïques et quelques fours utilisés par les artisans céramistes puniques. *Av. des Thermes-d'Antonin Tél. 730 261 Ouvert 1ᵉʳ juin-15 sept. : tlj. 8h-19h ; hiver : tlj. 8h30-17h*

☺ **Villas romaines** (plan 4, B1-C1) En arpentant les allées pavées du quartier romain, vous aurez l'occasion d'admirer les vestiges de belles demeures patriciennes à péristyle. Le plan est le même partout. L'atrium à portique, généralement agrémenté d'un jardin, est souvent pavé de mosaïques polychromes à motifs géométriques ou figuratifs. C'est le cas de la maison de la Volière, en haut du site. La villa doit son nom à une mosaïque représentant des paons et autres oiseaux dans une volière (l'original est exposé au musée du Bardo). Sa terrasse offre un panorama éblouissant sur Carthage et le golfe de Tunis avec, en toile de fond, le Bou Kornine. Le reste des ruines se résume à des fondations de maisons et à des citernes. Au nord du site, l'odéon, théâtre couvert qui accueillit, notamment, les jeux Pythiques, présente de maigres vestiges. *Accès par la montée de l'Odéon Ouvert tlj. 8h30-17h30*

Théâtre romain (plan 4, B1) Bâti à flanc de colline au milieu du ii⁰ siècle, cet imposant théâtre de plein air fut plusieurs fois remanié avant d'être rasé, probablement par les Vandales. Une partie des statues qui ornaient la scène est exposée au musée du Bardo. Les hauts gradins bétonnés forment aujourd'hui un hémicycle tourné vers la mer. Un cadre enchanteur dont on peut profiter lors du Festival international de Carthage en juillet-août (musiques, chants, danses). *Tél. 731 332*

☆ **Musée national archéologique de Carthage** (plan 4, B1) Le plus ancien musée de Tunisie a été fondé en 1875 au sommet de la colline de Byrsa, à l'emplacement du forum romain. Son panorama à 180° englobe Carthage,

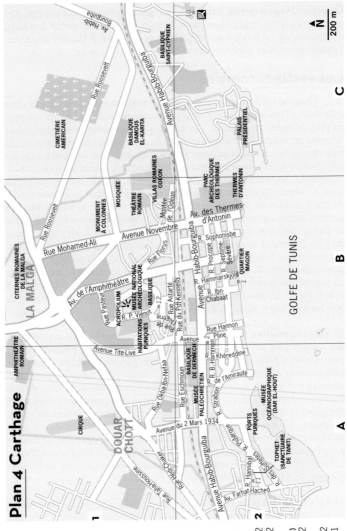

Plan 4 Carthage

N

200 m

RESTAURATION (n° 1 et 2)
Restaurant Neptune — **1** B2
Tchevap _____ **2** B2

HÉBERGEMENT (n° 10 à 12)
Hôtel Amilcar _____ **10** C2
Hôtel
Résidence Carthage **11** A2
Villa Didon _____ **12** B1

le djebel Bou Kornine et Tunis. Les ruines à ciel ouvert au bas de l'esplanade sont celles d'un quartier punique du IIe siècle av. J.-C. Le musée rassemble des témoignages des différentes périodes de Carthage : punique (stèles, sarcophages, céramiques), romaine (sculptures et mosaïques) et paléochrétienne (sculptures et céramiques). Les imposantes mosaïques du rez-de-chaussée proviennent pour la plupart des thermes d'une villa romaine de Sidi Ghris, à 30 km de Tunis. Dans la même salle s'élèvent deux *Victoires* colossales (IIe s.), découvertes sur la colline de Byrsa. Notez aussi les poteries de la nécropole de Junon (VIIe s. av. J.-C.) et la belle urne punique en marbre blanc. Le 1er étage est consacré à la destruction de Carthage par les Romains (146 av. J.-C.). La maquette de la ville haute au IIe siècle nous apprend que le sommet de Byrsa fut arasé sous Auguste pour accueillir un ensemble monumental : forum, bibliothèque, grand temple, capitole et basilique. Enfin, une collection d'objets domestiques, de belles céramiques et des monnaies carthaginoises témoignent de la richesse de la civilisation punique. *Colline de Byrsa Tél. 730 036*

☆ **Acropolium (plan 4, B1)** Cette ancienne cathédrale posée au sommet de la colline de Byrsa fut consacrée en 1890 à Saint Louis. C'est là, en effet, que le roi de France aurait rendu l'âme en août 1270, au cours de la 8e croisade. L'imposant édifice, de style byzantino-mauresque, est assez composite. Aux murs figurent les blasons des souscripteurs, descendants de compagnons du roi. Remarquez le beau plafond en bois peint, œuvre d'artisans de Venise et d'Alep, et les 174 colonnes de marbre aux chapiteaux dorés. *Colline de Byrsa Tél. 733 866 www.acropoliumcarthage.com Ouvert tlj. 9h-17h ; ramadan : tlj. 9h-16h Tarif 4DT*

Amphithéâtre (plan 4, A1-B1) Une fois de plus, il faut faire appel à son imagination pour se représenter la majesté de cet édifice qui, à l'époque romaine, pouvait accueillir 3 600 spectateurs. De sanglantes chasses et des combats de gladiateurs se déroulaient dans son arène ovale, aujourd'hui cernée par une pinède bucolique. On peut voir quelques pieds de colonne et la travée centrale, dans laquelle bêtes et hommes étaient parqués avant le spectacle.

Citernes romaines de la Malga (plan 4, B1) L'eau de Carthage était stockée dans ces impressionnants réservoirs, alignés parallèlement, que Flaubert décrit ainsi dans *Salammbô* : "Des arcades, les unes derrière les autres, s'ouvraient au milieu de larges murailles séparant des bassins. Les coupoles du plafond laissaient des-

Tunis et ses environs en famille

Flânerie et découverte

Pauses sucrées

cendre par leur soupirail une clarté pâle qui étalait sur les ondes comme des disques de lumière." On voit encore les arcades de l'aqueduc qui apportait l'eau de Zaghouan, à 90km au sud. *Suivez le panneau "Phénix de Carthage"*

Musée paléochrétien (plan 4, A2) Ce musée vieillot est consacré à l'Antiquité tardive (v^e-viie s.). Il présente le résultat de fouilles lancées en 1972 lors de la campagne internationale pour la sauvegarde de Carthage. Celles-ci n'étant pas arrivées aux couches puniques, seuls des témoignages des époques romaine et paléochrétienne sont exposés : carreaux de terre cuite chrétiens d'époque (vi^e-viie s.), poteries brisées, sculptures en os et mosaïques. Dehors s'étalent les ruines d'une basilique paléochrétienne dont le plan demeure bien lisible. *Av. Habib- Bourguiba Tél. 730 036*

Carthage-Nouvelle

Dar El-Hout – Musée océanographique (plan 4, A2) Outre quelques aquariums peu spectaculaires, ce musée vieillot brosse de façon très scolaire un panorama du monde marin en Tunisie. Seule la présentation des techniques de pêche retient l'attention. *26, rue du 2-mars (juste avant l'accès à l'îlot du port militaire) Tél. 730 548/730 420 Fax 732 622 Ouvert mar.-sam. 10h-13h et 15h-18h, dim. 10h-18h Tarif 1DT, réduit 0,50DT*

CARNET D'ADRESSES

Restauration, hébergement

 prix moyens

Restaurant Neptune (plan 4, B2) Idéalement posé en bord de mer, en plein quartier Magon, ce restaurant fleure bon les années 1940 avec ses serveurs en complet-cravate, tantôt affables, tantôt revêches. On s'attablerait sur la terrasse rien que pour la vue sur la grande bleue, mais la cuisine est tout à fait honnête. Les poissons sont grillés comme il faut et servis avec une délicieuse *testira* (piperade). De 13DT à 17DT le plat, à accompagner d'un vin blanc (un ugni par exemple). Évitez le menu touristique (13DT), sans intérêt. Les soirs d'été, une brise légère vient rafraîchir la terrasse. Le bonheur... Pas de CB. *2, rue Ibn-Chabbat Tél. 731 328 Fax 343 107 Ouvert tlj. 12h-15h et 20h-23h Fermé ramadan et j. fér.*

Hôtel Amilcar (plan 4, C2) Ce 3-étoiles aux 238 chambres et 12 suites vieillottes dresse sa silhouette disgracieuse au pied de falaises rouges, face à la mer. Sa vue splendide sur le golfe, son accès direct à la plage, sa grande piscine et

GAMME DE PRIX	RESTAURATION	HÉBERGEMENT
Très petits prix	moins de 5DT	moins de 15DT
Petits prix	de 5DT à 15DT	de 15DT à 30DT
Prix moyens	de 15DT à 25DT	de 30DT à 60DT
Prix élevés	de 25DT à 40DT	de 60DT à 100DT
Prix très élevés	plus de 40DT	plus de 100DT

ses prix compétitifs en font un lieu de séjour intéressant pour les budgets limités. Comptez 52DT la double en juil.-août, 45DT en pension complète d'avril à juin et en sept.-oct., et 34DT de nov. à mars. CB acceptées. *Avant l'entrée sud de Sidi Bou Saïd (station TGM Carthage-Amilcar) Tél. 740 788 Fax 743 139 www.hotel-amilcar.com*

 prix élevés

Tchevap (plan 4, B2) La carte de ce restaurant italien de haute volée n'a pas bougé depuis 40 ans. Une clientèle distinguée y goûte les spécialités à 16DT : huit variétés de pâtes, le médaillon de veau au citron (*scaloppini al limone*) ou à la sauce au porto gratiné au four (*fin piccata marsala*). Dommage que la petite salle chic donne sur la route et non sur le large. CB acceptées. Mieux vaut réserver le soir. *52, av. Bourguiba Tél. 277 089 Ouvert tlj. 12h-15h et 19h-0h*

 prix très élevés

Hôtel Résidence Carthage (plan 4, A2) En plein quartier résidentiel, juste à côté du *tophet*, 8 chambres pastel avec TV, clim. et sdb, d'une propreté irréprochable. Elles mériteraient toutefois une touche de fantaisie et un coup de jeune, et l'on peut s'y sentir à l'étroit. Prévoyez 120DT la double en juil.-août. Restaurant (Le Punique). CB acceptées. *16 bis, rue Hannibal Tél./ fax 730 786*

☺ **Villa Didon (plan 4, B1)** Cet hôtel de luxe établi sur une pente verdoyante de la Byrsa offre un design très étudié – douche au centre de la chambre, lavabo face à la mer, jacuzzi, portes à ouverture automatique, ascenseur en verre coloré... L'architecture épurée comme le mobilier contemporain se fondent parfaitement dans l'environnement. Et quel environnement ! De la terrasse des suites, le regard embrasse Sidi Bou Saïd, au nord, les ports puniques et le lac de Tunis au sud et, droit devant, le majestueux golfe dominé par les deux cornes du Bou Kornine. Le grand luxe commence à 370DT pour une suite junior... *Rue Mendès-France Tél. 733 433 www.villadidon.com*

★ SIDI BOU SAÏD

Ind. tél. 71

Sidi Bou Saïd
Tunis

Village pittoresque suspendu au-dessus du golfe de Tunis, Sidi Bou Saïd est célèbre pour le bleu intense qui colore les portes, les moucharabiehs, les balcons et les grilles renflées de ses maisons chaulées de blanc. Il faut flâner au gré de ses ruelles pavées, qui offrent des perspectives admirables sur la mer, pour goûter le charme du village, accroché au djebel Manar (140m). Çà et là, des bougainvillées jettent des touches de couleur éclatantes sur les façades immaculées. Hélas ! la magie de Sidi Bou Saïd attire en nombre les cars de touristes. Les boutiques de souvenirs envahissent la rue principale, et les galeries de peinture, qui fleurissent un peu partout, font de Sidi Bou Saïd le "Saint-Paul-de-Vence" tunisien. Pour éviter la foule, mieux vaut arriver avant 10h ou en fin de journée.

Prévoyez un arrêt au Café des Nattes, où André Gide, Albert Camus, Paul Klee et Simone de Beauvoir avaient leurs habitudes.

LIEU SAINT ET TERRE D'ARTISTES Le promontoire fut d'abord occupé par les Carthaginois, qui y élevèrent un phare, puis par les Arabes, qui y installèrent un ribat, disputé au XVIe siècle par les Espagnols et les Turcs. Mais le village naquit véritablement en 1207, quand l'ascète marocain Abou Saïd Khalafa ben Yahia el-Tèmimi el-Beji, soit Sidi Bou Saïd, décida d'y faire retraite. Jusqu'à sa mort, en 1236, le saint homme professa avec ferveur le soufisme, et ses nombreux disciples perpétuèrent son enseignement. Devenu patron du village, Sidi Bou Saïd est toujours honoré, notamment lors de la Kharja (août). À cette occasion, les processionnaires de plusieurs confréries soufies convergent en chantant et en dansant vers son tombeau, au cœur du village, au rythme de musiques arabo-andalouses et des youyous. Au XVIIIe siècle, le village devient un lieu de villégiature estivale de l'aristocratie tunisoise. Vers 1910, le baron anglo-français Rodolphe d'Erlanger – peintre orientaliste et fils d'un riche banquier – tombe sous le charme des lieux. Il rachète plusieurs palais d'été qu'il fait restaurer, obtenant de l'administration coloniale le classement du site en 1915, une première à l'époque. C'est ainsi que le patrimoine architectural de Sidi Bou Saïd est resté intact. Très vite, sa magie bleu et blanc ensorcelle les artistes européens. Paul Klee et August Macke y posent leurs chevalets, André Gide et Georges Bernanos y cherchent l'inspiration. Nul doute qu'ils l'y ont trouvée…

MODE D'EMPLOI

accès

EN TGM
Train toutes les 12min de 5h à 21h, toutes les 30min de 21h à 0h. Comptez 0,95DT à partir de Tunis.
Gare TGM *À 200m de la pl. du 7-Novembre-1987 (dir. La Marsa)*

EN TAXI
Un peu plus de 7DT en journée et 10DT le soir le trajet à partir de Tunis.

EN VOITURE
Sidi Bou Saïd est situé à 18km à l'est de Tunis et juste au nord de Carthage.

orientation

Les routes de Carthage-La Goulette et de La Marsa se rejoignent sur la place du 7-Novembre-1987, rond-point reconnaissable à sa fontaine et à ses sculptures de colombes et de bouquets de jasmin. De cette place, la rue Habib-Thameur grimpe jusqu'au Café des Nattes, au cœur du village.

stationnement

Le plus simple pour visiter Sidi Bou Saïd est de laisser sa voiture au parking, à droite après la place du 7-Novembre-1987. Le tarif est de 2DT, quelle que soit la durée du stationnement. De là, on grimpe jusqu'au cœur du village par la rue piétonne.

poste, banques et change

On ne trouve pas de distributeur automatique de billets dans le centre du village, mais on peut s'approvisionner aux guichets automatiques de l'UIB et de la BIAT. Change à l'UIB et à la Banque du Sud.

Poste Change et distributeur. *6, rue de la République Ouvert lun.-jeu. 8h-12h et 15h-18h, ven.-sam. 8h-12h30 ; ramadan : lun.-jeu. 8h-13h30, ven. 8h-12h30*

UIB *Av. Habib-Bourguiba (à deux pas de la pl. du 7-Novembre-1987) Ouvert lun.-ven. 8h-16h, sam. 9h-11h*

BIAT *Sur le port de plaisance Tél. 131 211 Ouvert lun.-ven. 8h-16h, sam. 8h-12h*

Banque du Sud *12, av. Habib-Bourguiba Ouvert lun.-ven. 8h-16h, sam. 8h-12h*

urgences

Pharmacie de nuit *13 bis, av. Habib-Bourguiba Tél. 750 958 Ouvert 20h-8h*

Police *Sur la pl. du 7-Novembre-1987 et rue Habib-Thameur Tél. 730 780 Ouvert 24h/24*

fêtes et manifestations

Fête de la Musique Des groupes de musique soufie se produisent dans les rues du village. *Fin juin, pendant 3 jours*

Fête de la Kharja En l'honneur du saint homme Sidi Bou Saïd, cette fête religieuse rassemble des confréries soufies. Musiques, chants, danses et transes. La procession parcourt les rues jusqu'au tombeau de Sidi Bou Saïd. *En août, pendant 3 jours*

DÉCOUVRIR
Sidi Bou Saïd

> ☆ **Les essentiels** Les ruelles du village, le Centre des musiques arabes et méditerranéennes, le Dar El-Annabi **Découvrir autrement** Gagnez au soleil couchant le phare et le cimetière marin, sirotez un thé au Café des Nattes, dégustez un *kabkarou* Au Bon Vieux Temps ➤ **Carnet d'adresses p.121**

Sidi Bou Saïd se découvre à pied. Il faut s'écarter de la rue principale pour apprécier vraiment le village.

Mausolée de Sidi Bou Saïd La zaouïa gardée par des femmes accueille la fête de la Kharja, le deuxième dimanche d'août. Durant trois jours, des congrégations soufies viennent y honorer la mémoire du saint homme. Une autre cérémonie similaire, plus modeste, s'y déroule en septembre. Juste derrière la terrasse de la mosquée

Phare et cimetière marin Sur les hauteurs du village, le cimetière abrite les tombes blanches de plusieurs disciples de Sidi Bou Saïd. Il offre une belle vue, le soir, sur la côte. Le phare voisin a remplacé les grands feux qu'allumaient les Carthaginois pour signaler le port aux bateaux du large. Il a aussi donné son nom au promontoire : le djebel El-Manar (colline du Phare).

☆ ☺ **Centre des musiques arabes et méditerranéennes** Le baron d'Erlanger (1872-1932) n'a pas fait que sauvegarder l'architecture de Sidi

Bou Saïd. C'était aussi un passionné de musique arabe. Aussi son fastueux palais (1912-1922) accroché à la colline, dans un paradis végétal, accueille-t-il aujourd'hui un musée consacré aux instruments de musique du monde islamique. On y découvre la collection constituée par le baron : tablas bédouins, cithares, ouds, darboukas, *mesued* (cornemuses) et même quelques cuivres et harmoniums. Du jardin en balcon au-dessus du golfe de Tunis à la demeure richement décorée, la visite est un enchantement. Le mobilier ancien des chambres et des salons (notez les coffrets en marqueterie de nacre) et les tableaux accrochés aux murs évoquent l'époque où le baron recevait l'intelligentsia tunisienne. Photos interdites à l'intérieur du palais. *Portail jaune au bas du village (à 50m du parking) Ouvert sept.-juin : mar.-dim. 9h-13h et 14h-17h ; juil.-août : mar.-dim. 9h-13h et 15h-18h ; ramadan : mar.-dim. 7h30-13h30 Tarif 3DT Administration non permanente, visite possible avec le gardien contre pourboire*

● LE RENDEZ-VOUS DES ARTISTES

La visite de Sidi Bou Saïd serait incomplète sans celle de ce café maure rendu célèbre par des artistes et des écrivains européens du début du XXe siècle. Avant eux, les intellectuels et étudiants tunisois en avaient déjà fait leur Café de Flore et des conteurs venaient réciter leurs vers sur la petite estrade sur la droite en entrant. Aujourd'hui, les touristes envahissent sa terrasse, mais il fait toujours bon siroter un café turc (1,30DT), un thé aux pignons (2DT) et fumer la chicha (5DT) sur ses banquettes couvertes de nattes. **Café des Nattes** *Pl. du Souk Tél. 749 661 Ouvert tlj. 8h15-1h*

Port et plage

L'"escalier des Sages" déroule ses 365 marches du village jusqu'au port de plaisance. Malheureusement, la plage n'est pas des plus propres.

Comité culturel (ou musée Sidi-Bou-Saïd)

En allant vers le Café des Nattes, on peut faire une halte dans cette galerie qui expose les œuvres d'artistes locaux et étrangers. *17, av. Habib-Thameur Ouvert tlj. 8h30-13h30 et 15h-19h (jusqu'à 20h en été)*

☆ Dar El-Annabi

Cette belle demeure noble du XVIIIe siècle appartenait au *mufti* (jurisconsulte) Mohammed Annabi. Ses héritiers en occupent encore une partie. Celle qui se visite a été embellie au XXe siècle et reste très photogénique. On peut y admirer un patio andalou, ombragé de jasmins et de bougainvillées, une cour à impluvium, une salle de prière, qui a conservé ses stucs et ses vitraux d'origine, et la bibliothèque familiale, qui abrite quelques parchemins et manuscrits anciens. Il faut monter sur la terrasse pour profiter d'une vue splendide sur le village, les faubourgs de Carthage et la mer. On regrettera qu'avec sa boutique de souvenirs l'endroit soit devenu assez mercantile. *Av. Habib-Thameur Tél. 727 728 Ouvert mar.-dim. 9h30-18h30 (jusqu'à 19h en été) Tarif 3DT avec droit photo et un thé offert*

● ☺ Où manger un beignet ?

Cette minuscule échoppe sert d'excellents *bambalouni*, des beignets trempés dans le sucre. Un en-cas très léger pour 0,30DT. On y mange également des bricks aux amandes et des cornes de gazelle (0,30DT et 0,50DT). **Dégustation de *bambalouni*** *Tout de suite à gauche en quittant le Café des Nattes*

● ☺ **Où boire une citronnade ?** Les terrasses blanches de ce café en plein air s'étagent à flanc de coteau pour offrir une vue plongeante sur la mer et, au loin, le djebel Bou Kornine. Pour 1,50DT, on se délecte d'une citronnade autant que du panorama, à côté de vendeurs de jasmin occupés à tresser leurs bouquets. Idéal en fin de journée. Attention, les banquettes sont prises d'assaut les vendredi et samedi soir. **Café Sidi Chebaane (Café des Délices)** *Rue Sidi-Chebaane Ouvert tlj. 8h-20h (jusqu'à 0h en été)*

CARNET D'ADRESSES

Restauration

🍴 petits prix

Le Chargui En haute saison, la grande terrasse de ce café-restaurant est prise d'assaut par les touristes. On ira de préférence à midi y admirer le golfe de Tunis. La cuisine, sans prétention, est à la portée de toutes les bourses. De 6DT à 9,50DT le plat (couscous, côtelettes d'agneau, grillades et poissons). *39, av. Habib-Thameur (à côté du Café des Nattes) Tél. 740 987 Ouvert tlj. 11h30-22h (jusqu'à 0h en été)*

🍴 prix moyens

Tam Tam Pour séduire une clientèle jeune et branchée, ce petit restaurant joue la carte design et "cuisine du monde". Fricassée de légumes à l'indienne (11DT), salade copieuse (8,50DT), et escalope sauce moutarde (12DT). Aussi quelques pizzas et toasts à grignoter sous les téléviseurs qui diffusent en continu des défilés de mode. CB acceptées. *7, av. du 7-Novembre-1987 (entre la gare TGM et la pl. du 7-Novembre-1987) Tél. 728*

535 Fax 735 389 Ouvert juil.-août : mar.-dim. 18h-0h ; hors saison : mar.-dim. 12h30-23h

🍴 prix élevés

☺ **Au Bon Vieux Temps** On recommande vivement ce restaurant qui a vue, d'un côté, sur le golfe de Tunis, de l'autre, sur un luxuriant jardinet méditerranéen. Comme André Gide, qui le fréquenta, on resterait des heures à admirer le jeu des nuages dans la baie, mais les assiettes attirent aussi l'attention. Conseillons le *kabkabou* (mérou aux tomates, 20DT), le couscous à l'agneau (14DT) et la mosaïque du potager (14DT). Un excellent rapport qualité-prix. On peut aussi aller y prendre un verre pour profiter de la vue, si les tables sont libres. Réservation vivement conseillée. *56, rue Hedi-Zarrouk Tél. 744 788/733 aubonvieuxtemps@ planet.tn Ouvert tlj. 12h-0h*

🍴 prix très élevés

Le Pirate Retranchée derrière de hauts palmiers et d'épais bouquets

GAMME DE PRIX	RESTAURATION	HÉBERGEMENT
Très petits prix	moins de 5DT	moins de 15DT
Petits prix	de 5DT à 15DT	de 15DT à 30DT
Prix moyens	de 15DT à 25DT	de 30DT à 60DT
Prix élevés	de 25DT à 40DT	de 60DT à 100DT
Prix très élevés	plus de 40DT	plus de 100DT

d'hibiscus, cette table gastrono-mique s'est fait un nom grâce à ses spécialités de la mer (crevettes, calamars, poulpes, rougets, dau-rades, loups, etc.), grillées au feu de bois d'olivier, auxquelles s'ajou-tent quelques recettes à la vapeur douce. En dessert, optez pour des spécialités tunisiennes (8DT). Comptez 50-55DT/pers. en terrasse ou dans la jolie salle toute blanche. CB acceptées. Réservez, surtout les vendredi et samedi soir (un chanteur se produit ces soirs-là). *En face du port de plaisance Tél. 748 266 sangho. ihm@planet.tn Ouvert tlj. 12h-15h et 19h30-23h*

☺ **Dar Zarrouk** Ce bar-restaurant au-dessus de la mer jouit de la plus belle vue de Sidi Bou Saïd. La cui-sine franco-tunisienne est, comme le cadre, chic et raffinée : couscous de poisson djerbien, filets de loup de mer poêlés au beurre d'estragon... En dessert, on se laissera tenter par le parfait aux figues sèches ou le *samsa* au miel. De 38DT à 50DT par personne. Un bon rapport qua-lité-prix. CB acceptées. *Rue Hedi-Zarrouk Tél. 740 591 darzarrouk@ gnet.tn Ouvert mar.-dim. 12h-15h et 19h30-23h30*

Hébergement

L'offre hôtelière est très insuffisante en été. Il convient de réserver longtemps d'avance.

🧳 prix élevés

Hôtel Sidi Boufarès On passera un agréable séjour dans cet hôtel blanc et bleu, au cœur du village. Sur sa charmante courette ombragée par un figuier impressionnant donnent 10 petites chambres voûtées, joliment décorées. L'atmosphère familiale fait oublier que la literie est à améliorer et que certaines chambres n'ont pas de sanitaires. À partir de 70DT pour deux. Moins cher en basse saison (nov.-mars). *15, rue Sidi-Bou-Farès Tél. 740 091 hotel. boufares@gnet.tn*

🧳 prix très élevés

Hôtel Sidi Bou Saïd Ce 4-étoiles perché sur les hauteurs offre, certes, une belle vue sur la côte, mais il est à 15min à pied du centre et son archi-tecture vieillotte ne plaide pas en sa faveur. Les chambres standard, mais tout confort (TV, minibar, clim., coffre-fort), attirent surtout des hommes d'affaires en séminaire. Pas vraiment de quoi afficher de tels prix : 150DT la double en juillet-août. Piscine, tennis, restaurant et café maure. *Sidi Bou Saïd (juste avant La Marsa) Tél. 740 411 Fax 745 129*

Dar Saïd Campée au milieu du vil-lage, cette demeure bourgeoise du XVIIIe siècle brillamment restaurée abrite 24 chambres décorées à l'an-cienne (faïences et boiseries peintes, lustre au plafond et marbre au sol) mais pourvues de tout le confort moderne (clim., TV, minibar). Toutes sont disposées autour de ravissants patios et cinq d'entre elles ont vue sur la mer. Les pensionnaires peuvent se détendre au hammam, dans la pis-cine encadrée d'orangers qui domine tout le golfe, ou faire des sorties en mer à bord d'un voilier. Le luxe a un prix : de 255DT à 450DT la chambre double. *Rue Tourmi Tél. 729 666 www. darsaid.com.*

LA MARSA

Ind. tél. 71

Mégara, faubourg de la Carthage punique, est devenue une station balnéaire assez huppée. Sa longue plage échancrée, ses hôtels, cafés et restaurants attirent la foule en été. Le visiteur d'un jour se contentera de faire un saut au pittoresque Café Saf-Saf avant de gagner les criques et plages de Gammarth, plus au nord. Cette dernière abrite les villas les plus cossues et les hôtels de luxe.

MODE D'EMPLOI

accès

EN VOITURE
La Marsa se situe à 20km au nord-est de Tunis par la GP9 et juste au nord de Sidi Bou Saïd.

EN TGM
La Marsa-Plage est le terminus du TGM. Le trajet dure 30min de Tunis (1,50DT). Train toutes les 12min.
Gare *Au centre de La Marsa-Plage*

EN CAR
La ligne 247 relie La Goulette à Gammarth/Raoued (zone touristique) en passant par Carthage, Sidi Bou Saïd et La Marsa. Départs toutes les heures. 0,50DT de Gammarth, 0,85DT de Sidi Bou Saïd et 0,76DT de Carthage. La ligne 20 relie La Marsa à Tunis (0,95DT). Départs toutes les 15min du palais Saada.
Station *Pl. du 7-Novembre (bâtiment SNT)* Tél. 749 577 (demander le chef de station)

orientation

Le quartier phare de la ville est La Marsa-Plage. Il s'ordonne autour de la gare TGM et de la place Saf-Saf. Artère principale, l'avenue Habib-Bourguiba longe le front de mer.

poste, banques et change

Poste Dispose d'un distributeur de billets de l'ATB. *Rue du 9-Avril-1938 (derrière la mosquée) Ouvert lun.-ven. 8h-18h, sam. 8h-12h30*
Banques Autres distributeurs de billets sur le front de mer (Banque du Sud et Banque de Tunisie sur l'avenue Bourguiba) et à côté de la place Saf-Saf (UIB, rue de la Mosquée). L'UIB pratique aussi le change (ouvert lun.-ven. 8h-16h et sam. 9h-12h).

accès Internet

Publinet Env. 2DT/h. *4, rue Cheikh-Zarrouk (entre les n°s 36 et 38 de l'av. Habib-Bourguiba)* Tél. 727 128 *netclub@planet.tn Ouvert lun.-sam. 9h-0h, dim. 10h-0h*

librairie

Librairie et espace d'art Mille Feuilles Beaux livres, romans tunisiens et prix littéraires français se disputent les rayons de cette librairie, très bien fournis. Une galerie d'art et un café littéraire occupent l'étage. *99, av. Habib-Bourguiba* Tél./fax 744 229 *Ouvert hiver : tlj. 9h-13h et 15h-19h ; été : tlj. 8h30-13h et 16h-21h*

DÉCOUVRIR
Les environs de La Marsa

☆**Les essentiels** Les plages et criques de Gammarth **Découvrir autrement** Observez le travail des souffleurs de verre chez Sadika, régalez-vous d'un thé aux pignons au Café Saf Saf, faites une pause au restaurant Les Ombrelles à Gammarth ➤ **Carnet d'adresses p.125**

☆ **Gammarth** Cette zone résidentielle huppée s'étend au nord de La Marsa. Ses plages et ses criques se suivent jusqu'à la zone touristique où sont concentrés les hôtels de luxe. Hormis ces derniers et les plages, la route de la Corniche, qui offre un beau panorama sur le golfe de Tunis, constitue le seul attrait de Gammarth. Elle pique ensuite vers le nord en longeant la *sebkha* (lagune) Er-Ariana.

● ☺ **Où acheter de la verrerie artisanale ?** Les créations en verre soufflé de Sadika Keskes font le bonheur des visiteurs qui passent par Gammarth. Cette Tunisienne qui a fait son apprentissage à Murano a réintroduit en Tunisie la technique du soufflage du verre, abandonnée depuis le XIVe siècle. Son atelier-boutique regorge de lampes, de photophores, de vases et de plats en verre et métal (fer forgé, argent filigrané, etc.) et de superbes créations colorées, aux formes épurées. On peut voir les souffleurs au travail dans l'atelier le matin et jusqu'à 15h. Sadika Keskes conçoit aussi d'autres objets (voir les originales chaises longues en ferronnerie et tapis de tente) et s'efforce de promouvoir la production artisanale d'aujourd'hui et d'hier (vente d'écharpes en soie et de tapis anciens). Les prix sont fixes. CB acceptées. **Sadika** *Zone touristique de l'hôtel The Residence (entre le rond-point de l'hôtel Karim et le rond-point de Raoued) Gammarth Tél. 913 011/913 025 Fax 913 114 Ouvert lun.-sam. 8h-20h, dim. 10h-20h*

● **Où déguster glaces et pâtisseries ?**
☺ **Pâtisserie Zarrouk** Baklavas, *kaak* (ronds aux amandes), boulettes aux noix, dattes fourrées aux pistaches... tous ces délices s'achètent ici au détail ou en coffrets d'assortiments tout prêts (de 23DT à 36DT). CB acceptées. *Rue du Maroc (face à la gare TGM) Tél. 747 664 Ouvert lun.-sam. 9h-13h et 15h-19h30 (non-stop lors du ramadan)*
Chez Salem L'incontournable glacier-pâtissier de La Marsa est pris d'assaut tous les soirs et le week-end en été pour ses glaces (noisette, nougat, chocolat, sabayon) et ses sorbets (fraise et citron) maison, que l'on déguste ensuite sur le front de mer, à deux pas. Et cela depuis près de cinquante ans ! Prix dérisoires : 1DT le cornet, 1,50DT le grand gobelet. *95, av. Habib-Bourguiba Ouvert tlj. 6h-0h*

CARNET D'ADRESSES

Restauration

Il est conseillé de réserver sa table le soir dans les restaurants chics de La Marsa et de Gammarth, surtout en fin de semaine. Le service est, hélas, souvent compassé et à peine aimable. À revoir !

🍴 très petits prix

Café Saf-Saf Après la plage, les Tunisois viennent dans ce vieux café siroter un thé aux pignons (1DT) et grignoter la brick maison adaptée d'une recette juive (1DT). On y croise nombre de touristes venus observer la noria qu'actionne un dromadaire, tandis que les habitués tapent le carton dans la salle voûtée aux moucharabiehs bleus. Un lieu assez cosmopolite, en somme, et bondé l'été. De fin juin à août, un orchestre malouf anime la soirée du jeudi. Au restaurant, fricassées, *lablabi* (soupe de pois chiches), grillades et pizzas à prix modiques. *Pl. Saf-Saf Ouvert tlj. 6h-22h (en terrasse 11h-1h en été)*

🍴 prix très élevés

☺ **Restaurant Le Golfe** La superbe terrasse en U de ce restaurant de poisson relativement chic domine l'une des plages de La Marsa. Au déjeuner, une friture de rougets (8DT) et une assiette de melon et de pastèque (6DT) font parfaitement l'af-

faire. Le soir, on peut porter son choix sur les inévitables loups, daurades et autres poissons frits ou grillés, présentés avec une *testira* (piperade). De 40DT à 50DT le menu. CB acceptées. *5, rue Larbi-Zarrouk (juste avant d'entrer à Gammarth, tournez à droite, descendez et prenez la première à droite) Tél. 748 219 Fax 747 185 Ouvert tlj. 12h-16h et 20h-0h Fermé pendant le ramadan et le dimanche en juil.-août*

Villa Venezia Ce restaurant-salon de thé jouit d'un surprenant décor "à la vénitienne". La maison coloniale a du cachet et l'intérieur rouge accroche le regard avec ses masques de Venise, ses lampes design et son bar en mosaïque. Le salon de thé propose des cocktails de fruits et de légumes (jus de carotte, melon et gingembre à 5DT) et le restaurant des plats de pâtes et de poisson : brochettes de mérou (17DT), filet de merlan pané (15DT), crevettes royales (22DT). Tout serait parfait sans la musique de fond, importune. Pas d'alcool. Pas de CB. *55, rue Omar-Ibn-Abi-Rabiaa Tél./fax 776 149 Ouvert tlj. 12h-15h et 19h-0h Salon de thé ouvert tlj. 15h-0h*

Koubet el-Haoua Ce restaurant de poisson occupe l'ancien casino bâti sur la jetée. La vue ne souffre d'aucun vis-à-vis gênant et, le soir, ses nombreux spots éclairent le golfe de Gammarth. La carte lorgne vers la Méditerranée et l'Asie (sushis de gambas et de saint-

GAMME DE PRIX	RESTAURATION	HÉBERGEMENT
Très petits prix	moins de 5DT	moins de 15DT
Petits prix	de 5DT à 15DT	de 15DT à 30DT
Prix moyens	de 15DT à 25DT	de 30DT à 60DT
Prix élevés	de 25DT à 40DT	de 60DT à 100DT
Prix très élevés	plus de 40DT	plus de 100DT

pierre sur commande, 18DT). L'été, les grillades de cigales de mer et de homard remportent tous les suffrages. Environ 50DT-55DT le repas complet, boissons comprises. Terrasse ouverte de mi-juin à fin sept. CB acceptées. *1, rue Mongi-Slim Tél. 729 777 Koubetelhaoua@hexabyte.tn Ouvert lun.-sam. 11h-14h et 19h-2h (le soir seulement en juil.-août)*

À Gammarth

🍴 prix moyens

☺ **Restaurant Les Ombrelles** Des tables sous les canisses, face à la mer, que demander de mieux ? Le ressac berce les convives venus déguster un filet de rascasse, une darne d'espadon aux olives et tomates ou une cassolette de crevettes (30DT). Également des crustacés (homards, langoustes... 12DT les 100g) et quelques viandes. À midi, en été, un carpaccio de poisson (20DT) et une petite friture de rougets (10DT) suffisent amplement. Menu touristique à 25DT. CB acceptées. *107, av. Taïeb-Mehiri Tél. 742 964 Fax 727 364 Ouvert tlj. 12h-15h et 20h-0h*

🍴 prix élevés

Restaurant Li Bai Très en vogue, le restaurant chinois de l'hôtel The Residence met en valeur les produits de la mer (seiches, crevettes, langouste, poisson), qu'ils soient sautés, frits ou cuits à la vapeur. Le canard à la cantonaise et l'émincé de poulet braisé au tofu changent un peu du poisson grillé, et les litchis au sirop, des pastèques... *Zone touristique Tél. 910 101 Fax 910 144 Ouvert tlj. 19h-23h*

🍴 prix très élevés

☺ **Restaurant Le Grand Bleu** "La" table chic de La Marsa. La terrasse, qui offre un panorama époustouflant sur le golfe de Tunis, le cap Bon et toute la côte jusqu'à Sidi Bou Saïd, fait les délices des couples d'amoureux comme des hommes d'affaires. La cuisine est tournée vers la mer : œufs de seiches, calamars grillés, mérou gratiné, loup et daurade au gros sel, langoustes et langoustines, etc. Environ 50DT/pers. La qualité se paie – le poisson et les fruits de mer viennent de Bizerte – comme la vue ! *Pointe de Gammarth Tél. 913 900/700 Fax 912 777 Ouvert tlj. 12h30-15h et 20h-23h*

Hébergement

Choix très restreint à La Marsa, la plupart des hôtels se trouvent à Gammarth, au nord.

🧳 prix moyens

Pension Predl Une pension de famille à l'ancienne, voilà qui n'est pas banal en Tunisie. Elle a été créée par une Autrichienne, il y a près de 40 ans – et la déco n'a guère changé depuis ! Les 5 chambres, qui donnent sur le salon, sont proprettes, hautes de plafond mais spartiates : un lit et un lavabo. Sanitaires communs. Chaque client dispose de sa clé. Plage à 500m, supérette et cybercafé à proximité. Comptez 50DT pour deux sans petit déj. de mi-juin à mi-sept. *1, rue Salahel-Melki (entre le 40 et le 42, av. Habib-Bourguiba) Tél. 749 529*

🧳 prix très élevés

Hôtel Plaza Corniche Prenez une maison de charme, meublez-la dans le style Regency et installez dans le jardin des néons et des lampions, des drapeaux et de faux cactus colorés, sans oublier nains de jardins et flamants roses en plastique et vous aurez le Plaza Corniche ! Cette curiosité kitsch abrite 10 chambres et 2 suites, un peu exiguës mais plutôt coquettes et très confortables (double vitrage, clim., ventilateur, tél., sdb avec baignoire). Certaines ont vue sur la mer. La nuit, quand l'invraisemblable jardin s'illumine, le dépaysement est garanti... Un restaurant, un bar et une boîte de nuit ouverte tlj. de 23h à 3h (évitez les chambres voisines). Prévoyez 140DT la double. CB acceptées. *22, rue du Maroc Tél. 743 577/489 Fax 742 554*

À Gammarth

 prix élevés

La Tour Blanche Ce 2-étoiles un peu fané offre un bon rapport qualité-prix en basse et moyenne saison. Il dispose d'une belle piscine, d'un accès direct à la plage et d'un bar sympathique, dont la modernité tranche sur le reste de l'établissement. Vingt des 85 chambres ont la clim. (5DT). TV en option (5DT). La petite boîte de nuit

de l'hôtel reste discrète et les bons restaurants de poisson sont à deux pas. Parking gratuit. Double env. 76DT en juil.-août. CB acceptées. *Av. Taïeb-Mehiri Tél. 746 835/774 788*

 prix très élevés

The Residence Esseulé à l'extrémité de la zone touristique, cet hôtel est sans doute le meilleur de tout le golfe de Tunis. Son architecture allie tradition arabo-andalouse et modernité. Le hall débouche sur une vaste piscine et le jardin planté de palmiers donne sur la belle plage. Les 170 chambres et 9 suites ne manquent de rien et le service est irréprochable. L'hôtel abrite un élégant centre de thalasso et plusieurs restaurants, dont un excellent chinois, le Li Bai (cf. Restauration). Prix à la hauteur des prestations : double 603DT à 703DT en juil.-août. Promotions sur le site web. *Zone touristique Tél. 910 101 www.theresidence-tunis.com*

TUNIS ET SES ENVIRONS

THUBURBO MAJUS

Ind. tél. 72

Isolée au milieu d'une vallée céréalière alimentée par l'oued Méliane, Thuburbo Majus étale ses ruines antiques sur près de 40ha jaunis par le soleil. Moins spectaculaire que Dougga, le site apporte néanmoins un témoignage précieux sur la vie d'une cité de l'Afrique romaine. À ce jour, les fouilles en cours ont permis d'exhumer à peine un tiers des ruines. Dans le capitole, les thermes et les maisons nobles, on peut admirer quelques belles mosaïques, même si les plus remarquables ont été transportées au musée du Bardo. Les herbes folles qui envahissent les ruines ajoutent un peu de poésie aux lieux. L'été, gare au soleil : les colonnes romaines n'offrent pratiquement aucune ombre !

UNE COLONIE ROMAINE Avant d'être romaine, Thuburbo Majus fut une cité punique (IVᵉ-IIᵉ s. av. J.-C.). Les vestiges de cette époque demeurent, pour l'instant, ensevelis. Thuburbo Majus est portée au rang de municipe en 128 par l'empereur Hadrien, puis obtient le statut très convoité de colonie romaine en 188. La plupart des monuments préservés datent de cette époque, comme le complexe monumental (capitole) édifié au centre de la cité en 168 et entouré d'élégantes demeures nobles. Thuburbo Majus connaît un premier déclin dans la seconde moitié du IIIᵉ siècle. Sa reprise ne tarde pas. Au IVᵉ siècle, les monuments publics (notamment les thermes) sont restaurés et de nouvelles maisons sortent de terre. Ragaillardie par son redressement, la cité va jusqu'à se proclamer *res publica felix Thuburbo Majus*. C'est alors qu'elle se convertit au christianisme, comme en témoignent l'érection d'une basilique et la participation de ses deux évêques au concile de 411. Mais la chute de l'Empire romain d'Occident lui est fatale. Elle est définitivement abandonnée à la fin du VIIᵉ siècle. Lors de leur conquête du pays, les Arabes n'occuperont même pas le site.

MODE D'EMPLOI

accès

EN VOITURE
Thuburbo Majus est situé à 60km au sud de Tunis et à 3km au nord d'El-Fahs. Cette dernière ville ne présente aucun intérêt touristique. On y croise de nombreux Français, venus diriger les usines locales (textile, construction électrique et automobile).

EN LOUAGE
Les louages se prennent à El-Fahs. Ils sont rouges pour Tunis, Nabeul et Kairouan (3,50DT le trajet Tunis-El-Fahs) et bleus pour Zaghouan. Certains louages jaunes desservent Thuburbo Majus. Des voitures privées, stationnées à côté des louages, font également la navette jusqu'au site.
Station de louage *Av. Habib-Bourguiba (centre-ville)*

EN TRAIN
Deux ou trois trains relient quotidiennement Tunis à El-Fahs.
Gare *Av. Habib-Bourguiba (centre-ville)*

banques et change

Distributeur de billets UIB sur l'avenue Bourguiba, à à El-Fahs. On peut aussi changer son argent à la BNA.
BNA *Av. H.-Bourguiba Ouvert lun.-ven. 8h-16h ; juil.-août : lun.-ven. 7h15-12h*

DÉCOUVRIR
☆ Thuburbo Majus

☆**Les essentiels** Le capitole, la cour à portique du forum, la maison de Neptune **Découvrir autrement** Amusez-vous à distinguer les différentes salles des thermes, rencontrez Abou Ahmed, le sympathique chef du restaurant La Lanterne   **➤ Carnet d'adresses p.131**

Le site est assez étendu. Trois des quatre portes antiques gardent encore l'entrée dans la cité. Vous pourrez y acheter quelques brochures et demander le plan du site (gratuit). Les jours de grosse chaleur, vous risquez de trouver le guichet fermé, mais le site reste ouvert (les gardiens se rafraîchissent à la

Plan 5 Thuburbo Majus

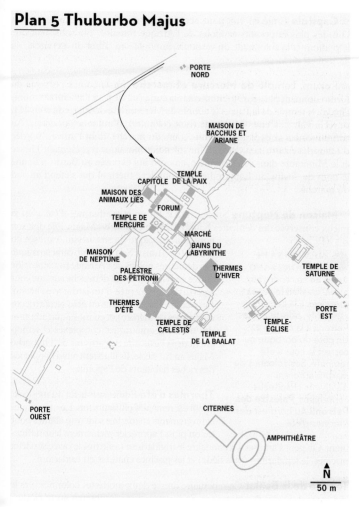

PORTE
NORD

MAISON DE
BACCHUS ET
ARIANE

TEMPLE
CAPITOLE DE LA PAIX

MAISON DES
ANIMAUX LIÉS
FORUM

TEMPLE DE
MERCURE

MARCHÉ

BAINS DU
LABYRINTHE

MAISON
DE NEPTUNE

PALESTRE
DES PETRONII

THERMES
D'HIVER

TEMPLE DE
SATURNE

THERMES
D'ÉTÉ

PORTE
EST

TEMPLE DE
CÆLESTIS
TEMPLE
DE LA BAALAT

TEMPLE-
ÉGLISE

PORTE
OUEST

CITERNES

AMPHITHÉÂTRE

N
50 m

buvette). N'hésitez pas à interroger les archéologues occupés à restaurer le site, ils seront ravis de vous faire partager leurs connaissances. La visite suit l'ordre indiqué ci-après. *Ouvert avr.-mi-sept. : tlj. 8h-19h ; mi-sept.-mars : tlj. 8h30-17h30 Tarif 2,10DT Photo 1DT*

Maison des Animaux liés Avant d'arriver au capitole, le chemin passe devant les vestiges de cette demeure bourgeoise dont les pavements en mosaïque représentent des animaux aux pattes liées, destinés aux offrandes. La mosaïque originale est exposée au musée du Bardo (cf. Tunis). On distingue les fondations d'une huilerie, avec son pressoir et son bassin de décantation.

☆ **Capitole** Érigé en 168 pour accueillir les réunions municipales, ce fut l'un des plus imposants capitoles de l'Afrique romaine. Ne subsistent que le podium et la colonnade du vestibule, remontée au début du xxᵉ siècle. *Au nord-ouest du forum*

☆ **Forum, temple de Mercure et marché** Sur la cour à portique du forum donnent plusieurs monuments : la curie (où siégeait l'assemblée municipale), le temple de la Paix et le temple de Mercure. Ce dernier, édifié en 211, se reconnaît à sa cour à péristyle (huit colonnes), d'influence orientale. Au sud du forum se déploient les trois cours du marché, dont l'une est bordée d'échoppes encore bien visibles. Une splendide mosaïque représentant Thésée et le Minotaure dans son labyrinthe, aujourd'hui exposée au Bardo, a donné le nom de "bains du Labyrinthe" au complexe thermal qui s'étend au sud du marché.

☆ **Maison de Neptune** Située entre le forum et les thermes d'été, c'est la mieux conservée des demeures bourgeoises de Thuburbo Majus. Elle doit son nom à la mosaïque de son bassin, exposée au Bardo (cf. Tunis). Son plan est caractéristique des demeures nobles de l'Afrique romaine : une entrée en baïonnette qui débouche sur une cour à péristyle, agrémentée d'un jardin avec bassin. Les nombreux pavements en *opus sectile* (décor de plaques de marbre) et en mosaïque arborent des motifs géométriques complexes et témoignent de la virtuosité des artisans de Thuburbo Majus au iiiᵉ siècle. Ils illustrent aussi l'opulence des riches habitants de l'époque.

● **MENS SANA IN CORPORE SANO**
Avant de se rendre aux bains, on allait faire ses exercices à la palestre attenante, offerte par les Petronii à la cité en 225. Un côté du portique qui cernait la cour a été remonté. Ses colonnes de marbre arborent d'élégants chapiteaux corinthiens. **Palestre des Petronii** *Au nord-est des thermes d'été*

Thermes d'été Édifiés vers la fin du iiiᵉ siècle, ils ont été remaniés plusieurs fois. Les mosaïques et revêtements en marbre sont trop abîmés pour qu'on puisse apprécier pleinement leur raffinement. On peut s'amuser à reconnaître le frigidarium (salle froide) avec ses deux piscines, le tepidarium (salle tiède) et les piscines chaudes du caldarium.

Temple de la Baalat Ce sanctuaire dresse deux modestes colonnes vers le ciel, au sud-est des thermes d'été. Sa construction remonterait au iiᵉ siècle.

Thermes d'hiver Moins étendus que les thermes d'été, ces bains furent reconstruits à la fin du iiiᵉ siècle. La piscine du frigidarium est assez bien conservée. Au nord-est, l'*apodyterium* (cour carrée bordée de bancs) offre le décor émouvant de trois colonnes rongées par le temps, reposant sur un beau dallage construit en mosaïque.

Temple-église Ce temple païen fut reconverti en une basilique chrétienne probablement à la fin du viᵉ siècle. On peut voir dans l'abside les restes des bancs sur lesquels les prêtres avaient coutume de s'asseoir. *Au sud-est des thermes d'hiver*

Amphithéâtre et citernes À la périphérie sud du site, le visiteur tombe sur les citernes monumentales qui alimentaient la cité en eau. Derrière, l'amphithéâtre, en grande partie non exhumé, se blottit au creux d'une cuvette.

CARNET D'ADRESSES

Restauration

Les restaurants se trouvent à El-Fahs. Sur le site, une buvette sert quelques rafraîchissements.

 petits prix

La Lanterne Restaurant (Chez Bou Ahmed) La cantine des expatriés français ! L'intérieur en bois évoque un chalet et le sympathique chef, Bou Ahmed, se coiffe d'une toque, quand l'envie lui en prend. La cuisine n'atteint pas des sommets mais, pour environ 10DT, le menu unique (pas de carte) comprend deux entrées, un plat, un dessert et le thé. Selon les jours, poisson grillé, poulet-frites, yaourt à boire. Pas de CB. *Rue Aboulkacem-Chérif (immeuble BNA) Ouvert lun.-sam. 12h-16h*

Restaurant Café Majus Cette gargote de bord de route, à l'entrée nord d'El-Fahs, sert des grillades, des méchouis, des côtelettes, des brochettes d'agneau et du poulet rôti, accompagnés de salade verte, de mechouïa et de frites. Rien de gastronomique, mais c'est le restaurant le plus proche de Thuburbo Majus. Comptez 7DT le plat. *El-Fahs (route de Tunis)*

ZAGHOUAN

Ind. tél. 72

Installée sur les contreforts d'un majestueux djebel (1 295m), Zaghouan domine une vaste plaine agricole. La ville est connue pour son aqueduc qui, à l'époque romaine, acheminait l'eau du djebel Zaghouan jusqu'à Carthage. Elle doit ses fontaines en faïence, les moucharabiehs de ses maisons blanches et les arcs voûtés qui jalonnent ses rues aux Andalous qui, chassés d'Espagne par la Reconquista, s'y installèrent à la fin du XVIᵉ siècle. Cette bourgade paisible et pleine de charme s'anime les jeudi et vendredi matin à l'occasion du marché.

MODE D'EMPLOI

accès

EN LOUAGE
Les louages rouges relient Zaghouan à Tunis (2,85DT), à Hammamet (2,50DT), à Nabeul (3,40DT) et à Sousse (4DT), les bleus à Thuburbo Majus (1,30DT). Départs quotidiens. Les taxis (jaunes) peuvent grimper dans le djebel Zaghouan, jusqu'à la limite de la zone militaire.

EN VOITURE
À environ 100km au sud de Tunis, 30km à l'est de Thuburbo Majus et 55km au sud-ouest de Hammamet.

orientation

La rue principale traverse le village d'est en ouest. La rue du 7-Novembre, signalée par la porte antique, grimpe vers le haut du village. Le sommet du djebel Zaghouan, zone militaire, est inaccessible.

banques et change

Les banques de la rue principale disposent de distributeurs de billets.
Banque de Tunisie Change *Ouvert lun.-ven. 7h15-12h en juill.-août*

marché

Il se tient le jeudi toute la journée et le vendredi matin.

DÉCOUVRIR

☆**Les essentiels** L'aqueduc de Zaghouan, le site antique d'Oudna **Découvrir autrement** Tentez l'ascension du djebel Zaghouan (1 295m), puis détendez-vous au hammam Zriba, visitez les ateliers d'artisanat du village Ken
➤ **Carnet d'adresses p.135**

Zaghouan

Vers la porte antique Sur la place du village, on reconnaît immédiatement l'arc de triomphe, d'époque romaine, sous lequel passe la rue du 7-Novembre. Un peu plus loin, un panneau discret signale une petite galerie artisanale sur la droite. Continuez tout droit et prenez à droite la rue Testour, qui mène à la basilique, construite par les Français sous le protectorat. Cas unique en Tunisie, son clocher s'inspire des minarets. En face de la basilique se dresse la mosquée Rahba, de style ottoman. *Galerie artisanale Ouvert tlj. 8h-17h*

☺ **Rue Sidi-Ali-Azouz** Elle grimpe en direction du temple des Eaux, situé à 2km de là. Les habitants vont se rafraîchir à ses fontaines publiques en faïence, héritées des Andalous. La rue passe successivement devant la mosquée Rahba, la mosquée El-Kebir, de rite malékite, reconnaissable à son beau minaret carré en briques et, tout en haut, la mosquée Hanafia. Entre ces deux dernières s'élève la zaouïa de Sidi Ali Azouz.

Zaouïa de Sidi Ali Azouz Une lourde porte cloutée en signale l'entrée. Sous son beau dôme garni de stucs et de carreaux de faïence et couvert de tuiles vertes repose Sidi Ali Azouz, un bienfaiteur venu du Maroc au XVe siècle. Le tombeau du saint homme se trouve sur la gauche au fond du couloir. *Rue Sidi-Ali-Azouz Entrée libre*

Temple des Eaux Ce temple construit sous Hadrien, vers 130, domine la plaine de Zaghouan. Le sanctuaire consacré à Neptune, gardien de la source, s'élève au centre d'un hémicycle garni de douze niches, encastré dans la montagne et précédé d'une esplanade jadis pavée de mosaïques et fermée par une double colonnade. En contrebas, le bassin en forme de "8" collectait les eaux que l'aqueduc transportait ensuite jusqu'à Carthage. La source, aujourd'hui cachée, débite 400 l/seconde. Les douze niches du nymphée, encore visibles, abritaient des statues de nymphes, dont trois sont exposées au musée du Bardo. Les ruines restent peu évocatrices. On trouve une buvette et un restaurant sur le site. *À env. 2km de Zaghouan (suivre les indications à partir de la rue Sidi-Ali-Azouz)*

Djebel Zaghouan Avec ses 1 295m d'altitude, c'est l'une des plus hautes montagnes de Tunisie. Les sentiers qui grimpent du temple des Eaux vers le sommet ne sont pas balisés. En voiture, prenez la petite route goudronnée sur la droite juste après le panneau "Parc Temple des Eaux". Après quelques nids-de-poule, la route serpente paisiblement sur 12km, dans un cadre magnifique avant d'atteindre les limites de la zone militaire, interdite. En fin de journée, les abruptes parois rougeoyantes offrent un contraste puissant avec le vert des oliviers et des pins d'Alep qui couvrent le djebel.

Les environs de Zaghouan

Au nord de Zaghouan

☆ **Aqueduc de Zaghouan** Sa construction, menée sous le règne d'Hadrien (IIe s.) pour alimenter Carthage en eau, prit quatre décennies. Il court sur plus de 120km, alternant sections enterrées et sections aériennes – jusqu'à 25m du sol, pour les plus hautes. On peut voir l'une de ces dernières, bien conservée avec sa conduite d'eau encore posée sur les arches, à hauteur de l'oued Méliane (sur la P31, peu après Mohammedia) et de l'embranchement pour Oudna. Comme toutes les constructions romaines, l'aqueduc servit de carrière de réemploi, mais il fut réhabilité par les Fatimides (Xe s.) et les Hafsides (XIIIe s.). Ces derniers lui adjoignirent une dérivation vers Tunis, encore visible dans le quartier du Bardo. *À 35km au nord de Zaghouan*

☆ ☺ **Oudna** Du haut de sa colline, ce site antique assez spectaculaire domine une plaine céréalière. Les fouilles, lancées en 1993, ont livré d'imposantes ruines éparses. D'abord berbère puis carthaginoise, "Uthina" fut élevée au rang de colonie romaine par l'empereur Octave Auguste et connut son apogée au IIe siècle. Christianisée dès 256, elle envoya un évêque au concile de 411. La visite du site se fait sans brochure ni guide. L'amphithéâtre (IIe s.), à droite de l'entrée, pouvait accueillir douze mille spectateurs. Son arène ovale, à travée centrale, et ses gradins restaurés sont ceints d'une belle galerie en moyen appareil. Plus loin, sur la gauche, la maison des Laberii (ou maison d'Ikarios) illustre, avec sa trentaine de pièces, l'aisance des propriétaires fonciers de l'Antiquité. On y voit les copies de deux mosaïques monumentales représentant des scènes champêtres et de chasse – les originaux sont au musée du Bardo. Les thermes attenants ont, eux, conservé leurs belles mosaïques et leurs pavages d'origine (belle scène de pêche avec dauphins). Plus loin, un immense chaos rocheux signale les anciens thermes publics. La partie souterraine en a été préservée, avec ses salles voûtées en pierre. En passant devant d'anciennes citernes, on rejoint le capitole, qui domine le site. Curieusement, une maison coloniale, toujours habitée, a été bâtie sur sa partie haute. Les sous-sols, accessibles, forment de hautes voûtes étagées sur deux niveaux. *À env. 40km au nord de Zaghouan (quitter la P31 au niveau de l'aqueduc de Zaghouan ; c'est à 6,5km) Ouvert avr.-mi-sept. : tlj. 8h-18h ; mi-sept.-mars : tlj. 8h-17h Tarif 1,60DT Photos interdites*

À l'est de Zaghouan

Hammam Zriba Une source qui jaillit à 70°C a fait de ce petit village une station thermale très populaire. On vient, de Tunis, de Sousse, de Sfax et d'ailleurs, y soigner ses rhumatismes et se délasser au hammam installé au pied de la montagne, hors du village. Pour plus d'intimité, on peut se baigner et suer en famille ou entre amis dans les bassins particuliers d'un second hammam (conseillé). *À env. 10km à l'est de Zaghouan sur la route d'Enfida Ouvert hammam public : tlj. 4h-1h ; hammam privé : tlj. 24h/24 Tarif hammam public 0,80DT, hammam privé 10DT/h*

☺ **Zriba l'Ancien (ou Zriba le Haut)** Ce superbe village berbère, perché dans la montagne, fut abandonné au milieu du XXᵉ siècle après la construction de la ville moderne, dans la plaine. Seule une poignée de familles vit encore dans le silence des maisons en ruine, d'un beau bleu ciel, comme le montrent les pièces ouvertes aux quatre vents. Les rues pavées grimpent jusqu'au sommet d'un piton, d'où un panorama splendide s'offre sur le village et la région. La zaouïa de Sidi Abdel Kader, au cœur du village, se reconnaît à son dôme cantonné de quatre autres plus petits. *À environ 14km à l'est de Zaghouan franchir le pont métallique, sur la gauche avant Hammam Zriba, et suivre la piste - carrossable - sur 4km*

Djeradou (ou Jradou) Perché sur son piton rocheux, ce vieux village berbère mérite le détour. S'il vit de l'agriculture, Djeradou est réputé pour sa vannerie. On peut voir les villageoises, assises sur le pas de leur porte, tresser les tiges d'alfa qui serviront à confectionner couffins, paniers, paillassons, parasols, etc. Les bottes d'alfa sont mises à sécher sur les toits-terrasses des maisons. *À 18km au sud-est de Hammam Zriba*

Village Ken Cet intéressant complexe artisanal se présente comme une "expérience", lancée en 1984. Ce village, qui évoque un peu Sidi Bou Saïd, a été construit avec des matériaux traditionnels, conformément aux principes de l'architecture islamique, mais selon une approche novatrice. Dans ses ateliers œuvrent des ébénistes, des potiers et des tisserands, formés sur place selon les techniques ancestrales. Leurs créations, réalisées dans les règles de l'art, sont vendues à la boutique. La ligne de meubles Ken a, du reste, été primée. L'accès au village est payant ; on y visite, sous la conduite d'un guide, deux musées (costumes de cérémonies, tapis berbères, etc.), une galerie d'art et un jardin botanique méditerranéen. Des rencontres musicales sont parfois organisées en été. On peut séjourner dans les bungalows du village et profiter du cadre, de la piscine et de la compagnie de Slah et

Noura, le couple fondateur. CB acceptées. *Sur la GP1, à 5,5km au sud de Bou Ficha (au km 82 de la route de Sousse) Tél. 73 252 110 www. villageken.com Ouvert tlj. 8h-21h Visite guidée 2,50DT*

CARNET D'ADRESSES

Restauration, hébergement

🍴 prix moyens

Restaurant La Source Le principal restaurant de Zaghouan sert des plats aussi copieux que bons... Et de l'alcool. L'été, à partir de 18h, on prend le frais sur la terrasse en contemplant le djebel. La salade mixte (4DT) fait l'affaire à midi. Également des bricks, des calamars sautés, des côtelettes d'agneau et des escalopes grillées. Carte des desserts limitée. *Rue du 7-Novembre (sur la droite en montant vers la porte antique) Zaghouan Tél./ fax 675 661 Ouvert tlj. 11h-2h ; ramadan : tlj. 12h-14h*

Restaurant Le Temple des Eaux Ce snack touristique sert quelques entrées (bricks, omelettes, salades), des brochettes, des entrecôtes ainsi que des douceurs. Comptez env. 7,50DT le plat. En dépannage. *Au pied du temple des Eaux Zaghouan Tél. portable 98 681 770 Ouvert tlj. 10h-22h*

☺ **Hébergement et restaurant Village Ken** On peut profiter des résidences pour artistes, de l'excellent restaurant, du bar et du café maure de ce "village" (cf. Les environs) qui regroupe des musées, des ateliers de création artisanale et une galerie d'art. La vingtaine de chambres est répartie dans des maisons indépendantes, non climatisées mais agrémentées de meubles et de tapis confectionnés sur place. Les patios, les murs blancs égayés de bougainvillées des maisons de style traditionnel, les essences méditerranéennes du jardin composent un décor on ne peut plus agréable. Cerise sur le gâteau : la superbe piscine à débordement, en pierre apparente. Comptez env. 60DT la double. Attention, le "village" est isolé (il faut une voiture pour s'y rendre). *Sur la GP1 à 5,5km au sud de Bou Ficha (Bou Ficha est à 32km à l'est de Zaghouan) Tél. 73 252 110 www. villageken.com*

TUNIS ET SES ENVIRONS

GEOREGION

Cueillette des oranges, presqu'île du cap Bon.

LE CAP BON

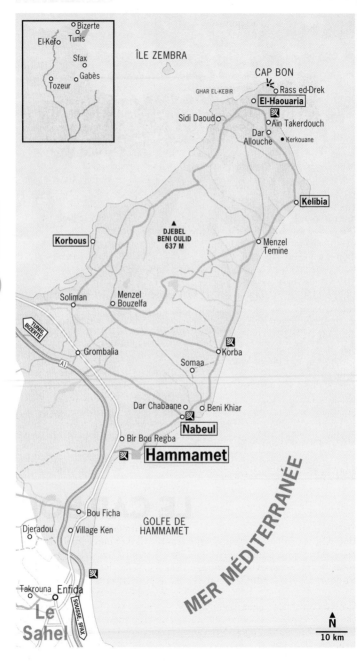

CAP BON

Bizerte

El-Kef Tunis

Sfax

Gabès

Tozeur

ÎLE ZEMBRA

GHAR EL-KEBIR

Rass ed-Drek

El-Haouaria

Sidi Daoud

Aïn Takerdouch

Dar Allouche

Kerkouane

Kelibia

Korbous

▲ DJEBEL BENI OULID 637 M

Menzel Temine

Soliman

Menzel Bouzelfa

TUNIS BIZERTE

A1

Grombalia

Korba

Somaa

Dar Chabaane

Beni Khiar

Nabeul

Bir Bou Regba

Hammamet

Bou Ficha

GOLFE DE HAMMAMET

Djeradou Village Ken

MER MÉDITERRANÉE

Takrouna Enfida

SOUSSE, SFAX

Le Sahel

N

10 km

HAMMAMET

Ind. tél. 72

Nabeul
Hammamet

Avec son chapelet d'hôtels-clubs et sa médina qui semble dédiée au commerce des "souvenirs", Hammamet est, pour beaucoup, synonyme de tourisme de masse. Mais il n'en a pas toujours été ainsi. Ville thermale dans l'Antiquité (Hammamet est le pluriel de "hammam"), théâtre d'affrontements sanglants entre Turcs et Espagnols au XVIe siècle, la ville présente au XIXe siècle le visage d'une petite cité blottie derrière ses remparts. D'immenses forêts et des vergers d'agrumes couvrent alors les collines environnantes. Le site a de quoi séduire ! Au XXe siècle, les premiers visiteurs européens tombent sous le charme du golfe comme des remparts de Hammamet, et de son climat si doux toute l'année. Des milliardaires éclairés, le Roumain Georges Sebastian et les Américains John et Violet Henson s'y font construire, dans les années 1920, de somptueuses villas où ils invitent Klee, Giacometti, Gide, Montherlant, Cocteau, Frank Lloyd Wright...

LE TEMPLE DU TOURISME BALNÉAIRE La jet-set va peu à peu céder la place aux classes populaires. Après la Seconde Guerre mondiale, les premiers hôtels et restaurants sortent de terre. Ils ne cesseront dès lors de se multiplier. Aujourd'hui, la zone touristique de Yasmine Hammamet étale sur 4 km de côte ses palaces, appart'hôtels et restaurants dans un décor de carton-pâte. Un site pharaonique qui, à l'image de la station balnéaire, peine actuellement à attirer les foules. À vouloir séduire à tout prix, Hammamet y a laissé son âme. Par bonheur, elle conserve quelques témoins de son âge d'or, comme la villa Sebastian (Centre culturel international) et la médina – mais il faut faire abstraction des échoppes touristiques ! Les plages, enfin, ne décevront pas les amateurs de farniente : la plupart du temps l'eau y est claire et le sable propre.

MODE D'EMPLOI

accès

EN TRAIN

Une dizaine de trains relient quotidiennement Tunis, Sousse et Nabeul à Hammamet. Liaisons un peu moins fréquentes avec Sfax, Gafsa et Djerba.

Gare des grandes lignes (hors plan) Le plus simple est de s'y rendre en taxi (3,50DT). *Bir Bou Regba (à 4km à l'ouest de Hammamet)*

EN CAR

La gare routière de Baraket Sahel est à 7km à l'ouest du centre, tout près de Yasmine Hammamet (plan 6, A2). Cars toutes destinations (Tunis, Sousse, Kairouan, etc.). Deux autres gares routières en ville : les cars pour Nabeul et Tunis se prennent sur l'avenue de la République, en face de la poste ; les cars pour Sousse, Kairouan et Sfax, sur l'avenue Habib-Bourguiba, en face de la Banque de l'Habitat (plan 6, D1). **SRGTN** *Tél. 227 711*

LE CAP BON

EN LOUAGE
Les louages pour Tunis, Sousse, Kairouan, etc., se prennent à Baraket Sahel, à 7km à l'ouest du centre (hors plan). On en trouve également à destination de Tunis devant l'hôpital, sur la place Pasteur.

EN TAXI
Comptez 6DT la course pour Yasmine Hammamet (10km), 6-8DT pour Nabeul (13km) et 15DT pour le village Ken (Bou Ficha). Majoration de 50% après 21h.
Station (plan 6, D1) 22, av. de la République Ouvert 24h/24

EN VOITURE
À 60km au sud-est de Tunis par l'A1 et à 63km par la P1.

EN BATEAU
Port de plaisance de Yasmine Hammamet (plan 6, A2) Il dispose de 740 anneaux pour bateaux à moteur ou à voile de 8 à 70m. *marina.yasmine@planet.tn*

orientation et circulation

Hammamet s'étend sur 18km le long de son golfe. Le centre-ville forme un triangle dont la pointe sud est occupée par la médina, qui domine la mer. On distingue, à l'ouest, la zone hôtelière de Hammamet-Sud et, au-delà, Yasmine Hammamet. À l'est, la zone hôtelière de Hammamet-Nord s'étend jusqu'à Nabeul.

Pas facile de circuler... Dans le centre, les embouteillages sont fréquents et les places de stationnement, rares. Mieux vaut se garer au parking de la médina (0,50DT). En saison, un petit train fait la navette entre la médina et Yasmine Hammamet (5DT) : départs environ toutes les heures (tlj. 8h30-0h).

informations touristiques

Office de tourisme de Hammamet (plan 6, D1) La documentation est maigre, mais l'office délivre des informations utiles sur les activités à pratiquer dans la région, comme les excursions en quad, à cheval et à dos de dromadaire. *Av. de la République Tél. 280 423 Fax 223 358 Ouvert sept.-juin : lun.-sam. 8h-17h45 ; juil.-août : lun.-sam. 8h-14h et 15h-21h, dim. 9h-14h et 15h-20h*
Office de tourisme de Yasmine Hammamet (plan 6, A2) *Hôtel L'Écrin Tél. 249 103 Fax 249 062 Ouvert sept.-juin : lun.-jeu. 8h30-13h et 15h-17h45, ven.-sam. 8h-13h ; juil.-août : lun.-sam. 7h30-14h*
Syndicat d'initiative (plan 6, D1) *Av. Habib-Bourguiba Tél. 262 891 Fax 262 966 Ouvert sept.-juin : lun.-sam. 9h-13h et 15h-18h ; juil.-août : lun.-sam. 8h-18h*

banques et poste

Les banques sont, pour la plupart, installées sur l'avenue Habib-Bourguiba, l'avenue de la République et

Tableau kilométrique

	Hammamet	Nabeul	Kelibia	Tunis	Sousse
Nabeul	10				
Kelibia	75	58			
Tunis	60	67	98		
Sousse	76	93	151	143	
Enfida	36	53	111	103	40

l'avenue du Koweït (plan 6, C1-D1). Les horaires sont à peu près les mêmes partout : lun.-ven. 8h-16h (8h-13h en été). La **BNA** et la **BIAT** assurent une permanence les sam. et dim. matin, mais mieux vaut changer son argent en semaine car la commission est moins élevée.
BNA *Av. Habib-Bourguiba Tél. 240 155*
BIAT *Av. de la République Tél. 71 131 211*
Poste (plan 6, D1) *125, av. de la République Tél. 280 540 Ouvert juil.-août : lun.-sam. 7h30-13h30 et 17h-22h, dim. 9h-11h ; sept.-juin : lun.-ven. 8h-18h, sam. 8h-12h ; ramadan : lun.-jeu. 8h-13h30, ven. 8h-12h30, sam. 8h-12h*

Publinet La Gare (hors plan) *2DT/h. 163, av. Habib-Bourguiba (à côté de la gare de chemin de fer) Tél. 281 180 Ouvert tlj. 8h-0h*
Public Internet Center (plan 6, D1). *0,50DT/15min, 2DT/h. 117, av. de la Libération Tél. 260 288 Ouvert sept.-juin : tlj. 9h-0h ; juil.-août : tlj. 8h-0h*

Poste de police (plan 6, D1) *Av. Habib-Bourguiba Tél. 280 079 Police touristique 280 027*
Pharmacie de nuit (plan 6, D1) *138, av. de la République Tél. 280 876*

Polyclinique Hammamet (plan 6, C1) *8050, av. des Nations-Unies (face au Centre culturel international) Tél. 266 000 Fax 264 777*

Librairie Mot à Mot (plan 6, D1) On y trouve un vaste choix de beaux livres, de romans et les plans de différentes villes tunisiennes. *24, rue des Jasmins Ouvert tlj. 9h-13h et 16h-20h30*

Un grand marché bat son plein le jeudi matin dans une rue voisine de la gare. Un autre marché, plus traditionnel, se tient tous les jours juste à côté de la station de taxis.
Hammamet en fête Festivités dans le centre-ville, stands d'artisanat, etc. Un carnaval est organisé le jour d'ouverture. *1re semaine de juillet*
Festival international de Hammamet (plan 6, C1) Dans le cadre de la villa Sebastian, une programmation variée : théâtre, danse, concerts, projections de films. *Centre culturel international de Hammamet 97, av. des Nations-Unies Tél. 280 410 En juil.-août*

DÉCOUVRIR
Hammamet

☆ **Les essentiels** La médina, le centre culturel international de Hammamet
Découvrir autrement Flânez dans les ruelles de la médina en soirée, emmenez vos enfants au parc d'attractions Carthageland, dînez aux chandelles sur la plage au Gelimer ➤ **Carnet d'adresses p.146**

☆ ☺ **Médina (plan 6, D1)** Trois grandes portes, une au sud et deux au nord, commandent son entrée. La médina actuelle n'a rien de commun avec celle qui enchantait les visiteurs, voilà quelques décennies. Si ses beaux remparts

LE CAP BON

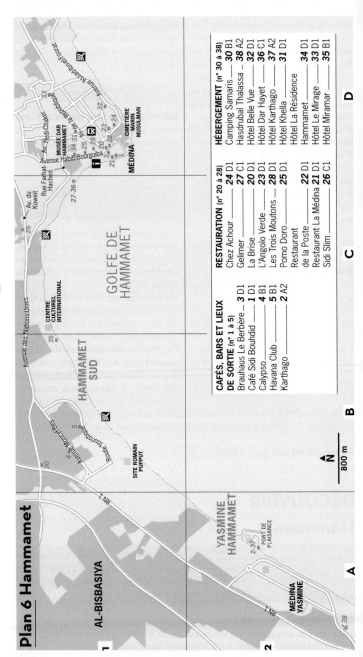

Plan 6 Hammamet

AL-BISBASIYA

YASMINE HAMMAMET

MÉDINA YASMINE

PORT DE PLAISANCE

SITE ROMAIN PUPUT

HAMMAMET SUD

GOLFE DE HAMMAMET

CENTRE CULTUREL INTERNATIONAL

Avenue des Nations-Unies

Avenue Moncef Bey

Route Touristique

Av. du Koweit

Rue Farhat-Hached

Avenue Habib Bourguiba

MUSÉE DAR HAMMAMET

MÉDINA

CIMETIÈRE MARIN MUSULMAN

Av. Hedi-Chaker

Av. de la République

Avenue Assad Ibn el-Farat

N

800 m

CAFÉS, BARS ET LIEUX DE SORTIE (n° 1 à 5)

Brauhaus Le Berbère	**3** D1
Café Sidi Bouhdid	**1** D1
Calypso	**4** B1
Havana Club	**5** B1
Karthago	**2** A2

RESTAURATION (n° 20 à 28)

Chez Achour	**24** D1
Gelimer	**27** C1
La Brise	**20** D1
L'Angolo Verde	**23** D1
Les Trois Moutons	**28** D1
Pomo Doro	**25** D1
Restaurant de la Poste	**22** D1
Restaurant La Médina	**21** D1
Sidi Slim	**26** C1

HÉBERGEMENT (n° 30 à 38)

Camping Samaris	**30** B1
Hasdrubal Thalassa	**38** A2
Hôtel Belle Vue	**32** D1
Hôtel Dar Hayet	**36** C1
Hôtel Karthago	**37** A2
Hôtel Khella	**31** D1
Hôtel La Résidence Hammamet	**34** D1
Hôtel Le Mirage	**33** D1
Hôtel Miramar	**35** B1

A   B   C   D

ocre, surmontés de créneaux ronds, ont été parfaitement restaurés, de vilains magasins de souvenirs ont envahi ses ruelles. L'insistance des commerçants rend parfois la visite pénible. En fait, la magie n'opère dans ces venelles blanches que lorsque les boutiques sont fermées. Ici et là, la végétation environnante et les portes en bois clouté apportent des touches de couleur vive. Notez les beaux encadrements de porte en pierre claire sculptée, comme au 15, rue Sidi-Atik, non loin de la casbah. À l'extrémité est, l'impasse Bordj-Ziadi débouche sur une terrasse qui offre une belle vue sur le cimetière marin. *Ouvert tlj. 8h30-18h (jusqu'à 21h en juil.-août)*

Casbah (plan 6, D1) Fondée sous les Aghlabides (IXᵉ s.) et remaniée en 1236 et 1437, la citadelle (casbah, ou *bordj*) occupe l'angle nord-ouest de la médina. Si elle est si bien conservée, c'est que la population locale eut longtemps son entretien à charge. Ses murs épais, cantonnés de quatre saillants, ont été les témoins d'épisodes célèbres, comme l'attaque surprise en 1602 des chevaliers de Saint-Jean-de-Jérusalem. Déguisés en marins turcs pour tromper la vigilance des habitants, les assaillants mirent la ville à sac et réduisirent en esclavage sept cents femmes et enfants, vendus sur les marchés de Malte et de Sicile. Au milieu de la cour s'élève la zaouïa dédiée à Sidi Bou Ali, volontaire de la guerre sainte au XVᵉ siècle. La visite du fort se limite à une promenade sur son chemin de ronde (nanti d'une buvette), mais elle réserve de beaux points de vue sur la médina et le golfe de Hammamet. *Ouvert avr.-mi-sept : tlj. 8h-19h et jusqu'à 21h en juil.-août ; mi-sept-avr. : tlj. 8h-17h30 Tarif 1,60DT Droit photo 1DT*

Musée Dar Hammamet (plan 6, D1) Une belle collection de costumes de mariage est exposée dans cette maison de famille hammamétoise. Les magnifiques *djebba*, *koftan* et autres *kadroun* brodés d'or proviennent de différentes régions de Tunisie. Dommage que les explications soient un peu succinctes. Pour vous consoler, montez sur la terrasse admirer la mer et les toits de la médina. *Rue Sidi-Abdallah Tél. 281 206 Ouvert tlj. 8h30-13h et 13h30-20h Tarif 1,50DT*

Cimetière marin musulman (plan 6, D1) Son accès est réservé aux musulmans. En revanche, on peut visiter le petit cimetière chrétien juste à côté, au pied de la médina. Au fond à droite, une tombe plus fleurie que les autres attire l'attention : c'est celle de Bettino Craxi (1934-2000). L'ancien président du Conseil italien, accusé d'enrichissement personnel, s'exila à Hammamet dans les années 1990 pour échapper aux poursuites judiciaires. *À l'est de la médina jusqu'à la plage*

Plages (plan 6, C1-D1) La plage du centre-ville (au pied de la médina) est jolie avec ses barques de pêcheurs colorées, mais elle n'est pas toujours bien fréquentée ni bien nettoyée. Il est préférable d'étendre sa serviette sur celle de Hammamet-Nord, au nord de la médina (route de Nabeul).

☆ ☺ **Centre culturel international de Hammamet** (plan 6, C1) C'est dans cette élégante villa blanche que s'est forgée la légende de Hammamet. De 1932 à 1962, le maître des lieux, le milliardaire roumain Georges Sebas-

LE CAP BON

tian, y reçut des intellectuels et artistes de renom (Klee, Giacometti, Gide). Le maréchal Rommel réquisitionna la maison lors de la Seconde Guerre mondiale et Winston Churchill, son vainqueur, y rédigea plusieurs chapitres de ses *Mémoires de guerre*. La décoration arabisante de la villa et son mobilier aux lignes épurées firent l'admiration de Le Corbusier. Quant à la piscine, elle pourrait figurer dans un ouvrage d'architecture contemporaine. Au milieu du parc verdoyant, riche de trois cents espèces végétales, s'élève le théâtre, tourné vers la mer, qui accueille chaque été depuis 1964 le Festival international de Hammamet (théâtre, concerts, danse). *97, av. des Nations-Unies Tél. 280 410 Fax 280 722 Ouvert tlj. 8h-19h ; ramadan : tlj. 8h-14h Tarif 3DT*

Pupput (plan 6, B1) L'antique cité de Pupput, promue au rang de colonie romaine sous l'empereur Commode (IIe s. de notre ère), se résume à un terrain vague, coincé entre les hôtels Samira Club et Tanfous, à Hammamet-Sud. Les fouilles, entreprises il y a une trentaine d'années, ont livré des ruines d'habitations et quelques pavements en mosaïque, les vestiges de thermes, d'une basilique chrétienne et de plusieurs ateliers. L'essor urbanistique de Pupput se poursuivit jusqu'au début du VIe siècle. Une nécropole du IIe siècle a été découverte récemment à proximité. *Hammamet-Sud Ouvert juin-août : tlj. 8h-13h et 16h-19h ; sept.-mai : tlj. 9h-17h Tarif 1,10DT*

Yasmine Hammamet (plan 6, A2) La folie des grandeurs… À 10km au sud-ouest de la ville, cet énorme complexe touristique ouvert en 2000 est une curiosité. Derrière une longue rangée d'hôtels de luxe (dix-sept mille lits au total !) s'étend une médina flambant neuve (plan 6, A2), réplique grandeur nature de différentes vieilles villes du pays : faux remparts écroulés, minarets et zaouïas, souks et passages voûtés, cours blanches et moucharabiehs… Une folie architecturale qui peut faire sourire, mais dont la réalisation a été parfaitement exécutée. L'ensemble renferme des snack-bars, des boutiques touristiques d'artisanat, un cinéma et un parc d'attractions (Carthageland). L'entrée de la médina est gardée par une fausse armée d'éléphants ! Autre délire kitsch, entre le château de sable géant, le ksar berbère et la caverne d'Ali Baba, l'hôtel Lella Bayla vaut le coup d'œil. Yasmine Hammamet, c'est aussi une patinoire, un casino, une marina, des distributeurs automatiques de billets et un poste de police. Une sorte de mini-Las Vegas en bord de mer. Sauf qu'ici la mayonnaise ne prend pas. Les hôtels affichent un taux de remplissage anormalement bas, les cafés sont vides et les animations (jeux de plage et soirées musicales) n'attirent pas grand monde. Les promoteurs continuent pourtant d'investir. *www. yasmine.com.tn*

Le cap Bon en famille

Hébergement

Loisirs et découverte

● **Où faire du shopping ?** Les échoppes touristiques sont légion, mais sans grand intérêt. Contrairement à ce que disent certains commerçants, il n'existe aucun magasin d'État dans la médina.

☺ **Fella (plan 6, D1)** Cette petite boutique de prêt-à-porter lancée dans les années 1960 par Samia Ben Khalifa, la "Coco Chanel du Maghreb", a compté Oum Kalsoum, Greta Garbo, Sophia Loren et Grace de Monaco parmi ses clientes. Djebba, caftans et babouches stylisées y côtoient robes, chemises, écharpes et bijoux. CB acceptées. *Devant l'entrée de la casbah* **Médina** *Tél. 280 426 Fax 279 234 Ouvert juil.-mi-sept. : tlj. 9h30-13h et 16h-20h30 ; mi-sept.-mai : tlj. 9h30-13h et 15h-19h30 (10h-16h30 pendant le ramadan)*

● **Où boire un verre ?**

Café Sidi Bouhdid (plan 6, D1) Blotti au pied de la casbah, ce café qui séduit les touristes avec ses tapis anciens, ses cages à oiseaux et ses tables ombragées en bord de mer est tout indiqué pour admirer le coucher du soleil. On peut aussi siroter un thé à la menthe ou un jus de fruits frais sur une banquette, à l'intérieur. *Médina Tél. 280 040 Ouvert juin-oct. : tlj. 7h-0h ; nov.-mai : tlj. 7h-23h*

Karthago (plan 6, A2) Prendre un verre dans l'un des trois bars du Karthago permet d'admirer l'architecture audacieuse de l'hôtel, situé entre le paquebot de luxe et le vaisseau spatial. Le bar du hall (le Flouka), face à la grande baie vitrée, est ouvert de 8h à 0h. Cocktails de 8DT à 12DT. On peut aussi se rafraîchir en musique, le soir, au bar latino (16h-2h). *Yasmine Hammamet Tél. 240 666*

Brauhaus Le Berbère (plan 6, D1) Pour changer de la Celtia, les amateurs de bière peuvent s'asseoir ici, face à la médina, et goûter les trois bières allemandes (blonde, blanche et brune) brassées sur place. 4,50DT la chope de 50cl. *Pl. du 7-Novembre Médina Tél. 280 082 Ouvert tlj. 10h-23h (ferme plus tard en été)*

● **Découvrir les fonds marins** Au large de Hammamet, les fonds invitent à de sympathiques plongées sans difficulté particulière. Les néophytes en profiteront pour passer leur baptême. La meilleure période pour découvrir les fonds s'étend de juin à octobre.

Scuba Diving Centre (plan 6, A2) Ce club de plongée, qui reconnaît les diplômes CMAS et Padi, propose cinq ou six sorties en mer intéressantes, avec épaves, roches spectaculaires et faune marine (245DT les 6 plongées). Les baptêmes (35DT) se font à partir de la plage. Comptez 50DT pour une plongée en mer. Personnel sérieux et compétent. *À l'hôtel Samira Club Hammamet-Sud Tél. portable 98 319 74*

● **Taper la petite balle blanche** Voisins, les deux golfs de Hammamet sont établis à 10km au nord-ouest du centre-ville, à proximité de l'autoroute de Tunis.

Yasmine Golf Course Superbe parcours 18 trous (6 062m, par 72) dans un paysage vallonné parfaitement entretenu. Environ 105DT en haute saison. *Tél. 227 001 www.golfyasmine.com Ouvert été : tlj. 7h-20h ; hiver : tlj. 7h-18h*

Golf Citrus Deux parcours 18 trous dans un cadre splendide : la "Forêt" (6 128m, par 72), le plus difficile, et les "Oliviers" (6 178m, par 72). Green-fee : 110DT la journée. *Tél. 226 500 www.golfcitrus.com Ouvert été : tlj. 7h-20h ; hiver : tlj. 7h-19h*

LE CAP BON

● S'amuser en famille

Carthageland (plan 6, A2) Carthage la Punique au service d'un parc d'attractions ! Hannibal doit se retourner dans sa tombe, mais les enfants s'amuseront certainement. Jeux aquatiques, mini zoo, grand-huit, manèges, etc. Au total, 18 attractions. *Dans la médina* **Yasmine Hammamet** *Tél. 240 111 www.carthageland.com Ouvert juil.-mi-sept. : tlj. 11h-1h ; mi-sept.-juin : lun.-sam. 10 h-19h, dim. 10h-20h Tarif 15DT, réduit 10DH*

Blue Ice (plan 6, A2) Ouverte en 2003, la patinoire de Yasmine Hammamet est la seule de Tunisie. Séances de 50min. À côté de l'hôtel Karthago **Yasmine Hammamet** *Tél. 240 666 Ouvert juil.-août : mar.-dim. 12h-0h ; sept.-juin : mar.-ven. 13h-23h, sam. 13h-0h, dim. 10h-23h Tarif 10DT, réduit 8DT*

● Où aller danser ? C'est à Hammamet-Sud qu'il faut chercher les clubs

branchés. L'ambiance bat son plein les jeudis, vendredis et samedis soir en été, après minuit.

Calypso (plan 6, B1) Une jolie boîte de nuit installée dans un agréable théâtre de verdure, surtout fréquentée par les Tunisiens branchés. Deux restaurants, assez chics, et un bar donnent sur la piste. Musique lounge, house et techno. Des DJ réputés sont invités en été. Entrée libre. *Av. Moncef-Bey* **Hammamet-Sud** *Tél. 226 803 http://tcr-trading.com Ouvert juil.-août : tlj. 22h-3h*

Havana Club (plan 6, B1) La vague latino a atteint les côtes tunisiennes ! Après quelques tapas et mojitos, on peut se déchaîner sur la piste de danse aux rythmes de la salsa, du mérengué mais aussi sur du rock et des musiques électroniques. Entrée libre (sauf si DJ réputés). *Route touristique* **Hammamet-Sud** *Tél. 319 854 Ouvert tlj. 18h-4h*

CARNET D'ADRESSES

Restauration

Il est préférable de réserver sa table les soirs d'été dans les établissements chics, surtout en fin de semaine.

🍴 petits prix

La Brise (plan 6, D1) Une bonne adresse au cœur de Hammamet : des tables disposées sur l'esplanade, face aux remparts de la médina, des serveurs souriants et efficaces, et une cuisine d'un bon rapport qualité-prix. Pour une quinzaine de dinars, commencez par des calamars dorés ou la salade de fruits de mer et faites suivre par une caille grillée, un copieux couscous d'agneau ou un poisson grillé. *2, av. de la République Tél. 280 073/278*

910 Ouvert tlj. 11h-23h Fermé le soir pendant le ramadan

Restaurant La Médina (plan 6, D1) Ce restaurant touristique sans surprise occupe l'une des tours d'angle de la médina. Au coucher du soleil, la vue sur la mer et sur les murs de la casbah vaut tous les couscous de la carte (8DT-12DT). Les plats et le menu touristique à 12DT, même aseptisés, n'ont rien de déshonorant. Sert de l'alcool. *Pl. El-Haouka Tél. 281 728 Ouvert été : tlj. 12h-0h ; hiver : tlj. 12h-22h Fermé entre 16h et 79h pendant le ramadan*

☺ **Restaurant de la Poste (Chez le Chef) (plan 6, D1)** Bien situé en étage face à la médina, ce restaurant sans prétention propose depuis 1942 des poissons du jour en été (soles, bars, pageots, etc.), des tajines et vol-au-vent en hiver, des crevettes grillées selon le marché... Le sympathique chef, qui assure aussi le service, est un vrai Hammamétois, aussi fier de sa brick que des célébrités qui ont fréquenté l'établissement, tels Georges Sebastian et Bettino Craxi. Sert de l'alcool. Env. 13DT le repas. *Pl. des Martyrs (face à la médina) Tél. 280 023 Ouvert tlj. 8h-16h et 18h30-0h*

L'Angolo Verde (plan 6, D1) On s'attable dans un cadre festif aux étonnantes tonalités sud-américaines. On déguste pizzas et pâtes (de 6DT à 8DT), de délicieux spaghettis à la langouste (15DT), des salades, des viandes, des fruits de mer et même des plats chinois ! Sympathique terrasse sous les arbres pour prendre le frais en été. Pour le dessert, n'hésitez pas à faire un saut chez le glacier voisin. *Rue Ali-Belhaouane Tél. 262 641 Ouvert tlj. 11h-23h (11h-1h et plus en été) Parfois fermé pendant le ramadan*

![] prix élevés

Chez Achour (plan 6, D1) Une institution ! Ce restaurant fut l'un des tout premiers à ouvrir en ville, en 1961. Les années ont passé... La table au chic un peu désuet sert une bonne cuisine orientée vers la mer. Attention, les crevettes ne sont pas bien grosses. On peut essayer la bouillabaisse maison (26DT). Menus complets de 28DT à 38DT. CB acceptées. *Rue Ali-Belhaouane (à 300m de la médina) Tél. 280 140 Fax 283 966 Ouvert tlj. 12h-0h*

☺ **Pomo Doro (plan 6, D1)** L'une des meilleures tables de Hammamet. Les langoustes pochées, les clovisses marinées, les quenelles de crevettes et le mérou grillé se partagent la vedette. Environ 43DT le repas. CB acceptées. *6, av. Habib-Bourguiba Tél. 281 254 Ouvert tlj. 12h-15h et 18h30-0h*

Sidi Slim (plan 6, C1) L'un des trois meilleurs restaurants de Hammamet. La cuisine européenne, certes pas franchement dépaysante, tient ses promesses. La maison est réputée pour ses poissons au gros sel (7DT les 100g), son agneau à la gargoulette (20DT/pers., pour deux pers. minimum) et son plateau de fruits de mer (environ 60DT pour 4 pers.). Les curieux peuvent essayer le steak de chameau à la berbère (17DT). CB acceptées. *156, av. du Koweït Tél. 279 124 Ouvert tlj. 12h-0h ; ramadan : tlj. 15h-0h*

☺ **Gelimer (restaurant de l'hôtel Dar Hayet) (plan 6, C1)** Une cuisine originale dans un cadre sublime... ou sur la plage quand il fait beau. Le soir, spots bleutés et bougies éclairent les larges assiettes garnies d'un carpaccio de mérou (28DT) ou de crevettes marinées au citron et au basilic (20DT). À faire suivre d'un plateau de fruits de mer (45DT pour deux) ou d'un filet de bœuf flambé au cognac (20DT). Service attentif. *Hôtel Dar Hayet Tél. 283 399 Ouvert tlj. seulement le soir*

LE CAP BON

GAMME DE PRIX	RESTAURATION	HÉBERGEMENT
Très petits prix	moins de 5DT	moins de 15DT
Petits prix	de 5DT à 15DT	de 15DT à 30DT
Prix moyens	de 15DT à 25DT	de 30DT à 60DT
Prix élevés	de 25DT à 40DT	de 60DT à 100DT
Prix très élevés	plus de 40DT	plus de 100DT

LE CAP BON

Les Trois Moutons (plan 6, D1) À deux pas de la médina, cette table est réputée depuis 25 ans pour son agneau à la gargoulette (à commander 24h d'avance, 32DT pour 2) et ses couscous (env. 30DT pour 2). Les poissons sont tout aussi fameux. Service impeccable. 20DT-35DT le repas. CB acceptées. *Av. Ali-Belhaouane (centre commercial, centre-ville) Tél. 280 981 Fax 265 941 Ouvert tlj. 12h-15h et 19h-0h*

Hébergement

Les hôtels ne manquent pas, mais leurs prestations ne sont pas toujours bonnes, surtout celles des établissements sanitaires vieillissants. La crise du tourisme a mis les hôteliers en position de faiblesse, de sorte qu'on peut négocier les prix même l'été (jusqu'à –30% dans les grandes structures).

À Hammamet Centre

 camping

Camping Samaris (plan 6, B1) Pour les inconditionnels du camping : la mer est à 1km ! Le petit terrain est ombragé par quelques oliviers et parfumé par des mandariniers et des orangers. Agréable au printemps et à l'automne, le site se transforme en fournaise l'été. Blocs sanitaires propres. Restaurant, bar. Comptez 3,30DT/pers., 2,50DT la tente, 2,80DT la caravane, 3,30DT le camping-car. Douche chaude et électricité en supplément. On peut toujours se réfugier dans les chambres de l'hôtel attenant (50DT la double). Accueil cordial. *Sur la GP1, au carrefour Baraket-Sahel Tél. 226 353*

prix élevés

Hôtel Khella (plan 6, D1) Un établissement assez central, à 400m des deux plages de Hammamet (celle du centre-ville et celle de Hammamet-Nord). La décoration pourrait être plus gaie mais les 36 chambres sont propres et bien équipées (clim., TV, bain ou douche). Comptez 90DT la double. Hors saison, les prix sont flexibles. Pas de CB. *89, av. de la République Tél. 283 900/282 330 Fax 283 704*

Hôtel Belle Vue (plan 6, D1) Un 2-étoiles de 39 chambres face à la plage de Hammamet-Nord, à 5min à pied du centre-ville. Toutes les chambres donnent sur la mer. Dommage qu'elles ne soient pas mieux équipées (ni clim., ni TV) ni mieux entretenues : l'ensemble, qui date des années 1980, donne des signes évidents de fatigue. 96DT pour deux en juil.-août. Un bar et une pizzeria sur la plage. CB acceptées. *Av. Assad-Ibn-el-Fourat Tél. 281 121*

☺ **Hôtel Le Mirage (plan 6, D1)** Situé à 500m du centre et 300m de la plage de Hammamet-Nord, cet hôtel n'a pas usurpé ses 2 étoiles : 22 chambres spacieuses (jusqu'à 40m2), impeccables et bien équipées (TV, clim., douche ou bain). Le personnel est dévoué et compétent, et la directrice veille à ce que tout se passe bien. Double 96DT en juil.-août. *173, av. de la République Tél. 280 601 Fax 281 568*

Hôtel La Résidence Hammamet (plan 6, D1) Une résidence d'appart'hôtels à 150m de la plage du centre-ville, d'un bon rapport qualité-prix. Les 184 studios (2/4 pers.) avec clim., kitchenette et TV satellite ont été refaits sans faute de goût. La piscine et le solarium sur le toit réservent une belle vue sur le golfe de Hammamet. Restaurant, snack, bar et supérette. En haute saison (5 juil.-15 sept.), la double revient à 94DT, la chambre pour quatre à 140DT avec petit déjeuner.

CB acceptées. *60, av. Habib-Bour-guiba Tél. 280 733 www.hammamet-residence.com*

Hôtel Miramar (plan 6, B1) À 3km à l'ouest de la médina, cet hôtel-club s'élève dans un parc vaste et très agréable. Les 350 chambres, suites et appart'hôtels n'ont pas tous le même confort et certains sont relégués loin de la mer, mais la décoration est plutôt réussie. Les animations conviendront davantage aux familles qu'aux couples en quête d'intimité. Quatre piscines (dont une couverte), centre de balnéothérapie et accès direct à la plage. Comptez 164DT la double (mi-juin-mi-sept.). *Hammamet-Sud Tél. 282 448 www. miramartunisia.com*

☺ **Hôtel Dar Hayet (plan 6, C1)** L'architecture arabo-musulmane de cet hôtel de charme brille par son élégance, et les remparts de la médina se dressent à 500m de sa belle plage. Sans doute la meilleure situation de Hammamet. Aux 50 chambres, aussi confortables (clim., TV satellite) que joliment décorées, s'ajoutent une piscine, deux restaurants, un hammam, un sauna, un salon de coiffure et une agence de voyages (excursions à Sidi Bou Saïd, Nabeul, Kairouan, etc). L'accueil pourrait être plus chaleureux. Prévoyez 270DT la double (juil.-mi-sept.). CB acceptées. *33, rue Akaba Tél. 264 811 www.darhayet.com*

À Yasmine Hammamet

Seule une poignée des 44 hôtels de cette zone donne directement sur la plage. La plupart des clients doivent donc traverser la route pour pouvoir se baigner ! Autres défauts : l'isolement et le manque d'animation. Les familles trouveront sans doute leur bonheur (sable et parc d'attractions), mais l'ennui guette les voyageurs individuels.

☺ **Hôtel Karthago (plan 6, A2)** Avec son ponton, ses passerelles et ses cordages, le Karthago file la métaphore maritime. On se croirait embarqué sur un paquebot de luxe. Le design sobre et majestueux confère une grande classe à cet établissement de 300 chambres et 11 suites, inauguré en novembre 2001. Les meilleures chambres donnent sur la marina (terrasse, clim., TV, minibar, etc.). La plage, de l'autre côté de la route, les deux piscines, le tennis, la patinoire voisine et l'excellent centre de thalasso occuperont sans peine votre séjour. À partir de 175DT pour deux (juil.-août) avec vue sur mer. Importantes réductions consenties en demi-pension et pension complète. *Tél. 240 666*

Hasdrubal Thalassa (plan 6, A2) À la pointe sud de Yasmine Hammamet, le Hasdrubal abritait la plus grande suite présidentielle au monde (jusqu'à la construction à Djerba, en 2007, d'un hôtel encore plus luxueux) : 1 542m^2, 5 chambres, 2 piscines, un spa, etc. ! Les 210 autres suites ont des dimensions plus raisonnables. Le confort est sans faille (clim., TV, minibar, vue sur mer), mais la décoration manque un peu de fantaisie. La robinetterie des salles de bains "pèse" tout de même 24 carats... Accès direct à la mer, ce qui est rare dans la zone. Un excellent centre de thalasso et 4 restaurants à la carte. Suite 525DT. *Tél. 244 000 www.hasdrubal-hotel.com*

LE CAP BON

LE CAP BON

NABEUL

Ind. tél. 72

Nabeul
○ Hammamet

Siège du gouvernorat du cap Bon, Nabeul est aussi la capitale de la poterie tunisienne. Ne disposant d'aucun port, cette ville côtière de 50 000 habitants a axé son développement sur le tourisme. Sa grande plage, qu'une large zone hôtelière longe depuis quelques années, reste son atout principal, et sa médina se résume aujourd'hui à une longue rue piétonne envahie par les boutiques de souvenirs. La cité s'anime en avril lors d'une grande foire annuelle qui célèbre la distillation de la fleur d'oranger, importante activité traditionnelle du cap Bon. Quant au site archéologique de Neapolis, il rappelle que Nabeul fut fondée par les Grecs.

LA POTERIE DE NABEUL Cette activité, qui remonte sans doute à l'Antiquité, emploie des milliers de personnes dans les ateliers et usines de Nabeul et de ses environs. Une grande part de la production (notamment les carreaux de céramique voués à la décoration des maisons) est destinée au marché tunisien. S'y ajoute la poterie (des jarres en terre cuite à la vaisselle en céramique) vendue dans les échoppes de la ville et dont les motifs, des plus variés, sont adaptés aux goûts supposés des touristes. Plusieurs ateliers s'essaient aussi à la création artistique, avec des résultats plus ou moins convaincants.

MODE D'EMPLOI

accès

EN TRAIN
Neuf trains par jour relient Nabeul à la gare de Bir Bou Bou Regba, près de Hammamet, où s'effectue la correspondance pour Tunis, Sousse, Sfax, Gabès et Gafsa.
Gare (plan 7, B2) *Tél. 285 054*

EN CAR
Il existe deux gares routières. Pour le cap Bon, place des Martyrs (près du marché) (plan 7, A1) ; pour les autres destinations av. Habib-Thameur (plan 7, A3). *Tél. 285 273*

EN LOUAGE
Il existe trois stations. Pour Kelibia, Korba et le cap Bon, place des Martyrs (à proximité du marché) ; pour Grombalia, Soliman et Korbous à l'angle de l'av. Habib-Bourguiba et de la rue Saladin ; pour Tunis, Hammamet et Sousse av. Habib-Thameur (près du Centre des traditions et des métiers d'art).

EN VOITURE
Nabeul est à 10km au nord-est de Hammamet, à 67km au sud-est de Tunis et à 93km au nord de Sousse.

orientation

Principales artères de la ville, les avenues Habib-Bourguiba et Habib-Thameur (prolongée par l'avenue Farhat-Hached) se croisent au centre de Nabeul. Orientée nord-sud, l'avenue Habib-Bourguiba, que prolongent l'avenue Mohammed-V puis la route touristique, mène à la plage et à la zone hôtelière, situées à quelque 2km du centre-ville.

informations touristiques

Office de tourisme (plan 7, B2) Toutes informations sur Nabeul et l'ensemble du cap Bon. *Av. Taïeb-Mehiri Tél. 286 800/286 737/271 999 Fax 223 358 Ouvert sept.-juin : lun.-jeu. 8h30-13h et 15h-17h45, ven.-sam. 8h-13h ; juil.-août : tlj. 7h30-13h30*
Syndicat d'initiative (plan 7, B2) Propose des excursions organisées par des agences et vend les billets du Festival d'été, mais est souvent fermé... *Pl. du 7-Novembre Tél. 223 006*

banques et change

Change et distributeurs de billets av. Habib-Bourguiba (poste, Banque ATB, Banque de l'Habitat, banque ABC) et av. Habib-Thameur (Banque du Sud), près du centre commercial.

accès Internet

Publinet (plan 7, A2-A3) *2DT/h. Av. Habib-Thameur (presque en face du magasin Socopa) Tél. 230 032 Ouvert tlj. 8h-0h*

location de voitures

Azaiez (plan 7, B3) *Av. Mohammed-V (zone touristique, entre hôtels Khéops et Prince)*
Hertz (plan 7, B3) *Av. Habib-Thameur (à côté du restaurant Slovenia) Tél. 285 327*
Narass (plan 7, B3) *Av. Mohammed-V (zone touristique, entre les hôtels Khéops et Prince) Tél. 98 342 368*

urgences

Majed Khalifa (plan 7, B3) Pharmacie de nuit. *Av. Habib-Thameur (à côté du rond-point orné d'une grande poterie aux oranges) Tél. 287 542*

marchés, fêtes et festivals

Un marché a lieu le ven., le souk se tient tlj., près de la place des Martyrs.
Foire de Nabeul *Fin avril-début mai*
Foire de l'artisanat *En août*
Festival de la fleur d'oranger *En avril*
Festival d'été Concerts, théâtre *Théâtre en plein air, av. Taïeb-Mehiri En juillet-août*
Festival de théâtre amateur Spectacles gratuits, parfois en français. *Korba (à 20km de Nabeul) Tél. 270 103 Tél. portable 97 473 556 En août*

DÉCOUVRIR

☆ **Les essentiels** Le Musée archéologique **Découvrir autrement** Dénichez des poteries et autres souvenirs dans les avenues Habib-Thameur et Farhat-Hached, observez les oiseaux migrateurs sur les lagunes de Korba, goûtez à la *couseila* du restaurant Slovénia ➤ **Carnet d'adresses p.155**

Nabeul

☆ **Musée archéologique (plan 7, B2)** Il est entièrement consacré aux sites antiques du cap Bon. Dans la première cour, fragments de mosaïques romaines, dont une Néréide alanguie sur le dos d'un hippocampe (IVe s.). La première salle présente la période punique : poteries, amphores, lampes à huile, vases encadrent le mobilier funéraire d'une nécropole des IVe-IIIe siècles av. J.-C. (carreaux en terre cuite, poids de filet de pêche, amphore…). La deuxième salle expose des objets retrouvés sur le site néopunique de Thinissut (Ier s.) découvert en 1903. Le plus précieux est sans doute la statue, haute d'environ 1,60m, représentant la déesse Tanit avec une tête de lion. La salle de Nabeul, au fond du musée, est consacrée au site de Neapolis, l'antique Nabeul. On peut y admirer *L'Ambassade de Chrysès auprès d'Agamemnon pour le rachat de sa fille Chryséis* (IVe s.) et d'autres mosaïques, qui proviennent de l'élégante maison des Nymphes. On a retrouvé sur le site de **Neapolis** une fabrique de *garum* (sauce de poisson très salée) doublée d'un saloir. La salle des Salaisons évoque cette activité sans doute liée aux migrations

Le cap Bon côté mer	
Hôtels avec vue	
Miramar (Hammamet)	149
Dar Hayet (Hammamet)	149
Hasdrubal Thalassa (Hammamet)	149
Le Prince (Nabeul)	156
Le Lido (Nabeul)	156
Africa Jade (Korba)	158
Mamounia (Kelibia)	161
Tables au bord de l'eau	
La Rotonde (Nabeul)	155
Le Bon Kif (Nabeul)	155
El-Mansourah (Kelibia)	161
Sports aquatiques	
Scuba Diving Centre (Hammamet)	145
Plages d'El-Haouaria	164

des thons en Méditerranée. On peut enfin admirer dans le petit patio deux statues sans tête, portant la cuirasse impériale, trouvées à Korbous, et de délicates mosaïques, dont *L'Invention de la flûte par Athéna en présence d'un dieu fleuve et de Marsyas* (IIIe s.), provenant de Kelibia. *Av. Habib-Bourguiba (en face de la gare) Tél. 285 509 Ouvert avr.-sept. : mar.-dim. 9h-13h et 15h-19h ; oct.-mars : mar.-dim. 9h30-16h30 Tarif 3DT Droit photo 1DT*

Centre des traditions et des métiers d'art (plan 7, A3) Il regroupe autour d'une vaste cour carrée des ateliers de ferronniers, de vanniers, de potiers et de peintres sur verre. Démonstrations et vente. *Av. Habib-Thameur (à côté du magasin Socopa) Tél. 285 672 Fax 223 578 Ouvert lun.-ven. 8h-18h, sam. 8h-13h*

Quartier des nattiers (plan 7, A2) Dépêchez-vous : les nattiers qui occupent les rues situées au nord-est de l'avenue Bourguiba, derrière les souks et à proximité de la Grande Mosquée, se font de plus en plus rares. Rue des Nattiers et rue Mohammed-Saad s'activent des vieillards souriants, prêts à vous montrer leur travail.

● **Où boire un café ?** Banquettes et chaises basses turquoise, coussins multicolores, nattes et tapis. Une ambiance particulièrement chaleureuse règne sur la terrasse abritée de ce café maure comme dans sa grande salle agrémentée de photos anciennes de Nabeul. Dommage que le service soit si lent ! Pas d'alcool. **Café Errachida (plan 7, A2)** *Av. Habib-Thameur (presque à l'angle de l'av. Habib-Bourguiba) Ouvert tlj. 8h-0h*

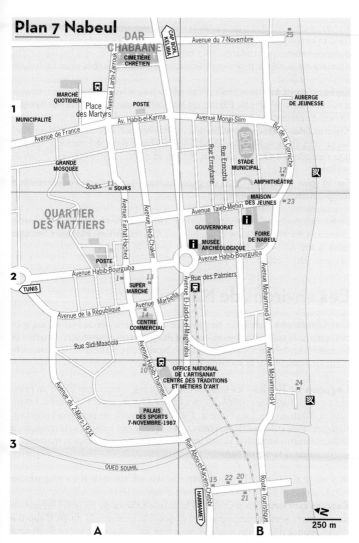

Plan 7 Nabeul

CAFÉ (n° 1)
Café Errachida _____ **1** A2

RESTAURATION (n° 10 à 15)
El-Bahjaa _____ **10** A3
La Rotonde _____ **12** B1
Le Bonheur _____ **11** A1
Le Bon Kif _____ **14** A2
L'Olivier _____ **13** A2
Slovénia _____ **15** B3

HÉBERGEMENT (n° 20 à 25)
Byzance _____ **23** B2
Camping Les Jasmins **20** B3
Hôtel Les Jasmins _ **22** B3
Le Lido _____ **25** B1
Le Prince _____ **24** B3
Les Oliviers _____ **21** B3

● **Où acheter des poteries ?** Dans l'avenue Farhat-Hached, surtout dans sa partie piétonne. Le marchandage s'impose, d'autant que les prix indiqués sont parfois exorbitants. Voici quelques adresses où vous trouverez des poteries de qualité à prix fixes (réduction toujours possible pour l'achat de plusieurs objets).

Kerkeni (plan 7, A2) Vaste choix présenté sur trois niveaux, ateliers de démonstration au sous-sol. Pas de CB. *121, av. Habib-Thameur Tél. 221 808 Fax 223 594 Ouvert tlj. 8h-18h*

Kharraz (plan 7, A2) Du traditionnel au contemporain, des créations pour tous les goûts. CB acceptées. *Av. Habib-Thameur (près du café Errachida) Tél. 285 034 Fax 286 229 Ouvert hiver : tlj. 9h-13h et 15h30-19h30 ; été : tlj. 9h-13h et 15h-21h*

Gastli (plan 7, A2) Bon choix de poteries tous styles. *117, av. Farhat-Hached (magasin dans la zone piétonne)*

● **Où glaner d'autres souvenirs ?** Faïences de Nabeul, tapis tunisiens, costumes traditionnels, verrerie, bijoux... CB acceptées. **Magasin Socopa (plan 7, A2)** *Av. Habib-Thameur Ouvert hiver : tlj. 8h30-13h et 15h-18h ; été : lun.-sam. 8h30-20h*

Les environs de Nabeul

Dar Chaabane Ce village rattrapé par l'agglomération de Nabeul est spécialisé dans la taille de la pierre, surtout des colonnes, chapiteaux, linteaux et fontaines destinés aux maisons neuves. Nombreux ateliers et magasins à la sortie de Nabeul, sur la route de Kelibia.

Lagunes de Korba Des milliers d'oiseaux migrateurs font étape au printemps sur les lagunes (*sebkha*) qui s'étendent entre la mer et Korba, bourg situé à 20km au nord de Nabeul. De février à avril, on peut ainsi observer d'importantes colonies de flamants roses, d'échasses blanches, de glaréoles à collier et autres limicoles. Parmi les résidents figurent la sarcelle marbrée, la sterne naine et la sterne hansel.

● **Faire du cheval, du dromadaire et du quad** La plupart des hôtels proposent des sorties animées par des sociétés spécialisées.

Express caravane Il en coûte 30DT la balade à cheval de 3h, 50DT la location de quad (2h, avec accompagnateur) et 30DT la promenade de 3h, d'abord à cheval, puis à dos de dromadaire pour finir en calèche. *Quartier Bechalouf Ouvert toute l'année*

Société touristique Africana Comptez 45DT la promenade à cheval (1h30-2h), la sortie à dos de dromadaire ou la balade en calèche, et 60DT/2h de quad avec accompagnateur. *Larouia (à 10km de Nabeul sur la route de Tunis) Tél. 270 103 ou 98 308 850*

CARNET D'ADRESSES

Restauration

🍴 petits prix

El-Bahjaa (plan 7, A3) Ce petit restaurant très simple propose pour
pour quelques dinars des bricks au
thon, du poulet et du foie grillés, des
côtelettes d'agneau, de l'*ojja* et des
merguez. Couscous sur commande,
pizzas et sandwichs à emporter. *38,
av. Habib-Thameur Tél. 231 629 Ouvert
tlj. 10h-22h*

Le Bonheur (plan 7, A1) À midi, vous
y partagerez votre table avec des
Nabeuliens. Bricks, salades, couscous, poisson du jour, escalopes et
brochettes figurent au menu pour
environ 6DT. Accueil souriant et service efficace. Idéal pour un repas
rapide, arrosé d'une bière sans alcool.
Le Bonheur se repère facilement à sa
façade couverte de carreaux de céramique et à ses grilles de fer forgé bleu.
*Place Farhat-Hached Ouvert tlj. seu-
lement à midi*

La Rotonde (plan 7, B1) Une rareté à
Nabeul : la terrasse du restaurant donne
sur la plage et la mer. C'est d'ailleurs
le principal atout de La Rotonde, car
sa carte reste assez limitée. Salades
(4,50DT), calamars dorés (8,50DT),
spaghettis aux fruits de mer (8,50DT),
brochette de bœuf (9,50DT), crevettes
grillées (13,50DT) et poisson du jour.
Couscous sur commande. Accueil
aimable et service diligent. *Plage de
Nabeul Ouvert tlj. 12h-0h*

L'Olivier (plan 7, A2) Si vous venez
d'écumer les boutiques de l'avenue
Farhat-Hached, l'atmosphère feutrée
de ce petit restaurant et son service
souriant vous reposeront. Sa cuisine

vous comblera d'aise : chevrettes à l'ail
ou à la cannelle (14DT), poisson du jour
grillé (7DT les 100g), mérou sauce au
poivre (25DT), filet de merlan sauce
aux champignons (15DT), filet de bœuf
aux trois poivres (17,50DT). Belle carte
des desserts et carte des vins (14DT
à 40DT la bouteille). Salle climatisée
avec mezzanine. *Av. Hedi-Chaker Tél./
Fax 286 613 Ouvert tlj. 12h-15h30 et
18h30-0h, le soir seulement pendant
le ramadan*

🍴 prix moyens

☺ **Le Bon Kif (plan 7, A2)** Pour
savourer d'excellentes spécialités
de la mer, dans la courette ou dans
l'élégante salle bleu et blanc, après
avoir fait son choix parmi la pêche
du jour, présentée sur un plateau,
ou consulté la carte. Cocktail de
crevettes (12DT), seiches grillées
(8DT), sole farcie aux fruits de mer
(18DT), rouget en papillote (6,50DT
les 100g), loup grillé parfumé aux
herbes (6,50DT les 100g), brochette
de mérou (14DT)... Et, sur commande,
on dégustera langouste, paella, couscous au mérou. Également des plats
de viande et une carte des vins (de
10DT à 26 DT la bouteille). *25, av. Mar-
bella Tél. 222 783 www.tunisieatable.
com Ouvert tlj. 12h-16h et 18h-0h*

☺ **Slovenia (plan 7, B3)** Si le nom de
l'établissement rend hommage aux
origines slovènes de l'épouse de Rafik
Tlatli, ce chef vedette – il anime des
émissions culinaires à la télévision et
à la radio tunisiennes – sait revisiter la
tradition nationale avec audace. Étonnant jambon de thon, succulentes
crevettes en chemise croustillante
(14DT), fondantes lamelles d'agneau à
la vapeur de romarin (15DT) et copieux

LE CAP BON

mérou sauce crevettes (22DT). Inédite aussi, son interprétation de la cuisine "fusion" avec une surprenante *couseila*, synthèse du couscous et de la paella (20DT), ou de la cuisine internationale avec le calamar *sambal* (lait de coco, gingembre et champignon, 15DT) et le *satay* indonésien (crevettes ou poulet, 25DT). Possibilité de s'attabler dehors, sous la tonnelle. Service aimable et attentif. Large carte des vins, tous tunisiens. *Av. Habib-Thameur (à l'entrée de la ville en venant de Hammamet) Tél. 285 343 www.hotellesjasmins.com Ouvert tlj. 12h-14h30 et 18h-0h*

Hébergement

 camping

Les Jasmins (plan 7, B3) Beaucoup d'ombre sous les pins et les oliviers, emplacements pour 15 caravanes et 50 tentes. Le terrain jouxte l'hôtel Les Jasmins, et les campeurs, moyennant un supplément, peuvent faire trempette dans sa piscine. Équipements sanitaires nombreux et en bon état. Comptez 3,30DT la nuit par personne (2,50DT pour les enfants), tente 2,50DT, voiture ou moto 2,50DT, caravane 2,80DT, camping-car 3,30DT, eau chaude et électricité 2,50DT. *Rue Abou-el-Kacem-Chebbi Tél. 285 343 Fax 285 073 Ouvert toute l'année*

prix moyens

Les Oliviers (plan 7, B3) Ancienne enseignante d'anglais animée par le goût du contact, Turkia bichonne avec son mari leur pension de 10 chambres. Toutes impeccables, elles disposent d'une salle de bains, de trois lits et d'un petit balcon donnant sur un grand jardin planté d'oliviers. La plage est à 5min à pied. Prévoyez 51DT pour deux avec le petit déjeuner du

1er juillet au 15 sept. Les prix chutent le reste de l'année (jusqu'à 50% de moins). *Rue Abou-el-Kacem-Chebbi (dans une impasse face à l'hôtel Les Jasmins) Tél./fax 286 865 pensionlesoliviers@yahoo.fr*

Les Jasmins (plan 7, B3) Une cour carrelée, puis des oliviers, des pins et du jasmin qui cachent des maisons basses. Une grande sérénité se dégage de l'ensemble. L'atmosphère familiale, la simplicité souriante de l'accueil y sont pour beaucoup. Murs blancs, lits et meubles en bois bleu vert, rideaux bleu et jaune, chaque chambre dispose d'un balcon et d'une sdb animée d'une frise de faïence bleue. Deux restaurants et une piscine. Quarante chambres. La double revient à 56DT en été, prix négociables en fonction de la fréquentation. Camping du même nom juste à côté (cf. Camping). *Rue Abou-el-Kacem-Chebbi Tél. 285 343 www.hotellesjasmins.com Ouvert toute l'année*

prix élevés

Le Prince (plan 7, B3) C'est l'un des rares hôtels de Nabeul qui donnent directement sur la plage. Il s'agit d'un hôtel-club de construction récente, de style mauresque, dont les 290 chambres, très claires, avec balcon, sont meublées en pin. Clim., 2 piscines, centre de remise en forme, bureau de change, 2 bars, salle de restaurant voûtée avec piliers massifs, tennis, discothèque, équipe d'animation. Comptez 84DT la double en haute saison (–50% en demi-saison). *Av. Mohammed-V (zone touristique) Tél. 285 470 www.hotel-leprince.com*

Le Lido (plan 7, B1) À l'écart des autres hôtels et du secteur résidentiel, cet hôtel-club abat ses atouts. Vous avez le choix entre de bien jolis bungalows disséminés dans la verdure et des

Médina et casbah (p.141), Hammamet

chambres réparties sur trois étages, donnant sur la piscine et la mer. Plage isolée à deux pas, jardin bien entretenu planté d'eucalyptus et de palmiers, 166 chambres aux tissus fleuris, mobilier en bois blanc laqué, balcons... Les 200 bungalows, avec kitchenette et clim., disposent d'un salon et d'une ou deux chambres. Piscine couverte et animations, selon la saison. Bureau de change. CB acceptées. À partir de 94DT la double ; 140DT le bungalow 2 pers. et 210DT le bungalow 4 pers., supplément petit déjeuner 6DT/pers. *Av. du 7-Novembre Tél. 362 988 Fax 361 487*

prix très élevés

Byzance (plan 7, B2) La décoration des 63 chambres, spacieuses et confortables, est nettement plus sobre que celle du hall de réception, où trône une cascade spectaculaire. Murs blancs, couvre-lits et rideaux gris-bleu, salle de bains, la plupart des chambres (110DT la double) bénéficient d'un balcon donnant sur la mer – la plage est à 200m. Piscine, snack, restaurant, bar, espace de remise en forme. Le Byzance, classé 3-étoiles, possède aussi 7 suites, 3 "Junior" et 3 "Ambassadeur". CB acceptées. *Bd de la Corniche Tél. 271 000/299 www. hotelbyzance.com*

Dans les environs

prix très élevés

Africa Jade Luxe et calme pour ce 4-étoiles moderne établi près d'une immense plage. Tout comme les parties communes, décorées d'objets évoquant l'Afrique subsaharienne, les 257 chambres (dont 14 suites) sont chaleureuses avec leur mobilier en osier et leurs couvre-lits et rideaux jaunes. Doubles, triples ou quadruples, toutes disposent d'un balcon, de la clim. et d'une TV. Jardin luxuriant, grandes piscines, couverte ou non, 2 restaurants, 3 bars, 4 courts de tennis, galerie commerciale à l'entrée de l'hôtel. À noter cependant : certains services sont facturés (location d'un matelas de plage...). Comptez 160DT la double en haute saison. *Av. Habib-Bourguiba **Korba** (à 20km au nord-est de Nabeul) Tél. 384 633 www.africajade.com*

KELIBIA

Ind. tél. 72

Étape idéale pour un repas ou une nuitée, Kelibia est située à mi-chemin entre Hammamet et Soliman, sur la route de 160km qui fait le tour de la presqu'île du cap Bon. Vous apprécierez sûrement ses tranquilles plages de sable fin et, quand le couchant teinte de rose la vieille forteresse qui domine le port, vous verrez peut-être sortir du chenal sa flottille de pêche au lamparo – des projecteurs qui attirent la nuit anchois, sardines et maquereaux. Enfin, ne quittez pas Kelibia sans avoir goûté son vin de muscat sec, héritage de viticulteurs italiens qui s'installèrent dans la région à la fin du XIXe siècle.

LE CAP BON Cette langue de terre qui s'étend sur 70km de long et 40km de large entre les golfes de Tunis et de Hammamet offre des paysages contrastés : plaines agricoles et plages immenses de la côte sud, côtes escarpées et hautes collines du littoral nord et, à la pointe, près d'El-Haouaria, un promontoire de près de 400m de haut qui s'affaisse brutalement dans la Méditerranée. Peuplée par les ancêtres des Berbères, cultivée par les Carthaginois, la presqu'île a vu débarquer bien des envahisseurs. Cet immense "jardin au-dessus de la mer" produit 40% des légumes, 60% du raisin et 80% des agrumes du pays. Vous serez séduit par la gentillesse de ses habitants.

MODE D'EMPLOI

accès

EN CAR
Liaisons avec Tunis de 5h30 à 17h ; liaisons quotidiennes avec Hammamet, El-Haouaria, Sousse, Kairouan et Monastir.
Gare routière *Av. Ali-Belhaouane Rens. SRGTN Tél. 296 208*

EN LOUAGE
Liaisons avec Tunis, El-Haouaria, Nabeul.
Station *Av. Ali-Belhaouane*

EN VOITURE
Kelibia est à 58km au nord de Nabeul et à 98km à l'est de Tunis.

orientation

Le centre-ville s'étend autour de l'avenue Habib-Bourguiba et de la rue Belhaouane, artères parallèles reliées par la très commerçante rue Ibn-Khaldoun. Le port et la forteresse se trouvent à 2km au sud du centre-ville. Et le quartier résidentiel de Kelibia la Blanche s'est développé aux abords de la plage d'El-Mansourah, à 2km à l'est du port.

poste, banques et change

Poste centrale Change. *Av. Bourguiba (près du croisement avec la rue Ibn-Khaldoun)*

Banque Amen et Banque du Sud
Change et distributeurs. *Rue Ibn-Khaldoun*

accès Internet

Publinet Kelibia 1,50DT l'heure de connexion. *28, rue des Martyrs Tél. 277 350 publinet.kelibia@planet.tn Ouvert tlj. jusqu'à 0h*

presse

Librairie Ines Elle distribue la presse française. *95, rue Ibn-Khaldoun*
Presse française également au kiosque situé en face du marché couvert.

urgences

Pharmacie de nuit *29, av. des Martyrs*

marché, fêtes et manifestations

Le marché a lieu le lundi.
Festival du cinéma amateur Séances en plein air et à la Maison des jeunes et de la culture. Projection de films étrangers les années impaires. *En août*

LE CAP BON

LE CAP BON

DÉCOUVRIR
Kelibia

> ☆**Les essentiels** La forteresse **Découvrir autrement** Goûtez le muscat
> de Kelibia, profitez de la terrasse du café Au Vieux Port ou de la salle
> panoramique du restaurant El-Mansourah ➤ **Carnet d'adresses p.160**

☆ **Forteresse** Du sommet de l'unique colline de la région, les remparts
polygonaux du plus grand ribat de Tunisie (1,50ha) offrent un point de
vue exceptionnel sur la côte du cap Bon. Au IIIe siècle av. J.-C., les Carthaginois érigent un fort sur l'éminence pour veiller sur le port installé
en contrebas depuis le Ve siècle av. J.-C. Les Romains raseront ces installations. Au VIe siècle de notre ère, les Byzantins coiffent la colline d'un
fortin, que les Aghlabides agrandissent considérablement au IXe siècle. Les
défenses du ribat sont renforcées de 974 à 1159 par les Zirides et le plan
d'ensemble de la citadelle ne changera plus guère, même si les Hafsides
y apportent quelques modifications mineures à partir du XIIIe siècle. Les
assauts espagnols au XVIe siècle, puis français au XVIIe, amènent les Turcs
à restaurer la forteresse puis à renforcer ses défenses (construction de
la contregarde nord-est). En 1881, l'armée française la remet en état et
la dote d'un phare, toujours opérationnel. Dans la cour, on peut voir les
ruines du fortin byzantin. *Près du port en direction de Kelibia la Blanche
Ouvert avr.-mi-sept. : tlj. 8h-19h ; mi-sept.-mars : tlj. 9h-17h Tarif 1,50DT Droit
photo 1DT*

● **Où acheter du vin de muscat ?** Le fameux muscat de Kelibia, un
savoureux blanc sec assez léger, est en vente dans cette annexe dédiée aux
alcools. L'occasion d'acheter d'autres vins tunisiens. **Annexe du Magasin
général** *Av. Erriadh (à 50m de la pension Anis) Ouvert sam.-jeu. 10h-19h*

● **Où boire un verre ?** Attablé à la terrasse de ce tranquille café de
pêcheurs, vous aurez une vue imprenable sur l'activité débordante du port.
Café Au Vieux Port *À l'entrée du port, sur la gauche, au bout d'une allée
pavée Ouvert toute la journée et jusque tard les soirs d'été*

CARNET D'ADRESSES

Restauration

 petits prix

Le Goéland Situé près du port, ce
restaurant installe sa terrasse au
bord de l'eau en été. Mais, même de
la salle, on se laisse bercer par le cla-
potis en dégustant une cuisine simple
à prix doux. Salade de poulpe, brick
aux fruits de mer, calamars dorés,
cigales de mer, langouste, poisson du
jour. Les prix varient régulièrement.
Ne sert pas d'alcool. *Derrière le port
(au pied de la forteresse) Tél. 273 074
Fax 269 070*

prix moyens

Anis Les spécialités de la mer ont fait la réputation de ce restaurant au décor soigné. Vous vous régalerez avec une remarquable et originale lotte à la crème et au poivre vert (15DT), un filet de saint-pierre à la sauce dijonnaise (16DT), de copieuses gambas grillées (18DT) ou des chevrettes dorées (8DT) – sortes de crevettes. Et si vous préférez la viande, vous pourrez commander un foie sauté à l'ail et au vin blanc (10DT). Le tout servi dans d'immenses assiettes par des serveurs drapés dans de longs tabliers. *Av. Erriadh Tél. 295 777 Fax 273 128 Ouvert 12h-15h30 et 19h30-23h*

 prix élevés

El-Mansourah Une salle panoramique au ras des vagues, sous le feu des projecteurs le soir venu. Le cadre est superbe, au pied de la forteresse et à deux pas de la plage d'El-Mansourah. À la carte, coquillages en coque d'oursin (sur commande, 10DT), carpaccio de mérou (10DT), tagliatelles aux langoustes (12DT les 100g), côtelettes d'agneau (16DT), faux filet (18DT), couscous sur commande. Menu président 30DT, végétarien 22DT et enfant 22DT. Mieux vaut réserver. L'établissement s'est récemment doté d'un pub servant de l'alcool et muni d'une piste de danse. *Plage d'El-Mansourah, Kelibia la Blanche (à 3km du centre-ville) Tél. 295 169*

Hébergement

À l'exception de la pension Anis, les hôtels que nous avons sélectionnés à Kelibia sont tous regroupés près du port et de la plage, à environ 2km du centre-ville.

prix moyens

Pension Anis Bon rapport qualité-prix et excellent accueil dans cette pension située au centre de Kelibia. Deux "suites", composées d'une grande chambre, d'un salon avec TV et d'une salle de bains, pouvant accueillir 3 ou 4 personnes. Et 12 chambres impeccables, aux murs immaculés et au mobilier en bois verni. Toutes sont équipées d'un lavabo. Le restaurant est de qualité (cf. Restauration). 42DT la double avec le petit déjeuner en haute saison. *Av. Erriadh Tél. 295 777 Fax 273 128*

prix élevés

Palmarina Les meubles en fer forgé apportent une touche de charme aux chambres de cet hôtel tranquille voisin du port. Accueil souriant. Bar fréquenté par les habitants de Kelibia le soir. Clim., TV et balcons tournés vers la mer. Restaurant, petite piscine et plage à 50m. 90DT la chambre double en juillet-août, supplément de 20DT pour les fêtes de fin d'année. *Route du Port Tél. 274 063 Fax 274 055*

Mamounia Un total de 92 lits dans un petit bâtiment d'un seul étage, tout blanc, construit dans les années 1960. Les chambres qui donnent sur la mer bénéficient d'une vue splendide sur la forteresse. Dans la verdure du grand parc s'inscrivent une centaine de bungalows réunissant, chacun, deux chambres très simples et toutes blanches, une sdb et une petite terrasse. Plage, piscine, restaurant, bar. Des travaux sont prévus pour installer la climatisation et la TV satellite. 90DT pour deux en été (chambre ou bungalow). *Kelibia Plage Tél. 296 219/088 Fax 296 858*

LE CAP BON

EL-HAOUARIA

Ind. tél. 72

El-Haouaria

Nabeul

Hammamet

Un minaret filiforme à bulbe vert signale El-Haouaria. Haut lieu de la fauconnerie tunisienne, ce gros village côtier de 10 000 habitants est tapi au pied du Rass Adar, l'éminence qui marque l'extrémité nord-est de la presqu'île du cap Bon. À l'ouest se profilent les îlots inhabités de Zembra et de Zembretta. La Sicile n'est qu'à 140km à vol d'oiseau.

L'ART DE LA FAUCONNERIE Rien d'étonnant à ce que les habitants d'El-Haouaria se passionnent pour les rapaces ! Les falaises voisines du bourg offrent un habitat naturel idéal aux faucons et autres rapaces qui, au printemps, traversent la Méditerranée en direction de l'Europe et reviennent, à l'automne, passer l'hiver sur le continent africain. Capturés au filet en mars-avril, les oiseaux de proie sont relâchés en été, après la saison de la chasse. L'épervier, ou *sef*, est ainsi dressé à la chasse à la caille (bas vol) et le faucon pèlerin, ou *borni*, à la chasse à la perdrix (haut vol).

MODE D'EMPLOI

accès

EN CAR
Neuf liaisons quotidiennes avec Tunis, trois avec Nabeul via Kelibia.
Gare routière *Av. Habib-Bourguiba (à l'entrée du bourg en venant de Kelibia)*
Bureau d'information SRGTN *Près de la banque STB Tél. 297 012*

EN LOUAGE
Station Louages pour Tunis, Kelibia et Nabeul. *Av. Habib-Bourguiba (à l'entrée du bourg en venant de Kelibia)*

EN VOITURE
El-Haouaria se trouve à 25km au nord de Kelibia, à 101km au nord-est de Tunis et à 83km au nord de Nabeul.

orientation

Artère principale d'El-Haouaria, l'av. Habib-Bourguiba part du rond-point aménagé à l'entrée orientale de la ville et se poursuit jusqu'aux carrières romaines de Ghar el-Kebir et au restaurant La Daurade, à 2km au nord-ouest.

banques et change

Change à la poste ainsi qu'aux banques BNA et STB, sur l'av. Habib-Bourguiba, près de la gare routière. Pas de distributeur de billets.

urgences

Pharmacie de nuit 6, av. Ali-Belhaouane *Tél. 297 048*

festival

Festival de l'Épervier Fantasia, spectacles folkloriques, visite des grottes et concours de fauconnerie. *Tél. 269 200 Une semaine en juin*

LE CAP BON

DÉCOUVRIR

☆**Les essentiels** Les carrières romaines de Ghar el-Kébir, le site punique de Kerkouane **Découvrir autrement** Admirez la vue sur la mer du sommet du Rass Adar, profitez des immenses plages qui s'étendent à l'est d'El-Haouaria ➤ **Carnet d'adresses p.164**

El-Haouaria

☆**Carrières romaines de Ghar el-Kebir** En bord de mer, sur la côte sauvage, les Phéniciens puis les Romains exploitèrent ces carrières grâce au travail de milliers d'esclaves. Les blocs de calcaire coquillier étaient extraits par des cheminées et transportés par bateau jusqu'aux villes de la région, Carthage en tête. Ces ouvertures éclairent d'impressionnantes cavernes dont le réseau n'est pas entièrement ouvert au public. *À 3km du bourg Ouvert avr.-mi-sept. : tlj. 8h-19h ; mi-sept.-mars : tlj. 9h-17h Tarif 1,10DT Visites guidées*

Les environs d' El-Haouaria

☆**Kerkouane** Cet important site punique, découvert en 1952 au bord de la mer, a conservé son plan d'ensemble intact. Cependant, il vous faudra faire preuve d'imagination car aucun vestige ne dépasse 1m de haut. La cité fut probablement fondée au Ve siècle av. J.-C. et abandonnée deux ou trois siècles plus tard, lors des guerres puniques. La plupart de ses maisons sont construites sur le même plan : les pièces, qui comptent parfois une salle de bains, s'ordonnent autour d'une petite cour où sont généralement conservés un évier et les vestiges d'un escalier. Certains sols sont couverts d'un ciment rouge moucheté d'éclats de coquilles ou de marbre. Les rigoles d'évacuation des eaux usées sont visibles dans maintes habitations et boutiques. Les nombreuses coquilles de murex retrouvées sur le site prouvent que la ville se consacrait à la production de la pourpre, une teinture extraite de ce mollusque. On suppose qu'elle vendait ce précieux colorant et d'autres biens (poteries, verrerie, bijoux, etc.) à divers comptoirs méditerranéens. Le petit musée présente des objets des IVe-IIIe siècles avant J.-C. retrouvés sur le site : poteries, amphores, vases, bijoux, masques, pièces de monnaie, statuettes de divinités, stèles et l'étonnante *Dame de Kerkouane*, une imposante statue en bois découverte en 1970 dans un caveau funéraire. *À 12km d'El-Haouaria en dir. de Kelibia Site ouvert avr.-mi-sept. : mar.-dim. 9h-18h ; mi-sept.-mars : mar.-dim. 9h-16h Tarif 2,10DT Droit photo 1DT*

Le cap Bon en amoureux	
Une balade romantique	
Cap Bon	158
Un dîner de fête	
Gelimer (Hammamet)	147
Slovenia (Nabeul)	155
Une chambre de charme	
Hôtel Dar Hayet (Hammamet)	149
Africa Jade (Korba)	158

LE CAP BON

Sidi Daoud Ce petit port dominé par d'immenses éoliennes est célèbre pour sa technique de pêche au thon particulièrement sanglante : la *matanza*. À la fin du printemps, quand ils migrent de l'Atlantique en Méditerranée pour frayer, les bancs de thons sont canalisés vers une grosse nasse par des filets tendus perpendiculairement au rivage sur plusieurs kilomètres. Les pêcheurs font cercle autour de cette chambre de mise à mort pour attendre leurs proies et les tuer au harpon ou au poignard. Les touristes pouvaient jadis assister à la *matanza*, mais le "spectacle" est désormais réservé aux spécialistes munis des autorisations administratives indispensables. *À 8km au sud-ouest d'El-Haouaria sur la route de Soliman, Hammam Lif et Tunis*

● **Gravir le Rass Adar** Une route goudronnée grimpe en lacet (10min) jusqu'au sommet du djebel, coiffé d'un relais de télécommunications. La vue sur la côte et la mer est époustouflante. *Suivre la direction de l'hôpital et continuer au-delà*

● **Profiter de la mer** Plusieurs plages immenses s'étendent à l'est d'El-Haouaria, entre le village de Dar Allouche, non loin de Kerkouane, et le cap Bon. La plage de **Rass ed-Drek**, à 3km d'El-Haouaria, est accessible par le bd de l'Environnement. Sur la route de Kelibia, celles de **Dar Allouche** (8km) et d'**Aïn Takerdouch**, juste avant, sont parfaitement indiquées.

CARNET D'ADRESSES

Restauration, hébergement

🍴 petits prix

L'Épervier C'est le restaurant de l'hôtel du même nom (cf. ci-après). À l'ombre du caoutchouc géant qui protège la courette carrelée, on a le choix entre le menu touristique à 10DT et une carte succincte : salades, crevettes, calamars, poisson du jour, côtelettes ou filet de veau. Également, l'assiette "Épervier", assortiment de fruits de mer. Si la pêche est bonne,

daurade et tranche de mérou au gril. Deux salles accueillent les groupes. Sert de l'alcool. *3, av. Habib-Bourguiba Tél. 297 017 Fax 297 258 Ouvert tlj. 11h30-15h30 et 19h-23h*

La Daurade Au bout de la route qui prolonge l'avenue Habib-Bourguiba, juste à côté des carrières romaines, face à des éléments souvent déchaînés, ce petit restaurant sert une bonne cuisine de la mer. Salade de poulpes (10DT), omelette au thon (5DT), calamars grillés (12DT), langouste (12DT les 100g), poisson du jour (5DT les 100g), dont la daurade

GAMME DE PRIX	RESTAURATION	HÉBERGEMENT
Très petits prix	moins de 5DT	moins de 15DT
Petits prix	de 5DT à 15DT	de 15DT à 30DT
Prix moyens	de 15DT à 25DT	de 30DT à 60DT
Prix élevés	de 25DT à 40DT	de 60DT à 100DT
Prix très élevés	plus de 40DT	plus de 100DT

qui fait la réputation du lieu, et une exceptionnelle marmite "Robinson Crusoé" (15DT), ou des fruits de mer grillés. Deux salles aux larges baies vitrées, une terrasse en plein air et une terrasse couverte. *À 800m de l'hôtel Les Grottes Tél. 269 080/21 355 133 www.la-daurade.com*

prix moyens

Pension Dar Toubib Dans ce quartier très tranquille, vous reconnaîtrez facilement cette pension aux carreaux de céramique bleu et blanc qui habillent sa façade. À l'intérieur, 16 chambres spacieuses, la plupart de 3 lits et toutes avec sdb, entourent un jardinet fleuri. Calme garanti et accueil chaleureux du sympathique propriétaire, Mohammed Toubib, masseur à la retraite, toujours content de rencontrer de nouveaux voyageurs. M. Toubib tient sa pension l'été, mais passe le reste de l'année en Autriche : hors saison, téléphonez. Comptez 42DT la double, plus 5DT/pers. pour le petit déjeuner. *Suivre l'excellent fléchage Tél./Fax 297 163*

prix élevés

Les Grottes Les tourelles crénelées de l'entrée laissaient espérer mieux de cet hôtel-restaurant. L'ensemble manque de charme mais pas de calme : seul le vent risque de siffler à vos oreilles. Vous apprécierez la vue panoramique sur la mer qu'offre la terrasse, agrémentée d'une minuscule piscine. Minuscules aussi, hélas ! les 16 chambres climatisées. Quant au personnel, il semble prodiguer toute son attention aux groupes qui s'arrêtent pour se restaurer. Comptez 70DT la nuit pour deux, avec le petit déj. CB acceptées. *Entre le bourg et les carrières romaines Tél. 297 296 Fax 269 070*

L'Épervier Ce modeste établissement reste le meilleur de la ville pour son rapport qualité-prix. Il dispose de 10 chambres et 1 "suite", avec clim. et TV (évitez celles qui donnent sur la rue, parfois bruyante) : 64DT la double (idem pour la suite, réservée aux familles), petit déjeuner compris. Restaurant (cf. ci-dessus) et change. Excellent accueil. CB acceptées. *3, av. Habib-Bourguiba Tél. 297 017 Fax 297 258*

LE CAP BON

KORBOUS

Ind. tél. 72

Jolie petite station thermale coincée entre la mer et la montagne, Korbous est reconnue depuis l'Antiquité pour la qualité de ses eaux minérales riches en sulfates, sodium et calcium. Sept sources jaillissent dans le village, à une température de 40° à 60°C. Les Romains venaient déjà soulager leurs rhumatismes et leur arthrite à Aquæ Carpitanæ ("les eaux de Carpi"). Près de deux mille ans après, rien n'a changé. Les Tunisiens viennent encore se reposer et se remettre en forme dans l'établissement thermal, au cœur du village. Il flotte sur ces lieux une atmosphère désuète, feutrée, qui n'est pas dépourvue de charme, et le littoral réserve de beaux paysages sauvages. Cependant, le manque d'animation de la localité et son hôtellerie vieillissante ne justifient guère un séjour à Korbous.

MODE D'EMPLOI

rocher et gardé par une petite tour crénelée.

accès

À 45km au sud-ouest d'El-Haouaria et 17km au nord-est de Soliman.

orientation

Le village-rue est dominé par l'ancien palais du bey (XIXe s.), perché sur son

poste

Bureau *Route d'Aïn Oktor Ouvert lun.-jeu. 8h-11h et 15h-18h, ven.-sam. 8h-11h30*

DÉCOUVRIR

☆**Les essentiels** Le site du village thermal **Découvrir autrement** Promenez-vous, au soleil couchant, sur la corniche qui mène à Aïn Oktor, laissez-vous aller aux plaisirs de la vapeur au hammam Arraka

➤ **Carnet d'adresses p.167**

Korbous

Aïn Atrous Un parking et quelques gargotes signalent cette source brûlante (60°C) qui jaillit en contrebas. Cette dernière doit son nom de "source du Bouc" au son que l'eau produit en coulant et qui évoque, dit-on, le gémissement d'un bouc. Les abords de la source sont aménagés (sol pavé, petit bassin où l'on peut tremper ses pieds). On peut profiter de la minuscule plage de galets pour se baigner dans une eau de mer tiédie par la source, mais attention aux vagues et aux rochers. À noter que, pour 3DT, un petit bateau (embarquement à Korbous) vous conduira jusqu'à une autre source (Aïn Kanasira), réputée soigner l'eczéma et accessible seulement par la mer. *À un peu plus de 1km au nord-est du village, sur la route d'El-Haouaria*

La corniche vers Aïn Oktor La route qui relie Korbous au village d'Aïn Oktor (2,5km au sud) domine joliment la mer dans un décor de roches rougeoyantes qui s'embrasent au couchant. *Une balade à faire en fin de journée*

● **Prendre les eaux**

Station thermale et touristique de Korbous Ce centre de soins, assez désuet mais sérieux, propose plusieurs formules, adaptables sur mesure : massages manuels, hydromassages, douches lombaires, applications de boue, etc. Le circuit complet revient à 30DT (et 6DT pour le produit de massage). Les bains sont alimentés par Aïn Kebira, une source dont l'eau sulfureuse jaillit à 57,5°C. Réservation facultative. *Tél. 284 645/529 Ouvert tlj. 8h-20h (à partir du mois de mars)*

Hammam Arraka Ce lieu est magique : la source chaude jaillit de la roche dans une grotte éclairée par des chandelles et (hélas !) par des néons. L'endroit idéal pour tenter l'expérience du hammam. Le patron propose des excursions en bateau

(20min de trajet) vers la source Kanasira, difficile d'accès par le sentier côtier. *Juste à côté du centre de thermalisme Ouvert mar., jeu. et sam. 7h30-21h pour les femmes et le reste du temps (24h/24) pour les hommes Tarif 1,50DT Massage 2DT*

Les environs de Korbous

Soliman Un village typique du cap Bon, sans magasins touristiques ni rabatteurs importuns. Ce petit bourg dessine un colimaçon autour d'une mosquée de rite malékite, élevée par les Andalous au XVIIe siècle. La grand-place, plantée de ficus aux troncs peints en blanc, est cernée de petits cafés, où de vieux Tunisiens à chéchia devisent devant un thé à la menthe. On peut les imiter et observer le pittoresque marché couvert. Notez les beaux encadrements de porte en pierre sculptée dans les rues. Une seconde mosquée, de rite hanéfite, présente un minaret octogonal coiffé d'un gros lanternon. *À 17km au sud-ouest de Korbous*

Menzel Bouzelfa Ce bourg entouré de vergers, que protègent des haies de cactus, assure une bonne partie de la production nationale d'agrumes (oranges, clémentines, mandarines). À la mi-mars, une fête des Orangers honore l'arbre fruitier roi du village. *À 7km à l'est de Soliman*

LE CAP BON

CARNET D'ADRESSES

Restauration, hébergement

Un hôtel qui peut vous dépanner, au risque de vous ennuyer parmi les curistes.

 petits prix

Dibh C'est l'unique restaurant indépendant, au cœur de la station thermale. Sa petite terrasse abritée donne sur la rue principale. À la carte, friture de rougets, entrecôte grillée, foie d'agneau, poisson grillé, pour 10DT-12DT le repas. Accueil sympathique. Pas d'alcool. *En face de l'hôtel des Thermes Fermé durant le ramadan*

prix élevés

Hôtel et résidence des Thermes Cet établissement, qui s'étend des deux côtés de la rue principale, abrite dans sa partie la plus confortable (la résidence) 18 chambres toutes blanches, avec sdb et WC. La literie est bonne, mais l'ensemble gagnerait à être mieux entretenu. Prix raisonnables : 74DT pour deux (avr.-sept.). Pas de CB. *Av. du 7-Novembre Tél. 284 520 ou 284 664 Fax 284 755*

GAMME DE PRIX	RESTAURATION	HÉBERGEMENT
Très petits prix	moins de 5DT	moins de 15DT
Petits prix	de 5DT à 15DT	de 15DT à 30DT
Prix moyens	de 15DT à 25DT	de 30DT à 60DT
Prix élevés	de 25DT à 40DT	de 60DT à 100DT
Prix très élevés	plus de 40DT	plus de 100DT

GEOREGION

Dans la médina (p.173), Bizerte.

LA CÔTE
DE CORAIL

LA CÔTE DE CORAIL

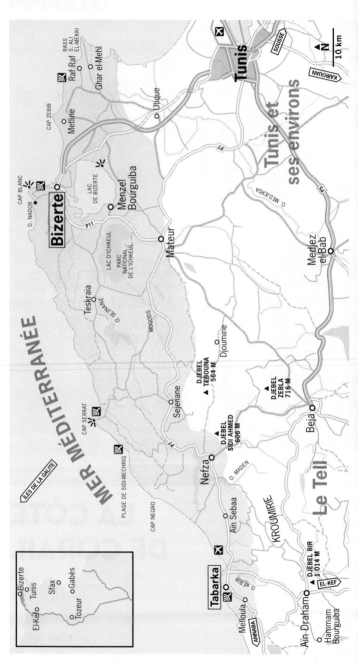

★ BIZERTE

Ind. tél. 72

Bizerte

○ Tabarka

Tournée vers la Méditerranée en raison des activités portuaires et industrielles de son lac, cette ville mêle une longue tradition d'ouverture sur le monde à une certaine fierté distante vis-à-vis du reste du pays. Bizerte a su s'accommoder du développement touristique, même si le long des magnifiques plages qui s'étendent sur des kilomètres en direction du cap Blanc se développe une zone hôtelière sans grand caractère. Son Vieux Port demeure l'un des plus charmants de Tunisie, avec ses barques de pêche aux couleurs vives, ses façades multicolores et sa sympathique nonchalance.

UNE BASE STRATÉGIQUE Fondé par les Phéniciens, probablement avant Carthage, le port d'Hippo Diarrhytus est détruit par les Romains après la troisième guerre punique (149-146 av. J.-C.) et dévasté par les Vandales puis par les Arabes en 661. Les Aghlabides y élèvent un ribat et les Hafsides en font une de leurs villégiatures. Après 1492, Bizerte accueille des Maures chassés d'Andalousie par la Reconquista et devient un important port de commerce. Elle est occupée par les troupes de Charles Quint en 1535 avant d'être transformée par les Turcs en un repaire de pirates. Les Français, qui en prennent le contrôle en 1881, y installent une base militaire, qu'ils refusent de quitter en 1956, au moment de l'indépendance. Le contentieux prend une tournure dramatique en 1961, quand des affrontements entre la troupe française et des manifestants font des centaines de morts. Des négociations sont engagées entre les deux gouvernements et la base est évacuée définitivement le 15 octobre 1963 – jour désormais férié –, laissant place à une zone industrielle.

LA CÔTE DE CORAIL De Bizerte à Tabarka, quelque 200km d'une côte sauvage, ponctuée de falaises et de criques difficilement accessibles, offrent des paysages splendides : forêts d'eucalyptus, de chênes-lièges et de pins, parcelles agricoles et lacs artificiels au creux des reliefs. Les fonds rocheux au large de Raf Raf, du cap Blanc (plage des Grottes), du cap Serrat, du cap Negro et de l'archipel de la Galite font le bonheur des amateurs de plongée sous-marine. Surexploité et victime de la pollution, le corail rouge qui a donné son surnom au littoral se fait hélas ! de plus en plus rare.

MODE D'EMPLOI

`accès`

EN TRAIN
Trois liaisons quotidiennes avec Tunis (1h35 de trajet, 4DT le billet).

Gare SNCFT (plan 8, A3) *Rue de Russie Tél. 431 071*

EN CAR
Liaisons avec Tunis (toutes les 15min), Beja, Djendouba, Tabarka, Sousse,

Djerba (2/j.). Une douzaine de cars directs chaque jour pour l'aéroport.
Gare routière (plan 8, A3) *Route de Tunis (1km environ sur la gauche après le pont mobile)*
SNTRI (plan 8, A3) Cette compagnie assure la liaison Tunis-Sousse-Sfax-Gabès-Djerba. *Rue d'Alger Tél. 431 222*

EN LOUAGE

Station pour Tunis devant la gare routière (plan 8, A3). Station pour Djebel, El-Alia, Raf Raf au bout de la rue Ibn-Khaldoun, près du port. Enfin, station pour Mateur, Menzel-Bourguiba et Sedjenane devant la gare SNCFT.

orientation

Le centre-ville s'étend au nord du canal de Bizerte, entre le front de mer à l'est et le Vieux Port, derrière lequel se blottit la médina. La zone touristique, qui regroupe la plupart des hôtels, borde la route de la Corniche, au nord de la ville.

informations touristiques

Office de tourisme (plan 8, B2) Organise excursions et visites des sites de la région. *Quai Khémaïs-Ternane (sur le vieux port) Tél. 432 897 Fax 438 600 Ouvert juil.-août : lun.-sam. 7h30-13h30 (permanence 14h-20h), dim. 10h-13h ; reste de l'année : lun.-jeu. 8h30-13h et 15h-17h45, ven.-sam. 8h-13h ; ramadan : 8h-14h*

banques et change

Change et distributeurs de billets à la Banque du Sud (près de la Municipalité, à l'angle des rues Taïeb-Méhiri et Habib-Thameur) (plan 8, A3) et à la banque BNA (angle des rues Mongi-Slim et Habib-Thameur) (plan 8, A3).

accès Internet

Cyber House Publinet (plan 8, A3) 2DT/h. *Rue Habib-Thameur Ouvert tlj. 9h-0h*

urgences

Pharmacie de nuit (plan 8, B2) *28, rue Ali-Belhaouane (presque à l'angle de l'av. Habib-Bourguiba, à côté du magasin d'équipement maritime) Tél. 439 545*

location de voitures

Avis (plan 8, A3-B2) *33, rue Habib-Thameur Tél. 433 076 Fax 422 330*
Europcar (plan 8, B2) *19, rue Mohammed-Redjiba (place des Martyrs) Tél. 431 455 ou 439 018*

marchés, fêtes et manifestations

Petit marché près de la Municipalité (tlj. sauf lun. après-midi). Souk le dimanche place du Marché, dans la médina.
Festival international de Bizerte (plan 8, A1) Concerts d'artistes du

Tableau kilométrique

	Bizerte	Tabarka	Tunis	Carthage	Hammamet
Tabarka	147				
Tunis	71	176			
Carthage	78	147	17		
Hammamet	138	243	67	84	
Mateur	40	107	69	86	136

monde arabe, films, soirées dansantes. *Au théâtre en plein air du fort Espagnol Mi-juil.-mi-août*
Route du jasmin (plan 8, B2) Arrivée de la régate Toulon-Bizerte, assortie

de manifestations gastronomiques et culturelles. *Sur le port de plaisance Début août*

DÉCOUVRIR

☆**Les essentiels** Le vieux port, le site d'Utique, le parc national d'Ichkeul
Découvrir autrement Flânez dans les ruelles de la médina, explorez les fonds marins avec le club du port de plaisance, régalez-vous des spécialités de la mer au Petit Mousse ➤ **Carnet d'adresses p.179**

Bizerte

☆ ☺ **Vieux Port (plan 8, B2)** C'est l'un des plus beaux ports de Tunisie. Il dessine un croissant sur lequel dansent des barques de pêche multicolores. Son entrée se resserre en un goulet protégé, au nord, par le rempart ocre de la casbah et, au sud, par le fortin El-Mani, qui abrite un petit musée. Les barques de pêche entrent et sortent paresseusement, quelques pêcheurs à la ligne taquinent le poisson et, en soirée, quand la chaleur estivale tombe, les terrasses des cafés sont bondées.

Médina (plan 8, A1-B1) La Vieille Ville de Bizerte, de dimensions restreintes, regroupe le quartier des anciens souks et, à l'est, celui de la casbah (XVIIᵉ s.) derrière ses remparts. Entre les deux s'étend la petite place du Marché, qu'un passage ménagé au pied du rempart relie au vieux port. L'unique porte en chicane de la casbah s'ouvre sur la droite (quand on vient du quai), face à la mosquée Ksiba. Nombre de maisons du quartier sont en cours de rénovation, mais certains passages sont encore couverts de fines tiges de bois et de roseaux. En ressortant de la casbah et en suivant la rue des Menuisiers, de l'autre côté de la place du Marché, on plonge dans le quartier très actif des artisans, aux ruelles pavées et aux passages couverts bordés de façades à arceaux. Émergeant des toits, l'élégant minaret en pierre dorée de la Grande Mosquée (XVIIᵉ s.) se distingue par sa forme octogonale, ses fines parures de céramique bleu et blanc et par son sommet en encorbellement. Son accès est réservé aux musulmans. Juste à côté s'élève la zaouïa de Sidi Mokhtar Dey, saint patron de la cité.

Fort de la médina (plan 8, B1) En grimpant sur le rempart oriental de la médina, vous bénéficierez d'une vue sur la mer à l'est, sur le Vieux Port et, plus difficilement, sur les toits de la Vieille Ville côté ouest. Près de la buvette installée sur la terrasse, un passage permet de rejoindre la médina. *Porte sous un portique au bout du Vieux Port Ouvert lun. 9h-12h30, mar.-dim. 9h-12h30 et 16h-21h Tarif 0,50DT, moins de 16 ans 0,25DT*

Musée océanographique (plan 8, B1) Aménagé dans le fortin El-Mani, à l'entrée du Vieux Port, ce musée ne retiendra pas longtemps votre attention : quelques petits aquariums sans indications précises, peuplés de poissons

LA CÔTE DE CORAIL

Plan 8 Bizerte

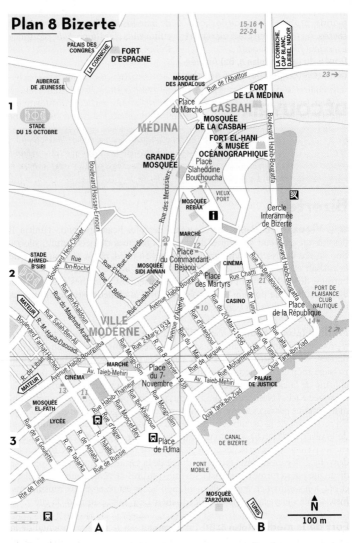

CAFÉS, BARS ET LIEUX DE SORTIE (n° 1 et 2)
Cafétéria du port de plaisance ___ **2** B1
Le Pacha ___ **1** B1

RESTAURATION (n° 10 à 16)
La Belle Plage ___ **15** B1
La Cuisine tunisienne ___ **10** B2
La Mammina ___ **11** A3
Le Bonheur ___ **13** A3
Le Petit Mousse ___ **16** B1
Le Sport nautique ___ **14** B2
L'Orient ___ **12** B2

HÉBERGEMENT (n° 20 à 24)
Bizerta Resort ___ **24** B1
Hôtel Africain ___ **20** A2
Hôtel de la Plage ___ **21** B2
Le Petit Mousse ___ **22** B1
Sidi Salem ___ **23** B1

minuscules, d'un couple de murènes et d'une tortue bien à l'étroit… Buvette sur le toit, avec point de vue sur la casbah. *Ouvert fév.-sept. : mar.-dim. 9h-14h30 et 16h-20h ; oct.-jan. : mar.-dim. 9h-14h30 et 15h-18h Tarif 1DT*

Fort d'Espagne (plan 8, A1) Restaurés, ses remparts polygonaux accrochés à la colline dominent le nord de la Vieille Ville. Commandité par le pacha d'Alger, au XVIe siècle, le fort fut achevé par les Espagnols. Transformé en théâtre de plein air, il accueille les manifestations du Festival d'été, mais ne se visite pas.

Ville moderne (plan 8, A2-B3) Aménagée sous le protectorat français, elle étend son plan en damier entre l'avenue Habib-Bourguiba, au nord, et le canal de Bizerte, au sud, jusqu'au front de mer. Ce quartier conserve quelques édifices des années 1930 d'inspiration Art déco, notamment sur le quai Tarik-Ibn-Ziad et le front de mer, bd Habib-Bougalfa.

Pont mobile (plan 8, B3) Depuis 1980, il remplace les deux bacs qui assuraient la traversée du canal menant au lac. Long de 377m, il ménage, une fois ouvert, un passage de 75m de large aux navires. L'opération prend environ 30min.

Cap Blanc Vous parviendrez au point le plus septentrional d'Afrique en empruntant, à partir du centre-ville, la route de la Corniche qui dessert le village de Nador. Deux échappées vers les plages sont possibles. Un chemin à droite, au-delà des derniers hôtels et restaurants, mène à la plage de la Grotte, au pied des falaises du djebel Nador, qui domine le cap Blanc. La mauvaise piste qui s'embranche un peu plus loin sur la route dessert la plage d'Aïn Damouss. Au retour, entre Nador et Bizerte, spectaculaires points de vue.

● **Où acheter des créations artisanales ?** Les expositions-ventes de créations artisanales régionales se suivent et ne se ressemblent pas. Peintures sur verre, vêtements et textiles, poteries, bijoux… **Office national de l'artisanat** *Sur le Vieux Port, près de l'office de tourisme Tél. 431 091 Ouvert été : lun.-sam. 7h30-13h30 ; hiver : lun.-jeu. 8h-13h et 15h-17h45, ven.-sam. 8h-13h*

● **Où boire un verre ?**
Le Pacha (plan 8, B1) Café traditionnel sans alcool : alcôves avec banquettes et coussins, terrasse sur le toit pour jouir de la vue sur le vieux port. *Sur le quai*
Cafétéria du port de plaisance (plan 8, B1) Les soirs d'été, cette immense terrasse est prise d'assaut par les Bizertins venus prendre le frais en famille. *Ouvert été : tlj. 4h30-3h30 ; hiver : tlj. 6h-21h Tél. (club nautique voisin) 436 610*

● **Admirer les fonds marins** Renseignez-vous d'abord à votre hôtel. Beaucoup sont en contact avec un club de plongée. Sinon, deux adresses :
Club du port de plaisance (plan 8, B1) Le club propose baptême, initiation et sorties de perfectionnement. 35DT la plongée, forfait de 250DT les dix plongées. *Au bout de la jetée (près de la cafétéria) Tél. 420 411 Tél. portable 98 441 419 www.tunisieplongee.com*

LA CÔTE DE CORAIL

Club des activités de plongée du cap de Bizerte (plan 8, B1) Ce club s'adresse plutôt à la population locale puisqu'il faut régler une adhésion annuelle de 120DT pour prendre part aux activités (entraînement en piscine, plongée surtout en été). Mais les touristes sont les bienvenus ! *Derrière le Club du port de plaisance (côté mer) Tél. 444 570 capbizerte@yahoo.fr*

Les environs de Bizerte

Vers Tunis

☆ **Utique** On peine à imaginer qu'Utique fut un grand port de l'Antiquité : les alluvions ont fait reculer l'embouchure de la Medjerda de plusieurs kilomètres au nord, et la plupart des vestiges de la cité demeurent enfouis sous les cultures et les habitations modernes. De la plus grande cité punique après Carthage, on ne visite qu'un modeste quartier d'époque romaine, qui s'articule autour de la maison de la Cascade. Utique aurait été fondée par les Phéniciens au XIIe siècle av. J.-C., soit près de 300 ans avant Carthage, mais cette dernière finit par la supplanter au Ve siècle av. J.-C. Utique se rangea du côté de Rome lors de la dernière guerre punique, aussi échappat-elle à la vengeance destructrice du vainqueur des Carthaginois. Elle devint brièvement la capitale de la province romaine d'Africa et prospéra pendant

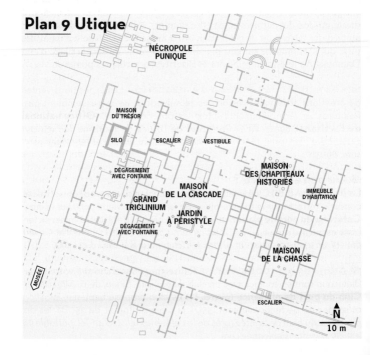

Plan 9 Utique

NÉCROPOLE PUNIQUE

MAISON DU TRÉSOR

SILO · ESCALIER · VESTIBULE

DÉGAGEMENT AVEC FONTAINE

MAISON DES CHAPITEAUX HISTORIÉS

IMMEUBLE D'HABITATION

MAISON DE LA CASCADE

GRAND TRICLINIUM

JARDIN À PÉRISTYLE

DÉGAGEMENT AVEC FONTAINE

MUSÉE

MAISON DE LA CHASSE

ESCALIER

N
10 m

les premiers siècles de l'ère chrétienne. Toutefois, l'ensablement inexorable de son port entraîna son déclin et Utique disparut après l'invasion arabo-musulmane. Au centre du site ouvert au public se visite la **maison de la Cascade**, la mieux conservée des villas d'époque romaine (Ier s. av. J.-C.). Sur son jardin à péristyle, qu'agrémentent les restes d'une fontaine monumentale, donne le triclinium, pièce d'apparat ornée de marbres splendides. D'autres fontaines et des vestiges de mosaïques sont dispersés dans les villas voisines. Le musée du Bardo, à Tunis, conserve une mosaïque retrouvée dans la **maison de la Chasse**. Au nord-ouest de cette *insula* s'étend la **nécropole punique**, dont un édicule abrite la tombe et le squelette d'une jeune fille de dix-sept ans (IVe s. av. J.-C.). On peut visiter un petit **musée** à 800m du site : la première salle expose du mobilier funéraire (vases, amphores, urnes, stèles et bijoux), la seconde des mosaïques et des statues, dont une *Ariane endormie* du IIe siècle. On peut aussi voir dans le jardin quelques chapiteaux, colonnes et fragments de mosaïques. *À 65km au sud de Bizerte Site ouvert 16 sept.-31 mars : tlj. 8h30-17h ; 1er avr.-15 sept. : tlj. 8h-19h Musée fermé lun. Tarif 2DT Droit photo 1DT Billet unique site et musée*

Ghar el-Melh

Ce tranquille village s'étire au bord d'une lagune menacée d'ensablement qui doit son nom ("Trou du sel") à d'anciennes salines. Les arcades du Vieux Port, son enceinte et sa digue rappellent que ce fut, du XVIe au XVIIIe siècle, un redoutable repaire de corsaires nommé Porto Farina. Les trois fortins d'époque ottomane ont été restaurés. Le premier, à l'entrée occidentale de Ghar el-Melh (quand on arrive de Tunis ou de Bizerte), arbore une élégante porte sur sa façade orientale. Sa rotonde, côté mer, accueillait une batterie de canons. Le deuxième se dresse au milieu du village et abrite une école de pêche, tandis que le troisième veille sur le vieux port. À 6km à l'est de Ghar el-Mehl, la route débouche sur la magnifique plage de **Sidi Ali el-Mekki** (cul-de-sac, droit de passage de 100 millimes par personne), très prisée des Tunisiens l'été. *À 38km à l'est de Bizerte*

Raf Raf

Raf Raf est réputé pour son raisin muscat et son vin, mais aussi pour ses costumes traditionnels brodés de fils de laine mêlés de fils d'argent ou de métal vert et rose, de paillettes, de cordonnets d'or et d'argent. Une petite station balnéaire s'est développée à 2km à l'est du bourg, au fond d'une baie en croissant de lune. La plage est bordée de cafés et de restaurants-pizzerias qui se font concurrence… à coup de haut-parleurs tonitruants ! Un îlot inhabité, Pilao, se dresse au large. *À 39km à l'est de Bizerte*

Metline

De cette localité juchée au sommet du djebel Nadour, on a un panorama exceptionnel sur la côte, de Bizerte à Raf Raf. Belle vue sur la plaine, ses haies de cyprès, ses oliveraies et ses vignes, réputées pour leur production de raisin muscat. *À 28km de Bizerte En venant de Raf Raf et de Ras Djebel, tourner à droite au rond-point dans Metline et longer les installations militaires, puis prendre à gauche à l'intersection suivante : la rue se termine en cul-de-sac devant un belvédère*

LA CÔTE DE CORAIL

Vers le lac Ichkeul

Menzel Bourguiba À la fin du XIXe siècle, les Français y installèrent un arsenal et fondèrent une ville au bord du lac de Bizerte pour accueillir les colons européens venus y travailler. Jusqu'à l'indépendance, Ferryville se targua d'être "le petit Paris de l'Afrique du Nord". Si les installations militaires ont fait place à des usines, la bourgade a conservé son plan en damier, les arcades arabisantes de son avenue De-Gaulle, et le kiosque à musique du square de l'avenue de l'Indépendance.

☆ ☺ **Parc national de l'Ichkeul** Le parc national de l'Ichkeul, créé en 1980, figure depuis 1996 sur la Liste du patrimoine mondial de l'Unesco. D'une superficie de 132km², il protège le djebel Ichkeul (510m), le lac du même nom (ultime vestige d'une chaîne de lacs qui s'étendaient à travers l'Afrique du Nord) et ses marais. Alimenté en hiver par les pluies et les oueds, le lac Ichkeul atteint alors son niveau maximal et se déverse dans celui de Bizerte, qui communique avec la mer ; en été, l'évaporation fait baisser son niveau au-dessous de celui de la mer, qui l'envahit. Les variations de sa salinité (faible en hiver et forte en été) lui valent d'abriter une flore et une faune particulières. D'octobre à mars, cette zone humide attire des centaines de milliers d'oiseaux migrateurs, dont d'importantes colonies de foulques macroules, de fuligules milouins, d'oies cendrées, de flamants roses et de canards siffleurs. De paisibles buffles d'eau originaires d'Asie cohabitent dans les marais avec des loutres, des sangliers et des chacals, bien plus difficiles à observer, tandis que des rapaces colonisent les falaises du djebel. Le petit écomusée installé à mi-pente dresse un inventaire descriptif de la faune et de la flore du parc et des menaces qui pèsent sur ses fragiles écosystèmes, imputables pour certaines aux trois barrages construits sur des rivières qui alimentent le lac en eau douce. *À 25km au sud-ouest de Bizerte Sur la route de Menzel-Bourguiba à Mateur, prendre à droite après le passage à niveau. Après quelques kilomètres, entrée sur la droite, où il faut acquitter un droit d'accès de 1DT par personne Ouvert tlj. 8h-18h*

Vers Tabarka

Sedjenane Cette localité est située à 50km à l'ouest de Mateur, sur la route de Bizerte à Tabarka. Vous pourrez y acheter des poteries berbères à dominante beige et marron, décorées de motifs géométriques ou animaliers (chevaux, oiseaux, chameaux, tortues aux formes naïves, etc.). *À 90km au sud-ouest de Bizerte*

☺ **Cap Serrat** Cette pointe mérite le détour. La route qui y mène serpente au milieu d'odorantes forêts d'eucalyptus avant de s'arrêter au pied du cap, près d'une superbe plage de sable blanc baignée par une eau turquoise. Si le cœur vous en dit, vous pourrez jouer les Robinson : un bouquet d'eucalyptus et de pins pour vous protéger du soleil, des commodités pour camper (douches payantes, toilettes) et quelques gargotes pour vous restaurer, séparées de la plage par un oued sur lequel dansent des barques de pêche. Le site est envahi en juillet et août, mais fort agréable hors saison. Une piste, à 200m sur la droite (pancarte bleue), en quittant la plage, mène au phare. Panorama splendide sur le littoral et la mer. *À 80km à l'ouest de Bizerte À Sedjenane tourner à droite en direction du cap Serrat. Après une dizaine de kilomètres, laisser à droite la route de Bizerte et continuer tout droit*

Sidi Mechrig Un site historique, quelques maisons éparses, un port minuscule, une plage : Sidi Mechrig se cache au bout d'une petite route sinueuse assez difficile à trouver. Elle franchit une voie ferrée et serpente à travers des plantations d'eucalyptus et de chênes-lièges pour aboutir à un port de poche, protégé par une imposante digue moderne, aux abords duquel sont disséminées quelques maisons de pêcheurs. Un poste de la garde nationale surveille les deux plages séparées par les vestiges d'un comptoir commercial français du XVIe siècle : trois arches en pierre menaçant de s'effondrer prolongées par un reste d'enceinte délimitant un cimetière… *À 17km au nord de la route Tunis-Tabarka À environ 9km à l'ouest de Sedjenane, quitter la route de Tabarka pour prendre à droite, peu après un groupe de maisons, la route signalée par une grosse borne en ciment et traverser la voie ferrée*

CARNET D'ADRESSES

Restauration

🍴 très petits prix

La Cuisine tunisienne (plan 8, B2) Un authentique et bon restaurant populaire tenu par deux vénérables Bizertins, pour un repas rapide à prix très doux. Toiles cirées vichy rouge et blanc, décor imitant la brique pour les piliers et la cheminée. *Ojja* de chevrette, spaghettis aux fruits de mer, couscous, *kamounia*, côtelettes et escalope, sandwichs à emporter. Env. 5DT le repas. Pas d'alcool. *Fermé dim. soir*

🍴 petits prix

La Mammina (plan 8, A3) La réputation des pizzas à la pâte fine et légère n'est plus à faire. Servies uniquement le soir, elles sont effectivement exquises et, de surcroît, fort bon marché. Comptez 4DT la pizza, 3,50DT les lasagnes aux épinards, 3DT les "spaghettis polonaises" (à la bolognaise), 3,50DT les moules marinières… Mais sur la mezzanine au plafond bas, surchauffée par le four placé juste au-dessous, vous aurez aussi la sensa-

LA CÔTE DE CORAIL

LA CÔTE DE CORAIL

tion de vous transformer en pizza...
Pas d'alcool. *1, rue d'Espagne Fermé dim.*

L'Orient (Chez Nabil) (plan 8, B2)
Jeune patron affable, Nabil anime
avec dynamisme son équipe de jeunes
serveurs. Il s'empressera de vous tra-
duire la carte en arabe accrochée au
mur. Salle haute de plafond, joliment
décorée de carreaux de céramique,
où l'on partage sa table avec d'autres
clients, et bons plats en sauce tels que
couscous, méchoui en ragoût, spaghettis à la viande. 6DT-7DT le repas.
Pas d'alcool. *Rue Boubaker-Bekir (près du marché)*

🍴 prix moyens

Le Bonheur (plan 8, A3) Si la salle est
sans grand charme, la cuisine se révèle
généreuse et vous surplombez un bar à
l'ambiance survoltée en soirée. Quatre
menus (deux à 14DT, un autre à 15DT et
le dernier pour les enfants à 6,50DT),
avec, parmi les plats principaux, couscous, *koucha* (rôti) d'agneau ou poisson
grillé. À la carte, nombreuses salades,
brochettes, couscous maison original,
qui mêle agneau, seiche et crevettes.
Gardez de la place pour la pantagruélique assiette de fruits frais ! Sert de
l'alcool. CB acceptées. *Rue Taalbi
Tél. 431 047 Fax 422 585*

🍴 prix élevés

☺ **Le Sport nautique (plan 8, B2)**
Le restaurant du club nautique ne
manque pas d'élégance et sa terrasse
domine les voiliers du port de plaisance, dont la brise fait cliqueter les
haubans. Le personnel est aux petits
soins et la cuisine très bien préparée.
Cocktail de crevettes (16DT), risotto
aux fruits de mer (16DT), œufs de
seiche grillés, loup flambé au fenouil
(12DT les 100g), langouste (15DT les

100g) et divers coquillages selon
le retour de la pêche, ainsi que des
viandes, de 13DT à 22DT. Paella pour
2 pers. minimum et couscous pour
4 pers. Carte des vins. CB acceptées.
*Port de plaisance Tél. 432 262 rest.
snb@planet.tn Ouvert midi et soir*

☺ **La Belle Plage (plan 8, B1)** Où
savourer des spécialités de la mer les
pieds dans l'eau ? À La Belle Plage,
pardi ! À Bizerte, l'établissement est
réputé pour sa situation unique et
sa cuisine. En contrebas de la route
de la Corniche, dans la salle ou sur
la terrasse abritée, poisson du jour
à 10DT les 100g, filet de saint-pierre
aux champignons (20DT), crevettes
grillées (24DT) et, sur commande,
paella (20DT), couscous royal (18DT),
agneau à la gargoulette (25DT). Sert
de l'alcool. Service aimable mais un
peu lent. CB acceptées. *Route de la
Corniche (passé Le Petit Mousse, à
7km du centre-ville) Tél. 431 817*

☺ **Le Petit Mousse (plan 8, B1)** On
vient de Tunis savourer la cuisine
gastronomique de cette institution fondée en 1936, où il n'est pas
rare de croiser des personnalités.
Séparé de la grande bleue par la
seule route de la Corniche, Le Petit
Mousse vous régale de ses spécialités de la mer : brochette de mérou
grillé (19,50DT), filet de limande à la
dijonnaise (18,50DT), langouste thermidor (18,50DT), loup grillé au fenouil
(8DT), calamars sautés à l'ail (16DT),
soupe du pêcheur (12DT), huîtres
(14,50DT)... Le chef n'omet pas de
proposer des viandes, par exemple le
tournedos au roquefort et aux champignons (22DT). Couscous d'agneau
pour 4 personnes sur commande. En
dessert, goûtez au savoureux nougat
glacé, spécialité de la maison. Service raffiné, à l'instar de la cuisine.
Grillades dans le jardin les soirs d'été.

Vin de 15DT à 40DT la bouteille. CB acceptées. *Route de la Corniche (à 6km au nord du centre-ville) Tél. 432 185 Fax 438 871*

Hébergement

 très petits prix

Hôtel Africain (plan 8, A2) Un hôtel ultrasimple aux tarifs très abordables en plein centre-ville. Les 16 chambres, aux murs régulièrement reblanchis, sont bien tenues. Bon accueil. Baignoires et douches au rez-de-chaussée, toilettes à chaque étage, petit salon-télévision sur le premier palier. Plus l'étage est élevé, plus les tarifs baissent : 16DT pour 2 pers. au premier étage, 14DT au deuxième et 12DT au troisième ! Pas de petit déjeuner. *59, rue Sassi-el-Bahri*

 prix moyens

Hôtel de la Plage (plan 8, B2) Dans une rue calme du centre, à 100m de la plage. La plupart des 20 chambres, assez petites, sont équipées de WC et d'une salle de bains. Pour les autres, douches communes dans le couloir. Prévoyez 30DT-35DT la double. *34, rue Mohammed-Redjiba Tél. 436 510 Fax 420 161*

prix élevés

Le Petit Mousse (plan 8, B1) Couplé avec l'excellent restaurant du même nom (cf. Carnet d'adresses), cet hôtel de 12 chambres (dont une avec clim.)

installé sur la route de la Corniche fait face à une petite plage. Meubles blancs, fauteuils d'allure rétro, chaque chambre est parfaite, même si la circulation devant l'hôtel est parfois gênante. Comptez 90DT la double en haute saison. CB acceptées. *Route de la Corniche (à 6km du centre-ville) Tél. 432 185 Fax 438 871*

☺ **Sidi Salem (plan 8, B1)** Idéalement placé en bord de mer, à deux pas du Vieux Port et du centre-ville, l'hôtel Sidi Salem aligne 40 chambres confortables en rez-de-jardin avec petite terrasse plantée d'hibiscus et de romarin. Clim., TV et téléphone dans chaque chambre. Frise de faïence bleu pâle et beige en guise de tête de lit. Restaurant, club, café maure, piscine (juin-sept.), tennis, base nautique sur la plage (centre UCPA). La double revient à 100DT avec petit déjeuner en juil.-août. *Zone touristique (en face des remparts de la médina) Tél. 420 365/366 www.hotel-sidisalem.com*

 prix très élevés

Bizerta Resort (plan 8, B1) L'hôtel de luxe de Bizerte est un établissement de 4 étages en bord de mer, confortable mais un peu trop aseptisé. Décorées dans les tons bleu et jaune, sobrement meublées de bois clair, les 100 chambres sont pourvues de la clim., d'une TV, d'un minibar et d'un balcon. Toutes n'ont pas vue sur la plage et la rue est un peu bruyante, même fenêtres fermées. Restaurant, 2 piscines (dont une couverte), centre

LA CÔTE DE CORAIL

GAMME DE PRIX	RESTAURATION	HÉBERGEMENT
Très petits prix	moins de 5DT	moins de 15DT
Petits prix	de 5DT à 15DT	de 15DT à 30DT
Prix moyens	de 15DT à 25DT	de 30DT à 60DT
Prix élevés	de 25DT à 40DT	de 60DT à 100DT
Prix très élevés	plus de 40DT	plus de 100DT

de remise en forme, accès direct à la plage. Double 184DT, supplément de 12DT pour la vue sur mer. *Route de la Corniche (en bord de mer, à env. 1km au nord du centre-ville) Tél. 436 966 www.bizertaresort.com*

LA CÔTE DE CORAIL

TABARKA

Ind. tél. 78

Une petite ville d'à peine dix mille habitants, blottie autour de son port avec, à l'arrière-plan, les montagnes boisées de Kroumirie et, à l'horizon, une presqu'île ourlée de plages de sable fin et coiffée d'un fort génois. Tabarka, capitale de l'industrie du liège, exploité dans les forêts de Kroumirie, et du corail rouge monté en bijou, a tout pour séduire ! Longtemps restée à l'écart du tourisme de masse, la petite station balnéaire doit sans doute au succès de son festival, lancé dans les années 1970, la construction depuis les années 1990 d'un aéroport international, d'un golf et d'une zone hôtelière aujourd'hui en pleine expansion. Fort heureusement, le petit centre-ville et son modeste port de plaisance demeurent des lieux de promenade agréables auxquels la mer et la forêt associent leurs attraits.

UN PORT CONVOITÉ Fondée par les Phéniciens, Tabarka exporte au début de notre ère les richesses de son arrière-pays vers Rome : marbre de Simitthus (Chemtou), blé de la vallée de la Medjerda, bois et liège de Kroumirie… La ville devient l'un des principaux évêchés d'Afrique avant d'être abandonnée après la conquête musulmane. En 1542, avec l'assentiment de Charles Quint, les Génois établissent un comptoir fortifié sur ce qui est alors une île et se lancent dans le commerce du fameux corail rouge. En 1741, le bey de Tunis prend le contrôle du port, mais les Français s'y installent en 1781. Un siècle plus tard, la ville devient l'une des têtes de pont de la colonisation française et, sous le protectorat, le site antique est rasé pour faire place à une ville moderne.

MODE D'EMPLOI

accès

EN AVION
Vols réguliers de Tunis Air : Tabarka-Tunis : 5 vols/sem. (été), 2 vols/sem. ven. et sam. (hiver) ; Tabarka-Stuttgart-Francfort : 1 vol/sem. le jeudi (avr.-fin oct.). Pas de navette régulière de l'aérogare à Tabarka : il faut prendre un taxi si aucun moyen de transport n'a été mis à disposition par votre hôtel.
Aéroport international de Tabarka-7-Novembre *À 15km à l'est de la ville, sur la route de Tunis Tél. infos 680 005/680 133*

EN CAR
Station SNTRI (plan 10, A3) Vers Tunis (via Beja ou Mateur) et Bizerte. *Rue du Peuple*

Station SRT (plan 10, A3) Vers Aïn Draham, Djendouba et El-Kef. *Av. Habib-Bourguiba Tél. 670 404 (SNTRI) Tél. 670 087 (SRT)*

EN VOITURE
Tabarka est à 176km à l'ouest de Tunis et à 147km à l'ouest de Bizerte.

orientation

Le plan en damier du centre-ville, hérité du protectorat français, s'articule autour d'une croix formée par l'avenue Habib-Bourguiba, axe parallèle au front de mer, et la place du 18-janvier-1952, esplanade dans le prolongement de laquelle s'étendent la plage et le port de plaisance. La zone touristique s'étire à l'est de la ville.

informations touristiques

Office de tourisme (plan 10, B3) Le commissariat régional du tourisme de Tabarka est installé dans l'ancienne gare ferroviaire, de style très français. Très bon accueil. *Av. du 7-Novembre Tél. 673 555 Fax 673 428 Ouvert juil.-août : lun.-sam. 7h30-20h, dim. 8h30-18h ; sept.-juin : lun.-jeu. 8h30-13h et 15h-17h45, ven.-sam. 8h-13h Bureau d'information de l'office de tourisme à l'aéroport ouvert de juin à septembre* **Train touristique (plan 10, A2)** Relie toutes les heures les hôtels de la zone touristique au centre-ville. *Terminus près du front de mer, au bout de l'av. Habib-Bourguiba (côté promenade des "Aiguilles") Ouvert juin-sept. : tlj. 9h-0h Tarif 1DT, réduit 0,50DT*

banques et change

Change et distributeurs de billets av. Habib-Bourguiba : Banques UIB et BNA (à l'angle avec la rue Ali-Chaawani), face au restaurant Le Corail (plan 10, A3) ; Banque du Sud,

dans la résidence Porto Corallo, sur le port de plaisance (plan 10, B3).

location de voitures

Hertz (plan 10, B3) *Dans l'immeuble Porto Corallo (port de plaisance) Tél./fax 670 670*
Europcar (plan 10, B3) *Dans l'immeuble Porto Corallo (port de plaisance) Tél./fax 673 877 Tél. portable 98 237 790 ou 98 237 967*

accès Internet

Publinet (Plan 10, B3) 2 DT/h. *Résidence Le Corail Tél. 671 074 Ouvert tlj. 8h-22h*

festivals et manifestations

Festival de raï Pendant trois jours. *Fin juin ou fin septembre*
Festival de jazz Pendant une semaine. *Nouveau théâtre de la mer, en plein air Début juillet www.tabarkajazz.com*
Jour du Poisson Tous les poissons à 1DT, pendant une journée au port de plaisance. *En juillet*
Fête de la Mer Sorties en mer, jeux de plage. *Dans la zone touristique Début août*
Festival de musique latino *Août*
World Music Festival Pendant une semaine. *Fin août*

LA CÔTE DE CORAIL

DÉCOUVRIR

☆**Les essentiels** La presqu'île et son fort génois, la route côtière vers l'Algérie **Découvrir autrement** Travaillez votre swing au milieu des pins du golf de Tabarka, profitez de la tonnelle du restaurant Le Mondial
➤ **Carnet d'adresses p.187**

Tabarka

LA CÔTE DE CORAIL

☆ **Fort Génois et presqu'île (plan 10, A1)** Cette petite forteresse surveille la baie de Tabarka du sommet de l'île maintenant reliée à la terre ferme par la digue du port. Bâti au XVIe siècle par les Génois venus exploiter le corail de la côte, le fort, occupé par l'armée tunisienne, ne se visite pas (photos interdites). Mais de la route qui y mène, beau point de vue sur Tabarka. Un agréable chemin pavé, au pied du fort, longe la côte face aux Aiguilles.

● **UN CAFÉ DE CHARME**
Aux murs, des carreaux de récupération, de grands miroirs, des tableaux et des vitrines regorgeant d'objets anciens ; au-dessus des chaises, tables et banquettes en bois rouge et blanc, des marionnettes et des lustres suspendus au plafond... Si ce trop-plein vous oppresse, visez la terrasse sous les arbres. Thé, café, soda, chicha, mais pas d'alcool.
☺ **Café Les Andalous (plan 10, A3)**
Rue Hedi-Chaker
Ouvert tlj. jusqu'à 1h

Aiguilles Sur le rivage, au pied de la falaise et face au fort Génois, le bouquet de rochers orangés, hauts d'une vingtaine de mètres, sculptés par l'érosion, constitue une curiosité. Du centre-ville, on y parvient en 3min à pied en suivant la promenade pavée qui se prolonge jusqu'au nouveau théâtre en plein air.

Citerne romaine Surnommée "la Basilique" parce qu'elle abrita une église sous le protectorat, cette citerne des IIIe-IVe siècles a accueilli de nombreux spectacles lors des festivals estivaux avant qu'un nouveau théâtre de plein air ne soit inauguré en 2008. Quelques colonnes et chapiteaux antiques sont entreposés dans ses trois travées.

● **Où acheter du corail ?** Quelques joailliers, avenue Habib-Bourguiba à Tabarka, vendent du corail rouge monté en bijoux. Déjà élevés, les prix ont tendance à augmenter à cause de la raréfaction des polypes branchus sur le littoral.

● **Où boire un verre le soir ?** De la terrasse de l'hôtel des Mimosas, assis sous les palmiers au bord de la piscine, vous profiterez d'une vue sans pareille sur la baie. Cocktails avec ou sans alcool. **Bar des Mimosas (Plan 10, A3)** Av. Habib-Bourguiba

● ☺ **Jouer au golf** L'un des plus beaux parcours de Tunisie, avec ses 18 trous (6 306m, par 72) qui s'enroulent de la forêt au bord de la mer (trous 3 à 7 surplombant des criques sauvages). Le club-house se cache au milieu

Plan 10 Tabarka

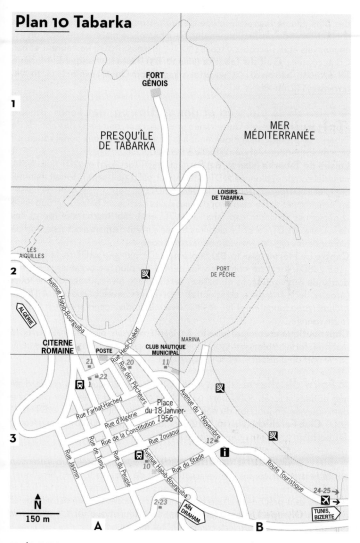

FORT GÉNOIS

PRESQU'ÎLE DE TABARKA

MER MÉDITERRANÉE

LOISIRS DE TABARKA

LES AIGUILLES

PORT DE PÊCHE

Avenue Habib-Bourguiba

ALGÉRIE

CITERNE ROMAINE

POSTE

Rue Hedi-Chaker

MARINA

CLUB NAUTIQUE MUNICIPAL

Rue des Pêcheurs

Rue Farhat-Hached

Place du 18-Janvier-1956

Rue d'Algérie

Rue de la Constitution

Rue de Tunis

Rue du Peuple

Rue Zouaouï

Avenue du 7-Novembre

Avenue Habib-Bourguiba

Rue du Stade

Rue Jasmin

Route Touristique

AÏN DRAHAM

TUNIS, BIZERTE

N
150 m

des pins, face à la grande pièce d'eau du trou 18. Leçons de golf, stages d'initiation et de perfectionnement. Seul bémol : le matériel de location est en mauvais état. Parcours 9 trous : 50DT ; 18 trous : 90DT. Restaurant et bar. CB acceptées. **Golf de Tabarka (plan 10, B3)** Route touristique El-Morjène Tél. 670 038/028 ou 671 031 www.tabarkagolf.com Ouvert avr.-oct : tlj. 7h-19h, nov.-mars : tlj. 8h-18h

● **Faire de la plongée et des sorties en mer** Fonds rocheux, grottes sous-marines et faune variée (mérous, raies, murènes) : les abords de Tabarka se prêtent magnifiquement à la plongée. Le fameux corail rouge, en voie de disparition, est très difficile à trouver.
Loisirs de Tabarka (plan 10, B2) Baptême 25DT (oct.-juin) et 27DT (juil.-sept.), matériel compris ; plongée 27DT (oct.-juin) et 30DT (juil.-sept.) ; forfait matériel complet 20DT/pers./j., forfait 6 plongées 138DT (juil.-sept.) ; possibilité de passer les niveaux 1 et 2. Ce club propose aussi des sorties en bateau : groupes de 12 personnes minimum, cap Tabarka (25DT/pers.), cap Negro (50DT/pers.), îles de la Galite (70DT/pers.). Le club fonctionne surtout de mars à octobre. *Port de plaisance Tél. 673 801 www.loisirsdetabarka.com*
Centre Le Mérou (plan 10, B3) Baptême 34DT, plongée 44DT, forfait 6 plongées 248DT, location comprise. Le centre de plongée organise aussi sur demande des excursions en bateau vers la plage très sauvage de Melloula (proche de la frontière algérienne) : 30DT/pers., avec barbecue. *À l'hôtel Méhari (zone touristique) Tél. 765 157 www.meharidivingcenter.com/fr Ouvert toute l'année*
Club nautique municipal (plan 10, A2) Baptême 25DT, plongée 40DT avec le matériel ; forfait 6 plongées 130DT, forfait 10 plongées 200DT, sans équipement. *Sur le port de plaisance Tél. 671 324/670 414*

● **Faire du cheval et du quad** Randonnées équestres en bord de mer et dans la forêt. 40DT/pers. pour 2h de cheval. Prix à négocier pour une demi-journée en fonction du nombre de personnes. 1h de quad : 27DT ; 2h : 50DT. **Club Ferchichi (plan 10, B3)** *Zone touristique (près du Golf Beach Hotel) Tél. portable 98 824 144 Ouvert toute l'année*

● **Suivre une cure de thalassothérapie** L'hôtel-club Robinson abrite le premier centre de thalassothérapie de Tabarka (cf. GEOPratique). Installations de grand standing, nombreuses cures et soins à la carte. Toutes les cures sont précédées d'une consultation médicale. Espace esthétique et hammam. **Olympe Thalasso (plan 10, B3)** Zone touristique Tél. 276 070 www. olympe-thalasso.com Ouvert, comme l'hôtel, mai-fin oct.

Les environs de Tabarka

☆ **Route côtière vers l'Algérie** Cette petite route escarpée (direction La Calle, ou El-Kala, et Annaba) offre des points de vue spectaculaires sur les falaises et la mer. Au bout d'une dizaine de kilomètres, on arrive au poste de douane de Melloula. À la sortie de Tabarka en direction de Melloula également, une "route touristique", signalée sur la droite, ménage un panorama exceptionnel sur la baie de Tabarka (belvédère au bout de la route, à 3km).

Îles de la Galite Ancré à 60km au nord-est de Tabarka, le petit archipel granitique de la Galite, sans liaison régulière avec le continent, comprend une île, la Galite, et cinq îlots. Seule l'île principale, longue de 5km et large de 2km, est habitée. Utilisée comme escale par les Phéniciens, puis par les Romains, elle est aujourd'hui occupée par des familles d'origine italienne. L'archipel est réputé pour ses fonds poissonneux (langoustes, mérous, pagres, rougets de roche, espadons, etc.) et pour ses colonies d'oiseaux (faucons d'Éléonore, notamment). Certains centres de plongée de Tabarka proposent des excursions vers ces îles : comptez 3h de traversée (cf. Faire de la plongée et des sorties en mer).

Route de Hammam Bourguiba et d'Aïn Draham Vingt-cinq kilomètres séparent Tabarka de la capitale de la Kroumirie, Aïn Draham (cf. GEORégion Le Tell). La route traverse la plaine sur une dizaine de kilomètres avant de remonter la vallée du Kébir à travers des forêts de conifères et de chênes. Parvenu au carrefour de Babouch, on pourra poursuivre vers Aïn Draham ou bifurquer vers Hammam Bourguiba, à 10km de là. À 800m d'altitude et à deux pas de la frontière algérienne, ce village occupe une cuvette agricole cernée par la forêt. L'ouverture du centre thermal et de l'hôtel El-Mouradi ainsi que l'installation d'une résidence présidentielle au cœur du village ont permis à la voirie de bénéficier d'un sérieux lifting. Les amateurs de randonnée pédestre apprécieront le massif forestier, très giboyeux, et les quelques lacs artificiels des environs.

 Suivre une cure thermale Connues depuis l'Antiquité, les eaux soufrées de ce village possèdent de grandes vertus thérapeutiques. De nombreuses cures permettent de soigner l'asthme et autres affections des voies respiratoires, arthrose, rhumatismes inflammatoires, etc. Situé dans l'hôtel El-Mouradi (cf. Hébergement dans les environs), ce centre est le plus important de Tunisie, devant celui de Korbous. Traitement adapté après consultation médicale sur place ou simple cure de remise en forme (sans prescription). **Station thermale El-Mouradi de Hammam Bourguiba** *À 30km au sud de Tabarka Tél. 654 055/56/58 Fermé pendant le ramadan*

CARNET D'ADRESSES

Restauration

Il manque, à Tabarka, une table gastronomique pour apprécier au mieux les spécialités locales : langouste et mérou. Restent d'honnêtes restaurants, sur le port notamment, souvent trop touristiques pour montrer une réelle personnalité.

🍴 petits prix

Le Corail (plan 10, A3) Ce petit restaurant sans prétention est le rendez-vous des vacanciers tunisiens. Chaises rouges, nappes en toile cirée jaune, les tables sont sorties sur le trottoir aux beaux jours, sinon sous les arcades et dans la petite salle. Menu très compé-

LA CÔTE DE CORAIL

titif à 5-10DT, avec choix de 3 entrées, de 7 plats (brochette de veau grillée très tendre, poisson grillé, spaghettis aux crevettes...). Pas d'alcool. *70, av. Habib-Bourguiba*

🍴 prix moyens

Le Mondial (plan 10, A3) Face au port de plaisance, sous une rafraîchissante tonnelle de vigne vierge, vous pourrez apercevoir le fort génois et savourer une cuisine généreuse, plutôt tournée vers la mer : calamars grillés (15DT), salade de poulpe (6DT), poisson du jour (6DT les 100g), langouste grillée (16DT les 100g), crevettes royales (15DT les 100g), couscous de poisson (12DT)... On peut aussi opter pour un tournedos aux champignons (14DT) ou un méchoui berbère (16DT). Accueil sympathique. *Sur le port (à côté du club nautique municipal) Tél. portable 97 503 714 ou 23 270 051 Ouvert 8h-4h*

Barberousse (plan 10, B3) À la carte de ce restaurant animé le soir, les grandes spécialités tunisiennes : couscous royal (15-20DT, sur commande), agneau à la gargoulette (40DT, pour 2 pers.), gigot d'agneau au four (30DT, pour 2 pers.), mais attention, toujours sur commande. En revanche, vous pourrez dévorer sans délai une langouste (8DT les 100g), des crevettes royales (7DT les 100g), une paella (30DT, pour 2 pers.), un poisson du jour, une entrecôte... que l'on peut accompagner d'une savoureuse jardinière de légumes et arroser de vin tunisien. Terrasse bien ventilée. *Bd du 7-Novembre (à côté de l'office de tourisme) Tél. 673 095*

Hébergement

Pas d'adresse bon marché en juillet-août, mais les prix sont sensiblement moins élevés hors saison.

🧳 prix élevés

Hôtel de la Plage (plan 10, A3) En plein centre-ville et à deux pas de la mer, comme son nom l'indique. Les 54 chambres sont un peu tristounettes, avec leur mobilier des années 1960 et leur carrelage beige et gris, mais elles sont bien tenues. Double à 70DT en haute saison, petit déjeuner compris. Ensuite, il vous faudra choisir : vue sur la grande bleue ou sur la montagne ? Avec ou sans clim. (plus 10DT) ? Un restaurant. *11, av. du 7-Novembre Tél. 670 039 Fax 670 332 Ouvert 12h-0h*

Les Aiguilles (plan 10, A3) Idéal pour être aux premières loges du festival d'été : l'hôtel donne sur l'une des scènes en plein air, à côté du café Les Andalous. Mais attention, qui dit fête, dit aussi bruit. Les 19 chambres et pies de blanc, meublées et décorées très simplement, disposent toutes d'une salle de bains impeccable, de la clim. et de la TV. Terrasse sur le toit avec vue sur la mer. Comptez 90DT la double en été, avec petit déj. Bar, restaurant, CB acceptées. *18, av. Habib-Bourguiba Tél. 673 789*

Hôtel de France (plan 10, A3) Au cœur de la ville, petit établissement d'un bon confort parfaitement entretenu, à l'accueil souriant et au personnel serviable. Des 16 chambres, toutes climatisées, avec salle de bains et TV, 4 disposent d'un balcon. Nous recommandons la 416 pour sa superbe vue panoramique sur la baie. Carrelage blanc, couvre-lits et rideaux bleu et jaune. 100DT la double en été, 50DT en basse saison. Prix négociables, notamment pour la "minisuite" à 120DT. Ascenseur, bureau de change, cafétéria. CB acceptées. *Av. Habib-Bourguiba Tél. 670 600 hotel.andalous@ hexabyte.tn*

🧳 prix très élevés

☺**Les Mimosas (plan 10, A3)** L'adresse de charme de Tabarka : cette grande maison perchée sur la colline mêle avec bonheur des éléments de l'architecture mauresque et du style balnéaire normand de la fin du XIXᵉ siècle. Les fenêtres et volets jaune vif irradient la façade, et le jardin planté de palmiers et de mimosas et agrémenté d'une piscine offre un panorama époustouflant sur la ville et la baie... Les chambres spacieuses, meublées dans un style contemporain très sobre, ne manquent de rien (clim., TV, sdb...). Attention, cependant, la maison n'abrite que 10 chambres et 2 suites (avec grand balcon). Même confort, le charme en moins, dans la soixantaine de chambres des bungalows qui s'étagent à flanc de colline. Bar (cf. Où boire un verre ?), restaurant. CB acceptées. Double 107DT avec petit déjeuner. *Av. Habib-Bourguiba (au rond-point à l'entrée du centre-ville en venant de Tunis et de la zone touristique, prenez la rue qui monte sur la gauche) Tél. 673 018/028 www.hotel-les-mimosas.com*

Méhari (plan 10, B3) Dans ce 4-étoiles de 200 chambres, vous trouverez tout le confort souhaité pour un paisible séjour balnéaire : plage de sable blanc devant l'hôtel, 2 piscines (dont l'une est couverte et chauffée), salle de massage, restaurant, snack et bars, animations, tennis, discobar, centre de plongée (cf. plus haut). Très claires et meublées de blanc, toutes les chambres disposent d'un balcon, de l'air conditionné et d'une TV. En haute saison, comptez 180DT la double avec petit déjeuner. CB acceptées. *Zone touristique Tél. 670 184 ou 671 444 www.goldenyasmin.com*

Dar Ismaïl (plan 10, B3) Derrière sa façade jaune orangé piquetée de balcons en fer forgé, ce grand 5-étoiles ouvert en 2002 tient les promesses de son standing. Toutes climatisées, ses 290 chambres (dont 6 suites) adoptent les tons pastel des parties communes : murs orangés, meubles et placards vert clair, tête de lit en fer forgé. Plusieurs bars et restaurants, café maure aux murs roses, salle de billard, salon de coiffure, centre de remise en forme, golf, hammam, sauna, 2 piscines, dont une couverte et chauffée, mini club pour enfants, le tout dans un jardin luxuriant et à deux pas de la plage. La double revient à 250DT en demi-pension. CB acceptées. *À l'entrée de la zone touristique (à 2km du centre-ville) Tél. 670 188 www.hoteldarismail.com*

Dans les environs

🧳 prix élevés

El-Mouradi Adossé à la montagne, face au paisible village de Hammam Bourguiba, cet hôtel de cure 4-étoiles accueille aussi les simples amateurs de balades en forêt. Bâti sur une source chaude, il abrite le plus important centre de thermalisme de Tunisie. Le complexe comprend 151 chambres spacieuses et tout confort ainsi qu'une résidence flambant neuve de 23 bungalows. Piscine couverte (horaires partagés avec les curistes), deux restaurants, tennis, salle de consultation Internet. Nombreuses possibilités de promenades en forêt (attention, toutefois, aux chasseurs de sangliers en automne !). Prévoyez 50DT la double avec petit déj. et 100DT en pension complète. *Hammam Bourguiba (à 30km au sud de Tabarka) Tél. 654 055/56/58 www.elmouradi.com Fermé pendant le ramadan*

GEOREGION

Les temples capitolins (p.219), sur le forum de Sbeïtla.

LE TELL

LE TELL

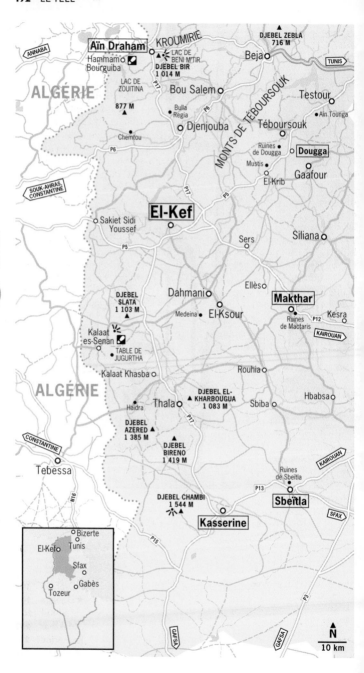

AÏN DRAHAM

Ind. tél. 78

La tribu berbère des Kroumirs a donné son nom à la région montagneuse qui s'élève au sud de la Côte de Corail. Si leur altitude dépasse rarement 1 000m, ces montagnes qu'entaillent de profondes vallées bénéficient d'abondantes précipitations et de chutes de neige assez fréquentes en hiver. Aussi portent-elles le plus vaste massif forestier de Tunisie. Les Romains venaient capturer des fauves destinés aux jeux du cirque dans ces forêts, les plus proches de Rome par bateau. Le dernier lion de Kroumirie fut tué en 1891, mais le petit gibier, les cervidés et les sangliers qui s'ébattent encore dans le massif attirent les chasseurs tunisiens et étrangers d'octobre à janvier. Ces derniers se partagent avec les amateurs de calme et de randonnée pédestre les quelques hôtels d'Aïn Draham. Fondée il y a un siècle par les militaires français, cette petite station climatique éparpille ses jolies maisons blanches, aux balcons de bois et aux toits de tuiles rouges, à 800m d'altitude. Le centre sportif international installé à 4km au sud d'Aïn Draham, sur la route de Djendouba, fait la fierté de la région.

MODE D'EMPLOI

accès

EN CAR
Une dizaine de cars/j. pour Tabarka, 7 pour Djendouba, 4 pour Tunis, 5 pour Beja, 2 pour El-Kef et Bizerte. Attention, peu de cars après 15h.
Gare routière *À l'entrée de la rue du 7-Novembre Tél. 655 022*

EN VOITURE
Aïn Draham est située à 25km au sud-ouest de Tabarka, à 50km à l'ouest de Beja, à 100km au nord d'El-Kef et à 154km à l'ouest de Tunis.

EN LOUAGE
Liaisons avec Tabarka, Beni Mtir, Hammam Bourguiba, Djendouba, Beja, Tunis.
Station de louage *Rue du 7-Novembre, à côté de la gare routière*

orientation

La P17, qui relie Tabarka à Djendouba, forme l'artère principale d'Aïn

Tableau kilométrique

	Aïn Draham	Dougga	El-Kef	Sbeïtla	Kasserine
Dougga	145				
El-Kef	100	76			
Sbeïtla	91	192	124		
Kasserine	198	165	120	38	
Kairouan	261	183	183	117	155

LE TELL

Draham, sous le nom d'avenue Habib-Bourguiba. L'autre grand axe, la rue du 7-Novembre, s'embranche sur l'avenue Habib-Bourguiba au carrefour orné d'une horloge.

informations touristiques

Renseignements à l'office de tourisme de Tabarka.

poste et banques

Poste *Av. Habib-Bourguiba (peu après la mosquée, sur la droite en venant de Tabarka)*
Banque BNA *Rue du 7-Novembre (à côté de la gare routière)*
Banque STB *En remontant l'avenue Habib-Bourguiba, juste après l'hôtel des Pins, sur la droite*

DÉCOUVRIR
Aïn Draham et ses environs

☆**Les essentiels** Le site antique de Bulla Regia, le musée de Chemtou
Découvrir autrement Offrez-vous un bol d'air frais (et pur !) en randonnant autour du lac de Beni Mtir, faites un repas de gibier au restaurant La Forêt   ➤ **Carnet d'adresses p.197**

Djebel Bir Le point culminant de la Kroumirie domine la ville et la région de ses 1 014m : de son sommet, on aperçoit la mer, au nord, et les eaux du lac Beni Mtir au sud. *Du centre-ville, prendre l'avenue Habib-Bourguiba, puis le boulevard de l'Environnement qui la prolonge et obliquer à gauche dans la rue qui monte*

Lac de Zouitina Ce lac artificiel mis en eau en 2000 s'étend non loin de la frontière algérienne, au cœur de splendides paysages montagneux. Sa découverte sera prétexte à un beau circuit. Sur le trajet, de nombreux chemins de terre offrent des possibilités de promenades à pied. *À environ 20km à l'ouest d'Aïn Draham Quitter la route de Djendouba pour prendre la bifurcation à droite de l'hôtel La Forêt. Traverser de magnifiques chênaies, puis le village d'Aouled-Helel (8km). Au carrefour suivant (7km), tourner à droite pour rejoindre le village d'Adissa, puis encore à droite plusieurs kilomètres plus loin. La route descend vers le lac et la plaine, où prospèrent quelques oliveraies. À Zouitina, tourner à gauche pour passer sur le barrage et admirer le panorama. De ce village, on peut rejoindre la petite station thermale de Hammam Bourguiba (cf. GEORégion La Côte de Corail)*

Lac Beni Mtir Ce lac artificiel formé par un barrage est cerné de forêts. Il est possible de se promener le long d'une partie de ses rives, mais pratiquement impossible d'en faire le tour à pied. *À 16km au sud-est d'Aïn Draham en suivant la P17 sur une dizaine de kilomètres avant de tourner à gauche sur la C65 pour rejoindre Beni Mtir*

☆ ☺ **Bulla Regia** Cette importante cité antique établie dans la vallée fertile de la Medjerda devint une capitale numide (IIe s. av. J.-C.), après avoir été conquise par Massinissa. Passée aux Romains en 46 av. J.-C., elle fut érigée en municipe sous Vespasien (69-79), puis en colonie sous Hadrien

Plan 11 Bulla Regia

MAISON
D'AMPHITRITE

MAISON DE LA
NOUVELLE CHASSE

MAISON
DE LA PÊCHE

MAISON
DU PAON

SOURCE
ANTIQUE

MAISON
DE LA CHASSE

TEMPLE
D'APOLLON

RÉSERVOIR

BASILIQUES
CHRÉTIENNES

FORUM

CAPITOLE

MAISON
DES MOSAÏQUES

FORT
BYZANTIN

MAISON
DU TRÉSOR

TEMPLE
D'ISIS

THÉÂTRE

BOU SALEM

LE TELL

CITERNES

THERMES
DE JULIA MEMMIA

ENTRÉE
DU SITE

DJENDOUBA

RÉSERVOIR

THERMES
DU SUD

N
100 m

(IIe s.). Particulièrement florissante au IIIe siècle, occupée au VIe siècle par les Byzantins, Bulla Regia sombra dans l'oubli après la conquête arabo-musulmane. Les fouilles, lancées au début du XXe siècle, demeurent inachevées. Les **thermes de Julia Memmia**, à droite de l'entrée du site, remontent au début du IIIe siècle de notre ère. Vous en distinguerez le grand vestiaire longitudinal et la salle froide (frigidarium), avec ses deux piscines. À gauche de l'entrée, près des citernes, se dressent les restes d'un édifice à trois nefs du Ier siècle. Derrière, on aperçoit les ruines de la **forteresse byzantine**. En poursuivant vers le nord, vous longerez la modeste maison du Trésor, puis les vestiges de deux **basiliques** chrétiennes (VIe s.), dont l'une a conservé son **baptistère** cruciforme. Un peu plus loin vous attend la luxueuse **maison de la Chasse**, qui, comme toutes les autres villas fouillées, doit son nom au thème d'une de ses mosaïques. S'il ne reste que la base des murs du rez-de-chaussée, le sous-sol est fort bien préservé : une colonnade à chapiteaux corinthiens délimite encore le péristyle, et les chambres ont conservé la petite plate-forme ornée de mosaïque destinée à accueillir le lit. Les appartements souterrains des deux villas voisines, la **maison du Paon** et la **maison de la Nouvelle Chasse** s'ornent, eux aussi, de mosaïques, tout comme la vaste **maison de la Pêche**. Mais les plus admirables sont celles de la **maison d'Amphitrite**. Cette villa doit son nom à la très belle composition qu'abrite sa salle à manger souterraine : Vénus (longtemps confondue avec Amphitrite) portée par deux monstres marins. En revenant sur vos pas et en tournant à gauche en face des basiliques chrétiennes, vous rejoindrez le **forum**, qu'encadrent de modestes vestiges du capitole, du temple d'Apollon et du marché, puis un petit **théâtre**. Utilisé jusqu'au IVᵉ siècle, ce dernier a gardé une partie de ses gradins et son *orchestra* ornée d'une mosaïque d'ours. Vous traverserez ensuite deux grandes esplanades, délimitées par des bases de colonnes pour revenir vers les thermes et la sortie. *À 33km au sud d'Aïn Draham sur la P17 Ouvert été : tlj. 8h-19h ; hiver : tlj. 8h30-17h30 Tarif 2,10DT Droit photo 1DT*

☆ **Chemtou** L'antique Simitthus est surtout connue pour ses carrières de marbre jaune et rose. Si les Numides furent les premiers à les exploiter, au IIᵉ siècle av. J.-C., les Romains transformèrent cette activité extractive en une véritable industrie employant des milliers d'esclaves et de forçats. Les blocs simplement équarris, tout comme les statuettes, mortiers et plats produits à partir des débris étaient acheminés jusqu'à Tabarka et Utique pour être exportés dans l'ensemble du monde méditerranéen. Les carrières, taillées dans la montagne, demeurent impressionnantes. L'**autel** monumental dressé par les Numides au sommet de la colline la plus haute fut par la suite affecté aux cultes romain, chrétien, puis musulman. Les vestiges de **thermes**, d'un **aqueduc**, d'un **théâtre** (non fouillé) et d'une **basilique** perpétuent le souvenir de la ville romaine. Dans le prolongement d'un pont du IIIᵉ siècle, écroulé dans le lit du fleuve, gisent les ruines d'antiques **moulins à turbines**, uniques en Afrique. Les restes du camp-prison des ouvriers, au nord des carrières, sont peu spectaculaires. En revanche, ne manquez pas de visiter le **musée**. Il présente d'abord la géologie de la région, puis l'histoire de Chemtou. Les restes d'une nécropole numide du Vᵉ siècle av. J.-C., retrouvés sous le forum, attestent une occupation du site antérieure à l'exploitation des carrières. Il semble que les Numides érigèrent leur premier monument en marbre vers 130 av. J.-C. La cité devint romaine au siècle suivant, et le marbre de Chemtou acquit très vite une grande valeur dans tout l'empire. C'est ainsi qu'une colonne haute de 6m taillée dans ce *marmor numidicum* fut dressée à Rome en hommage à César assassiné. Chemtou perdit son statut de carrière impériale au IIIᵉ siècle de notre ère. Le musée détaille aussi les différentes

Sous la terre de Bulla Regia

Moins spectaculaire que les sites antiques de Dougga et de Thuburbo Majus, Bulla Regia se signale néanmoins par les aménagements de ses villas patriciennes : des **appartements souterrains** distribués autour d'un atrium à péristyle, sur le même plan que les pièces du rez-de-chaussée. Cette particularité fait tout le charme du site, mais aussi débat parmi les archéologues.

Certains chercheurs supposent qu'il s'agissait, pour les citoyens aisés, de s'assurer un refuge frais et bien ventilé lors des canicules estivales. Mais alors pourquoi est-ce le seul site de la période romaine sur lequel on rencontre ce type de constructions ? Pour d'autres spécialistes, seul le manque d'espace constructible a pu amener les notables à agrandir leur domaine... en profondeur.

étapes de la production et son utilisation : bibelots numides, statuettes et stèles votives romaines, ainsi qu'une mosaïque représentant *Dionysos et les Quatre Saisons* (début du IIIᵉ s.). *À 49km au sud-ouest d'Aïn Draham et à 16km à l'ouest de Bulla Regia, sur la C59* **Musée** *Ouvert été : tlj. 8h-19h ; hiver : tlj. 8h30-17h30 Tarif 2,10DT Droit photo 1DT Le reste du site est libre d'accès*

● **Que rapporter d'Aïn Draham ?** Les boutiques d'artisanat sont rassemblées en haut de l'av. Habib-Bourguiba, face à la Maison des jeunes. Nombreux objets en bois de chêne, d'eucalyptus, d'olivier, plus ou moins kitsch : plats, statuettes d'animaux, cannes, couverts, bibelots, porte-manteaux, vannerie (surtout des paniers en osier).

● **Randonner en forêt** La Kroumirie, avec ses forêts de chênes-lièges et son maquis de fougères arborescentes et d'arbousiers, se prête particulièrement à la randonnée pédestre et équestre. Toutefois, les sentiers sont rarement balisés ! Les hôtels (notamment le Rihana et La Forêt) peuvent fournir aux hôtes qui le désirent les coordonnées de guides. Même si vous faites confiance à votre sens de l'orientation, prenez garde aux sangliers, nombreux dans le massif : ils peuvent charger lorsqu'ils se sentent menacés. Surtout, ne vous approchez jamais une femelle accompagnée de ses petits.

CARNET D'ADRESSES

Restauration, hébergement

 prix moyens

Résidence Les Pins Ce petit hôtel central mais tranquille loue 18 chambres de 2, 3 et 4 lits, avec chauffage et téléphone (TV en supplément 3DT). Chaque chambre possède sa décoration individualisée et presque toutes disposent d'un balcon. Belle vue sur Aïn Draham et les collines environnantes de la petite terrasse du toit. Accueil agréable. Pas de CB. 56DT la double avec petit déjeuner. *Rue Habib-Bourguiba Tél. 656 200 Fax 656 182*

prix élevés

☺ **La Forêt** La table gastronomique de la région. Sous les poutres imposantes d'une grande salle décorée de scènes de chasse, face aux montagnes, on savourera des crêpes sauce Béchamel (12,50DT), un poulet chasseur (13,50DT), des filets de merlan en chapelure (15DT) ou une entrecôte de veau fermière (19DT). Gibier à l'automne. Carte des vins. Pas de CB. *Route de Djendouba (à 5km d'Aïn Draham) Tél. 655 302 Fax 655 335 Ouvert 24h/24*

Royal Rihana Ses balcons en bois et ses volets verts donnent des allures de chalet à cet hôtel un brin suranné avec ses 75 chambres climatisées au mobilier années 1970. À l'automne, les chasseurs soucieux de leur confort apprécient sa piscine couverte, son salon aux profonds fauteuils rouges et son restaurant-bar-salon de thé. Belle vue sur la vallée et la forêt. 130DT la double. Possibilité de randonnées équestres et pédestres avec guide sur réservation. *À la sortie sud d'Aïn Draham, sur la P17 Tél. 655 391/392 www.royalrihana-hotel.com*

LE TELL

Nour el-Aïn Ce grand édifice blanc au toit de tuiles rouges, cerné par les pins, domine tout le massif forestier. Ses 61 chambres, confortables mais sans charme particulier, sont chauffées l'hiver (pas de climatisation l'été). Bar, restaurant. 80DT la double. CB acceptées. *Sur la route de Tabarka (à env. 2km au nord d'Aïn Draham, suivre la direction "col des Ruines") Tél. 655 000/600 Fax 655 185*

prix très élevés

☺ **La Forêt** L'unique hôtel de luxe de Kroumirie est le lieu de villégiature idéal pour se reposer, prendre un bon bol d'air et se balader en pleine nature, d'autant que son excellent restaurant (cf. ci-dessus) justifie l'option demi-pension. À l'orée de la forêt, 56 chambres spacieuses (avec TV, clim. et une grande sdb) et 2 suites (salon, chambre, grand balcon, jacuzzi) avec vue sur les maisons d'Aïn Draham, au loin, et les montagnes tout autour. Comptez 160DT la double. CB acceptées. *Route de Djendouba sur la P17 (à 5km au sud d'Aïn Draham et 250m du complexe sportif international) Tél. 655 302 www.hotellaforet.com.tn*

★ ☺ DOUGGA

Ind. tél. 78

Le site archéologique de Dougga, l'ancienne Thugga, s'accroche à une colline qui descend en pente douce vers l'oued Khalled et sa vallée plantée d'oliveraies et de champs de blé. Les vestiges de la ville antique, un dédale qui ne répond à aucun plan d'urbanisme rigoureux mais que dominent le théâtre et le capitole, sont si étendus qu'il faut plus de deux heures pour en faire le tour. En 1997, l'Unesco a inscrit ce site exceptionnel, campé dans un cadre enchanteur, sur sa Liste du patrimoine mondial.

UNE SUCCESSION DE CIVILISATIONS La fondation de Thukka est antérieure au IVe siècle av. J.-C. Si elle a laissé peu de traces, on sait, notamment grâce au témoignage de Diodore de Sicile, que la cité libyco-punique prospère assez rapidement. Conquise par les Numides entre 160 et 155 av. J.-C., elle devient l'une des grandes villes du royaume de Massinissa, allié de Rome contre Carthage. En 46 av. J.-C., César décide d'annexer Thukka à la province romaine d'Afrique, comme toutes les terres des Numides qui ont soutenu son rival malheureux, Pompée. À partir du IIe siècle de notre ère, la bourgade, dont le nom s'est romanisé en Thugga, s'embellit et s'étend grâce, notamment, aux dons de ses notables. En 205, Septime Sévère en fait un municipe. En 261, elle accède au rang de colonie romaine. Thugga commence à décliner au IVe siècle, en même temps que l'empire. Au VIe siècle, les Byzantins construisent une forteresse et des remparts avec des matériaux de réemploi. Devenue Dougga après l'islamisation du pays, la cité vivotera et restera occupée jusque dans les années 1960. Il faudra bâtir Dougga el-Djadida à 3km à l'est, sur la nationale, pour reloger ses occupants et laisser travailler les archéologues.

MODE D'EMPLOI

Dougga étant un site archéologique isolé, c'est à Téboursouk qu'on trouve toutes les commodités (banque, bureau de poste, hôtels et restaurants).

EN CAR ET EN LOUAGE

Les cars et les louages reliant El-Kef à Tunis s'arrêtent à Téboursouk (1 car/h dans les deux sens). Liaisons avec Tunis via Testour, Beja, Djendouba, El-Kef.
Arrêt *En haut de l'av. du 7-Novembre, à Téboursouk. Également point de départ des taxis ruraux (bandes jaunes) pour le site de Dougga*

EN VOITURE

Dougga est située à 103km au sud-ouest de Tunis, à 63km au nord-est d'El-Kef et à 5km au sud-ouest de Téboursouk, principale ville de la région.

DÉCOUVRIR

☆**Les essentiels** Le théâtre, le temple de Saturne, le mausolée libyco-punique, les thermes liciniens, le capitole **Découvrir autrement** Rencontrez les artistes du festival de musique traditionnelle de Testour

> **Carnet d'adresses p.204**

LE TELL

Dougga

Les principaux édifices publics, dominés par le capitole, marquent le centre de la **cité antique**. À l'est et au sud s'étendent des secteurs résidentiels équipés de thermes. À l'ouest et au nord, les ruines, plus dispersées, comprennent aussi quelques temples majeurs. **Accès** *Deux entrées : l'une sur la route reliant Téboursouk à Tell Ghozlane, l'autre sur la route de Téboursouk à El-Kef via Nouvelle-Dougga (très beau panorama sur l'ensemble du site, à droite) Ouvert 1ᵉʳ avr.-15 sept. : tlj. 8h-19h ; 16 sept.-31 mars : tlj. 8h30-17h30 Tarif 4DT Droit photo 1DT*

Les quartiers est

☆**Théâtre** La visite commence par le théâtre, adossé à la colline, près de l'entrée principale. Aménagé en 168 ou en 169, le monument le mieux conservé de Dougga a été restauré et accueille encore des spectacles. De taille relativement modeste (63,50m de diamètre), il pouvait contenir de 3 500 à 4 000 spectateurs, sur les dix-neuf rangées de gradins de sa *cavea*, divisée en trois niveaux par des couloirs de circulation. La scène a perdu son mur, mais conservé son revêtement de sol en mosaïque ; au fond s'élève encore le portique à colonnes corinthiennes qui servait de promenoir.

☆**Temple de Saturne** Cet édifice de la fin du IIᵉ siècle vaut surtout pour les quatre colonnes majestueuses de son vestibule et pour la superbe vue sur la vallée qu'offre sa terrasse. En contrebas du temple, un hypogée du IVᵉ siècle contenant de nombreux sarcophages côtoie la petite église dite de Victoria (Vᵉ s.), du nom gravé sur l'une des pierres tombales rangées dans la crypte. *Au nord du théâtre (suivre le chemin qui mène au centre de Dougga et débouche entre le capitole et le théâtre)*

Maison du Trifolium Au sud du théâtre, près des maigres vestiges de l'**arc de Septime Sévère**, élevé en 205 pour fêter l'accession de Thugga au rang de municipe, ont été dégagées deux maisons que dessert une belle rue dallée déformée par les siècles. La plus intéressante des deux est la maison du Trifolium (première moitié du IIIe s.), la plus vaste que l'on ait exhumée à Dougga. Son nom lui vient d'une pièce à trois absides tréflées dont la fonction n'est pas clairement établie. Le porche qui donne sur la rue communique en fait avec le premier étage ; il faut descendre un escalier de vingt et une marches pour accéder au rez-de-chaussée, distribué autour d'une grande cour dont l'élégant portique laisse imaginer la splendeur passée de l'ensemble.

Thermes des Cyclopes Ils jouxtent la maison du Trifolium (dont ils dépendaient peut-être) et valent surtout pour leurs latrines parfaitement conservées : un banc de pierre en fer à cheval percé de douze trous. La magnifique mosaïque qui leur a donné leur nom est exposée au musée du Bardo, à Tunis.

☆ **Mausolée libyco-punique** Au sud de la maison du Trifolium, au milieu des oliviers, se dresse un impressionnant mausolée dont le plan s'inspire du fameux mausolée d'Halicarnasse, l'une des sept merveilles du monde antique. Ce tombeau du IIIe siècle av. J.-C. est le plus vieil édifice visible à Dougga et l'un des rares monuments de ce style qui nous soit parvenu. Haut de 21m, il associe des éléments de décoration grecs (colonnes ioniques) et égyptiens (sphinx, corniche supérieure à gorge et pyramidion). Le mausolée a dû être restauré après que le consul d'Angleterre à Tunis l'eut fait démonter au XIXe siècle pour emporter une inscription en langues libyque et punique maintenant exposée au British Museum de Londres. Cette dernière permit la première traduction du libyque.

Le centre

Revenez sur vos pas et passez près de la maison du Trifolium pour vous diriger vers le centre de Dougga, dominé par le capitole. Face à l'entrée principale des thermes liciniens, les **temples de la Concorde**, de *Frugifer* et de *Liber Pater* (128-138 apr. J.-C.) dominent les restes d'un petit théâtre rituel.

☆ **Capitole** Datant de 166 ou 167 apr. J.-C., c'est le monument le plus remarquable de Dougga : avec celui de Sbeïtla, il s'agit de l'un des temples romains les plus ouvragés et les mieux conservés d'Afrique du Nord. Son escalier monumental mesure 10m de large et sa hauteur correspond à peu près à celle de la façade. Le portique à six colonnes cannelées de la façade soutient une frise dont la dédicace rappelle que le temple est dédié à Jupiter, Junon et Minerve, et que sa construction fut financée, comme celle du théâtre, par une riche famille, les Marci. Très érodé, le bas-relief du tympan représente l'apothéose de l'empereur Antonin le Pieux sous la forme d'un homme enlevé par un aigle. Les trois niches visibles au fond de la salle du sanctuaire conte-

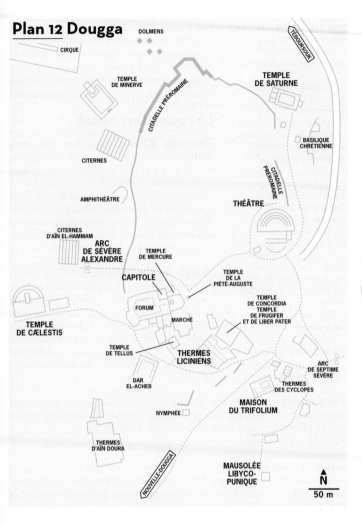

Plan 12 Dougga

DOLMENS

CIRQUE

TÉBOURSOUK

TEMPLE
DE MINERVE

CITADELLE PRÉROMAINE

TEMPLE
DE SATURNE

CITERNES

BASILIQUE
CHRÉTIENNE

AMPHITHÉÂTRE

CITADELLE
PRÉROMAINE

THÉÂTRE

CITERNES
D'AÏN EL-HAMMAM

ARC
DE SÉVÈRE
ALEXANDRE

TEMPLE
DE MERCURE

CAPITOLE

TEMPLE
DE LA
PIÉTÉ-AUGUSTE

FORUM

MARCHÉ

TEMPLE
DE CONCORDIA
TEMPLE
DE FRUGIFER
ET DE LIBER PATER

TEMPLE
DE CÆLESTIS

TEMPLE
DE TELLUS

THERMES
LICINIENS

ARC
DE SEPTIME
SÉVÈRE

DAR
EL-ACHEB

THERMES
DES CYCLOPES

NYMPHÉE

MAISON
DU TRIFOLIUM

THERMES
D'AÏN DOURA

NOUVELLE DOUGGA

MAUSOLÉE
LIBYCO-
PUNIQUE

N
50 m

LE TELL

naient jadis les statues de Jupiter (au centre, elle devait mesurer près de 6m de haut), de Junon et de Minerve. La crypte aménagée sous l'édifice servit peut-être au culte chrétien.

Autres édifices publics La colonnade qui délimitait le petit forum (38,50m sur 24m) a pratiquement disparu. Dans son prolongement fut aménagée, vers 190, la place de la Rose-des-Vents. Cet hémicycle doit son nom à la grande rose de 8m de diamètre qui est gravée sur son dallage. Au nord s'élève le petit temple de Mercure et au sud s'étend la place du Marché. En contrebas de cette dernière gisent les vestiges du temple de Tellus (261 apr.

● **THERMES D'HIVER** Bâtis au IIIe siècle et transformés au IVe, leurs deux niveaux épousent la déclivité du terrain. De l'entrée, un escalier descend vers une première salle, qui a conservé sept des douze colonnes de son portique et une partie de son revêtement de sol en mosaïque. Un vestibule conduit au frigidarium (salle froide), la pièce centrale et la plus imposante. Un autre couloir dessert la palestre, salle dédiée aux exercices gymniques, également ceinte d'un portique. D'autres pièces, dont le caldarium (salle chaude), sont aussi visibles ☆ **Thermes liciniens** *au cœur du site*

J.-C.). Dans la rue dallée qui passe au sud de ce temple se remarque la façade à pilastres du temple anonyme, ou "Dar el-Acheb", construit de 164 à 166. L'entrée, marquée par deux colonnes corinthiennes, donne sur une vaste cour à portique.

Les quartiers ouest

Thermes d'Aïn Doura (ou thermes d'été)
Ce complexe de la fin du IIe-début du IIIe siècle est le plus vaste de Dougga, mais seules certaines salles ont été dégagées. Juste à côté, dans la maison d'Éros et de Psyché, vous pourrez admirer de belles mosaïques, dont une scène de pêche, et des restes de fresques. *Au sud-ouest du "temple anonyme" (Dar el-Acheb), au bout d'un sentier*

Temple de Cælestis
Bâti de 222 à 235 en l'honneur de Junon Céleste, ce sanctuaire se dresse sur un podium, au milieu d'une vaste cour à portique qui dessine un hémicycle. N'en subsistent que les colonnes à chapiteaux corinthiens du péristyle et une partie du portique qui entourait le lieu de culte. Ce temple aurait été transformé en église par les Byzantins. *Isolé dans l'ouest du site des thermes d'été Remonter le sentier jusqu'au bout et tourner à gauche*

Arc de Sévère Alexandre Il porte le nom du petit-neveu du premier empereur africain, Septime Sévère. Deux piliers massifs soutiennent encore l'arc en plein cintre, mais toute la partie haute de l'édifice a disparu. *Au nord-est du temple de Cælestis*

Citernes d'Aïn el-Hammam Jadis alimentés par un aqueduc de 12km, ces cinq réservoirs parallèles, longs de 33m, permettaient de stocker l'eau destinée aux thermes de Thugga. D'autres citernes, plus au nord, abritent aujourd'hui les produits des fouilles et le matériel d'entretien du site. À l'arrière s'étendent les vestiges du temple de Minerve (IIe s.), un pan de l'enceinte préromaine et quelques tombes mégalithiques numides. Tout au nord du site, on distingue quelques pierres du cirque romain, enfouies parmi les herbes.

Les environs de Dougga

Aïn Tounga Ce hameau s'est construit sur le site de l'antique Thignica, localité élevée au rang de municipe au IIIe siècle. Près de la route se dresse une forteresse byzantine du VIe siècle, l'une des mieux conservées de Tunisie, avec ses remparts ponctués de cinq tours. Derrière, à flanc de colline, les ruines d'un modeste arc de triomphe marquent l'entrée de tout un quartier mis au jour par les archéologues, avec ses rues et les soubassements de ses maisons. On remarquera également les vestiges d'un théâtre et de thermes. *À une quinzaine de kilomètres au nord-est de Téboursouk, sur la route de Testour Accès libre*

Testour Campé sur un replat qui domine le cours de la Medjerda, le bourg de Testour occupe le site de l'antique Tichilla. Il doit son urbanisme et son architecture hispanisants aux musulmans chassés d'Espagne par la Reconquista qui le repeuplèrent au XVIIe siècle. Pas de médina, donc, mais un plan en damier organisé autour d'une petite place dallée, plantée de citronniers et de palmiers et des maisons dotées de fenêtres sur rue et d'un toit à pente unique protégé par des tuiles creuses. L'accès de la Grande Mosquée (XVIIe s.) est réservé aux musulmans, mais rien n'empêche d'admirer son minaret récemment restauré. Ces deux tours superposées – l'une carrée, en brique nue, et l'autre octogonale, parée de céramiques et coiffée d'un lanternon – ne sont d'ailleurs pas sans rappeler les clochers de Castille et d'Aragon. Ne manquez pas de visiter la zaouïa de Sidi Naceur el-Garouachi (1733), que signale l'un de ses deux dômes couverts de tuiles vertes au bout de la rue du 26-février-1953. Le saint repose dans une pièce décorée de stucs et de panneaux de faïence remarquables, tandis qu'une école coranique occupe les petites pièces qui donnent sur le charmant patio fleuri. Le bâtiment carré que l'on aperçoit de l'autre côté de la P5, sur un terrain clos semé de quelques tombes, abrite le tombeau d'un saint juif, Es-Saad Rebbi Fradji Chaoua, qui fit longtemps l'objet d'un important pèlerinage annuel. Testour organise, en juillet, un festival de musique traditionnelle qui réunit des artistes venus de l'ensemble du monde arabe. *À 25km au nord-est de Téboursouk, sur la route de Tunis*

Mustis Entre Téboursouk et El-Kef, un surprenant arc de triomphe solitaire, sur le côté gauche de la P5, annonce Mustis. Le site antique s'étend un peu plus loin, à droite de la route, juste avant El-Krib. L'une des rares certitudes que l'on ait sur cette bourgade, c'est qu'elle fut le premier municipe romain d'Afrique du Nord. Les archéologues pensent qu'elle aurait été fondée par le général Caius Marius (157-86 av. J.-C.), qui y aurait installé des vétérans. Mustis possède d'intéressants vestiges romano-byzantins : à gauche de l'entrée, d'abord, les ruines des temples d'Apollon et de Cérès, puis ceux d'une vaste maison, d'une huilerie et du temple de Pluton. En retrait s'étendent les restes d'une basilique chrétienne et de son baptistère, et à droite de l'église, les imposants vestiges d'une citadelle byzantine construite au VIe siècle avec des matériaux de réemploi. Au fond du site, en direction d'El-Krib, près de la route, demeure le socle de l'arc de triomphe qui marquait l'entrée occidentale de la cité. *À 20km au sud-ouest de Téboursouk Ouvert été : tlj. 7h-19h ; hiver : tlj. 8h-17h Entrée libre*

LE TELL

CARNET D'ADRESSES

Restauration, hébergement

Aucun hôtel à proximité du site, un seul à Téboursouk, l'hôtel Thugga, qui abrite l'un des rares restaurants de la ville, avec les quelques gargotes voisines de la station de louage.

 **prix moyens**

Hôtel Thugga Cet hôtel dissimulé dans la verdure, au pied de Téboursouk, assure l'essentiel : un confort acceptable pour une nuit ou deux, mais aucun charme. Les 33 chambres (dont 20 avec clim.), de plain-pied, sont réparties autour de deux cours, chacune plantée d'un vénérable olivier. Il peut être judicieux d'opter pour la demi-pension, tant les restaurants sont rares dans les parages. Celui de l'hôtel sert parfois du gibier. Comptez 50DT la double, 70DT la double en demi-pension. *Sur la P5 (route de Tunis à El-Kef) qui contourne Téboursouk par le sud Un grand portique signale l'entrée Tél. 466 647 Fax 466 721 Ouvert toute l'année*

LE TELL

EL-KEF

Ind. tél. 78

o Beja
● El-Kef
o Kasserine

Cette grande ville du Nord-Ouest tunisien (46 000 hab.) peut être considérée comme la capitale du Tell, région bien arrosée, constituée de collines basses et de plaines agricoles fertiles, qui s'étend au sud de la Medjerda. Si El-Kef reste en marge des grands circuits touristiques, ne la boudez pas ! Accroché au djebel ed-Dir, entre 700m et 850m d'altitude, sous la garde d'une forteresse spectaculaire, ce chef-lieu de gouvernorat fait depuis peu beaucoup d'efforts pour mettre en valeur les monuments de sa médina. Lieu sacré depuis la haute Antiquité, El-Kef était encore récemment un centre religieux important, animé par de puissantes confréries musulmanes. Les nombreux dômes de marabouts qui bordent les ruelles escarpées de la ville haute en témoignent.

LE DESTIN DU "ROCHER" Déjà occupé au néolithique, ce site perché où jaillissent plusieurs sources entre dans l'histoire au Vᵉ siècle av. J.-C. avec la fondation d'une colonie punique. En 241 av. J.-C., la citadelle de Cirta, ou Sicca, accueille les mercenaires rappelés de Sicile par les Carthaginois et qui se rebelleront l'année suivante contre leurs maîtres. Conquise par les Numides à la fin du IIIᵉ siècle av. J.-C., Sicca demeure jusqu'en 118 la capitale du royaume unifié par Massinissa en 203. Annexée à l'Empire romain en 46 av. J.-C., la colonie julienne devient le très prospère chef-lieu de province de l'Africa Nova. Siège d'un évêché actif dès 256, Sicca Veneria est ruinée par les Vandales au Vᵉ siècle. La ville renaît sous le nom de Chakbanaria après l'islamisation de la région et prend part à tous les conflits qui secouent la Tunisie médiévale. Elle se fait oublier au XIIᵉ siècle, pour réapparaître au XVIᵉ siècle sous le nom d'El-Kef, "le Rocher". Elle connaît un remarquable renouveau économique et culturel au XVIIᵉ siècle, mais les deys d'Alger et les beys de Tunis se disputent sa citadelle. Ces derniers finissent par asseoir leur autorité sur la ville au XVIIIᵉ siècle. Les Français, qui l'occupent en 1881, en font le grand centre administratif et militaire du Nord-Ouest tunisien puis, lors de la Seconde Guerre mondiale, la capitale provisoire de la Tunisie non occupée par les forces de l'Axe. Dans les années 1960, le président Bourguiba, dont l'épouse est originaire d'El-Kef, fait construire un palais au pied de la casbah où le couple effectue des séjours occasionnels.

MODE D'EMPLOI

accès

EN CAR
Société de transport d'El-Kef 10 liaisons/j. avec Djendouba, 2 avec Tabarka, 3 avec Kairouan et Sfax, 2 avec Gafsa, 1 avec Bizerte, Beja et Nabeul. *Tél. 223 168*
SNTRI Un car toutes les heures (de 4h à 16h) pour Tunis.
Gare routière *Av. Mongi-Slim (dans le sud de la ville)*

EN LOUAGE
Liaisons quotidiennes avec Tunis, Djendouba, Kairouan, Nabeul, Kasserine et Gafsa.
Station *À côté de la gare routière*

EN VOITURE
El-Kef se trouve à 76km au sud-ouest de Dougga, 168km au sud-ouest de Tunis, à 121km au sud de Tabarka, à 183km au nord-ouest de Kairouan et à 35km à l'est de la frontière algérienne.

orientation

L'av. Habib-Bourguiba et la rue Hedi-Chaker se croisent sur la place de l'Indépendance, au centre de la ville. Au nord-est de la place s'étage la médina, dominée par la casbah, tandis qu'au sud-ouest s'étendent les quartiers plus récents avec la municipalité, la poste et la gare routière.

informations touristiques

Pas d'office de tourisme. Pour obtenir des renseignements sur la ville ou une visite guidée (sur réservation), adressez-vous à l'Association de sauvegarde de la médina.
Association de sauvegarde de la médina Son siège, une belle maison du XIXᵉ siècle, le Dar el-Kahia, abrite une exposition de photos anciennes et contemporaines. *Ouvert tlj. 9h30-12h (un autre bureau, sur la pl. de l'Indépendance, ouvre en principe tlj. 8h-13h et 15h-18h, mais les horaires sont assez fantaisistes Tél. 200 476)*

poste et banques

Poste centrale Distributeur de billets. *Rue Hedi-Chaker*
Banque STB Distributeur de billets. *Angle de l'av. Habib-Bourguiba et de la rue Salah-Ayech (près de l'hôtel Sicca Veneria)*
Banque de l'Habitat Distributeur. *Av. Mongi-Slim (face à la gare routière)*

accès Internet

Publinet Connexion 1,50DT/h. *Rue d'Alger Tél. 225 763 Ouvert tlj. 8h-3h*

urgences

Pharmacie de nuit *Rue Tebessa (presque à l'angle avec la rue Hedi-Chaker, à deux pas de la pl. de l'Indépendance) Tél. 202 880*

fêtes et manifestations

Festival du Dourzgène Visite guidée des sites archéologiques. *Le 14 mai*
Festival Bou Makhlouf Concerts et spectacles dans la cour de la casbah. *En juil.*

DÉCOUVRIR

☆ **Les essentiels** La casbah, la zaouïa de Sidi Bou Makhlouf, le musée des Arts et Traditions populaires **Découvrir autrement** Contemplez l'Algérie voisine et les monts environnants des hauteurs de la Table de Jugurtha,
➤ **Carnet d'adresses p.209**

El-Kef

Tous les sites répertoriés se trouvent dans la Vieille Ville.

☆ **Casbah** Bâtie sur le promontoire qui domine la ville, l'imposante forteresse ottomane écrase la médina de ses remparts massifs. Elle a remplacé un bastion punique, réaménagé et agrandi successivement par les Numides, les Romains et les Byzantins. L'important complexe abrite un petit fort, construit en 1600, à l'entrée, et un grand fort, érigé peu après, mais amplement remanié vers 1740. La plupart des matériaux de construction proviennent des mausolées, du théâtre et de l'amphithéâtre de Sicca Veneria. Longtemps occupée par l'armée, la citadelle est maintenant ouverte à la visite. Son bastion oriental, que prolongent encore quelques pans de la muraille, offre un magnifique panorama sur la ville et la plaine. Sa grande cour accueille en juillet certains spectacles du festival Bou Makhlouf. *Ouvert tlj. 8h-20h Entrée libre*

Djamaa el-Kebir Cette construction des IVe-Ve siècles, parfois appelée "basilique", fut affectée au culte islamique au VIIIe siècle. Délaissée depuis au profit de l'actuelle Grande Mosquée, la Djamaa el-Kebir a été bien restaurée. L'édifice se compose d'un atrium carré, ceint d'un portique, et d'une grande salle voûtée en forme de croix grecque, bordée de niches occupées par des auges en pierre. Si cette pièce abrite de nos jours une exposition permanente de photos des monuments d'El-Kef et de ses environs, on ne sait s'il s'agissait, à l'origine, d'une halle ou d'un centre de perception des impôts en nature… Dans le jardin, fragments de colonnes, sculptures et mosaïques antiques. *Ouvert tlj. 8h-20h Entrée libre*

☆ **Zaouïa de Sidi Bou Makhlouf** Cet ensemble du XVIIe siècle abrite le tombeau de Sidi Abdallah Bou Makhlouf, un Marocain devenu le saint patron d'El-Kef. Deux dômes côtelés d'un blanc étincelant et un élégant minaret octogonal, ajouté au XIXe siècle, signalent sa mosquée, réputée pour la richesse de sa décoration intérieure. On pourra s'en faire une idée en admirant les stucs délicats et les panneaux de céramique à motif floral qui parent la chambre sépulcrale. Depuis deux siècles, la zaouïa est un centre spirituel de la confrérie soufie des Aïssaoua, fondée à Meknès au XVIᵉ siècle. *À droite de la Djamaa el-Kebir Entrée libre*

Thermes romains De ce qui n'était plus qu'un amas de ruines ont été dégagés les restes du frigidarium, avec son bassin hexagonal, et ceux d'une salle convertie en chapelle chrétienne. Cet édifice du IIIᵉ siècle était alimenté par les citernes aménagées à l'est de la casbah, derrière l'ancienne résidence présidentielle, et par l'aqueduc construit pour suppléer la source de Ras el-Aïn. Cette dernière, qui jaillit près de la place de l'Indépendance, au cœur de la ville, a conservé quelques restes de son nymphée romain. *À côté du Dar el-Kahia, siège de l'Association de sauvegarde de la médina (cf. El-Kef, mode d'emploi) Ouvert tlj. 8h-14h Entrée libre*

☆ ☺ **Musée des Arts et Traditions populaires** La zaouïa de Sidi Ali Ben Aïssa (1784), ancien siège de la confrérie des Rahmania, sert d'écrin à ce passionnant musée dédié à la culture berbère, aux collections riches et fort bien présentées. Dans la pièce principale, qui abritait le tombeau du saint sous sa splendide coupole en stuc, sont présentés des costumes féminins, des bijoux et des produits de maquillage traditionnels. Une tente berbère, avec son mobilier et ses ustensiles, a été montée dans l'ancienne salle de prière. Les vitrines exposent des outils agricoles, sacs et selles de dromadaire, ustensiles de cuisine et autres objets liés à la vie des nomades. Au fil de la visite, on découvrira des instruments de musique, des costumes masculins, de grandes jarres et autres poteries provenant pour la plupart du village de Nebeur, près d'El-Kef, ainsi que les reconstitutions d'un atelier de tissage, d'un atelier de ferronnerie, d'une école coranique, etc. La dernière salle est dédiée à l'art équestre : riches selles brodées, harnachements, coiffes de cavaliers, armes, etc. *Zaouïa de Sidi Ali Ben Aïssa (dans l'est de la médina) Ouvert 1ᵉʳ avr.-15 sept. : mar.-dim. 9h-13h et 16h-19h ; 16 sept.-31 mars : mar.-dim. 9h30-16h30 Tarif 1,10DT Droit photo 1DT*

Synagogue Fermée dans les années 1970, après le départ des derniers membres de l'importante communauté juive établie à El-Kef depuis des siècles, Al-Ghriba, qui avait conservé ses nombreux ex-voto et ses objets du culte intacts, a été remise en état par l'Association de sauvegarde de la médina. *Rue Maarek-el-Karama Ouvert tlj. (mais il faut demander au gardien d'ouvrir la salle du culte) Entrée libre (obole bienvenue)*

Mausolée d'Ali Turki Ce modeste édifice accueille des expositions. Il abrite le tombeau d'Ali Turki (fin XVIIᵉ s.), père du fondateur de la dynastie husseinite, Hocine Ben Ali. *Rue du Soudan (près de la synagogue)*

Dar el-Kous La basilique Saint-Pierre, édifiée à la fin du IVᵉ siècle sur les restes du capitole, a été bien restaurée. Si la triple nef est réduite à ses murs, le narthex est intact, tout comme la belle abside voûtée en cul-de-four. *À l'angle des rues Ben-Alaya et Amilcar, en bas de la médina (près de l'av. Habib-Bourguiba) Horaires d'ouverture assez aléatoires*

LE TELL

● **Où boire un verre ?** Quelques tables à l'ombre d'un mûrier, au sommet des marches qui grimpent vers la zaouïa Sidi Bou Makhlouf. Deux petites salles voûtées pourvues de banquettes ornées de carreaux de céramique et couvertes de nattes. Un endroit paisible pour boire un thé ou une boisson fraîche et fumer la chicha. Pas d'alcool. **Café Bou Makhlouf** *Ouvert tlj. 8h-0h*

Les environs d'El-Kef

Medeina C'est le nom moderne d'Althiburos, cité antique dont les ruines gisent en pleine campagne, sur les rives de l'oued Aïn Oum el-Abid. Cette fondation libyco-punique fut érigée en municipe romain au IIe siècle. Établie sur la grand-route reliant Carthage à l'actuelle Tebessa, en Algérie, elle prospéra jusqu'au IVe siècle et se maintint au moins jusqu'à la conquête musulmane. Les seuls vestiges un tant soit peu spectaculaires de la cité romaine sont le capitole, temple repérable à son mur haut de 6-7m, le théâtre et un arc de triomphe. Les fouilles menées à l'est du vaste forum ont livré les restes d'un petit temple, de plusieurs maisons et d'un édifice qui abritait sans doute une activité artisanale soutenue, avec ses murs creusés de niches et ses bassins. Mais Althiburos est surtout célèbre pour les splendides mosaïques exposées au musée du Bardo, à Tunis, qui proviennent de trois de ses villas : la maison de la Pêche, la maison des Muses (de part et d'autre de l'oued) et le vaste édifice des Asclepeia. *À une cinquantaine de kilomètres au sud d'El-Kef D'El-Kef, suivre la C71 dir. Sbeïtla sur 30km jusqu'à Dahmani, puis la route de Djerissa sur env. 5km avant de tourner à gauche en direction de Medeina (indiqué). Il reste 12km à parcourir Accès libre*

● **UN ROI BERBÈRE FACE À ROME**
Petit-fils du roi Massinissa (allié de Rome contre Carthage), Jugurtha n'hésite pas à faire assassiner ses cousins, Hiempsal (en 118 av. J.-C.), Adherbal (112 av. J. C.), puis Massiva (111 av. J. C.) pour rétablir l'unité du royaume numide. Dès lors, les Romains n'auront de cesse d'étouffer la résistance du roi berbère. Jugurtha leur est livré en 105 av. J.-C. par son beau-père Bocchus, roi de Maurétanie. Il meurt en captivité, probablement étranglé, l'année suivante.

☺ **La Table de Jugurtha** Du haut de cette impressionnante montagne tabulaire, qui s'étend sur plus de 80ha, à 1 271m d'altitude, le regard embrasse un magnifique panorama. De tous côtés, plaines et collines alternent à perte de vue. À l'ouest s'étend l'Algérie, dont la frontière n'est qu'à une quinzaine de kilomètres. Si cette forteresse naturelle a été occupée à différentes époques, la tradition en a surtout fait une des places fortes de la résistance numide, menée par le roi Jugurtha (v. 160-104 av. J.-C.) contre la pénétration romaine. De loin, l'abrupt d'une cinquantaine de mètres de haut qui ceint le plateau sommital paraît infranchissable. Mais un escalier taillé dans le roc de la falaise nord permet de l'escalader en quelques minutes. Les pèlerins le gravissent pour se rendre au marabout de Sidi Abd el-Djouad, une maison blanche au toit de tuiles roses coiffé d'un petit dôme, entourée de murets de pierre qui délimitent de petites parcelles. Vous pouvez faire tout le tour du plateau pour admirer le paysage, mais restez toujours à bonne distance de son rebord instable. *Accès Gagner d'abord Kalaat*

LE TELL

es-Senan, à 60km au sud d'El-Kef. Remonter la rue principale du bourg jusqu'à la place de l'Horloge et tourner à gauche dans la rue de la Mosquée en direction d'Aïn Senan. Une fois au village, emprunter, à gauche après la mosquée, le chemin de terre qui longe le flanc méridional de la Table de Jugurtha. Bifurquer à gauche, en contre-haut d'une ferme, pour suivre le chemin en lacet qui rejoint la face orientale de la montagne et passe au pied de la falaise. De plus en plus difficile, mais toujours carrossable, il aboutit au pied de l'escalier. Les 150 hautes marches, usées par le temps, passent sous un arc byzantin avant d'atteindre le plateau (5min d'escalade). Compter 1h30 à pied à partir d'Aïn Senan

CARNET D'ADRESSES

Restauration

🍴 petits prix

Ramzi On se presse dans ce petit restaurant pour son cadre sympathique (fresque à l'entrée, vases en cuivre, couverts en bois accrochés aux murs) comme pour son excellente cuisine aux prix légers. Savoureux bœuf aux pois chiches et aux oignons (6,50DT), agneau aux haricots blancs et couscous copieux (3,50DT). Une bonne petite adresse en plein centre-ville. *Rue Hedi-Chaker Tél./fax 203 079 Ouvert 8h-23h*

Vénus Est-ce à cause de son nom ? Ce restaurant draine une clientèle essentiellement masculine... Les appâts de Vénus sont pourtant un peu minces et sans surprise : entrecôtes, escalopes, poissons grillés. En revanche, on succombe à l'ambiance chaleureuse qui règne dans la salle, agrémentée de panneaux de bois ajourés de style mauresque et de nappes turquoise. Environ 12DT le repas. Sert de l'alcool.

Rue Farhat-Hached (près de l'av. Bourguiba) Tél. 200 355 Fax 202 411 Ouvert 12h-15h et 18h-0h Fermé pendant le ramadan

🍴 prix moyens

Leklil Une terrasse tranquille avec vue panoramique sur la plaine : aux beaux jours, le restaurant de l'hôtel Leklil vous assure un cadre unique à El-Kef. Pour ne rien gâcher, la cuisine est très soignée. Si la carte est relativement restreinte et sans grande originalité (émincé de bœuf, foie d'agneau, entrecôte, brochettes, poisson du jour, escalope, etc.), les plats sont délicieux et accompagnés d'une jardinière de légumes, de chou-fleur vapeur ou de pommes de terre sautées. Enfin, c'est l'une des rares tables tunisiennes à servir la bière dans des chopes ! Seul défaut, l'éloignement du centre-ville. Comptez 25DT pour un repas complet. *À 4km au sud-est d'El-Kef sur la route de Tunis Tél. 204 747 Fax 204 746 Ouvert 12h-15h et 19h-21h*

GAMME DE PRIX	RESTAURATION	HÉBERGEMENT
Très petits prix	moins de 5DT	moins de 15DT
Petits prix	de 5DT à 15DT	de 15DT à 30DT
Prix moyens	de 15DT à 25DT	de 30DT à 60DT
Prix élevés	de 25DT à 40DT	de 60DT à 100DT
Prix très élevés	plus de 40DT	plus de 100DT

Hébergement

prix moyens

Vénus Cette petite résidence tranquille en haut de la médina réserve un accueil chaleureux à ses hôtes. Les 20 chambres, dont deux quadruples, sont simples mais d'un confort correct (douche et WC, chauffage en hiver). Les n°s 17, 18 et 20 bénéficient d'une vue splendide sur la casbah. De 30DT à 40DT la double. *Rue Mouldi-Khamessi Tél. 204 695 Fax 204 300*

Ramzi En plein centre d'El-Kef. Si les parties communes de cet hôtel modeste sont égayées de carreaux de céramique de styles variés, ses 18 chambres bien tenues sont d'un blanc immaculé. Comptez 50DT la double avec TV et sdb, 40DT sans (toilettes et douches communes), petit déjeuner compris. Bon accueil. Restaurant (cf. ci-dessus). *Rue Hedi-Chaker Tél./fax 203 079*

Leklil Ce 3-étoiles récent, à l'orée d'une forêt de pins et d'eucalyptus, loue 18 chambres climatisées, spacieuses et confortables, qui manquent un peu de charme, avec leurs murs crépis de beige et leurs couvre-lits bordeaux, mais bénéficient d'une vue dégagée sur la plaine. Petit grain de folie, entre kitsch et délire hyper-réaliste, les piliers du hall d'entrée imitent des troncs d'arbre ! Accueil cordial. Grande terrasse pour boire un verre ou se restaurer (cf. ci-dessus) et piscine. Double 35DT. Pas de CB. *Sur la P5, dir. Tunis. À 4km au sud-est du centre Tél. 204 747 www.hotel-leklil.planet.tn*

Les Pins Cet hôtel récent est sans doute le meilleur de la ville et le seul de la région à disposer d'une petite piscine et de deux restaurants. Les 57 chambres, impeccables et gaies, avec sdb, sont climatisées en été et chauffées en hiver. Évitez celles qui donnent sur le boulevard, un peu bruyant. En revanche, vue splendide côté vallée. Comptez 50DT la double (+ 5DT pour la TV). Seul inconvénient, le centre est à 2,5km. *Route de Tunis Bd de l'Environnement Tél. 204 300/021*

MAKTHAR

Ind. tél. 78

Posée à 900m d'altitude, sur un vaste plateau qui marque le rebord septentrional de la Dorsale tunisienne, cette paisible localité de 15 000 habitants s'inscrit dans un magnifique cadre de collines boisées. L'occupation de la région remonte au moins au IIe millénaire avant notre ère (en témoignent les monuments funéraires mégalithiques retrouvés à Makhtar et sur plusieurs sites des environs), mais la ville tire son nom et son renom de la cité antique à côté de laquelle elle s'est établie à la fin du XIXe siècle.

MACTARIS Les Numides Massyles érigent d'abord sur le plateau, vers le ve siècle avant notre ère, une forteresse destinée à tenir les nomades en respect. Des colons puniques s'établissent au pied de la citadelle vers le IIe siècle av. J.-C. Probablement annexée à l'Empire romain en 46 av. J.-C., Mactaris n'en conserve pas moins ses traditions libyco-puniques jusqu'au IIe siècle de notre ère. Érigée en colonie par Marc Aurèle en 180, cette ville prospère, dotée de deux forums, de trois thermes et d'un amphithéâtre, devient chrétienne au IIIe siècle. Les Byzantins ne sauront pas enrayer son déclin, consécutif au passage des Vandales et, après avoir longtemps vivoté, elle sera abandonnée au XIe siècle.

MODE D'EMPLOI

accès

EN CAR
Les cars qui relient Sousse à El-Kef marquent l'arrêt devant l'hôtel Maktaris (station de louage). Deux cars quotidiens dans chaque sens. Les cars de la ligne Tunis-Kasserine s'arrêtent, quant à eux, rue Hedi-Chaker, près du marché couvert. Là encore, deux cars quotidiens dans chaque sens.

EN LOUAGE
Station de louage pour Kairouan et Sousse rue Farhat-Hached, devant l'hôtel Maktaris. Pour Tunis, Siliana et le reste de la Tunisie, station devant le marché couvert, rue Hedi-Chaker.

EN VOITURE
À 69km au sud-est d'El-Kef et à 114km à l'ouest de Kairouan.

orientation

Makhtar possède un plan en damier. L'avenue Habib-Bourguiba, orientée nord-sud, est perpendiculaire à la rue Hedi-Chaker et à la rue Farhat-Hached. Le site archéologique s'étend à l'est du centre et de l'arc de triomphe de Bab el-Aïn.

banque et poste

Agence BNA *En face de la Grande Mosquée, à l'angle de l'av. Habib-Bourguiba et de la place principale* **Poste** *Rue Farhat-Hached*

urgences

Pharmacie *Rue Hedi-Chaker Tél. 826 568*

marché

Souk le dimanche et le lundi.

LE TELL

DÉCOUVRIR

☆ **Les essentiels** Les grands thermes du Sud, la Schola des Juvenes **Découvrir autrement** Partez en quête des mégalithes d'Ellès et, à Kesra, poussez jusqu'au marabout pour profiter de la vue ➤ **Carnet d'adresses p.214**

Mactaris

Les ruines sont dispersées sur un vaste plateau. *Ouvert été : tlj. 8h-19h ; hiver : tlj. 8h30-17h30 Tarif 4DT Droit photo 1DT*

À l'entrée de Mactaris

L'**arc de triomphe de Bab el-Aïn**, qui marquait l'entrée de Mactaris, se dresse encore près du rond-point des routes de Kairouan et d'El-Kef. Le petit **musée** établi à l'orée du site expose des stèles votives, des mosaïques, des fragments de sculptures et divers objets (lampes à huile, monnaie, etc.) d'époque romaine. Traversez l'**amphithéâtre** (IIᵉ s.), derrière le musée, avant de rejoindre la voie romaine.

Autour du forum

La voie romaine débouche sur le forum, vaste esplanade dallée que domine un bel arc de triomphe dédié à Trajan en 116 apr. J.-C. La tour carrée que les Byzantins accolèrent au monument est réduite à ses fondations. Au sud ont été dégagés les vestiges de la **basilique de Hil-**

deguns et de son baptistère. Cette église du Vᵉ siècle, qui abrite plusieurs dalles funéraires d'époque byzantine, doit son nom à l'épitaphe d'un prince germanique, probablement vandale. Retraversez le forum pour prendre, à droite à travers champs, la direction des ruines du **temple de Hoter Miskar**, sanctuaire punique relevé à la fin du IIᵉ siècle ou au début du IIIᵉ. On devine, juste à côté, le plan d'une riche villa, la **maison de Vénus**.

☆ **Grands Thermes du Sud** À une centaine de mètres au sud de la basilique de Hildeguns, vous découvrirez les impressionnants vestiges, bâtis au début du IIIᵉ siècle et fortifiés au VIᵉ par les Byzantins. Le frigidarium a conservé ses murs hauts de plus de 10m et ses mosaïques de sol, et la palestre nord présente encore de spectaculaires arcades.

Autour de la Schola des Juvenes

La **nécropole** qui s'étend à l'ouest des Grands Thermes du Sud regroupe des tombes romaines et byzantines mais aussi des sépultures mégalithiques libyco-puniques. L'une de ces tombes, sans doute du Iᵉʳ siècle av. J.-C., mesure 15m de long et compte six chambres. Au nord de la nécropole se profilent, entre les arbres, les colonnades de la **Schola des Juvenes** : il s'agirait du siège d'une association où les jeunes gens aisés de Mactaris reçurent un entraînement sportif et militaire à partir du Iᵉʳ siècle de notre ère. Constitués en milice, ils aidaient l'unique légion romaine de la région à maintenir l'ordre et contrôlaient le versement de l'annone, un impôt en nature peut-être stocké dans le bâtiment à quatre absides qui s'élève près des petits thermes et que l'on appelle **quadrilobe à auges**. Au IVᵉ siècle, la Schola fut transformée en une basilique chrétienne et sa nef ornée d'une série de colonnes aux élégants chapiteaux.

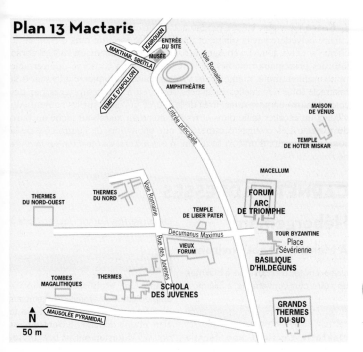

Plan 13 Mactaris

Sur le Decumanus

En remontant la rue des Juvenes vers les **thermes du Nord**, d'époque byzantine, vous laisserez sur votre droite le vieux forum numide avant de croiser le Decumanus maximus. Sur cet axe est-ouest donne le **temple de Liber Pater** (Bacchus, l'un des dieux tutélaires de la ville) et à son extrémité ouest s'étendent les **thermes du Nord-Ouest** (IIᵉ s.), partiellement reconvertis en église.

À la périphérie du site

Les amateurs d'archéologie pousseront jusqu'aux vestiges du **temple d'Apollon**, qui remplaça, au début du IIᵉ siècle, un sanctuaire punique probablement consacré à Baal Hamon.

Les environs de Makthar

Ellès Plusieurs mégalithes, sans doute érigés au IIᵉ siècle av. J.-C., sont éparpillés dans les champs autour d'Ellès. L'un d'eux se dresse en plein village. Ces monuments numides abritent sous leurs dalles imposantes plusieurs chambres funéraires distribuées par un couloir central. *À 36km au nord-ouest de Makthar, en suivant la P12 jusqu'au lieu-dit Vieux-Sers (27km), puis bifurcation en épingle à cheveux à gauche*

☺ **Kesra** Ce vieux village perché à 1 078m d'altitude forme un specta-culaire belvédère sur la plaine et une immense forêt de pins d'Alep et de chênes rouvres. Du Moyen Âge à la fondation de Makthar, en 1887, il abrita l'un des principaux marchés de la région. Kesra a conservé une certaine unité architecturale, même si ses vieilles maisons en pierre adossées à la falaise le long des ruelles escarpées sont peu à peu remplacées par des constructions en parpaings. Près de la source qui jaillit sur les hauteurs du village, un escalier taillé dans le rocher mène au marabout juché au bord du plateau. Les vestiges occupés par une habitation, de l'autre côté de la source, sont ceux d'un fort byzantin. *À 20km à l'est de Makhtar, sur la route de Kairouan (P12)*

CARNET D'ADRESSES

Hébergement

À Makthar et ses environs

Un seul hôtel, très basique, à Makthar, un autre plus convenable, à Siliana.

 petits prix

Maktaris Derrière une façade blanche percée de fenêtres bleues aux grilles ventrues, une dizaine de chambres relativement propres mais très spartiates, comme les sanitaires (sur le palier). Comptez 12DT/pers. sans le petit déj. : pas donné donc, mais c'est le seul établissement à des kilomètres à la ronde... Café au rez-de-chaussée. *Rue Farhat-Hached (face à la station de louage)*

 prix élevés

Zama Cet établissement mérite amplement ses 2 étoiles : 16 chambres bien tenues ont une bonne literie, la clim. et une douche ; 8 d'entre elles ont la TV. Restaurant et bar. Toute-fois, les meubles vieillots, les murs vert clair et l'accueil un peu distant n'incitent pas à rester. La double revient à 80DT avec le petit déjeuner. *Bd de l'Environnement (face à la station Total) **Siliana** (à 35km au nord de Makthar) Tél. 871 121 Fax 870 751*

KASSERINE
Ind. tél. 77

Ce chef-lieu de gouvernorat doit sa prospérité à la culture de l'alfa – une graminée africaine utilisée traditionnellement en sparterie – et à sa transformation en cellulose pour l'industrie papetière. Kasserine s'est développée au XXe siècle près de l'antique Cillium, une colonie romaine qui a laissé quelques monuments. Mais c'est surtout pour gravir le djebel Chambi, point culminant du pays (1 544m), tout proche, et visiter les ruines romaines de Haïdra, à 75km au nord-ouest, que l'on fera étape dans cette ville sise à mi-chemin du Tell et du désert.

LE TELL

MODE D'EMPLOI

accès

EN CAR
Gare routière sur la route de Sbeïtla, à 2km à l'est du centre-ville. La société SNTRI assure 2 liaisons/j. avec Tunis, via El-Kef ou Kairouan. Les cars de la SRT desservent El-Kef, Gafsa, Sfax, Sousse et Kairouan.
SNTRI *Tél. 472 210*
SRT *Tél. 475 160*

EN LOUAGE
Liaisons quotidiennes avec Kairouan, Sousse, Sfax, Gabès, Gafsa, El-Kef et Tunis. *Station devant la gare routière*

EN VOITURE
Kasserine est située à 309km au sud-ouest de Tunis, à 120km au sud d'El-Kef et à 106km au nord de Gafsa.

orientation

La ville est très étendue. La place des Martyrs, sur laquelle donne la gare (désaffectée) et que longe l'avenue Habib-Bourguiba, en marque le centre.

Le site archéologique de Cillium se trouve à 3km au sud-ouest du centre, sur la route de Gafsa.

poste et banques

Poste centrale Distributeur de billets. *Rue Tlili-Abdelaziz*
Banque du Sud *À côté de la municipalité*
BNA *À l'angle de l'av. Habib-Bourguiba*
Banque de l'Habitat *Rue Taïeb-Mehiri (derrière la Banque du Sud)*

accès Internet

Publinet 1DT/h. *21, rue Taïeb-Mehiri Tél. 472 548 Ouvert tlj. 8h-0h*

urgences

Pharmacie de nuit *40, av. Farhat-Hached Tél. 470 259*

marché

Souk le mardi devant la gare, sur la route de Sbeïtla.

LE TELL

DÉCOUVRIR

☆ **Les essentiels** Le site antique d'Haïdra **Découvrir autrement** Chaussez-vous solidement pour pouvoir aller observer la faune du djebel Chambi
➤ **Carnet d'adresses p.217**

Kasserine

Site de Cillium Il reste peu de chose du municipe romain du Ier siècle érigé en colonie au IIIe siècle. Les vestiges, en partie dégagés, s'éparpillent au bord de l'oued Derb, à 3km au sud-ouest du centre-ville. Signalons les deux monuments funéraires auxquels Kasserine doit son nom (les "Deux Châteaux" en arabe) et dont l'un évoque le mausolée libyco-punique de Dougga (cf. Découvrir Dougga). Hormis l'arc de triomphe du IIIe siècle, restauré au IVe siècle, et le théâtre, les autres ruines n'ont rien de spectaculaire. *Route de Gafsa (à 200m de l'hôtel Cillium) Entrée libre*

Les environs de Kasserine

Djebel Chambi Le point culminant (1 544m) du pays se dresse dans les monts Tebessa. Une bonne piste grimpe en lacet jusqu'au sommet du djebel, d'où le regard embrasse toute la région. Le parc national du Chambi (6 723ha) a été créé en 1980 pour protéger son écosystème montagneux au climat semi-aride dont la végétation se compose de pins d'Alep, de chênes verts, de genévriers et de formations steppiques. La faune terrestre comprend des mouflons à manchettes, des gazelles de Cuvier (environ trois cents individus), des hyènes rayées et des sangliers. L'avifaune compte des rapaces comme le faucon pèlerin, le vautour percnoptère, l'aigle de Bonelli, l'aigle botté, l'aigle royal ainsi que de nombreux migrateurs. *À 17km au sud-ouest de Kasserine en suivant la P17 direction Feriana et Gafsa sur 8km et en tournant à droite à hauteur du premier hameau*

☆ ☺ **Haïdra** Perché sur un plateau, à 900m d'altitude, le site antique d'Ammædara fascine par son isolement, par son étendue comme par la variété de ses vestiges. Les ruines s'étendent dans les champs, de part et d'autre de la route de Thala et au bord de l'oued Haïdra. Postée sur la route de Carthage à Théveste (l'actuelle Tebessa, en Algérie), la cité romaine défendit la frontière occidentale de la province d'Afrique avant d'accueillir une colonie de vétérans à la fin du Ier siècle de notre ère. Devenue le siège d'un évêché au IIIe siècle, Ammædara fut occupée par les Vandales en 439, puis conquise par les Byzantins. La formidable citadelle érigée au VIe siècle allait défendre pendant longtemps la Tunisie des attaques venues de l'ouest. Le massif **arc de triomphe** de Septime Sévère, édifié en l'an 195 sur la voie antique, marque l'entrée du site. Au milieu de la **nécropole** qui s'étend au sud-est ont été dégagées les fondations d'une église byzantine. Plus près de l'oued s'élève un élégant **mausolée** tétrastyle, de deux étages, fort bien conservé. De là, rejoignez la **citadelle byzantine** en longeant la boucle de l'oued. La puissante enceinte, qui enjambe la voie romaine, forme un quadrilatère imparfait de 200m sur 110m, à l'origine cantonné de tours. À l'intérieur émergent d'un chaos de pierres et de gravats les vestiges d'une chapelle adossée au rempart ouest. Au nord de la citadelle et de la route moderne, la **basilique de Melleus** (V^e-VIe s.) a conservé ses belles proportions. On en devine parfaitement le plan basilical à trois nefs et abside et les dalles portant des épitaphes. Au nord ont été mis au jour les vestiges des thermes et, à l'est, ceux d'un grand temple, qui pourrait être le capitole. Dans la continuité orientale de cet édifice, par-delà l'esplanade qui accueillait sans doute le marché, se dresse un "**édifice à auges**" – probablement un entrepôt ou une perception des impôts en nature à en juger d'après les cuves en pierre qui cernent sa pièce principale. Au nord, les ruines d'une petite église à trois nefs ont livré des inscriptions funéraires du Ve siècle. À une centaine de mètres à l'est, pratiquement en face de l'arc de triomphe, vous identifierez le théâtre aux restes de la *cavea*, disposée autour de l'**orchestra** dallée. *À 75km au nord-ouest de Kasserine via Thala sur la route d'El-Kef (P17). Les ruines s'étendent au bord de la route à 1km avant l'entrée du village moderne Entrée libre*

CARNET D'ADRESSES

Restauration, hébergement

Essoukour Une grande salle climatisée décorée d'une fresque représentant des faucons en vol – *essoukour* signifie "faucons". Le cadre est agréable et la cuisine classique (salade tunisienne, méchouïa, agneau-haricots, agneau-riz, foie grillé, escalopes de dinde, etc.), mais d'un remarquable rapport qualité-prix : env. 5DT le repas. Accueil charmant. Pas d'alcool. *13, rue de la République (pl. des Martyrs)*

Les Nuits d'Orient On y déguste sur le pouce les grandes spécialités tunisiennes pour une bouchée de pain. Agneau au riz, aux petits pois, aux pommes de terre, couscous... Autour de 3DT le plat, service souriant compris. Pas d'alcool. *Place des Martyrs*

prix moyens

Cillium À côté des ruines antiques, un hôtel vieillissant à l'originale architecture des années 1960 : un petit immeuble cylindrique à patio couvert. Toutes avec balcon, les chambres sont spacieuses, mais leurs sanitaires et installations électriques sont en mauvais état. La double climatisée revient à 45DT. Restaurant et bar. *À 3km au sud du centre, sur la route de Gafsa, à 300m après l'embranchement de la route d'El-Kef, sur la gauche (pas d'enseigne) Tél./fax 473 682*

Amaïdra Cet établissement du centre-ville se repère facilement à sa lourde façade néomédiévale, ponctuée d'une tourelle. Trente chambres confortables, sans charme mais fonctionnelles, avec clim. et TV. Bar et restaurant. Double 40DT. CB acceptées. *232, av. du 7-Novembre Tél. 477 397*

LE TELL

★ SBEÏTLA

Ind. tél. 77

Cette paisible bourgade établie sur la route de Kasserine à Kairouan, au cœur d'une plaine aride, doit son animation à la proximité de l'un des grands sites romano-byzantins de Tunisie. Le splendide capitole de Sufetula et ses imposantes basiliques chrétiennes comptent, en effet, parmi les plus remarquables de toute l'Afrique du Nord. Selon les chroniqueurs arabes de la période médiévale, c'est avec la prise de la cité par les troupes musulmanes, en 647, que prit fin la domination byzantine sur le Maghreb.

DES ROMAINS AUX BYZANTINS Sufetula aurait été fondée dans la première moitié du Ier siècle, au carrefour de deux importantes voies, près d'une source et de l'oued Sbeïtla. Élevée au rang de colonie au IIe siècle, la cité prospère grâce à la culture de l'olivier et se pare d'édifices monumentaux, puis de basiliques chrétiennes à partir du IVe siècle. Elle compte alors dix mille habitants et donne des hauts fonctionnaires à l'empire. L'occupation vandale fait de Sufetula une ville frontière au contact des populations berbères de l'Ouest. En 646, le patrice Grégoire, gouverneur de Carthage qui a rejeté l'autorité de Byzance pour s'autoproclamer empereur, transporte sa capitale à Sufetula, pour faire face à l'avancée musulmane. La ville tombe l'année suivante aux mains des conquérants, ouvrant symboliquement une nouvelle ère pour le Maghreb.

MODE D'EMPLOI

accès

EN LOUAGE ET EN CAR
Liaisons avec Kasserine, Gafsa, Kairouan, Sousse et Tunis.
Station *Rue Habib-Thameur (à côté de la gare désaffectée)*

EN VOITURE
Sbeïtla est située à 38km à l'est de Kasserine, à 117km au sud-ouest de Kairouan et à 271km au sud de Tunis.

orientation

Les deux axes principaux, la rue Taïeb-Mehiri et l'avenue de la République, se croisent au cœur du bourg. Le site archéologique s'étend à environ 2km au nord-ouest du centre, sur la route de Kasserine.

informations touristiques

Bureau d'information touristique
Très bon accueil. Brochures sur Sbeïtla

(avec plan de la ville) et sur toute la Tunisie. *Dans le Capitole (complexe commercial face à l'entrée du site archéologique) Tél. 466 506 Ouvert lun.-jeu. 8h30-13h et 15h-17h45, ven.-sam. 8h30-13h30*

poste, banque et change

Poste On y trouve un distributeur de billets. *Rue Farhat-Hached*
BNA On peut y changer son argent et y trouver un distributeur. *Av. Ali-Belhaouane*

accès Internet

Publinet 1,50DT/h. *Dans le Capitole (complexe commercial face à l'entrée du site archéologique) Ouvert tlj. 8h30-0h*

urgences

Pharmacie de nuit Abdelmoula 47, rue Taïeb-Mehiri *Tél. 466 647*

DÉCOUVRIR
☆ Le site antique

☆**Les essentiels** L'arc de triomphe, le théâtre, les trois temples du capitole, les Grands Thermes ➤ **Carnet d'adresses p.221**

Horaires et tarifs Renseignements au bureau d'information touristique (cf. ci-dessus). *Ouvert été : tlj. 7h-19h ; hiver : tlj. 8h-17h30 Tarif 2,10DT Droit photo 1DT*

De l'arc de triomphe au capitole

Un majestueux **arc de triomphe** de la charnière des IIIe et IVe siècles marque l'entrée sud de la cité romaine. En revenant sur vos pas, vous atteindrez, à droite, les ruines d'une **maison romaine** fortifiée par les Byzantins et, derrière, près de la boucle de l'oued Sbeïtla, les vestiges de **thermes**. À gauche de l'entrée du site, un autre fortin byzantin, une huilerie et de petits thermes privés jouxtent l'**église des Saints-Gervais-Protais-et-Tryphon**, qui daterait du VIe siècle. La rue pavée qui part à droite, après l'église, dessert une grande citerne, au fond de laquelle descend un escalier, et les **Grands Thermes**, vaste complexe dont la palestre se distingue par son admirable mosaïque de sol. En contrebas, à l'est, le **théâtre** a été largement rénové en 1997 pour accueillir des spectacles. Revenez sur vos pas pour remonter la rue principale qui mène au forum, en laissant sur votre droite une fontaine publique puis l'**église de Servus**. Cet édifice à cinq nefs, dont les angles imposants en grand appareil ont été restaurés, fut érigé dans la cour d'un temple païen.

Sur le forum

La monumentale **porte d'Antonin le Pieux** (IIe s.) donne accès au forum, probablement de la même époque. Les Byzantins renforcèrent le mur d'enceinte qui protégeait cette vaste esplanade dallée (60m sur 70m), ceinte d'un portique sur trois côtés. Le côté nord-ouest est fermé par les **trois temples du capitole**, bien conservés. Sufetula est l'un des rares sites romains qui ait consacré un temple à chacune des divinités de la triade capitoline : Jupiter, Junon et Minerve. On peut visiter les souterrains voûtés aménagés sous le podium des temples.

Le quartier des basiliques

Au nord-ouest du capitole s'étendent les fondations d'une église de la fin du IVe ou du début du Ve siècle. À une cinquantaine de mètres au nord, vous découvrirez les vestiges, bien plus imposants, de l'**église de Bellator**, la cathédrale de Sufetula édifiée au IVe siècle sur un sanctuaire païen. Un grand mur coiffé d'une corniche sculptée en délimite le contour. L'édifice à trois nefs est doté de trois absides d'époques différentes et d'un pavement de mosaïque bien conservé. Mais son ornement majeur reste le baptistère aménagé dans une salle à péristyle du temple païen et qui devint par la suite la chapelle de Jucundus. Sans doute pour faire face à l'élargissement de la communauté chrétienne, la grande **église de Vitalis**, à cinq nefs de onze travées et deux absides opposées, fut élevée juste à côté au

LE TELL

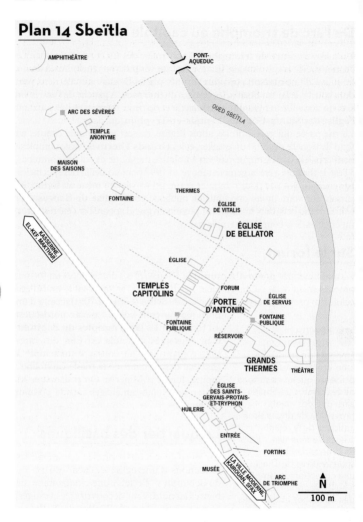

Plan 14 Sbeïtla

AMPHITHÉÂTRE

PONT-AQUEDUC

OUED SBEÏTLA

ARC DES SÉVÈRES

TEMPLE ANONYME

MAISON DES SAISONS

FONTAINE

THERMES

ÉGLISE DE VITALIS

ÉGLISE DE BELLATOR

EL-KEF MAKTHAR
KASSERINE

ÉGLISE

TEMPLES CAPITOLINS

FORUM

PORTE D'ANTONIN

ÉGLISE DE SERVUS

FONTAINE PUBLIQUE

FONTAINE PUBLIQUE

RÉSERVOIR

GRANDS THERMES

THÉÂTRE

ÉGLISE DES SAINTS-GERVAIS-PROTAIS-ET-TRYPHON

HUILERIE

ENTRÉE

FORTINS

MUSÉE

LA VILLE MODERNE KAIROUAN-SFAX

ARC DE TRIOMPHE

N

100 m

v^e ou au vi^e siècle. Au centre de l'édifice, un bassin quadrilobe parfaitement restauré présente un remarquable décor de mosaïque. Au sud-est de l'église, derrière l'abside principale, se dissimule le baptistère, dont la superbe cuve est, elle aussi, ornée de mosaïques. De l'autel aménagé au milieu de la nef centrale des deux églises ne restent que des vestiges.

Le nord-ouest du site

C'est la partie du site la moins fouillée et la moins restaurée. L'édifice le plus intéressant de ce secteur est la **maison des Saisons** qui fait face aux murs proéminents d'un temple anonyme. La plus vaste de ses nombreuses pièces ordonnées autour d'une cour à péristyle a donné au Bardo la fameuse mosaïque des *Saisons*. La voie pavée qui passe à l'est a été dégagée jusqu'à un **arc de triomphe** du début du IIIe siècle réduit à son socle. Au-delà, on devine, dans une cuvette, les traces de l'amphithéâtre. Sur la droite, hors de l'enceinte du site, un **pont-aqueduc** à quatre arches enjambe l'oued. Pour le rejoindre, il faut suivre le chemin de terre qui s'embranche sur la route de Kasserine juste avant l'hôtel Sufetula.

CARNET D'ADRESSES

Restauration, hébergement

Attention, les restaurants ferment tôt : mieux vaut s'y présenter avant 20h. Le complexe commercial du Capitole, face aux ruines, reste le seul lieu animé le soir : café, pizzas, crêpes et pâtisseries.

🍴 petits prix

Tabassi Pour manger un couscous, un morceau de poulet ou une tranche d'agneau rôti sous l'auvent jaune de la terrasse s'il fait beau ou dans la petite salle accueillante. Environ 6DT-7DT le repas. Pas d'alcool. *Av. Ali-Belhaouane*

🧳🍴 prix moyens

Bakini Trente-neuf chambres sommairement meublées, qui disposent d'une salle d'eau et de la clim. mais sont hélas ! mal entretenues. Celles qui donnent sur la rue sont bruyantes. L'été, on peut profiter de la petite piscine qu'ombragent les grands arbres de l'agréable jardin. Restaurant et bar. Prévoyez 40DT la double. *Rue du 2-Mars-1934 Tél. 465 244 Fax 465 048*

🧳🍴 prix élevés

Sufetula Les chambres de l'étage jouissent d'une belle vue sur le site antique. Cet hôtel des années 1960 a été entièrement rénové pour devenir en 2007 un hôtel 3-étoiles. Les chambres disposent désormais de la clim., de la TV et de sanitaires. La rénovation va de pair avec une hausse des prix : 96DT pour une chambre double. Il est également possible de choisir la demi-pension ou la pension complète au restaurant de l'hôtel. *Route de Kasserine (sur la droite après le site archéologique), à 2km du centre-ville Tél. 465 074 Fax 465 582*

LE TELL

GAMME DE PRIX	RESTAURATION	HÉBERGEMENT
Très petits prix	moins de 5DT	moins de 15DT
Petits prix	de 5DT à 15DT	de 15DT à 30DT
Prix moyens	de 15DT à 25DT	de 30DT à 60DT
Prix élevés	de 25DT à 40DT	de 60DT à 100DT
Prix très élevés	plus de 40DT	plus de 100DT

GEOREGION

Pêcheur et sa barque, îles Kerkennah.

LE SAHEL

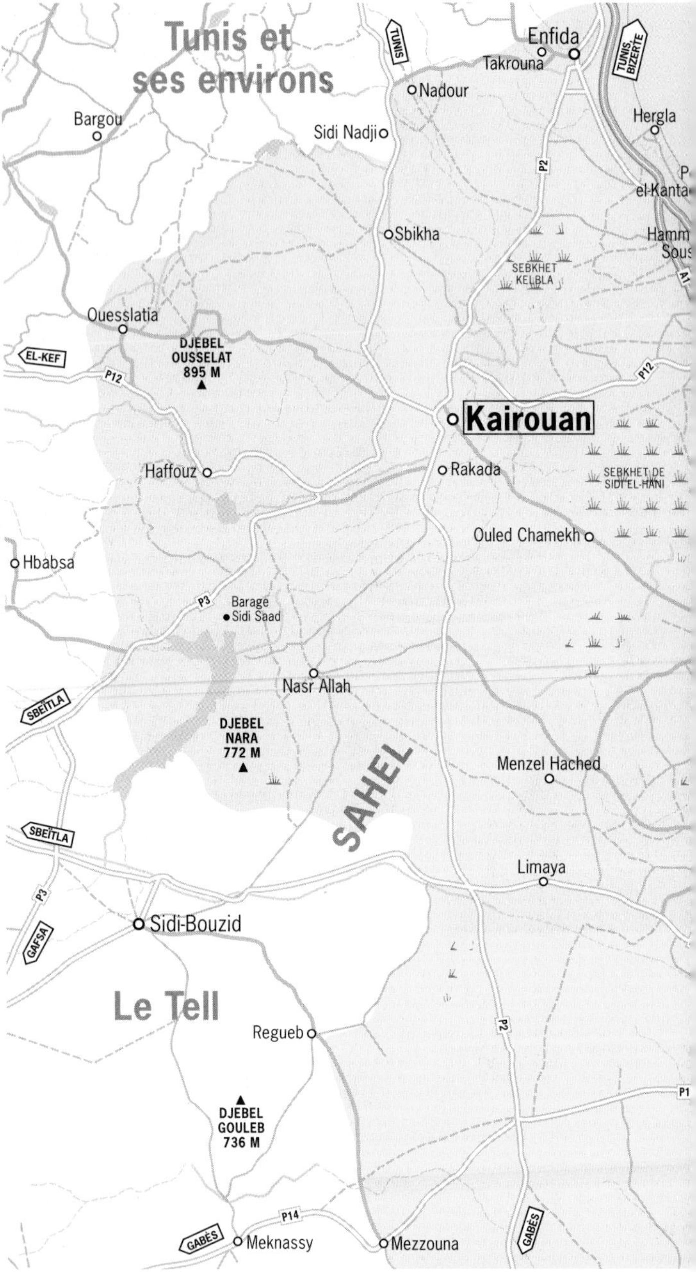

Tunis et ses environs

Bargou

Sidi Nadji

Nadour

Enfida
Takrouna

Hergla

P
el-Kanta

Sbikha

P2

SEBKHET
KELBLA

Hamm
Sous

A1

Ouesslatia

EL-KEF

P12

DJEBEL
OUSSELAT
895 M

Kairouan

P12

Haffouz

Rakada

SEBKHET DE
SIDI EL-HANI

Ouled Chamekh

Hbabsa

P3

Barage
Sidi Saad

Nasr Allah

SBEITLA

DJEBEL
NARA
772 M

SAHEL

Menzel Hached

SBEITLA

P3

GAFSA

Sidi-Bouzid

Limaya

Le Tell

Regueb

P2

P1

DJEBEL
GOULEB
736 M

GABES

P14

GABES

Meknassy

Mezzouna

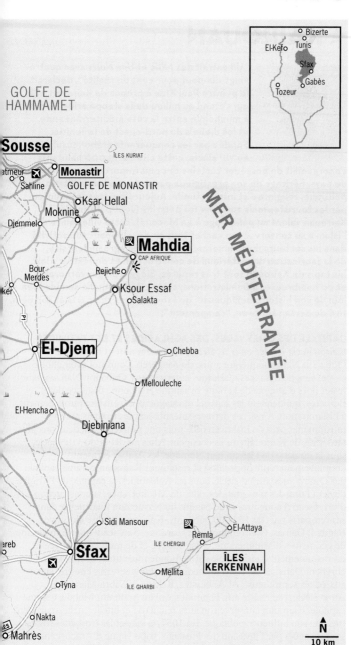

LE SAHEL

★KAIROUAN

Ind. tél. 77

"Un extrait des *Mille et Une Nuits* avec quatre-vingt-dix-neuf pour cent de réalité", déclarait le peintre Paul Klee à propos de Kairouan, ville qui s'étend au milieu de la steppe aride du Sahel, à mi-chemin entre la côte méditerranéenne et les djebels du nord-ouest de la Tunisie. Fondée par les conquérants arabo-musulmans au VIIᵉ siècle, cette cité de 75 000 habitants s'enorgueillit de posséder certains des plus importants monuments du pays, héritage de son prestigieux passé de capitale militaire, politique, religieuse et intellectuelle. Aujourd'hui très fréquentée par les touristes mais aussi par les pèlerins (sept pèlerinages à Kairouan valent un pèlerinage à La Mecque), cette ville sainte de l'islam a su conserver son cachet tout en développant son activité dans les secteurs du commerce, de l'industrie agroalimentaire, de la fabrication de matériaux de construction et du textile. Ainsi, les tapis de Kairouan sont très réputés. Siège d'un gouvernorat et de nombreuses administrations, cette cité tranquille semble bien loin de son histoire belliqueuse, qu'évoquent ses remparts et son nom, tiré du persan *karawan*, "campement".

CAPITALE DES OMEYYADES, DES AGHLABIDES ET DES FATIMIDES

Kairouan est fondée en 671, 50 ans seulement après l'hégire, par Oqba ibn Nafi, conquérant arabe du Maghreb. Pourquoi avoir choisi ce site éloigné des voies maritimes et terrestres ? Oqba ibn Nafi souhaite rester hors d'atteinte de la flotte byzantine et à bonne distance des Berbères, qui tiennent les massifs montagneux et résistent farouchement à l'islamisation. Ainsi, ces derniers anéantissent les troupes arabo-musulmanes près de Biskra en 682, puis une nouvelle fois, deux ans plus tard, près de Kairouan, qu'ils occupent. Mais au début du VIIIᵉ siècle, sous la houlette de Hassan ben Nomane, les Arabes écrasent définitivement toute opposition et restaurent Kairouan comme capitale des Omeyyades. Au IXᵉ siècle, sous les Aghlabides, la capitale de l'Ifriqiya devient l'une des plus grandes villes de Méditerranée, la construction d'un réseau d'aqueducs et de bassins lui permettant d'accueillir dans ses remparts plus de 100 000 habitants. Kairouan rivalise alors avec Bagdad, Damas, Constantinople et Cordoue. Son académie de médecine, de géométrie, d'arithmétique, d'astronomie et de traduction exerce un rayonnement considérable sur le monde musulman et sur l'Occident chrétien. Dans ses environs immédiats sont érigées trois cités royales aux palais somptueux : Al-Abbassiya, Rakada et Sabra Mansouria. Au Xᵉ siècle, elle résiste aux Fatimides, qui lui préfèrent Mahdia comme capitale. Kairouan conserve son aura religieuse et intellectuelle, mais perd très vite son influence politique. En 1057, la ville et les trois cités royales sont ravagées par l'invasion des Hilaliens, tribu venue d'Arabie centrale. Seule Kairouan, avec difficulté, s'en relèvera. Sous les Hafsides,

au XIVe siècle, elle retrouve un peu de son éclat, puis vivote jusqu'au
XIXe siècle, où elle ne compte plus que 12 000 habitants.

KAIROUAN LA REBELLE Kairouan, ville clé des routes du Sud, devient
un foyer de résistance au protectorat français après le traité du Bardo
du 12 mai 1881. Un mois plus tard (15 et 20 juin) s'y réunissent
les représentants des différentes tribus. Un émissaire est envoyé vers
le dignitaire ottoman le plus proche, celui de Tripoli, sans succès.
Quelques mois plus tard, la ville, encerclée par trois colonnes de l'armée
française et incapable de soutenir un siège, préfère se rendre sans
combattre. Elle demeurera, pendant des années, le foyer d'une guérilla
(harcèlement de l'armée, attaques éclair des colons).

UNE VILLE SAINTE Kairouan est la première ville sainte du Maghreb
et la quatrième du monde musulman après La Mecque, Médine
et Jérusalem. Ce statut glorieux est dû à sa fondation précoce (c'est
la première cité créée par les Omeyyades en Afrique du Nord) et au fait
que l'on y ouvre bien vite des écoles coraniques, encouragées par
la présence d'Abou Zamaa el-Balaoui, dit Sidi Sahab, compagnon
du prophète Mahomet. Ce saint, mort et inhumé à Kairouan, fait encore
l'objet d'une vénération telle que son tombeau demeure le plus important
lieu de pèlerinage de Tunisie. De même, la grande mosquée de Kairouan
est l'un des principaux monuments religieux du pays, et elle contribue
beaucoup au prestige de la ville.

LE SAHEL

MODE D'EMPLOI

accès

EN AVION
L'aéroport le plus proche est celui de
Sousse-Monastir, à 72km de Kairouan
(cf. Monastir).

EN CAR
Plusieurs cars par jour de Tunis,
Sousse, Sfax, Hammamet, Tozeur,
El-Kef.

Gare routière (plan 15, B4) *Sur la
route de Gafsa (à 2km du centre-ville)*

EN LOUAGE
Voitures de louage en provenance de
Tunis, Sousse, Sfax, Hammamet, Tozeur
et El-Kef. Départs fréquents pour Tunis,
Nabeul, Hammamet, Sousse, Monastir,
Sfax, Gabès, Gafsa, Tozeur et Kebili.
Station (plan 15, B4) *À côté de la gare
routière (sur la route de Gafsa, à 2km
du centre-ville)*

Tableau kilométrique

	Kairouan	Sousse	Monastir	El-Djem	Sfax
Sousse	68				
Monastir	83	20			
El-Djem	70	63	73		
Sfax	136	125	137	64	
Sbeïtla	117	185	200	189	163

LE SAHEL

EN VOITURE

Kairouan est située à 164km au sud de Tunis (route P3), à 68km à l'ouest de Sousse (route P12) et à 136km au nord-ouest de Sfax.

orientation

Orientée sud-ouest/nord-est, la médina est ceinte de remparts sur trois côtés. Seul le flanc sud-ouest n'est pas fortifié. Ces remparts sont longés par des avenues, qui rejoignent toutes la place des Martyrs, point névralgique de la ville, où se trouve l'office de tourisme.

informations touristiques

Office de tourisme (plan 15, C3) On y trouve brochures et indications d'hébergement. Pas de billets pour les monuments ni de visites guidées. *Pl. des Martyrs Tél. 231 897 Fax 237 897 Ouvert lun.-jeu. 8h30-13h et 15h-17h45, ven. 8h-13h, sam. 8h-13h*

Agence nationale de mise en valeur du patrimoine et de promotion culturelle – APPC (plan 15, B1) Ce bureau est l'unique lieu de vente des forfaits permettant de visiter les six principaux monuments et musées de Kairouan : Grande Mosquée, bassins aghlabides, musée Sidi Amor Abbada, zaouïa de Sidi Abid Ghariani, zaouïa

de Sidi Sahab et, en dehors de la ville, musée de Rakada. Des guides agréés se tiennent à votre disposition pour la visite de Kairouan (15DT pour les touristes individuels et 20DT pour les groupes). *Pl. des Bassins-des-Aghlabides Tél. 270 452 Ouvert lun-jeu. 8h-17h30, ven. 8h-13h, sam.-dim 8h-16h Le billet groupé : 6DT (valable pour une seule journée), moins de 6 ans gratuit, (droit photo 1DT)*

poste et banques

Plusieurs banques avec distributeurs de billets sur l'av. de la République et aux abords du siège de la municipalité.
Bureau de poste principal (plan 15, B4) *Pl. de la Victoire Ouvert hiver : lun.-sam. 8h-18h ; été : lun.-sam. 8h-16h30*

accès Internet

Publinet (plan 15, B4) 2DT/h de connexion. *Av. Ali-Zouaoui (presque en face du musée du Tapis) Ouvert tlj. 8h-0h*

festival

Festival du Tapis Défilés folkloriques, démonstrations de tissage. *Quelques jours en mars ou avril selon les années*

DÉCOUVRIR

☆ **Les essentiels** La Grande Mosquée de Kairouan, la zaouïa de Sidi Sahab, la médina et les souks, le musée national des Arts islamiques de Rakada
Découvrir autrement Découvrez l'art du tissage au musée du Tapis, puis négociez celui de vos rêves dans les souks ➤ **Carnet d'adresses p.235**

Kairouan

☆ ☺ **Grande Mosquée (plan 15, C1)** "Je ne connais par le monde que trois édifices religieux qui m'aient donné l'émotion inattendue et foudroyante de ce barbare et surprenant monument : le Mont-Saint-Michel, Saint-Marc de Venise et la chapelle Palatine à Palerme." Sans doute partagerez-vous l'impression de Guy de Maupassant… D'emblée, l'enceinte fortifiée soutenue par des contreforts et percée de neuf portes rappelle que cet édifice servit à la fois de lieu de culte et de refuge en cas de conflit. Fondée au VIIe siècle, la Grande Mosquée fut reconstruite en 836 et restaurée à plusieurs reprises, notamment sous les Zirides (plafonds de la salle de prière), sous les Hafsides (construction du lanternon), et sous les Ottomans (portes et portiques). Le monument dessine un grand quadrilatère de 135m sur 80m dans l'angle nord-est de la médina. L'une de ses caractéristiques est de comprendre de nombreux éléments de réemploi. Comme le dit Maupassant, c'est "une demeure faite de morceaux arrachés aux villes croulantes, mais aussi parfaite et aussi magnifique que les plus pures conceptions des plus grands tailleurs de pierre". L'immense **cour** est ceinte d'un portique soutenu par des colonnes, romaines ou byzantines pour la plupart. Sa pente s'incline doucement vers un collecteur en marbre, dont les alvéoles étagées en quinconce filtrent l'eau de pluie stockée dans une vaste citerne au-dessous. Près du collecteur, un **cadran solaire** (XIe s.), dont les quatre pointes correspondent aux saisons, règle les heures de prière. Le **minaret** de plan carré, haut de 32m, qui se dresse au nord de la cour, remonte au IXe siècle. Son allure massive et les parapets de ses deux étages supérieurs rappellent qu'il servit de tour de guet. Remarquez autour de la porte qui s'ouvre sur ses 129 marches, les rinceaux byzantins et les inscriptions latines gravées sur des pierres de réemploi. La **salle de prière**, dont le toit-terrasse est soutenu par 288 colonnes en granit, en marbre ou en porphyre, reproduit le modèle omeyyade développé à Médine. Elle est séparée de la cour par 17 impressionnantes portes en bois de cèdre marqueté, dont les neuf de droite sont réservées aux hommes, et les huit autres aux femmes. La porte centrale s'ouvre sur la nef principale, au bout de laquelle on aperçoit la niche du mihrab. Coiffée de rinceaux de vigne, et tapissée de panneaux de marbre ajouré, elle est encadrée de 133 carreaux de faïence importés de Bagdad. Juste à droite, le somptueux **minbar** du IXe siècle, assemblage de plusieurs centaines de panneaux en teck sculpté, figure parmi les plus anciens du monde islamique. Les non-musulmans doivent se contenter d'admirer la salle de prière de son seuil. Du toit-terrasse émergent les deux dômes côtelés du mihrab et de la porte principale. *Rue de la Grande-Mosquée (au nord de la médina) Ouvert tlj. 8h-14h, ven. 8h-12h Entrée : billet forfaitaire des monuments de Kairouan*

☆ ☺ 🌀 Zaouïa de Sidi Sahab (plan 15, A2) Référence de l'architecture arabo-islamique

pour la délicatesse de son ornementation, ce mausolée abrite la dépouille d'un compagnon de Mahomet, Abou Zamaa el-Balaoui, dit Sidi Sahab. Le complexe est improprement appelé "mosquée du Barbier", parce que le saint transportait toujours sur lui trois poils de la barbe du Prophète. Les Kairouannais viennent célébrer mariages et circoncisions à la zaouïa, et de nombreux pèlerins s'y pressent tout au long de l'année, surtout à l'occasion du mouloud, jour anniversaire de la naissance de Mahomet. Le monument actuel date pour l'essentiel du XVIIe siècle : le tombeau reçut son dôme en 1629, tandis que la medersa et le minaret furent achevés en 1690. Au XIXe siècle, la zaouïa subit quelques remaniements qui n'ont, heureusement, pas rompu le charme qui s'en dégage. On entre dans une vaste cour dominée par un minaret du XVIIe siècle. Sur la gauche s'étendent la **medersa** désaffectée, son

LE SAHEL

Plan 15 Kairouan

LE SAHEL

TUNIS

BASSINS
AGHLABIDES

13

4

Avenue de la République

Rue el-Bakri

Avenue Ibn-Jazzar

KASSERINE

Rue Sadia

6-14

CASBAH

Rue de la Ca

Rue Kchelfa

Rue el-Fassi

Rue Sidi-Srir

Rue Knahsaa

Place
de Tunis

R. Bramba

ZAOUÏA
DE SIDI SAHAB

Rue Rab-Ranem

R. du Marché-Haut

BAB
TOUNÈS

Rue Saleh-Soussi

Rue Sidi-Gaïd

Rue du 7-Novembre

Rue de
Taille

MUSÉE SIDI
AMOR ABBADA

Rue Ibn-
Zoubeir

Rue Rab-Djedid

MOSQUÉE
ELMAALEK

MOSQ
ELB

Avenue de la République

Rue Zouaghia

MOSQUÉE
ZEITOUNA

Rue Homet-el-Bey

2-1

BAB
DJEDID

Avenue Aïn-Zouaoui

Rue Abd-el-Moumen

Rue des Arceaux

BAB E
CHOUH

Place
Mar

MOSQUÉE
DE LA ROSE

Bd Hedi-Chaker

Avenue Aïn-Zouaoui

Avenue de la République

Rue de Gafsa

MUSÉE
DU TAPIS

Rue

ROUTE DE GAFSA-
SFAX, GABÈS,
MAHDIA

Place
la Victe

A   B

1

2

3

4

LE SAHEL

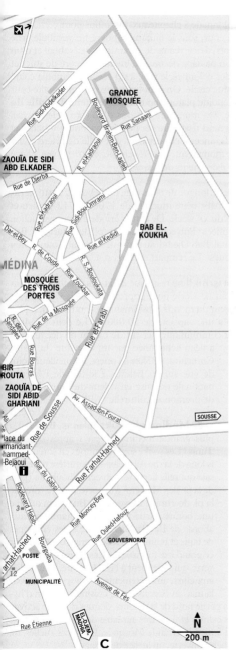

élégant patio ceint d'une colonnade à chapiteaux, byzantins pour certains, et son oratoire. Au fond de la cour, sous le minaret, s'ouvre un vestibule orné de panneaux de stucs délicats, de carreaux de céramique de Nabeul et d'un plafond en bois de cèdre. Un passage découvert, lui aussi décoré de stucs et de faïences et rythmé par des colonnes, le relie à un second vestibule coiffé d'une superbe coupole en stuc ciselé. On débouche ainsi sur une petite cour ceinte d'un portique au splendide plafond en bois polychrome. La **salle du tombeau** s'ouvre à gauche. Ses murs sont tapissés d'ex-voto et le cercueil du saint est couvert d'un grand tissu que les pèlerins viennent toucher et embrasser. Des chambres destinées à ces derniers, une salle de prière et des dépendances complètent le monument. *Ouvert sam-jeu. 8h-17h30, ven. 8h-12h Entrée : billet forfaitaire des monuments de Kairouan*

Remparts L'enceinte actuelle, longue de 6km, date du début du XVIIIe siècle. Le bey Hussein ben Ali fit bâtir cette muraille de 1706 à 1712 en lieu et place des remparts délabrés du XIe siècle. De cette période de reconstruction subsistent quatre portes fortifiées : Bab ech-Chouhada (pl. des Martyrs), Bab el-Koukha, sur le flanc oriental, Bab Djedid, au sud-ouest, et Bab Tounès, non loin de la casbah, au nord-ouest. Le rempart sud-ouest a été abattu.

Bassins aghlabides (plan 15, B1) Il ne reste que deux des quatorze bassins creusés par les Aghlabides au IXe siècle pour approvisionner la ville en eau, un ouvrage hydraulique majeur du monde musulman. Profond de 5m, le plus grand (128m de diamètre) a une capacité de 50 000m³. Le petit (37,40m de diamètre), avec lequel il communique, servait de bassin de décantation à l'eau acheminée par un aqueduc du djebel Chrechira, à 35km à l'ouest. Le meilleur point de vue sur les bassins ? le toit de l'Agence nationale de mise en valeur du patrimoine et de promotion culturelle (APPC).

UN PUITS SACRÉ
Au premier étage d'une maison de la médina, un dromadaire entraîne une noria qui remonte de l'eau d'un puits. La légende veut que ce dernier, profond de 20m, communique avec celui de Zam Zam, à La Mecque. Aussi certains pieux Tunisiens viennent-ils boire son eau. L'entrée est gratuite, mais il est de bon ton de laisser une piécette au chamelier. **Bir Barouta (plan 15, C3)** *près de la rue Ali-Belhaouane Ouvert tlj. 8h30-17h*

☆ ☺ **Médina et souks** (plan 15, B2-C2) La plus grande médina du pays après celle de Tunis ! Les souks sont regroupés en son centre, le long de la rue Ali-Belhaouane, artère transversale qui relie la porte Bab ech-Chouhada (près de la pl. des Martyrs) à la porte Tounès (près de la pl. de Tunis). Le souk des Bijoutiers occupe une bonne partie de la rue, notamment aux abords de Bir Barouta, même si les échoppes de tapis et boutiques de souvenirs ont fleuri sur ce grand axe touristique. Les autres souks, couverts, qui s'étendent à l'est de la rue, sont dédiés aux cuirs, aux vêtements et aux produits pour la maison (ustensiles de cuisine, produits d'hygiène…). L'extrême sud et la partie nord de la médina, dénués de toute activité commerciale, sont bien plus calmes et il est très agréable de s'y promener, ne serait-ce que pour rejoindre à pied la Grande Mosquée. Dans ces ruelles, on entrevoit parfois, par une fenêtre ouverte, un atelier de tissage.

Zaouïa de Sidi Abid Ghariani (plan 15, C3) Cet élégant édifice du XIVᵉ siècle abrite les bureaux de l'Association de sauvegarde de la médina. On peut néanmoins visiter les deux cours de la zaouïa et la salle du tombeau de Sidi Abi Ghariani, dont le somptueux plafond en bois de cèdre sculpté est incrusté de nacre. Les portiques aux arcs de marbre noir et blanc de la cour principale sont décorés de carreaux de faïence et de stucs délicats. Notez les colonnes antiques de réemploi dans la seconde cour, plus petite et plus sobre, celle de la medersa. *Rue Sidi-Abid-Ghariani (dans la médina) Ouvert sam.-jeu. 8h-17h30, ven. 8h-12h Entrée : billet forfaitaire des monuments de Kairouan*

Mosquée des Trois Portes (plan 15, C2) Cette petite mosquée édifiée en 866 – c'est l'un des plus vieux monuments de Kairouan – possède une remarquable façade sculptée. Entre le bord crénelé du toit et les trois portes courent deux inscriptions en écriture coufique séparées par un registre de décors floraux. Comme la façade fut démontée et remontée pierre par pierre au XVᵉ siècle, lors de la construction du minaret, la frise manque de continuité. Un puzzle étonnant et magnifique ! *Rue de la Mosquée-des-Trois-Portes (dans la médina) L'accès de la mosquée est réservé aux musulmans*

Musée du Tapis (plan 15, B4) Son intéressante collection rend compte de la diversité artisanale du tapis tunisien. Chaque tapis est accompagné d'une fiche indiquant sa date de fabrication, sa région d'origine et le nombre de nœuds qu'il compte au mètre carré, ce qui détermine sa valeur. Vous reconnaîtrez les kairouans classiques, en laine et coton, à leurs motifs géométriques très colorés, généralement abstraits. Un beau spécimen est exposé en haut de l'escalier à droite de l'entrée. Pièce la plus ancienne de la collection (1830), il a nécessité deux ans de travail. Comme plusieurs autres pièces du XIXᵉ siècle, il est flanqué d'une reproduction récente aux couleurs bien plus vives. On peut aussi admirer des *gtif*, tapis en très longs poils de chèvre ou de chameau, aux couleurs chaudes, tissés par des hommes. Tous les autres types de tapis sont plutôt l'apanage des femmes. Les *gtif* se font rares, car les nomades qui avaient coutume de les acheter sont à présent en voie de sédentarisation. *Rue Zouaoui Tél. 232 013 Ouvert lun.-jeu. 8h30-13h et 15h-18h, ven. 8h-13h, sam. 8h-13h Entrée libre*

Musée Sidi Amor Abbada (plan 15, A2) Cette zaouïa, improprement appelée "mosquée des Sabres" ou "mosquée aux Sept Coupoles", abrite le tombeau de Sidi Amor Abbada et un petit musée où l'on peut admirer certains objets façonnés avec art par ce maître forgeron mort en 1871. On y découvre notamment des sabres et des ancres de marine. Celles qui ornent la rue de Sousse, au nord-est de la place des Martyrs, sont aussi de sa main. Les coffres, les grands panneaux sculptés de versets du Coran et la surprenante pipe de 1,30m démontrent que le saint homme était également très doué pour le travail du bois… et qu'il aimait la démesure. Une curiosité. *Accès fléché à partir de l'extrémité sud-ouest des remparts de la médina Ouvert mar.-jeu, ven. 9h-13h, sam-dim. 9h-16h*

● **Où acheter un tapis ?** Ce n'est ni simple ni de tout repos ! Il vous faut d'abord affronter les rabatteurs, parfois même avant d'arriver à Kairouan,

LE SAHEL

si vous circulez en voiture particulière : ils vous abordent à un carrefour ou simulent une panne, en espérant que vous vous arrêterez. Rappelons que le nombre de nœuds au mètre carré détermine la valeur des tapis au point noué. Ainsi un tapis 30/30 compte 90 000 nœuds au mètre carré et, beaucoup plus rare, un 70/70 est composé de 490 000 nœuds. Attention, quelle que soit la boutique, tous les vendeurs vous présenteront leurs meilleurs tapis, qu'ils tenteront de vous vendre au prix fort, tout en vous faisant croire qu'il s'agit d'une affaire : à vous de négocier ! *La plupart des magasins de tapis sont regroupés près de la rue Ali-Belhaouane, à l'entrée de la médina, non loin de la porte Bab ech-Chouhada Signalons la jolie* **boutique***, établie dans une maison ancienne de la rue Sidi-Abid-Ghariani, sur la gauche juste après la zaouïa du même nom. Une autre,* **Chaouachi** *(rue Om-el-Mouminine-Aïcha), fait face au minaret de la Grande Mosquée, hors les murs de la médina*

● **Où acheter des makroud ?** Grande spécialité de Kairouan, le *makroud* est un très nourrissant petit gâteau de semoule fourré de dattes et nappé de sucre. Plusieurs pâtisseries sont regroupées dans le **souk des Bijoutiers** (rue du 7-Novembre, dans la médina, plan 15, B2-B3). La plus réputée est Segni, qui vend des boîtes et corbeilles d'assortiments (*makroud* seuls ou assortiment de pâtisseries tunisiennes), mais c'est un peu plus cher qu'ailleurs. Comptez 1,50DT le kilo de *makroud*.

● **Où boire un thé ?** Niché entre deux boutiques, ce petit café discret est fréquenté par les artisans du souk des Cuirs. Nourredine vous proposera de boire un thé à 200 millimes, des sodas, du café ou encore de fumer une chicha pour 2DT. **Café des Souks (plan 15, B2)** *Dans le prolongement du souk des Sandales Ouvert tlj. 5h-20h*

● **Aller au hammam** Conjuguez plaisirs de la découverte et de la détente en allant prendre un bain de vapeur dans le plus ancien hammam de Kairouan en activité (fondé au XVIIIe s.). **Hammam Zoukbar (plan 15, C2)** *Près de la mosquée des Trois Portes (dans la médina) Ouvert tlj. 4h-14h pour les hommes, 14h-20h pour les femmes Tarif 1DT Massage 1,50DT*

Les environs de Kairouan

☆ ☺ **Musée national des Arts islamiques de Rakada** Établi dans une ancienne résidence d'État, au cœur d'un parc de 20ha, le musée propose un intéressant panorama de l'art islamique de la région. Sa fabuleuse collection de manuscrits et de livres provient de la bibliothèque de la Grande Mosquée de Kairouan. Elle comprend de magnifiques corans sur vélin et parchemin des IXe-XIe siècles ainsi que des reliures en cuir du IXe siècle. Des pièces de monnaie, il faut retenir le rare dinar d'or que fit frapper "l'Homme à l'Âne", Abou Yazid, qui parcourut le Maghreb dans la première moitié du Xe siècle, exhortant les populations à chasser les chiites fatimides. Des bijoux des Xe et XIe siècles, de la verrerie et de splendides poteries et céramiques illustrent l'art des débuts de l'ère islamique. Nombre de ces objets ont été mis au jour à Rakada, cité royale fondée par les Aghlabides en 876 et ravagée par l'invasion hilalienne au

XIᵉ siècle. D'autres proviennent du site de Sabra Mansouria, autre cité royale proche de Kairouan qui subit le même sort. *Route de Gabès (à 10km au sud de Kairouan, passé la cité universitaire) Tél. 323 337 Ouvert mar.-jeu. et dim. 9h-16h, ven.-sam. 9h-13h Entrée payante comprise dans le billet délivré par l'APPC*

CARNET D'ADRESSES

Restauration

 petits prix

Sabra (plan 15, C4) Le patron vous accueille chaleureusement dans sa petite salle toute simple où l'on s'attable pour savourer un couscous ou une *koucha* (pommes de terre au four accompagnées de sauce tomate et de viande d'agneau, 4DT). Environ 7DT-8DT le repas. *Av. de la République Tél.235 095 Ouvert jusqu'à 23h en été, 21h en hiver*

Barouta (plan 15, B3) Installé en soirée à l'une des tables dans la ruelle, en bordure d'une placette, on se trouve directement au contact des habitants de la médina quand, aux beaux jours, ils sortent prendre le frais. Le jeune et sympathique Adnen, héritier d'une lignée de restaurateurs, assure avec maestria l'accueil, la cuisine et le service de son minuscule établissement. Bonnes brochettes de volaille (4DT) et ragoût d'agneau (7DT) en plus du traditionnel couscous (6DT). *Rue Ali-Belhaouane (juste à côté de l'hôtel Barouta – aucun lien entre les deux établissements –, derrière Bir Barouta ; cf. Découvrir Kairouan) Ouvert tlj. jusqu'à 22h*

Pizzeria César (plan 15, C4) C'est le rendez-vous de la jeunesse kairouanaise. Le rez-de-chaussée est un fast-food (hamburgers et sandwichs à emporter). À l'étage, meublé d'élégantes tables et chaises en fer forgé, excellentes pizzas cuites au feu de bois ou du couscous, dans une formule complète à 5DT. Pas d'alcool. *5, Cité-Commerciale Tél. 234 332 Ouvert tlj. 8h-20h30*

Piccolo Mondo (plan 15, B1) Tables et bancs en pin en salle, terrasse abritée sur le trottoir, l'endroit est joli et accueillant. La carte, variée, propose d'excellentes pâtes et pizzas, mais aussi de bons plats de poisson. Repas de 8DT à 17DT. *Dans la rue menant aux bassins aghlabides (face à l'hôpital Ibn el-Jazzar) Tél. 228 879 Ouvert tlj. 9h-22h (0h en été)*

☺ **Le Roi du couscous (plan 15, B4)** Qu'il soit de mouton, d'agneau, de poulet ou de merguez, ici, le couscous est généreux et savoureux. Ceux qui ne goûtent pas cette spécialité pourront déguster une escalope ou une daurade grillée, arrosée d'un vin tunisien. L'ambiance chaleureuse tient aussi au décor en bois foncé, à la mezzanine à laquelle sont suspendus plats en cuivre et grappes de piments.

LE SAHEL

GAMME DE PRIX	RESTAURATION	HÉBERGEMENT
Très petits prix	moins de 5DT	moins de 15DT
Petits prix	de 5DT à 15DT	de 15DT à 30DT
Prix moyens	de 15DT à 25DT	de 30DT à 60DT
Prix élevés	de 25DT à 40DT	de 60DT à 100DT
Prix très élevés	plus de 40DT	plus de 100DT

LE SAHEL

Quelques photos accrochées au mur témoignent des exploits footballistiques du patron : l'endroit s'appelle aussi "Le restaurant des Sportifs". Menu à 8DT. *À l'angle de la pl. de la Victoire et de la rue Zouaoui*

🍴 prix élevés

☺ **Sofra (plan 15, B2)** Voici certainement la plus agréable (et la plus onéreuse) des rares tables un tant soit peu gastronomiques de Kairouan. Dans le cadre bien soigné de l'hôtel La Kasbah, sous des arcades en brique claire, le personnel très stylé vous sert une cuisine internationale élaborée (copieuse côte de bœuf et délicieux filets de poisson cuits aux herbes) ou tunisienne (chorba douce comme un velouté, généreux couscous et autres spécialités goûteuses à base d'agneau). À noter qu'un buffet pantagruélique d'entrées, plats et desserts est proposé tous les jours midi et soir (25DT/pers.) Comptez 40DT le repas, vin compris. CB acceptées. *Hôtel La Kasbah, av. Ibn-Jazzar Tél. 237 301 www.goldenyasmin.com Ouvert 12h-14h30 et 19h-21h30*

Hébergement

🧳 très petits prix

Barouta (plan 15, B3) Au cœur de la médina, une excellente adresse pour les minibudgets. Basiques mais propres, les 11 petites chambres sont simplement meublées d'un grand lit et d'une ou deux chaises. Le vrai luxe, c'est que vous voyez de votre fenêtre le spectacle des toits, des dômes et des minarets environnants dans la lumière changeante ! Retour sur terre : douches et toilettes sont collectives, mais la nuitée ne coûte que 3DT/pers... *Rue Ali-Belhaouane (près de la mosquée Maalek et non loin du puits Bir Barouta)*

🧳 prix moyens

Splendid (plan 15, C4) Que d'atouts ! Derrière sa haute façade ornée de carreaux de céramique, face à un jardin arboré, dans une petite rue calme, le Splendid propose 30 chambres climatisées et spacieuses, aux murs blancs fraîchement repeints. Quelques-unes, immenses, comme la 108, accueillent 4 lits. L'hôtel dispose d'un restaurant et d'un bar. La double revient à 46DT, la triple à 60DT. CB acceptées. *Rue du 9-Avril Tél. 230 041/227 522 Fax 230 829*

Tunisia (plan 15, C4) Un immeuble des années 1930, dans le centre de Kairouan. Le style un peu suranné de l'hôtel se retrouve dans le papier peint fleuri des chambres. L'accueil ne manque pas de cordialité. Certaines chambres, 42 au total, ont un balcon. Comptez 45DT la double avec clim. et petit déj. Pas de CB. *Av. de la République Tél. 231 855/231 775 Fax 231 597*

Continental (plan 15, B1) Face aux bassins aghlabides et à 10min à pied de la médina, cet hôtel de luxe a vieilli mais dispose d'une centaine de chambres encore assez confortables à un prix compétitif : 60DT la double, avec TV, clim. et grand balcon donnant sur le jardin et la piscine, remplie seulement en été. Mobilier en bois, lui aussi un peu vieillot. Bon compromis entre La Kasbah et les petits hôtels du centre-ville. Pas de CB. *Rue de Tunis Tél. 231 135 ou 231 111 Fax 229 900*

🧳 prix très élevés

☺ **La Kasbah (plan 15, B2)** Ce 5-étoiles de charme se cache derrière les hauts murs de l'ancienne casbah de Kairouan. Idéalement situé à l'entrée de la médina, il loue 94 chambres doubles et 3 suites aussi élégantes que douillettes : boiseries et panneaux de céramique aux murs, épais couvre-lits, coussins, tapis et un plus : le wifi. Un hammam, une piscine, deux restaurants (cf. ci-dessus), un bar et un café maure complètent les équipements luxueux. Un bémol cependant : à l'aube, l'appel du muezzin de la mosquée voisine est brutal ! Tous les hôtels ne sont pas voisins d'une mosquée (heureusement !). Prévoyez 180DT la double en haute saison. CB acceptées. *Av. Ibn-Jazzar Tél. 237 301 ou 233 438 www.goldenyasmin.com*

★ SOUSSE

Ind. tél. 73

Très touristique et très vivante, Sousse mérite que l'on prenne le temps de la découvrir. De l'Antiquité au XXᵉ siècle, les puissances de la Méditerranée n'ont cessé de se disputer ce grand port. Depuis une trentaine d'années, la troisième ville de Tunisie (environ 230 000 habitants) est aussi une importante destination touristique : de magnifiques plages de sable blanc s'étendent à perte de vue au nord comme au sud de l'agglomération.

Les somptueux monuments ont été restaurés, la médina (inscrite sur la Liste du patrimoine mondial de l'Unesco) a enjolivé ses souks et ravalé ses murailles, les musées ont dépoussiéré leurs mosaïques, les hôtels ont poussé un peu partout et, à quelques kilomètres au nord de Sousse, la marina de Port el-Kantaoui a jailli de nulle part.

PORT STRATÉGIQUE ET CAPITALE DU SAHEL TUNISIEN Colonie phénicienne fondée vers le IXᵉ siècle av. J.-C., Hadrumète entre dans la sphère d'influence carthaginoise trois siècles plus tard, mais choisit de soutenir Rome lors de la dernière guerre punique. En récompense, elle obtient le statut de ville libre en 146 av. J.-C. Sa prospérité est telle qu'elle devient vite la deuxième cité de l'Africa romaine après Utique. À la fin du IIIᵉ siècle de notre ère, Hadrumetum accède au rang de capitale de la Byzacène (nouvelle province romaine correspondant à l'actuel Sahel). Rebaptisée Hunericopolis par les Vandales au Vᵉ siècle, Justinianopolis par les Byzantins un siècle plus tard, elle est détruite au VIIᵉ siècle par Oqba ibn Nafi. Elle renaît sous les Aghlabides, qui la nomment Soussa et la dotent, en 827, d'un important arsenal en vue de conquérir la Sicile. La cité se pare également de fortifications qui lui éviteront, vers 1050, de subir le sort de Kairouan, ravagée par les Hilaliens. Mais Sousse sera occupée par les Normands de Sicile avant d'être libérée par les Almohades au XIIᵉ siècle. Sous les derniers Hafsides, elle est attaquée par les Espagnols, rivaux des Turcs, puis au XVIIIᵉ siècle par les Français et les Vénitiens. Elle renoue avec la prospérité sous le protectorat français en devenant l'un des principaux ports tunisiens d'exportation des phosphates. Sousse est durement éprouvée par les bombardements de 1942-1943. Aujourd'hui, elle abrite le siège d'un gouvernorat, une université ainsi que de nombreuses entreprises industrielles.

LE SAHEL

MODE D'EMPLOI

accès

EN AVION
Aéroport de Monastir Liaisons avec Sousse en bus, en taxi et en train ("métro du Sahel"). À 15km au sud-est de Sousse Tél. 520 000/521 300

EN TRAIN
Gare principale (plan 16, B3) Trains quotidiens en provenance de Tunis, Nabeul, Sfax, Gabès. *Pl. Farhat-Hached*
Gare de Bab el-Djedid (plan 16, B4) Terminus du "métro du Sahel", train qui relie Monastir et Mahdia à Sousse à la fréquence moyenne d'une rame toutes les 45min (5h-21h30). *Sur le port Tél. 463 580*

EN CAR
Gare routière principale (hors plan) Liaisons fréquentes avec Kairouan, Tunis, Sfax, Gabès, Hammamet et Nabeul. *Av. Léopold-Sédar-Senghor (à 3km du centre-ville)*
Autre gare (plan 16, B3) Cars pour Monastir (toutes les 30min) et d'autres villes de la région. *Près des remparts de la médina, place Fahrat-Hached*

EN VOITURE
Sousse est à 136km au sud de Tunis (autoroute A1), à 20km à l'ouest de Monastir et à 125km au nord de Sfax.

orientation

Avenue Habib-Bourguiba venant du nord, avenue Mohammed-V venant du sud, boulevard Ibn-Omar venant de l'ouest... les grands axes de Sousse convergent vers la place Farhat-Hached. Au sud de l'esplanade s'étendent la médina et le port, au nord, la ville moderne et la longue plage de Boujaafar en direction de Port el-Kantaoui.

informations touristiques

Office de tourisme (plan 16, B3) *1, av. Habib-Bourguiba Tél. 225 157/158 Fax 224 262 Ouvert juil.-août : tlj. 8h-19h ; le reste de l'année : lun.-jeu. 8h30-13h et 15h-17h45, ven.-sam. 8h-13h*
Antenne de Port el-Kantaoui *À l'entrée de la marina sur la gauche Tél. 348 799 Ouvert juil.-août : tlj. 7h30-19h ; le reste de l'année : dim.-jeu. 8h30-13h et 15h-17h45, ven.-sam. 8h30-13h30*
Train touristique et tuk-tuk Un petit train relie Sousse à Port el-Kantaoui en passant par la zone hôtelière. Un départ toutes les heures. Station (plan 16, B2) en bord de plage, au bout de l'avenue Habib-Bourguiba (juste après l'hôtel Abou Nawas Boujaafar) Au même endroit, on peut héler un tuk-tuk (triporteur muni de deux banquettes) pour rejoindre la zone touristique. *Tél. train touristique 240 353*

poste et banques

Nombreux distributeurs aux abords de la place Farhat-Hached et de l'avenue Habib-Bourguiba.
Bureau de poste principal (plan 16, B3) *À l'angle de l'av. de la République et du bd Mohammed-Maarouf (à l'ouest de la pl. Farhat-Hached)*

librairie

Librairie Kacem (plan 16, B3) Vaste choix de livres et journaux en français. *Bd Hassouna (à proximité de la gare)*

marché, fêtes et manifestations

Marché couvert (plan 16, B4) Poissons, viandes, fruits et légumes. *Dans*

la médina, près de Bab el-Djedid Tous les matins
Festival international Concerts, théâtre, cinéma. *De mi-juillet à mi-août*
Tourisme en fête Animations folkloriques. *De mi-juillet à mi-août*

Défilé d'Aoussou Il s'agit du carnaval de Sousse, le plus grand défilé d'Afrique, avec groupes folkloriques et chars. *Fin juillet*

DÉCOUVRIR

☆**Les essentiels** Le ribat, le Musée archéologique, les souks dans la médina **Découvrir autrement** Prenez un verre en haut de la tour du musée Dar Essid, sirotez un thé face à la mer au Café des Nomades, admirez le panorama qu'offre le village de Takrouna ➤ **Carnet d'adresses p.246**

➤ **Carnet d'adresses p.246**

LE SAHEL

Sousse

La médina

☆**Remparts, casbah et souks** Reconstruite sur les ruines des remparts byzantins, l'**enceinte** de la médina date de 859. Percée de huit portes, elle s'étend sur 2,250km, et englobait, à l'origine, le port et son arsenal. Les navires devaient jadis franchir Bab el-Behar (la "porte de la Mer"), au nord-est, pour venir jeter l'ancre près du ribat. La **casbah**, dressée sur une éminence, au sud-ouest, ne fut agrandie et intégrée dans l'enceinte de la ville qu'au XIᵉ siècle. Seule est d'origine (IXᵉ s.) sa tour de Khalef, une tour à signaux haute de 30m, qui a été transformée en phare depuis. Une grande partie de la casbah est maintenant occupée par le Musée archéologique. La médina a su conserver son unité architecturale : c'est l'une des plus belles du pays. Promenez-vous dans les ruelles labyrinthiques qui cernent le quartier des **souks**. Dans ses nombreux passages couverts (souk El-Reba, souk El-Caïd, rue d'Angleterre, rue de Paris), vous pourrez acquérir des tapis et des tissus, de la vaisselle, des vêtements, des bijoux, des parfums… à condition de savoir négocier et de supporter les apostrophes incessantes des marchands dans toutes les langues d'Europe, russe et ukrainien compris !

☆ ☺ **Ribat** (plan 16, B3) Ce monastère fortifié d'une austère simplicité est l'un des monuments les plus célèbres de l'islam tunisien. Érigé à la fin du VIIIᵉ siècle, comme le ribat de Monastir, il appartient au système défensif mis en place pour protéger la côte des attaques chrétiennes. L'enceinte, presque carrée (38m sur 30m de côté), est ponctuée de sept tours hémisphériques et d'un **nador**, tour de guet bâtie en 821 dans l'angle sud-est, d'où le regard embrasse le port, la médina et la **Grande Mosquée**. Passé le vaste porche du ribat, défendu jadis par une herse, on débouche dans une cour rectangulaire, entourée d'un portique, autour de laquelle sont distribuées les anciennes cellules des moines soldats. Près du porche, des marches conduisent au 1ᵉʳ étage, occupé par des cellules sur trois côtés. La salle de prière, côté sud, est la plus ancienne mosquée d'Afrique encore debout. Un hammam et des entrepôts complètent le dispositif. *Juste à côté de la Grande Mosquée (à l'entrée nord-est de la médina) Ouvert avr.-mi-sept. : tlj. 8h-18h ; mi-sept.-mars : tlj. 8h-19h ; ramadan : tlj. 8h-15h Tarif 2,10DT Droit photo 1DT*

Grande Mosquée (plan 16, B3)

Ses murs crénelés et ses deux grosses tours d'angle rappellent que, comme le ribat, elle participait jadis à la défense du port et de son arsenal. Fondée en 851 par l'émir aghlabide Aboul Abbas Mohammed, elle est le troisième monument de la ville par l'ancienneté. Édifiée près du port et à l'entrée de la médina, elle resta privée de minaret jusqu'au XIᵉ siècle, la tour du ribat remplissant cette fonction. La cour est pavée de marbre blanc : ses dalles suivent une pente douce jusqu'au centre, d'où une rigole entraîne les eaux de pluie vers une citerne souterraine. Un portique court sur trois côtés. Côté sud, la galerie-narthex, fut aménagée au XIᵉ siècle et restaurée au XVIIᵉ. La salle de prière (réservée aux musulmans) fut agrandie en 883 et possède un mihrab très sobre (XIᵉ s.). L'ensemble du complexe reste austère. Seule fioriture : la frise de versets du Coran sculptée au-dessus du portique de la cour. Un havre de sérénité au cœur de la ville. *Près de l'entrée nord-est de la médina Ouvert avr.-mi-sept. : tlj. 8h-14h30 ; mi-sept.-mars : tlj. 8h-14h30 (ven. 8h-12h30) ; ramadan : tlj. 8h-13h Tarif 1,10DT*

☆☺ Musée archéologique (plan 16, A4)

Vous pourrez y admirer la plus remarquable collection de mosaïques romaines du pays après celle du Bardo, à Tunis, mais aussi d'intéressantes sculptures, des objets funéraires et des bijoux. À l'entrée, les **galeries du patio** présentent les premières pièces majeures : en particulier, sur le sol de la galerie sud, à droite en entrant, une mosaïque provenant d'El-Djem et représentant Bacchus chevauchant une panthère et une série de *xenia* (natures mortes) : un généreux amoncellement de victuailles exprimant l'hospitalité du maître de maison et destiné à lui assurer la prospérité. Dans la galerie ouest sont rassemblées des *venationes*, scènes de chasse et de combats de gladiateurs et de fauves, ainsi qu'une série de stèles funéraires romaines. Une magistrale mosaïque du IIᵉ siècle, découverte en 1938, représente le dieu Océan, la chevelure piquetée de pattes de crabes, entouré de poissons, de mollusques et de crustacés. Comme la galerie est, la galerie nord du patio présente surtout des œuvres chrétiennes des IVᵉ-VIIᵉ siècles : carreaux de terre cuite, épitaphes et, bien sûr, mosaïques souvent ornées de motifs d'ancres et de poissons, signes de reconnaissance des premiers convertis. La mosaïque funéraire représentant Hermès (fin du IVᵉ s.) provient des catacombes de Sousse. Le sol de la **salle A**, accessible par la galerie sud, est orné d'une magnifique *Tête de Méduse* (vers 150-200). Le front ailé de la Gorgone, sa chevelure hérissée de serpents et les motifs d'écailles qui entourent le médaillon sont d'une finesse éblouissante. La **salle H**, sur le côté nord du patio, abrite de splendides mosaïques provenant de la Byzacène. Probablement du IIIᵉ siècle, *Le Triomphe de Bacchus* montre la victoire du dieu sur les Indiens. *Le Char de Neptune* et *Zeus Jupiter enlevant Ganymède* se distinguent également par l'élégance de leur facture. La **salle G** expose des objets funéraires puniques. Les **salles D, E et F** abritent des statuettes, vases, lampes à huile et figurines protectrices puniques, romains et byzantins trouvés dans les nécropoles de la région. En revenant sur vos pas, traversez le jardin pour gagner trois autres salles. Dans la **salle I**, la délicate mosaïque *Les Saisons et les Mois* (IIIᵉ s.), provenant d'El-Djem, illustre une succession de scènes religieuses ou profanes ; des fresques romaines (IIᵉ s.) sont exposées dans la **salle J** ; et la **salle K** présente des mosaïques de *venationes*, dont la pièce majeure provient de Smirat (IIIᵉ s.). Dans le **jardin** du musée sont réunis des fragments de sculptures, de colonnes et des chapiteaux provenant d'Hadrumète. *Dans la casbah de Sousse (qui domine la médina à l'angle sud-ouest des remparts) Attention, l'entrée du musée se trouve à l'extérieur des remparts, près de la porte Bab el-Gharbi Tél. 227 256 Ouvert avr.-mi-sept. : mar.-jeu. 9h-12h et 14h-18h ; mi-sept.-mars : mar.-jeu. 8h-12h et 15h-19h ; ramadan : mar.-jeu. 8h-15h Tarif 3DT Droit photo 1DT (flash interdit)*

Musée Dar Essid (plan 16, A3) Le propriétaire de cette agréable maison bourgeoise du XVIᵉ siècle l'a transformée en un petit musée privé. Sur le patio richement orné de carreaux de faïences donnent trois chambres, dont les lits s'abritent derrière d'élégantes alcôves en bois peint. Sur la droite, la chambre principale, majestueuse, est précédée d'un portique. Dans la salle de bains, où trône une superbe baignoire en marbre de Carrare, remarquez, parmi les objets exposés, un étonnant petit urinoir de la période romaine. Dans la dépendance, plus austère, où logeaient jadis les domestiques, se visite une petite cuisine, dont les ustensiles en cuivre et la vaisselle en faïence sont soigneusement mis en valeur. Du haut de l'escalier en colimaçon qui grimpe dans la tour, vue spectaculaire sur les toits et le littoral de Sousse. La terrasse accueille une petite buvette. *En haut de la rue du Rempart-Nord Tél. 220 529 Ouvert avr.-mi-sept. : tlj. 10h-18h ; mi-sept.-mars : tlj. 10h-19h ; ramadan : tlj. 8h-16h Tarif 3DT*

Musée Koubba (plan 16, B3) Installé dans un édifice du XIᵉ siècle parfaitement restauré, ce musée présente les arts et traditions de Sousse à l'aide de mannequins en costumes folklori-

LE SAHEL

Le Sahel côté mer

Hôtels avec vue

Tables au bord de l'eau

Loisirs et découverte

Plan 16 Sousse

MER MÉDITERRANÉE

Avenue Hedi-Chaker

Route de la Corniche

MUSÉE DE L'OLIVIER 15

Boulevard Mongi-Slim

Rue de Constantine

Avenue Hedi-Chaker

Route de la Corniche

Place Bou-Jafar

28

27 Rue de Teboulba

ÉGLISE SAINT-FÉLIX

Boulevard Victor-Hugo

31 SYNAGOGUE 32

17

Avenue Hassouna-Ayachi

Rue de Carthage

26 29

30

Avenue Habib-Bourguiba

Avenue de l'Indépendance

12

i

Avenue de la République

LYCÉE

Avenue Tahar-Sfar

Boulevard Mohammed-Maarouf

BAB EL-JEBLI

Place Farhat-Hached

2 14 13

22

11-23

Place des Martyrs

MUSÉE DAR ESSID

RIBAT

GRANDE MOSQUÉE

16

Avenue Yahia-Ben-Omar

Rue Ibn-el-Jazzar

10

Rue el-Aghlaba

MUSÉE KOUBBA

BAB EL-FINGA

21

Rue d'Angleterre

25

Rue de Paris

Rue de France

20

MÉDINA

24

BAB EL-DJEDID

BAB EL-GHARBI

Rue Abou

Souk el-Caïd

Souk el-Reba

MARCHÉ

PORT

Avenue Mohammed-V

Av. du Commandant-Bejaoui

Avenue Maréchal-Tito

R. Ibn-Rachid

Rue de la Casbah

R. Sidi-Baaziz

MUSÉE ARCHÉOLOGIQUE (CASBAH)

1

Place Jabbanet-el-Ghorba

GOUVERNORAT

CATACOMBES DU BON PASTEUR

MONASTIR/MAHDIA

BAB EL-KEBLI

Av. du 18-Janvier-1952

N

200 m

A   **B**

ques. Au rez-de-chaussée, autour du patio, sont reconstituées des scènes de la vie masculine : commerce, tissage, café. À l'étage, l'essentiel des scènes de la vie féminine a trait au mariage et à ses préparatifs. L'ensemble mériterait de plus amples explications. Ne manquez pas d'aller admirer la magnifique coupole de la haute salle du sous-sol. Du toit, on peut voir l'élégant minaret octogonal (XVIIᵉ s.) de la zaouïa Zakkak, maison d'époque aghlabide, qui ne se visite malheureusement pas. *Dans le quartier des souks Tél. 229 574 Ouvert avr.-mi-sept. : tlj. 9h30-13h et 16h-18h30 ; mi-sept.-mars : lun.-jeu. 9h30-13h et 16h-17h30, dim. 10h-14h ; ramadan : tlj. 9h30-14h Tarif 2DT, réduit 1DT Droit photo 1DT Droit film 3DT*

● **Où boire un verre ?** Plusieurs cafés dans les souks : El-Kasbah, Aladin, le petit Café maure... Bien qu'un peu trop touristiques, tous sont charmants. Plongez dans *Les Mille et Une Nuits* : arcades en pierre, poutres, tentures, coussins, tapis et serveurs en djellaba.
☺ **Café des Nomades (plan 16, A4)** De petites salles meublées de tables basses et de banquettes couvertes de nattes et de coussins et décorées d'objets traditionnels. Nous vous conseillons la terrasse sur le toit, qui domine toute la médina et la mer. Thé, café et boissons fraîches (pas d'alcool), salades, bricks et sandwichs à grignoter. *Rue Ibn-Rachid (au pied de la casbah) Ouvert tlj. 9h-20h*
Café Marrakech (plan 16, B3) On y sert d'excellents cocktails de jus de fruits frais – dont un divin jus de fraises au printemps ! On peut aussi y manger une gaufre, une crêpe ou un sandwich. Pas d'alcool. *Terrasse à l'angle de la pl. Farhat-Hached et de l'av. Habib-Bourguiba Ouvert tlj. 8h-22h*

● **Aller au hammam** Une bonne adresse où faire peau neuve que ce petit établissement impeccable caché dans le sud-ouest de la médina, près de la casbah. **Hammam Baaziz (plan 16, A4)**. *Rue Baaziz Ouvert tlj. 6h-13h et 20h-1h pour les hommes, 13h-20h pour les femmes (sauf mer. 6h-20h pour les femmes)*

La ville moderne

Musée de l'Olivier (plan 16, A1) Cet amusant musée consacré à l'arbre méditerranéen par excellence et à son fruit, l'olive, dont la Tunisie est l'un des principaux producteurs mondiaux, est aménagé dans une maison de 1939. Sur trois niveaux, autour de galeries circulaires, des scènes un peu naïves campées par des mannequins de cire narrent la culture de l'olivier, la récolte des olives, le

LE SAHEL

pressage de l'huile et ses bienfaits. Saviez-vous que le massage à l'huile d'olive renforce les muscles et active la circulation sanguine, que mâcher des feuilles d'olivier évite les infections buccales et guérit les maux de gorge ? Un regret : il manque quelques données sur l'importance de ce fruit dans l'économie tunisienne. Agréable buvette sur la terrasse, qui domine la mer, avec tables en bois et oliviers en pot, où l'on peut goûter de l'huile et boire un café chauffé sur un feu de *fitoura*, résidu de l'olive pressée. La boutique propose bien sûr de l'huile artisanale mais aussi de la vaisselle ornée de… feuilles d'olivier et d'olives. *De la route de la Corniche, prendre la rue Ahmed-Zaatir, en face du jardinet séparant l'hôtel El Hana Beach de l'hôtel Abou Nawas Nejma, puis tourner à gauche dans la rue du 2-Mars-1934 musee-olivier@yahoo.fr Ouvert été. : tlj. 9h-23h ; hiver : tlj. 9h-19h ; ramadan : 9h-15h Tarif 3DT, réduit 1DT Droit photo 1DT*

Catacombes du Bon Pasteur Découvertes en 1888, ces catacombes font partie d'un réseau creusé du IIe au IVe siècle : quelque 5km de galeries, abritant environ 15 000 sépultures et qui ont livré des stèles et des objets funéraires, dont beaucoup sont exposés au Musée archéologique. Réservée aux férus d'histoire et d'archéologie, la visite du site se résume à 200m de galeries mal éclairées. *Rue Abdel-Essama (à 2km des remparts de la médina) Accès assez compliqué : du rond-point en contrebas du Musée archéologique et de la casbah, suivre le fléchage (souvent très discret) en prenant à droite Ouvert avr.-mi-sept. : mar.-dim. 9h-12h et 14h-18h ; mi-sept.-mars : mar.-dim. 8h-12h et 15h-19h ; ramadan : mar.-dim. 8h-15h Tarif 1,10DT*

● **Où aller danser ?** La plupart des hôtels de la zone touristique disposent d'une boîte de nuit, le plus souvent accessible aux non-résidents (celles des hôtels Marhaba et Samara sont les plus connues). Il en va de même pour l'hôtel Abou Nawas Boujaafar, dans le centre de Sousse. Signalons l'une des rares discothèques indépendantes, le Ridiguana, à Port el-Kantaoui, près du golf (Tél. 246 000).

Les environs de Sousse

Port el-Kantaoui La marina de Port el-Kantaoui a été créée de toutes pièces au milieu de nulle part, à la fin des années 1970, pour accueillir les plaisanciers dans le cadre du plan de développement touristique tunisien. Depuis, des dizaines d'hôtels de luxe ont poussé aux abords de la marina et le long de la côte, presque jusqu'à Sousse. L'architecture, d'inspiration arabo-andalouse, de la station balnéaire est plutôt réussie : sur les façades en décrochement des petits immeubles blancs, au-dessus de galeries à arcades, alternent moucharabiehs, balcons arqués et fenêtres de taille variable, tandis que les toits portent quelques dômes et voûtes en berceau pour éviter toute monotonie visuelle. Beaucoup d'animation sous le soleil et pas de voitures : elles restent garées sur des parkings à la périphérie. Mais le cadre de ce "port-jardin de la Méditerranée" est un peu trop aseptisé et, si le séjour y est agréable, il nécessite un budget confortable, en tout cas l'été. *À 15km au nord de Sousse Office de tourisme à l'entrée de la marina sur la gauche Tél. 348 799 Ouvert lun.-sam. 8h-18h ; ramadan : lun.-sam. 7h30-14h*

Hergla Ce paisible village de pêcheurs est juché sur une falaise, à l'écart des grands axes de circulation. Ses maisons blanches, aux fenêtres et portes bleues, s'alignent le long des ruelles tranquilles sur lesquelles veille une élégante petite mosquée. Cette dernière fut reconstruite au XVIIIᵉ siècle sur le tombeau d'un marabout du Xᵉ siècle, qui serait revenu de La Mecque en tapis volant ! Quelques échoppes proposent de la vannerie aux touristes. En prenant la rue à droite du joli cimetière marin, on peut rejoindre, à 1km au sud du village, les ruines de Horrea Cælia, cité antique fortifiée par les Byzantins et rasée par les Arabes (sur la gauche du virage qui précède le grand rond-point des routes vers Sousse et Enfida). En contrebas des ruines, une petite plage isolée invite à la baignade. *À 26km au nord de Sousse*

Enfida Ce bourg agricole posé sur la plaine qui borde le golfe de Hammamet ne présente guère d'intérêt, hormis son Musée archéologique et son immense plage (à 8km à l'est de la localité). Quatre sites antiques mineurs sont dispersés autour d'Enfida : Pheradi Majus (le plus spectaculaire), Uppena, Sidi Abiche et Aggersel. Le musée est établi depuis 1964 dans l'ancienne église Saint-Augustin, décorée dès sa construction, en 1907, de mosaïques paléochrétiennes découvertes dans la région. La collection, assez restreinte, comprend également des céramiques romaines et byzantines. La mosaïque épitaphe de Paulus, primat de Maurétanie, mort en exil au Vᵉ siècle près d'Uppena, et celle des treize martyrs africains exposée dans le chœur retiennent l'attention par la longueur exceptionnelle de leurs inscriptions latines. *À 40km au nord de Sousse* **Musée archéologique** *Ouvert avr.-mi-sept. : mar.-dim. 8h-12h et 15h-19h ; mi-sept.-mars : mar.-dim. 9h30-16h30 Tarif 1,10DT*

Takrouna Perché sur un promontoire du jurassique truffé de coquillages, le village berbère de Takrouna offre, du haut de ses 200m, un panorama à couper le souffle sur la plaine d'Enfida. Son architecture, voûtes en berceau et petites cours intérieures, respecte les canons de la tradition. Au Moyen Âge, trois clans se partagèrent le village : les Touatia se regroupèrent autour de la zaouïa de Sidi Abd el-Kader, reconnaissable à son dôme aux tuiles vertes, les Ben Youssef dans le quartier de Dar Asshud, et les Ben Guiga, originaires du Maroc, dans le secteur nord-ouest. Beaucoup de maisons sont aujourd'hui à l'abandon ; un nouveau village s'est développé sur les pentes de la colline. *À 6km à l'ouest d'Enfida sur la route de Zaghouan, et à 46km au nord de Sousse*

● **S'offrir une plongée** Dans ce centre de la marina de Port El-Kantaoui, le baptême de 25min et la plongée coûtent 40DT. Formule baptême et deux plongées : 120DT. **Centre de plongée de Port el-Kantaoui** *Tél. 347 668 ou 348 799 Ouvert hiver : lun.-sam. 9h-16h ; été : lun.-sam. 8h-19h*

● **Jouer au golf** Deux parcours de 18 trous ont été aménagés dans la zone hôtelière. Le "Panorama" (par 72, 6 044m) gravit, à partir du 6ᵉ trou, des collines plantées d'oliviers et domine la mer, tandis que le parcours "Mer" (par 72, 6 253m), plus plat, longe celle-ci sur quelques trous (notamment du 12ᵉ au 15ᵉ). 95DT le *greenfee*. Location de matériel et de voiturettes, possibilité de prendre des cours ou de suivre un stage d'initiation (sur réservation). **Golf de Port el-Kantaoui** *Port el-Kantaoui Tél. 348 756 www.kantaouigolfcourse.com.tn*

LE SAHEL

LE SAHEL

CARNET D'ADRESSES

Restauration

🍴 très petits prix

Restaurant national (plan 16, B3) On fait difficilement moins cher que ce petit établissement populaire : pour 2DT ou 3 DT, tout en partageant sans doute votre table avec d'autres clients, vous dégusterez une excellente viande d'agneau ou de poulet accompagnée de haricots blancs en sauce, de copieux ragoûts servis avec du pain traditionnel ou des kebabs et du couscous. Parfait pour déjeuner vite et bien. *Médina Tout en bas de la rue El-Aghalba (à côté de la Grande Mosquée) Ouvert tlj. jusqu'à 21h*

🍴 petits prix

El-Ferdaws (plan 16, B2) Un petit établissement très simple, mais excellent, fréquenté par les employés et les fonctionnaires du quartier. Soupe du jour, filets de poisson grillés, salade de calamars, brochettes de mouton. Quelques tables sur le trottoir devant le comptoir de sandwichs à emporter. Environ 6DT-7DT le repas. *Rue Braunschweig (qui donne dans l'av. Habib-Bourguiba et dans l'av. de l'Indépendance) Médina Ouvert tlj. 11h-21h*

Restaurant du Peuple (plan 16, B3) Dehors, quelques tables sont alignées le long du rempart nord de la médina. À l'intérieur, deux petites salles ornées de tentures accueillent les convives venus goûter la cuisine simple et copieuse concoctée par Walid. En attendant le poisson grillé ou le couscous, prenez le temps de grignoter les excellents petits beignets et bricks servis en amuse-bouche. Comptez 8DT le repas. Dessert et thé offerts. Pas d'alcool. *Rue du Rempart-Nord (à côté de l'hôtel de Paris) Médina Ouvert tlj. 8h-22h*

🍴 prix moyens

Le Bonheur (plan 16, B3). Ce restaurant du centre-ville dispose de deux atouts : sa terrasse abritée et sa carte très variée, où chacun pourra trouver son bonheur, justement – poisson grillé, poulpe en salade, fruits de mer, bricks, salades, couscous d'agneau, et même des pâtes et des pizzas. Carte des vins. Dommage que l'accueil et le service laissent un peu à désirer. De 15DT à 20DT le repas, menu à 12DT. *Pl. Farhat-Hached Ville moderne Tél. 225 742 Ouvert tlj. 12h-22h*

Le Cristal (plan 16, B3) Voisin du Bonheur, cet établissement très touristique est un peu son jumeau (même propriétaire). Une terrasse abritée pour choisir entre salades, bricks, *ojja*, poisson grillé, fruits de mer, pâtes et pizzas. Menu touristique à 11DT. Plats entre 7DT et 14DT. Accueil et service aimables. *Pl. Farhat-Hached Ville moderne Tél. 225 294 Ouvert tlj. 8h-0h*

GAMME DE PRIX	RESTAURATION	HÉBERGEMENT
Très petits prix	moins de 5DT	moins de 15DT
Petits prix	de 5DT à 15DT	de 15DT à 30DT
Prix moyens	de 15DT à 25DT	de 30DT à 60DT
Prix élevés	de 25DT à 40DT	de 60DT à 100DT
Prix très élevés	plus de 40DT	plus de 100DT

☺ **Le Tip Top (plan 16, A1)** Plusieurs salles en enfilade aménagées dans l'ancienne maison d'un notable : poutres, cheminées, mangeoires en bois des écuries. Le soir, éclairage à la bougie. Brochettes d'agneau, côtes de bœuf, pizzas, poissons grillés, pâtes : la carte est variée, les menus aussi, dont l'un, à 13DT, propose un choix d'entrées, de plats et de desserts. Bonne carte des vins. Accueil et service prévenants. *73, route de la Corniche* **Ville moderne** *Tél. 326 158 Ouvert tlj. 12h-0h*

Le Lido (plan 16, B3) Sur le port, une adresse intéressante pour déguster poissons et fruits de mer : les poissons frais proposés à la carte se choisissent dans une vitrine à l'entrée. Avec ses belles boiseries et ses nappes jaunes, la salle met en appétit. Plats de 5DT à 13DT, parmi lesquels le couscous de poisson (12DT à 15DT) ou d'agneau (7DT) et le calamar farci (8,50DT). Env. 15DT pour un repas. Sert de l'alcool. *Av. Mohammed-V* **Ville moderne** *Tél. 225 329 Fax 200 960 Ouvert tlj. 12h-23h*

🍴 prix élevés

☺ **Le Gourmet (plan 16, B2)** La carte vous fait les yeux doux comme rarement en Tunisie : le restaurant gastronomique de Sousse sait soigner sa clientèle en élaborant une cuisine goûteuse, qui allie plats de tradition et recettes plus internationales. Gargoulettes de poisson, de poulet ou de lapin (18DT), tournedos aux champignons, soupe de poisson (6,80DT), bisque de crevettes (6,80DT), soupe gratinée à l'oignon (6,50DT), steak au poivre (18,60DT), crevettes provençales (16,80DT). Tous ces plats sont accompagnés de légumes de saison et de pommes de terre grillées au four. Les poutres apparentes et le caractère intime de la salle ajoutent au charme de l'endroit. Un dîner complet revient à 40DT (bou-teille de vin autour de 15DT incluse) : c'est plutôt cher mais de qualité. Seuls les desserts sont un peu décevants. *3, rue Amilcar* **Ville moderne** *Tél. 224 751 Ouvert tlj. 12h-0h*

Dans les environs

🍴 prix moyens

L'Olivier Pour un déjeuner à l'ombre des grands oliviers en pot de la vaste terrasse donnant directement sur les quais de la marina. Spécialités de la mer : bons poissons et fruits de mer (8DT les 100g). Viandes de 7DT à 14DT, pizzas croustillantes de 6DT à 7,50DT. Menu touristique à 15DT. Accueil cordial. *Sur le quai à l'entrée de la marina* **Port el-Kantaoui** *Tél. 348 799 Ouvert tlj. 12h-16h30 et 18h30-23h*

🍴 prix très élevés

☺ **Le Méditerranée** De la grande terrasse installée sur le quai, superbe vue sur les voiliers amarrés dans la marina de Port el-Kantaoui. La salle climatisée du 1er étage bénéficie elle aussi d'un très joli panorama. Dans les assiettes, d'excellents plats de poissons : *kamounia* (poulpe au cumin et tomate) ou crevettes grillées à la crème en entrée, daurade grillée ou filet d'espadon à l'aneth pour suivre... et quelques plats végétariens à la carte. Mention spéciale pour le service, particulièrement souriant et efficace. Comptez 50-70DT pour un repas, vin compris. CB acceptées. *Sur la droite de la marina (en venant de l'entrée principale)* **Port el-Kantaoui** *Tél. 348 788 Ouvert mer.-lun. 12h-23h*

Hébergement

Une kyrielle d'hôtels de luxe et d'hô-tels-clubs s'alignent sur la côte entre Sousse et Port el-Kantaoui. Très chers

LE SAHEL

LE SAHEL

en été, ils baissent sensiblement leurs prix hors saison, comme la majeure partie des établissements que nous indiquons ci-dessous, situés pour la plupart à Sousse même.

 très petits prix

Ezzouhour (plan 16, B4) Les voûtes du petit hall sont en stuc ciselé et une frise de carreaux de faïence borde les lits dans les 30 chambres bien tenues. Un cachet inattendu pour 6DT par personne selon la période et le standing de la chambre (à négocier). Les plus chères (15DT) sont équipées d'une salle de bains. Pas de petit déjeuner ni de clim. *48, rue de Paris* **Médina** *Tél. 228 729*

Gabès (plan 16, B3) Le cordial Abdelmadjid, patron de ce modeste hôtel correctement entretenu, est toujours prêt à négocier le prix de ses 14 chambres, pourtant déjà très abordables. Environ 15DT la double, avec sanitaires collectifs, sans petit déjeuner. Pas de restaurant. Quelques chambres à lit simple donnent sur le toit-terrasse où il est aussi possible de dormir à la belle étoile avec son duvet pour 5DT. *12, rue de Paris* **Médina** *Tél. 226 977*

Hôtel du Parc (plan 16, B2) L'une des meilleures affaires de Sousse : les chambres, qui disposent toutes de WC et d'une sdb en bon état, reviennent à 12,50DT par pers., petit déj. compris. À l'image de la façade en béton trouée d'alvéoles, estampillée années 1970, la décoration n'a pas grand intérêt, mais l'hôtel est central, bien tenu et l'accueil sympathique. Cafétéria sans alcool. Trente-six chambres dont 8 simples. *Rue de Carthage* **Ville moderne** *Tél. 220 434/222 885 Fax 229 211*

petits prix

Hôtel-résidence Sarra (plan 16, B3) Un petit établissement de 12 chambres au confort monacal mais dotées de douches chaudes (attention, serviettes non fournies), à un prix très raisonnable : avec le petit déjeuner, comptez 25DT la double en juillet-août et 20DT en juin-septembre. Toilettes communes. *Rue du Rempart-Nord (près de l'av. Sidi-Yahya)* **Médina** *Tél. 227 737*

Hôtel de Paris (plan 16, B3) Ses 42 chambres bien tenues, souvent petites et juste meublées d'un grand lit, sont proposées à des prix négociables : 22DT la double, 33DT la triple et 44DT la quadruple. Douches et toilettes communes. Pas de petit déjeuner ni de climatisation. *16, rue du Rempart-Nord* **Entrée nord de la médina** *Tél. 220 564 Fax 219 038*

Emira (plan 16, B4) Pour l'accueil, prévenant, et pour les 25 chambres bleu et blanc avec sdb, parfaitement tenues, dont certaines ont un petit balcon. Ni clim., ni TV, ni restaurant. 30 DT la double. En été, le petit déjeuner est servi sur le toit, d'où le panorama est superbe. *52, rue de France* **Médina** *Tél./fax 226 325*

GAMME DE PRIX	RESTAURATION	HÉBERGEMENT
Très petits prix	moins de 5DT	moins de 15DT
Petits prix	de 5DT à 15DT	de 15DT à 30DT
Prix moyens	de 15DT à 25DT	de 30DT à 60DT
Prix élevés	de 25DT à 40DT	de 60DT à 100DT
Prix très élevés	plus de 40DT	plus de 100DT

Le Grand Amphithéâtre (p.268), El-Djem.

LE SAHEL

☐ prix moyens

☺ **Médina (plan 16, B3)** À deux pas de la Grande Mosquée, cet hôtel collectionne les qualités. Ses 50 chambres impeccables et spacieuses se divisent en 2 "blocs": dans le premier, "l'ancien": 38 chambres non climatisées à 70DT la double ; le "nouveau" comprend 12 chambres toutes climatisées et équipées de TV, comptez 80DT la double. Décor léché dans la salle du restaurant et dans le chaleureux café maure. Cerise sur le gâteau, le restaurant panoramique sur le toit ! L'hôtel propose aussi, pour 4 personnes, un grand deux-pièces avec coin salon (tarif à négocier). Pas de CB. *Rue Othman-Osman* **Médina** *Tél. 221 722/213 277 www.hotel-medina.com*

Résidence royale (plan 16, B2) À 100m de la grande plage de Sousse, cette petite adresse n'a de royal que le nom bien qu'elle soit d'un bon rapport qualité-prix : 34DT la double. Quinze chambres, aux murs immaculés, avec sdb et WC, mais sans clim. ni TV. *Rue de Teboulba (à 15min à pied de la médina)* **Ville moderne** *Tél. 220 536 Fax 260 115*

☺ **El-Faracha (plan 16, A2)** Un véritable hôtel de charme que ce "Papillon" (traduction de *faracha*). Nous aimons ses 16 chambres très gaies décorées de panneaux de céramique bleu-violet, de rideaux et de couvre-lits fleuris. Autres qualités : l'air conditionné, les salles de bains impeccables et les petits balcons donnant sur une impasse tranquille. Une adresse très séduisante, d'autant que la plage est à 200m et l'accueil très attentionné. Comptez 50DT la double. L'hôtel est difficile à trouver. *Rue El-Faracha* **Ville moderne** *En venant du centre-ville par le bd Hedi-Chaker, tourner à gauche entre l'hôtel Boujaafar et la Disco Dreams. Traverser le bd de la Corniche et prendre l'impasse à droite juste après le restaurant Mama Tél. 227 183 Fax 227 270*

☺ **Résidence Monia (plan 16, B2)** Dans une petite rue animée par plusieurs restaurants, cette coquette résidence de 16 chambres (à 2, 3 ou 4 lits) est idéalement placée entre les plages et la médina. Décor soigné : frises de zelliges et tablettes ornées de faïence. Clim. et TV. Les chambres qui donnent sur l'arrière sont plus calmes. Pas de restaurant. Prévoyez 55DT la double en haute saison. *Rue Remada* **Ville moderne** *Tél./fax 210 469*

Appart-hôtel Farès (plan 16, B3) Des étages les plus élevés, la vue sur les remparts et la médina est superbe. Certes, la façade et le mobilier des chambres sont marqués années 1970. Mais les appartements pour 2, 3 ou 4 personnes, avec cuisine équipée et clim., présentent un bon rapport qualité-prix : 48DT pour 2 ; 64DT pour 3 ; 80DT pour 4. *Bd H.-Ayachi* **Ville moderne** *(près de la pl. Farhat-Hached, non loin de la gare et à 200m de la plage) Tél. 227 800 Fax 227 380*

☐ prix élevés

Sousse Azur (plan 16, B2) Ici, vous verrez la vie en bleu. Dans les chambres et les appartements, murs et meubles sont peints du même azur : un régal pour les yeux ! Vingt-deux chambres doubles et appartements pour 4 personnes (sans kitchenette), spacieux pour la plupart, tous avec clim. et TV. La chambre 403 dispose d'un balcon sur la mer, comme dans les appartements 404 et 504. Ce dernier se compose de 2 grandes pièces et d'une sdb avec baignoire (douches dans la plupart des autres). Restaurant sur le toit. Prévoyez 70DT la double (et 5DT/pers. pour le petit déj.), 80DT l'appartement pour 4 pers. CB acceptées. 5, *rue Amilcar* **Ville moderne** *Tél. 226 960 ou 227 760*

 prix très élevés

Abou Nawas Boujaafar (plan 16, B2) Cet hôtel luxueux construit dans les années 1980 est le seul à disposer d'une piscine et d'une plage au cœur de Sousse. C'est aussi le premier à avoir ouvert un centre de thalassothérapie en Tunisie, en 1993 (cf. GEOPratique Thalassothérapie). Chambres gaies, confortables, aux larges balcons donnant, pour la plupart, sur la mer. Clim., téléphone et TV. Plusieurs restaurants et bars, une petite galerie commerciale et 234 chambres, dont 14 suites : 160DT la double en très haute saison. CB acceptées. *Av. Habib-Bourguiba* **Ville moderne** *Tél. 226 030 www.abounawas.com*

Dans les environs

 prix très élevés

El Menchia Un hôtel à taille humaine, voilà qui est rare sur cette côte touristique envahie par le béton. Miraculeusement, l'endroit est isolé (pour combien de temps ?) au bout d'une impasse menant à la plage. Le bleu et le blanc des chambres répondent aux couleurs du sable et de la mer, juste au pied de l'hôtel. Les 60 chambres sont toutes équipées d'un coin cuisine impeccable (plaques électriques, réfrigérateur, évier, vaisselle). La plupart ont un balcon avec vue sur la mer. Bon accueil. Restaurant (demi-pension possible) et bar. Clim.. CB acceptées. Double 124DT en été, 80DT en moyenne saison. *Hammam Sousse (à 10km au nord de Sousse)*

☺ **Hôtel Hasdrubal** La façade blanche de l'établissement percée d'arcades se cache derrière les palmiers du superbe jardin qui entoure la piscine et plonge vers la plage. Ce 4-étoiles tout confort de 230 chambres et 4 suites possède 2 restaurants et 2 bars, une seconde piscine couverte, des courts de tennis et même un practice de golf. Et, surtout, un bon centre de thalassothérapie (cf. GEOPratique). Les chambres sont spacieuses et tout confort (grandes sdb, WC séparés, clim., TV, minibar, téléphone direct). À 230DT la double, on n'en attend pas moins ! *Zone touristique* **Port el-Kantaoui** *Tél. 348 944 www.hasdrubal-hotel.com*

LE SAHEL

MONASTIR

Ind. tél. 73

Cette plaisante cité balnéaire doit son expansion récente au président Habib Bourguiba : après l'indépendance, le Combattant suprême voulut promouvoir sa bourgade natale au rang de ville moderne, en faisant raser une partie de la médina pour aménager des esplanades, des avenues rectilignes bordées d'arbres, des galeries à arcades et une mosquée portant son nom. Le président favorisa le développement touristique de cette côte aux plages de sable fin en la dotant d'un aéroport international et de nombreux hôtels. Même si ces opérations ont volé à la ville une partie de son âme, vous trouverez à Monastir une séduisante atmosphère de vacances permanentes.

UNE TRADITION UNIVERSITAIRE L'occupation de la région remonterait à 35000-25000 avant notre ère, et correspond à la civilisation atérienne (référence à Bir el-Ater, ville d'Algérie). Au IIIe millénaire avant notre ère, Monastir connaît la civilisation des Hawanet, ou Haouanet, qui creusent leurs habitations et leurs sépultures dans les falaises côtières. Au IVe siècle avant notre ère, les Phéniciens fondent Ruspina ("Presqu'île") sur le site de la ville actuelle. La cité participe à l'épopée d'Hannibal contre l'expansion romaine sur ce rivage de la Méditerranée. Peu à peu romanisée après la chute de Carthage, Ruspina sert de tête de pont à Jules César dans sa guerre contre Pompée en 46 av. J.-C. Son alliance avec Rome favorise son développement. Après la conquête arabo-musulmane, Monastir gagne de l'importance en protégeant Kairouan, la capitale aghlabide, des assauts maritimes des chrétiens. Le ribat érigé dans ce but, en 796, devient une université prestigieuse sous les Fatimides (X^e-XIIe s.). Au XIIe siècle, la cité subit la domination normande puis, un siècle plus tard, sous les Hafsides, elle connaît une forte expansion démographique. Les très nombreuses mosquées et medersas dont elle se dote lui valent un important rayonnement spirituel. À partir de 1554, les Ottomans choisissent Monastir comme chef-lieu régional au détriment de Mahdia, et la cité construit de nouveaux remparts au XVIIe siècle. Elle amorce son déclin sous les Husseinites, repli qui s'accentue sous le protectorat français, quand les colonisateurs privilégient le développement de Sousse. Monastir végète jusqu'à l'indépendance et aux grands travaux des années 1960. Elle s'affirme aujourd'hui comme un pôle universitaire et hospitalier important : les étudiants représentent un cinquième de sa population, ce qui contribue à son animation.

MODE D'EMPLOI

accès

EN AVION
Chaque semaine, plusieurs liaisons directes avec Paris et d'autres grandes villes françaises, et avec Bruxelles, Genève, Bâle et Zurich. L'aéroport international Habib-Bourguiba – qui est aussi celui de Sousse – s'étend à 9km au nord de Monastir, près de la zone touristique. Il abrite un bureau d'informations touristiques, trois bureaux de change et plusieurs agences de location de voitures. Les taxis qui stationnent devant l'aérogare sont en principe munis d'un compteur, mais il faut souvent négocier un forfait : comptez au maximum 7DT pour rallier le centre de Monastir. On peut gagner la ville en prenant le "métro", un train interurbain qui relie Sousse à Mahdia via Monastir, à la fréquence moyenne d'une rame toutes les 45min (de 5h à 20h30). *La station est à 200m de l'aérogare* **Aéroport Habib-Bourguiba** *Route de Sousse Tél. 520 000 Fax 520 980*

EN TRAIN
En venant de Tunis, un train quotidien jusqu'à Sousse puis "métro" (voir ci-dessus).
Gare (plan 17, A3) *Tél. 463 580*

EN CAR ET EN LOUAGE
Lignes de cars entre Monastir et Sousse, Mahdia, Sfax et Kairouan. Nombreuses autres liaisons en voitures de louage.
Gare routière (plan 17, A2) *Av. de la République (sous les remparts au sud-ouest de la médina)*

orientation

La ville est orientée selon un axe est-ouest reliant le ribat, en bord de mer, à la mosquée Bourguiba, deux bons points de repère. Cet axe est prolongé au-delà de la mosquée par la rue de l'Indépendance, qui traverse la médina, protégée sur ses flancs sud et ouest par des remparts.

informations touristiques

Office de tourisme (plan 17, A2) Quelques brochures sur Monastir et la Tunisie. *Rue de l'Indépendance (sur une petite place à l'entrée de la médina) Tél. 460 434 Fax 521 219 Ouvert lun.-sam. 8h-18h*
Syndicat d'initiative (plan 17, B2) Plan de Monastir vendu 1DT. *Sur l'esplanade qui sépare le ribat de la mosquée Bourguiba (au sous-sol d'un bâtiment cubique) Tél. 460 769 Ouvert lun.-ven. 9h-12h et 15h-17h, sam. 9h-12h*
Train touristique (plan 17, B2) Il relie le centre-ville à la zone hôtelière. *Départ devant le syndicat d'initiative (sauf le dim.) Tarif 5DT, réduit 3DT*

banques

Plusieurs agences dans la médina, notamment place de l'Indépendance (plan 17, A2), équipées de distributeurs.

accès Internet

Publinet (plan 17, B2-B3) 2DT l'heure. *Rue Mohammed-M'Halla (derrière la municipalité) Tél. 467 136 Ouvert tlj. 9h-0h*

location de voitures

Plusieurs agences sur l'avenue Bourguiba, dans le centre-ville.
Liberty Car (plan 17, B2) *Résidence Le Ribat n°5 (près de l'hôtel L'Esplanade) Tél. 461 514 www.libertycar.com.tn*

fêtes et manifestations

Fête du Costume traditionnel Une journée où l'on revêt des vêtements traditionnels, avec défilés en ville. *À la mi-mars*
Fête de Bsissa La *bsissa*, une préparation de farine de blé et de pois chiches mélangée avec de l'huile d'olive, du miel et des fruits secs, est célébrée avec les premières moissons. *Lamta (à 15km de Monastir) Une journée en mai*
Foire artisanale *Une semaine en mai*
Fête du Cherkaw Elle dure deux jours, le temps qu'est ouverte la pêche au *cherkaw* (ou athérine), un poisson minuscule traditionnellement cuisiné en couscous à Monastir. Au programme : défilés et dégustations de rue. *En juin (date variable)*
Mois des métiers artisanaux *En juillet*
Fête de la Mer *Une journée en juillet (date variable)*
Festival international de Monastir Spectacles, concerts, expositions, films au ribat. *Mi-juillet-mi-août*
Fête de l'Olivier *À Djamel (à 18km de Monastir) En novembre-décembre*

LE SAHEL

DÉCOUVRIR

Monastir

☆**Les essentiels** Le ribat, le mausolée Bourguiba et le cimetière Sidi-el-Mezri **Découvrir autrement** Travaillez votre swing au Golf Flamingo, dégustez les douceurs de la Pâtisserie du Jour, faites une minicroisière aux îles Kuriat ➤ **Carnet d'adresses p.257**

Médina (plan 17, A2) Amplement transformée dans les années 1960, la médina conserve quelques ruelles authentiques, telles celles du quartier Chraka, dédiées aux boutiques d'artisanat.

☆ ☺ **Ribat (plan 17, B2)** Ce monastère fortifié, qui a donné son nom à la ville, est le plus ancien et le mieux conservé du Maghreb. Construit à la fin du VIIIe siècle pour défendre la côte des incursions chrétiennes, il impressionne par ses puissants remparts. Le fort abritait des moines-soldats appelés *mourabitoun* (terme qui a donné "marabout"), car nombre de ces combattants de la foi étaient considérés comme saints. Devenu un lieu de pèlerinage, l'édifice fut agrandi et reconstruit à plusieurs reprises, du IXe au XIe siècle, puis du XVe au XVIIIe siècle, comme en témoigne son architecture composite. Fait unique, ce ribat accueillit des femmes, comme enseignantes et comme étudiantes, logées dans une aile séparée. Un musée d'art islamique, aménagé dans l'ancienne salle de prière, présente des poteries abbassides et fatimides d'Égypte, des tissus coptes (IVe-VIIIe s.) et tulunides (IXe s.), des bois sculptés provenant de la Grande Mosquée de Kairouan, des manuscrits anciens, des monnaies d'or et d'argent des VIIe et XIe siècles, des miniatures persanes ainsi qu'un précieux astrolabe fabriqué à Cordoue en 927. Montez au sommet du *nador*, l'ancienne tour de guet, pour admirer le front de mer, la marina, le cimetière et la ville. En retrait, on aperçoit le petit ribat Sidi Douib, qui accueille des expositions temporaires et des manifestations culturelles. *Tél. 461 272 Ouvert été : tlj. 8h-19h ; hiver : tlj. 8h-17h30 Musée fermé lun. Tarif 3DT Droit photo 1DT*

Grande Mosquée (plan 17, B2) Face à la mer, qui semble l'écraser, cette mosquée rectangulaire, dont la petite cour est entièrement couverte, fut construite au IXe siècle et remaniée au XIe siècle. L'accès de la salle de prière est réservé aux musulmans, mais on peut se promener dans l'enceinte et voir sur le côté quelques maigres vestiges archéologiques (vestiges de murs, de colonnes et sols carrelés). *Juste à droite du ribat*

Mosquée Bourguiba (plan 17, A2) Son minaret octogonal, haut de 35m selon certains, 41m pour d'autres, domine la médina. Elle fut érigée entre 1963 et 1966, dans le cadre de la modernisation de Monastir voulue par Bourguiba. La réalisation, fidèle aux principes et techniques traditionnels, fut particulièrement soignée. La salle de prière, qui peut accueillir 1 000 fidèles, est rythmée par 86 colonnes en marbre rose. Les vantaux de ses 19 portes en teck ouvragé ont été sculptés par des artisans de Kairouan. Son accès est réservé aux musulmans. *Rue de l'Indépendance*

Plan 17 Monastir

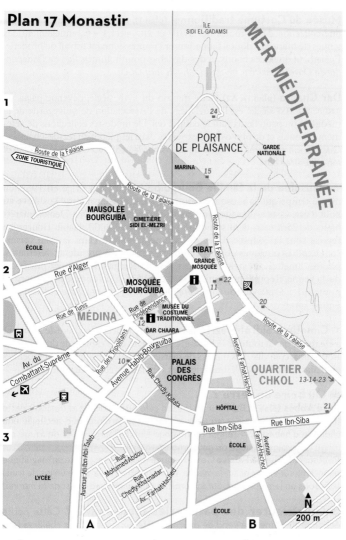

ÎLE SIDI EL-GADAMSI

MER MÉDITERRANÉE

LE SAHEL

1

Route de la Falaise

ZONE TOURISTIQUE

PORT DE PLAISANCE

24

GARDE NATIONALE

MARINA 15

Route de la Falaise

MAUSOLÉE BOURGUIBA

CIMETIÈRE SIDI EL-MEZRI

ÉCOLE

RIBAT

GRANDE MOSQUÉE

2

Rue d'Alger

MOSQUÉE BOURGUIBA

Route de la Falaise

11 22

20

Rue de Tunis

Rue de l'Indépendance

MÉDINA

MUSÉE DU COSTUME TRADITIONNEL

1

12

DAR CHAARA

Route de la Falaise

Rue des Tripolitains

Av. du Combattant-Suprême

Rue Habib-Bourguiba

10

PALAIS DES CONGRÈS

Rue Chedly-Kallala

QUARTIER CHKOL 13-14-23

Avenue Farhat-Hached

HÔPITAL

21

3

Avenue Ali-Ibn-Abi-Taleb

Rue Mohamed-Abdou

Rue Chedly-Khaznadar

Av. Farhat-Hached

Rue Ibn-Siba

Rue Ibn-Siba

ÉCOLE

Avenue Farhat-Hached

LYCÉE

ÉCOLE

N

200 m

A

B

CAFÉ (n° 1)
Café Abbès _____ **1** B2

RESTAURATION (n° 10 à 15)
Dar Chraka _____ **12** A2
El-Ferik _____ **13** B3
Le Bonheur _____ **10** A3
Le Chandelier _____ **15** B1
Le Pirate _____ **14** B3
Le Roi du Couscous _ **11** B2

HÉBERGEMENT (n° 20 à 24)
Corniche _____ **21** B3
L'Esplanade _____ **22** B2
Marina Cap Monastir **24** B1
Mezri _____ **23** B3
Monastir Beach _____ **20** B2

LE SAHEL

Musée du Costume traditionnel (plan 17, A2) Ce petit musée présente une collection de costumes des XVIIIe et XIXe siècles – essentiellement des tenues de mariées – dont il faut admirer l'impressionnant travail de broderie. Également quelques bijoux et des djellabas pour hommes. *Rue de l'Indépendance Ouvert mar.-dim. 9h-13h et 15h-19h Tarif 1,10DT*

Dar Chaara (plan 17, A2) Cette maison du XVIIe siècle, devenue palais de justice au XIXe siècle, est l'actuel siège de l'Association de sauvegarde de la médina. Son patio fleuri vaut le coup d'œil. De modestes collections de vêtements, d'outils et de photos sont exposées dans les pièces du rez-de-chaussée. *Quartier Chraka (près de l'office de tourisme) Tél. 462 790 Ouvert tlj. 10h-13h et 16h-21h Entrée libre*

☆ **Mausolée de la famille Bourguiba** (plan 17, A2) Érigé en 1963, en même temps que la mosquée Bourguiba, cet élégant mausolée s'élève au bout d'une vaste esplanade, empiétant sur le vieux cimetière. Deux minarets hauts de 25m marquent son entrée. Depuis avril 2000, Habib Bourguiba repose sous la coupole dorée du bâtiment central. Dans la salle voisine sont exposés quelques objets personnels de l'ancien président : vêtements, photos, lunettes, un stylo offert par Ronald Reagan, le premier passeport de la jeune République tunisienne octroyé à son fondateur, portant le numéro 1… *Esplanade du Cimetière Ouvert lun.-jeu. 14h-16h, ven.-dim. 9h-19h Entrée libre*

☆ **Cimetière Sidi el-Mezri** (plan 17, A1-A2) Le vieux cimetière de Monastir a été rogné par la route de la Falaise, côté mer, et par l'esplanade du mausolée Bourguiba, côté ville. Ses milliers de pierres tombales, régulièrement repeintes en blanc ou en bleu ciel, sont orientées vers la mer et La Mecque.

● **Où boire un verre ?**
Café Abbès (plan 17, B2) Pour un thé, un café ou un soda (pas d'alcool), cette terrasse abritée sous des arcades, en face d'un jardin public, accueille une clientèle d'habitués. *À l'angle de l'avenue Habib-Bourguiba et de la rue qui longe les jardins du siège du gouvernorat*
Restaurant Tour La Falaise Cette terrasse de la corniche offre un magnifique panorama sur la mer et sur la marina. Un bel endroit pour boire un jus de fruits frais sous un large parasol. *Sur la corniche (à 2km au nord-ouest de la marina)*

● **Où savourer des pâtisseries tunisiennes ?** Cette petite échoppe de la médina vend de délicieux gâteaux traditionnels : baklava (aux amandes), anneau de pâte feuilletée fourrée de pâte d'amandes (*kaâk warqua*), gâteaux secs à la farine de pois chiches (*ghraïba homs*) ou de sorgho (*ghraïba droô*). On peut aussi acheter des feuilletés salés et de petites pizzas, ainsi que des gâteaux à la crème, des citronnades et des glaces. **La Pâtisserie du Jour** (plan 17, A3) *Rue des Tripolitains (près de la porte sud-ouest de la médina)*

● **Faire une excursion aux îles Kuriat** Les plages et fonds marins du petit archipel des Kuriat, à 20km à l'est de Monastir, attirent Tunisiens et touristes pour des sorties à la journée. Les bateaux (la *Ruspina*, le *Barberousse*, le *Sultan*, imitations de galions) partent de la marina. Une heure de traversée. Excursions au printemps et en été : 25DT/pers., repas compris. Baignade, pêche et visite des îles.

● **Plonger au large** Contrairement aux autres portions de cette côte, les abords de Monastir forment un bon spot de plongée, riche en coraux et en poissons. Très bon accueil de Djamel Tounsi, qui encadre une équipe de moniteurs qualifiés, école de plongée CMA. Un baptême et une plongée : 50DT. Forfaits 6 plongées à 240DT, 10 plongées à 380DT. **Centre de plongée de la marina** *Port de plaisance de Cap Marina Tél. 462 305 poste 510 ou 98 457 393 Fax 462 509 Ouvert tlj. 9h-12h et 15h-18h Fermeture annuelle 15 jan.-15 mars (sauf sur réservation)*

● **Jouer au golf**
☺ **Golf Flamingo** À l'ouest de Monastir, ce magnifique parcours 18 trous (6 140m, par 72), aménagé sur un site antique (quelques ruines romaines près du club-house), domine les environs et une lagune fréquentée par des flamants roses. Les superbes fairways au milieu des oliviers jouent avec le relief et les falaises pour proposer de nombreuses difficultés techniques. Location de matériel. Stages d'initiation et de perfectionnement. Restaurant avec terrasse et belle vue. 80DT en haute saison et 70DT en basse saison (été). *Accès par la route de l'aéroport : au rond-point devant l'ancien palais présidentiel, continuez tout droit vers Ouardanine. Prenez la route à gauche après la voie ferrée Tél. 500 283/284/286 www.golfflamingo.com*
Golf Palm Links Trois greens de ce 18 trous (6 076m, par 72) bordent la mer. Les fairways, ponctués de palmiers, sont parfaitement entretenus. Mais le parcours est coincé entre les hôtels de la zone touristique et la 4-voies, avec, en toile de fond, une imposante usine électrique. Location de matériel. Stages d'initiation et de perfectionnement. Restaurant. Haute saison : 75DT ; basse saison (été) : 60DT. *À 15km au nord de Monastir Tél. 521 910 ou 521 911 www.golf-palmlinks.com*

CARNET D'ADRESSES

Restauration

Les restaurants recommandés se situent tous dans le centre-ville.

🍴 **petits prix**

Le Bonheur (plan 17, A3) Une gargote installée dans l'un des remparts de la médina, à côté de Bab Brikcha, une porte du XVIIᵉ siècle. Quelques tables en terrasse permettent d'observer l'animation de l'avenue Bourguiba, l'artère la plus passante de Monastir. Un repas tunisien traditionnel revient à 5DT-6DT. Pas d'alcool. *Av. Habib-Bourguiba Ouvert tlj. 12h-21h*

Le Roi du Couscous (plan 17, B2) Ce petit restaurant installé sous des arcades, à côté de l'hôtel L'Esplanade, propose d'excellents couscous de 4DT à 11DT environ. Point de vue sur le ribat, service efficace et agréable. *En face du siège du gouvernorat*

☺ **Dar Chraka (plan 17, A2)** Le sympathique Mounir a rénové une vieille maison de la médina dont les charmantes pièces voûtées, sobrement

LE SAHEL

décorées, cernent un petit patio. À la carte, de copieuses salades, un excellent ragoût de mouton et une succulente daurade au four. Un repas complet coûte environ 12,50DT. *Rue de l'Indépendance (en face de la mosquée Bourguiba, dans une cour de boutiques d'artisanat) Tél. 460 528 Ouvert tlj. 12h-15h et 19h-23h*

El-Ferik (plan 17, B3) De ce restaurant, situé sur un ponton, on contemple l'horizon et les pêcheurs en savourant un très bon poisson grillé. La magie opère, même si le service pourrait être plus aimable et l'entretien de la salle, plus soigné. Plats autour de 10DT. Sert de l'alcool. *Route de la Falaise (vers le port de pêche) Ouvert tlj. 12h-22h*

🍴 prix moyens

☺ **Le Pirate (plan 17, B3)** Personnel déguisé en pirate dans un étonnant décor kitsch : une énorme tête de mort, un requin en tôle, un canon, des tonneaux, des poteries tirées de la mer et, au mur, un portrait en cuivre de Neptune... Ne vous arrêtez pas à ce décor surfait, cet établissement est une table réputée pour ses excellentes spécialités de la mer. Pour commencer (en salade, friture ou *ojja*) : poulpes, calamars, thon, crevettes, clovisses, moules ou sardines. Poissons ou crevettes grillés en plat de résistance. Repas autour de 25DT. *Port de pêche El-Ghédir Tél. 468 126 Ouvert mar.-dim. midi et soir*

🍴 prix élevés

Le Chandelier (plan 17, B1) Cet établissement renommé pour ses spécialités de la mer ne faillit pas à sa réputation : son poisson grillé, ses fruits de mer et sa salade de poulpe sont délicieux. Service soigné et cadre raffiné, mais accueil un peu réservé. Comptez

30DT pour un repas complet. Menu touristique à 20DT. CB acceptées. *Sur le quai de la marina Tél./fax 462 232 Ouvert lun.-sam. 12h-15h et 18h-3h*

Hébergement

La zone touristique, très éloignée du centre, propose des hébergements haut de gamme. L'immense plage qui s'étend au nord de Monastir est bordée d'énormes hôtels modernes, généralement sans grand charme. Les hôtels du centre sont plus simples. Le prix des chambres chute en basse saison.

🧳 prix moyens

☺ **Monastir Beach (plan 17, B2)** Voilà certainement l'hôtel le plus original de Monastir : il est installé sous la route de la Falaise, en plein centre-ville, face à la plage publique de sable blanc. En sortant de sa chambre, on a vraiment les pieds dans l'eau – et que l'on se rassure, le bruit de la rue n'est pas gênant ! Les chambres, avec sdb et réfrigérateur, donnent toutes sur la mer, et certaines disposent de la clim. Accueil jeune et sympathique. Comptez 40DT la double en haute saison (45DT avec clim.). Pas de CB. *Route de la Falaise Centre-ville (un panneau indique l'escalier d'accès sur le trottoir à côté de l'hôtel L'Esplanade) Tél. 464 766 monastirbeach@ yahoo.com*

🧳 prix élevés

Corniche (plan 17, B3) Un petit établissement familial de 7 chambres climatisées impeccables aux murs bleu et blanc, à 200m de la plage. Quatre appartements pour 4 personnes, 2 sont climatisés, comptez 110DT. La double est annoncée à 50DT en haute saison. Accueil cordial et prix négociables. Petit restaurant agréable. CB acceptées. *Pl. du 3-Août* **Centre-ville** *Tél./fax 461 451*

L'Esplanade (plan 17, B2) Bien situé, à côté du ribat et de la Grande Mosquée et à 5min de la médina, l'hôtel domine la mer et la plage. Témoin du remaniement radical de Monastir dans les années 1960, cette fine barre de deux étages accuse ses 40 ans et les sanitaires sont un peu fatigués. La double est à 80DT en été, mais les prix chutent le reste de l'année. Restaurant, bar et deux piscines. Beaucoup d'indications en allemand et en russe dans l'hôtel. Pas de CB. **Centre-ville** *Tél. 461 146 Fax 460 050*

Mezri (plan 17, B3) Ses 52 chambres immaculées, toutes climatisées, sont égayées par des rideaux et couvrelits fleuris et par un mobilier bleu-vert. Certaines jouissent d'un balcon et la plupart d'une vue sur le vieux port de Monastir. Quelques minisuites pour 4 pers., un restaurant, un bar et un café maure installé dans la petite cour. À 300m de la plage. Possibilité de négocier le prix selon la saison. 60DT la double en été. Pas de CB. *Route de la Falaise* **Centre-ville** *Tél. 468 400* www.hotelmezri.com.tn

Marina Cap Monastir (plan 17, B1) Les familles et les petits groupes trouveront leur bonheur au bout de la marina, dans de coquets appartements tout confort (cuisine, clim., TV et mobilier moderne en bois blanc...). À 15min à pied de la plage et de la médina. Studio pour 2 pers. : 118DT par jour (sans petit déjeuner) ; 2 pièces pour 4 pers. : 146DT/jour ; 4 pièces pour 8 pers. 144DT/jour. Hors saison, les tarifs sont abordables. CB acceptées. *Marina* **Centre-ville** *Tél. 462 305* www.marinamonastir.com

Les Palmiers (hors plan) Cet hôtel à taille humaine réserve de jolies surprises : les 80 chambres, aux murs blancs décorés de frises en céramique, donnent directement sur le jardin et sa piscine. La plage est agréable, l'accueil sympathique et les prix sont négociables. Activités et animations en été et pendant les vacances européennes. La double est louée 60DT en moyenne saison et 100DT en été. CB acceptées. *Route de Skanès (entre la ville et la zone touristique) Tél. 502 150 hotel.lespalmiers@planet.tn*

▣ prix très élevés

Thalassa (hors plan) Hôtel luxueux, assez tape-à-l'œil, aux allures de temple gréco-romain et à l'atmosphère impersonnelle. Plutôt petites, les 253 chambres (dont 10 suites) ont toutes un balcon. Accueil quelconque, centre de thalassothérapie. Belle piscine extérieure tout en rondeurs et piscine couverte remplie d'une eau de mer à 30°C. Tennis en terre battue et en ciment. 400DT la double en été. *Près de l'aéroport de Monastir (zone touristique, à 10km du centre-ville) Tél. 520 520 sales @thalassa-hotels.com*

LE SAHEL

GAMME DE PRIX	RESTAURATION	HÉBERGEMENT
Très petits prix	moins de 5DT	moins de 15DT
Petits prix	de 5DT à 15DT	de 15DT à 30DT
Prix moyens	de 15DT à 25DT	de 30DT à 60DT
Prix élevés	de 25DT à 40DT	de 60DT à 100DT
Prix très élevés	plus de 40DT	plus de 100DT

MAHDIA

Ind. tél. 73

Mahdia, c'est d'abord un site unique : le cap Africa, qui s'avance sur 1,5km dans la Méditerranée. Cette presqu'île stratégique fut le théâtre d'épisodes majeurs de l'histoire tunisienne, la petite cité ravissant même à Kairouan, au IXe siècle, son rang prestigieux de capitale des Fatimides. Port sardinier réputé, Mahdia est aussi spécialisée dans l'art du tissage de la soie. Monuments parfaitement restaurés, paisible petite médina, plage magnifique... où les hôtels poussent comme des champignons : dépêchez-vous de profiter des atouts de Mahdia !

CAPITALE DES FATIMIDES En 921, El-Mahdi, calife fatimide régnant à Kairouan, décide de transférer sa capitale dans la ville qu'il fait bâtir depuis quelques années et qui porte son nom, Mahdia. Il y établit la "Médina invincible et conquérante" de cette dynastie chiite. Mais seuls sa famille et ses proches, protégés par une petite garnison, peuvent résider dans la ville close. Fonctionnaires et commerçants doivent regagner chaque soir le faubourg de Zouila. Du promontoire protégé par un double rempart sur l'isthme et par des murailles sur la mer, les Fatimides vont régner sur la Tripolitaine, la Sicile, l'Algérie et la Tunisie, prise aux Aghlabides. Mais leur autoritarisme suscite des résistances et les califes chiites ne parviennent pas à s'imposer dans ce pays majoritairement sunnite. En 972, ils décident donc de s'installer en Égypte, au Caire, ville qu'ils viennent de fonder. Mahdia devient alors une simple capitale régionale gouvernée par les Zirides et elle ne retrouvera jamais plus son éclat. Au XIIe siècle, la cité est occupée par les Normands venus de Sicile. Puis elle est attaquée par les Génois, les Français, les chevaliers de Malte et les Espagnols qui, en 1554, démantèlent ses fortifications. Les Ottomans entreprendront sa reconstruction à la fin du XVIe siècle.

LA "VILLE DE LA SARDINE" C'est le surnom que les Siciliens, qui vont y pêcher chaque été, donnent à Mahdia à partir des années 1870. Les Mahdois héritent de leur technique de pêche de nuit, dite "au lamparo". Aujourd'hui, de nouveaux bassins accueillent des chalutiers.

MODE D'EMPLOI

accès

EN TRAIN
La gare de Mahdia est le terminus de la ligne du "métro du Sahel", train omnibus desservant de nombreuses stations à partir de la gare de Sousse en passant par Monastir et Moknine. À peu près un train tous les trois quarts d'heure de 4h50 à 19h50 (de 5h25 à 16h10 pendant le ramadan).
Gare *Av. Farhat-Hached (près du port) Tél. 680 177*

EN CAR

Nombreuses liaisons quotidiennes avec Sousse, Monastir, El-Djem ou Sfax.

Gare routière *À 2km du centre-ville (en direction d'El-Djem et Sfax)*

EN LOUAGE

Nombreuses liaisons quotidiennes avec Sousse, Monastir, El-Djem ou Sfax.

Station *À côté du port de pêche*

EN VOITURE

Mahdia est à 62km au sud-est de Sousse et à 42km au sud-est de Monastir, à 42km au nord-est d'El-Djem et à 104km au nord de Sfax. La route entre Monastir et Mahdia via Moknine n'est pas très intéressante car la région est très urbanisée : il faut donc traverser de nombreuses agglomérations sans attrait.

orientation

La presqu'île de Mahdia est orientée selon un axe est-ouest, pointant légèrement vers le nord. La médina occupe la pointe de la péninsule alors que le port et la gare se trouvent sur la côte sud. Quant à la zone touristique, elle s'étend sur des kilomètres au nord de la ville, le long de la plage.

informations touristiques

Office National de Tourisme *Av. de Mars Tél. 680 000/663/664 Ouvert lun.-sam. 8h-13h30 et 15h-17h45 ; ramadan 8h-14h*
Syndicat d'initiative Bureau installé dans un marabout (petit tombeau à dôme). *Juste derrière la grande porte (skifa el-Kahla) de la médina Location d'appartements possible Tél. 681 098 Tél. portable 98 687 503 Ouvert hiver : lun.-sam. 8h30-13h et 14h-17h45 ; été : lun.-sam. 9h-19h*

Train touristique et tuk-tuk Un petit train relie les hôtels de la zone touristique au centre-ville. Approximativement un train toutes les heures. Vente des billets à la réception des hôtels. *Station train Près de la fontaine Station tuk-tuk Pl. du 1er-Mai (à côté de la station de taxis)*

poste et banques

Poste *Au bout de l'av. Habib-Bourguiba Tél. 681 714*
Banque de Tunisie Elle dispose d'un distributeur de billets. *Près du port (sur la route qui longe la mer vers le fort)*
Agence BIAT Elle possède aussi un distributeur. *Pl. de l'Indépendance (au bord de la skifa, entrée ouest de la médina)*

marché, fêtes et manifestations

Un marché se tient tous les vendredis devant la *skifa* el-Kahla et dans la médina
Nuits de Mahdia Théâtre et concerts au lycée du 2-Mars. *En juillet*
Fête de la Mer Compétitions sportives, soirées nocturnes sur la plage (musique, théâtre), colloques, dégustations de poisson. *La quatrième semaine de juillet*

LE SAHEL

DÉCOUVRIR
Mahdia

☆**Les essentiels** La skifa el-Kahla, le bordj el-Kébir, le Vieux Port et le cimetière **Découvrir autrement** Prenez un verre face à la mer au café Sidi Salem, savourez la cuisine de la mer au restaurant Le Lido

> **Carnet d'adresses p.265**

☆ **Skifa el-Kahla** Ce "porche sombre", boyau long de 44m, érigé sur l'isthme de la presqu'île, formait l'un des bastions de l'enceinte qui protégea la capitale fatimide dès le Xᵉ siècle. Mais, comme tout ce système défensif, il fut gravement endommagé par les Espagnols en 1554, et relevé par les Ottomans peu après. Il relie la ville ancienne à la médina, dont la rue principale, dans son prolongement, abrite les boutiques de souvenirs. *Pl. de la Skifa (à l'entrée de la médina)*

Musée régional Ce petit musée retrace l'histoire de Mahdia et de ses environs. La grande salle du rez-de-chaussée est consacrée à l'Antiquité. Parmi les trois grandes mosaïques provenant d'El-Djem, remarquez la tête de Gorgone, sœur jumelle, un peu moins aboutie, de celle du musée de Sousse et Orphée charmant les animaux. Une volumineuse stèle votive des IIᵉ-IIIᵉ siècles, haute de 4m, quelques statues romaines en marbre d'une grande finesse, des poteries (dont beaucoup de lampes à huile) complètent la collection. Au premier étage, l'art islamique est à l'honneur : vases et plats en céramique, éléments de décor en pierre et en bois ; notamment des poutres sculptées de versets du Coran qui ornaient vraisemblablement le patio d'une maison de notable. Certaines salles sont dévolues aux arts et traditions populaires : notamment le tissage de la soie, dont Mahdia s'est fait une spécialité (métiers à tisser horizontaux et costumes de mariées). La salle des Trésors abrite des corans (IXᵉ-XIIᵉ s.), des pièces de monnaie et des bijoux. Du hall d'accueil du musée, on peut gravir l'escalier (derrière la porte, à gauche en entrant) d'accès au toit de la *skifa*, et jouir d'un splendide panorama sur la ville et la presqu'île. *Pl. de l'Indépendance (à droite de la skifa) Tél. 692 752 Ouvert hiver : mar.-dim. 9h-16h ; été : mar.-dim. 9h-13h et 16h-19h Tarif 4DT Droit photo 1DT*

Grande Mosquée De la première mosquée fatimide (la deuxième sera Al-Azhar au Caire), bâtie de 916 à 921, un seul élément d'origine : le mur nord percé d'un porche monumental, ses deux tours d'angle qui abritent des citernes et le portique nord de la cour intérieure. Le reste de l'édifice fut détruit par les Espagnols en 1554 avec les remparts mitoyens. Le monument actuel a été reconstruit de 1961 à 1965 d'après les plans initiaux, mais le décor a dû être reconstitué sans modèle. Les non-musulmans peuvent entrer dans la cour et jeter un coup d'œil aux citernes. *Pl. Kadi-Noamene Ouvert mar.-dim. 8h-13h Tarif 1DT*

Musée Dar Sghir Dans la médina, cette maison à patio du XIXᵉ siècle, rénovée en 1950, a été transformée en musée. Guidé par l'actuel propriétaire, descendant

LE SAHEL

du fondateur, on visite la cuisine, son annexe et les chambres, où sont exposés ustensiles, meubles et vêtements traditionnels, dont une robe de mariée. *Rue Mohammed-Abdessalem (dans la médina, à hauteur du bordj el-Kébir) Tél. 691 878 Ouvert tlj. 9h-19h ; ramadan : 9h30-16h Tarif 3DT (inclus droit photo)*

Association de sauvegarde de la médina Un espace aménagé dans une autre maison du XIXe siècle, sur le front de mer, non loin du café Koucha (cf. Où boire un verre ?). L'endroit, parfaitement restauré, possède un joli patio couronné d'une galerie à balustrade. Des expositions artistiques y sont régulièrement présentées. *Bd Cap-Africa Ouvert tlj. 8h30-13h et 15h-17h45h*

☆ ☺ **Bordj el-Kébir** L'ancienne casbah de Mahdia, gardienne du cap, dessine un carré irrégulier de 60m de côté. Une échauguette marque chaque angle de la muraille massive. Le fort, construit au XVIe siècle, a été restauré et légèrement remanié par l'armée française à l'époque du protectorat. L'imposant porche en chicane communique avec des salles voûtées et avec la cour, où sont entreposés quelques colonnes et chapiteaux provenant du port antique. Principal intérêt de cette visite, la promenade des remparts et son magnifique point de vue sur le bassin du Vieux Port. Devant le bordj gisent les vestiges d'un palais du Xe siècle. *Rue du Bordj Ouvert hiver : mar.-dim. 9h-16h; été : mar.-dim. 9h-13h et 16h-19h Tarif 1,10DT Droit photo 1DT*

☆ **Vieux Port et cimetière** Au-delà du bordj, près du cap, quelques barques de pêcheurs dansent dans un bassin cerné de centaines de tombes : c'est l'unique vestige du port phénicien réaménagé par les Fatimides. Pour protéger son entrée, ces derniers construisirent deux tours reliées par une chaîne. Les chrétiens parvinrent à briser cette dernière en 1088 et les Espagnols rasèrent les deux tours au XVIe siècle. Près de la pointe, sur la côte sud, une arche en pierre érigée récemment à côté de maigres vestiges de l'enceinte maritime commémore la riche histoire de Mahdia. *Rue du Bordj*

● **Où boire un verre ?**

Café Gamra Plantée de grands arbres, la très plaisante place du Caire, dans la médina, accueille la terrasse du Gamra, où il fait bon boire un café ou fumer une chicha. Pas d'alcool. *Pl. du Caire Ouvert tlj. 8h-21h*

Café Sidi Salem Accrochées aux rochers battus par les vagues, quelques terrasses reliées par de petits escaliers, parfaites pour observer les chalutiers qui entrent et sortent du port et se mêler à la jeunesse de Mahdia. Pas d'alcool mais on peut manger du poisson pour 8DT environ. *Rue du Bordj Ouvert tlj. 10h-22h*

Café El-Medina De chaleureuses salles voûtées meublées de bois et fréquentées par les Tunisiens et les touristes. Animation musicale tous les soirs, chicha, thé à 0,60DT. Pas d'alcool. *Sur la place qui jouxte la Grande Mosquée Ouvert tlj. 10h-0h*

Café Koucha Les clips de la télé, accrochée sous la jolie voûte, y attirent les jeunes. De petites alcôves avec tables et sièges permettent de s'isoler en petits groupes ou en amoureux, et de rafraîchissantes glaces et pâtisseries sont servies à la demande avec le thé. Pas d'alcool. *Bd Cap-Africa (à côté du siège de l'Association de sauvegarde de la Médina) Ouvert tlj. 7h-22h*

LE SAHEL

Vente de tapis (p.233), Kairouan.

Gargoulettes destinées à la pêche au poulpe (p.280), îles Kerkennah.

CARNET D'ADRESSES

Restauration

¶ prix moyens

Le Neptune Nombreuses spécialités de la mer : goûtez en priorité aux calamars farcis et au succulent couscous de poisson (à commander au moins 12h avant). Menu à 15,50DT. Deux autres bonnes notes : l'accueil très cordial du patron et la deuxième salle, au premier étage, qui domine la mer. Comptez 20DT pour un repas. Sert de l'alcool. *Rue du 7-Novembre (corniche) Tél. 681 927 Fax 693 178 Ouvert tlj. 11h-0h*

☺**Le Lido** Le poisson ne peut pas être plus frais qu'au Lido puisque le port se trouve de l'autre côté de la route ! Les serveurs s'empressent d'ailleurs de vous présenter la pêche du jour sur un plateau afin de vous laisser choisir. Bon loup grillé à 20DT. Plats de résistance de 10DT à 20DT. Le prix peut varier par rapport à la carte en fonction du poids du poisson. Excellents amuse-bouches. Terrasse ombragée sur la rue et deux salles à l'intérieur. Environ 25DT-30DT le repas, bouteille de vin comprise. *Av. Farhat-Hached Tél. 681 339 Ouvert tlj. 9h-1h*

Houria House La grande salle et la terrasse donnent directement sur la plage : ce restaurant-pizzeria est idéal pour un moment de détente entre deux baignades. On peut aussi se contenter d'y boire un jus de fruit frais sous un parasol. À la carte, pizzas (4DT-6DT), pâtes (3,50DT), poisson et viande (6DT-10DT). Najib, le jeune patron, est un ancien joueur de l'équipe nationale de hand-ball. En 2007, il a également ouvert un petit hôtel. CB acceptées. *Av. du 7-Novembre Tél. 98 229 877 Ouvert tlj. 8h-1h*

☺**Le Quai** Les chaleureuses couleurs de la terrasse abritée poussent à s'attabler : nappes orange, chaises bleues et plafond en bois multicolore. Dans les assiettes, un bon poisson grillé (de 8DT à 15DT), une salade de fruits de mer à 6,50DT ou encore une brochette d'agneau cuite à point (viandes de 6DT à 9DT). Parmi les entrées, excellente brick au thon. Couscous de poisson sur commande. *Restaurant voisin du Lido (face au port de pêche) Tél. 681 867 Ouvert tlj. 11h-21h*

Hébergement

▣ très petits prix

Auberge de jeunesse Une formule d'hébergement idéale pour les petits budgets mais, en juillet-août, l'auberge affiche complet. 4DT la nuit, de 1,50DT à 2DT pour le petit déjeuner. De 10DT à 14DT en pension complète, selon la période. Cinquante lits répartis dans 18 chambres. Sanitaires collectifs. *rue Ibn-Roshd* **Centre-ville** *En venant du centre par le port, tourner à droite en*

LE SAHEL

GAMME DE PRIX	RESTAURATION	HÉBERGEMENT
Très petits prix	moins de 5DT	moins de 15DT
Petits prix	de 5DT à 15DT	de 15DT à 30DT
Prix moyens	de 15DT à 25DT	de 30DT à 60DT
Prix élevés	de 25DT à 40DT	de 60DT à 100DT
Prix très élevés	plus de 40DT	plus de 100DT

face de la station Esso, puis prendre la deuxième rue à gauche. L'auberge se trouve à 50m Tél. 681 559 dmj. elmahdia@jeunesse.tn

 petits prix

Médina Au cœur de la Vieille Ville, dans la presqu'île, 10 grandes chambres dont les murs immaculés s'ornent de petites mosaïques de céramique. Sanitaires communs. Un restaurant qui n'ouvre qu'en juil.-août. Comptez 24DT la double avec petit déjeuner. *Rue El-Kaem (centre-ville) Tél. 694 664 Fax 690 703*

 prix moyens

Corniche Vous trouverez dans cet établissement, situé face aux premières dunes de la plage, un peu plus de confort que dans les deux précédents. Dix-huit chambres bien tenues, dont 6 sont climatisées, parfois dotées d'une sdb. Une double avec vue sur la mer et sdb vaut 45DT en haute saison, petit déjeuner compris. *Rue du 7-Novembre Tél. 694 201 Fax 697 050*

 prix très élevés

Sangho Sirocco Beach Sur le front de mer, un hôtel-club 3 étoiles à taille humaine doté de 65 chambres redécorées à neuf en 2006. Clim., petite piscine, tennis, agréable salle de restaurant. La double revient à 134DT en été, petit déjeuner compris. Animations assurées en haute saison. Pas de CB. *Zone touristique (à 2km du centre-ville) Tél. 671 226 www.sangho.fr*

☺**Hôtel Vincci Nour Palace** Superbe établissement de grand standing, doté d'un centre de thalassothérapie (cf. GEOPratique). Il émane des chambres ultraconfortables (clim., TV, minibar, téléphone, sèche-cheveux, larges baignoires) une ambiance chaleureuse due aux couleurs vives des tissus et peintures. Plusieurs bars et restaurants ainsi que de nombreux équipements de loisirs : immense piscine, courts de tennis, discothèque, centre d'activités nautiques sur la plage et même un mini parcours de golf. Seule ombre au tableau, l'hôtel, qui compte plus de 500 chambres, manque nettement d'intimité. À partir de 95DT la double avec petit déjeuner, 120DT en demi-pension, en moyenne saison. *Zone touristique Tél. 682 500 www.vinccihoteles.com*

Dans les environs

 prix très élevés

☺**Résidence Dar Sidi** Une adresse de charme ! Cachées derrière un petit mur, quelques maisons basses, toutes blanches, ont jailli dans une sorte de jardin d'Éden au bord de la mer. Décoration délicate et personnalisée dans chaque chambre : poutres apparentes au plafond, grand plat verni en guise de lavabo, harmonies de bleu ou de rouge dans les tentures, les meubles et les panneaux de bois décoratifs ou encore dans les frises de zelliges... TV, clim. et petite piscine avec un solarium. Ici, on entend seulement le ressac et les mouettes. Dix chambres et un restaurant très agréable meublé de tables et de chaises basses. Possibilité de demi-pension. 200DT la double en haute saison. 100DT/pers. en demi-pension. 140DT la double en moyenne saison. *À l'entrée de* **Rejiche**, *route de la corniche (à 4km au sud de Mahdia). Juste après la station Agil, prendre à gauche : la résidence se trouve sur la gauche, à 1,5km après le dos d'âne. Période d'ouverture aléatoire hors saison Tél. 687 001 Tél. portable 20 325 740 residence.darsidi@gnet.tn*

★ EL-DJEM

Ind. tél. 73

Non, vous ne rêvez pas... Au cœur du Sahel, dans une plaine céréalière plantée d'oliviers, se dresse l'un des plus grands amphithéâtres que les Romains aient jamais bâtis. Ce fabuleux monument attire à juste titre des cohortes de touristes, venus de leur villégiature côtière, passer là une journée. Pour éviter la cohue, passez éventuellement une nuit à El-Djem.

Visitez l'amphithéâtre tôt le matin ou en soirée, quand la lumière dore les pierres et que le silence est retombé sur l'arène.

LES VICISSITUDES DE THYSDRUS El-Djem est une fondation punique, que les Romains baptisent Thysdrus. Aux IIe et IIIe siècles, la cité atteint son apogée grâce au commerce de l'huile d'olive. Carrefour routier au cœur de la future province de Byzacène, elle compte quelque 30 000 habitants. Extrêmement riche, la cité se dote d'un amphithéâtre monumental, de thermes colossaux et de villas somptueuses, et prétend même diriger l'Empire. Ses propriétaires fonciers se révoltent contre la pression fiscale qu'exerce Rome sur la province. En 238, ils proclament la déchéance de l'empereur Maximin et choisissent comme chef le proconsul Gordien. Maximin s'engage alors dans une répression féroce : les révoltés sont écrasés et Gordien Ier doit se suicider. La ville n'en conservera pas moins une certaine prospérité jusqu'à la chute de l'Empire. Le déclin s'amorce avec les invasions des Vandales (430) et des Arabo-musulmans (647), qui poussent la population à se réfugier dans l'amphithéâtre transformé en forteresse. La Kahena, princesse quasi légendaire des Aurès, symbole de la résistance berbère, s'y serait retranchée avec ses troupes. Cette vocation de forteresse perdure pendant des siècles, El-Djem abritant souvent des tribus révoltées contre les beys de Tunis. Parallèlement, sa décadence est encore accentuée par le développement de Kairouan et de Mahdia. El-Djem est réduite à l'état de modeste village assoupi pendant des siècles, avant que la poussée démographique et le tourisme, depuis quelques dizaines d'années, ne lui redonnent vie.

MODE D'EMPLOI

accès

EN TRAIN

Quatre liaisons quotidiennes (moins pendant le ramadan) pour Sfax et Tunis (via Sousse).
Gare *Av. Taïeb-Mehiri (à proximité de l'hôtel Julius)*

EN CAR

Plusieurs cars quotidiens en provenance et à destination d'El-Djem, Sousse, Mahdia, Sfax ou Kairouan.
Gare routière *Sur la route de Sfax*

EN LOUAGE

Station avenue Taïeb-Mehiri, sur l'esplanade, en face de l'hôtel Julius.

LE SAHEL

LE SAHEL

EN VOITURE

El-Djem est située à 63km au sud de Sousse (P1), à 42km au sud-ouest de Mahdia (C87) et à 70km au sud-est de Kairouan (C87).

Impossible de manquer l'amphithéâtre, qui domine le bourg et constitue, par conséquent, un excellent point de repère. De l'entrée du monument, l'avenue Bourguiba mène vers la route de Sfax, sur laquelle donne le musée.

Syndicat d'initiative *Sur la gauche de l'entrée de l'amphithéâtre Horaires d'ouverture aléatoires, officiellement : lun.-sam. 8h-12h et 15h-18h, dim. 8h-14h*

Festival international d'El-Djem Concerts symphoniques dans le cadre somptueux de l'amphithéâtre. *En juillet-août Tél. 630 715 www. festivaleljem.com*

DÉCOUVRIR
El-Djem

☆ **Les essentiels** Le Grand Amphithéâtre, le Musée archéologique **Découvrir autrement** Chinez sous les arcades qui jouxtent l'amphithéâtre, rapportez des mosaïques à l'antique de chez Mosaïque d'Afrique

> **Carnet d'adresses p.270**

☆ ☺ **Grand Amphithéâtre** Sa masse imposante domine et semble écraser la petite ville d'El-Djem, exprimant toute la puissance de l'Empire romain. Par ses dimensions, cet extraordinaire édifice vient en troisième position après le Colisée de Rome et l'amphithéâtre de Capoue. Il mesure 147,90m sur 122,20m pour 36m de hauteur, et son arène elliptique 64,50m sur 38,80m. Il fut érigé à la fin du IIe ou au début du IIIe siècle, à l'apogée de Thysdrus, et jamais achevé. Ses pierres proviennent des carrières de Rejiche, à 30km, près de Mahdia, sur la côte. Leur fragilité explique l'épaisseur considérable des murs qui soutiennent le monument. L'arène accueillait des combats de gladiateurs et de fauves, des chasses (*venationes*) et parfois des supplices. Les fauves étaient parqués dans des galeries qui s'étendent au-dessous de l'amphithéâtre et débouchent hors de l'enceinte. Ils montaient de ces "coulisses" souterraines par la grande trappe rectangulaire, fermée par un plancher amovible, que l'on peut voir au centre de l'arène. Au sommet du mur, haut de 3,50m, qui fait le tour de l'arène s'étend le podium, parcelle plane encore en partie dallée de marbre, réservé aux spectateurs de marque ou fortunés. Les gradins (*cavea*) étaient soutenus par de solides murs rayonnants qui délimitaient 64 travées régulières. Des corridors aménagés sous les gradins et un escalier dans chaque travée permettaient aux 30 000 spectateurs d'accéder à leurs sièges. Un ingénieux système de conduites et de collecteurs installé sous l'amphithéâtre et à sa périphérie, récupérait les eaux de pluie sur les gradins et le podium, contribuant ainsi à l'irrigation des oliveraies de Thysdrus. Parfaitement restauré, l'amphithéâtre s'est vu doter de nouveaux gradins, installés pour le festival musical international qui anime El-Djem chaque été. *Tél. 630 969 Ouvert avr.-sept. : tlj. 7h30-19h ; oct.-mars : tlj. 8h-17h30 Tarif 6DT (billet groupé avec l'entrée du Musée archéologique) Droit photo 1DT*

☆ ☺ **Musée archéologique** Incontestablement l'un des plus beaux musées de Tunisie, par la qualité et la finesse de ses mosaïques romaines, qui rivalisent avec celles des musées du Bardo et de Sousse, et par l'intérêt que présente sa maison d'Africa, reconstitution d'une maison antique. Les œuvres exposées sont remarquablement mises en valeur par une présentation très didactique. Les plus belles mosaïques, toutes du IIe siècle, ont pour titres : *Le Triomphe de Bacchus*, *Les Neuf Muses* et *Combats d'animaux sauvages dans l'amphithéâtre*. Dans les vitrines, des lampes à huile ornées de médaillons figuratifs, des sculptures en marbre, des fragments d'objets en bronze et en or, ainsi que des masques funéraires. Le musée jouxte l'émouvant champ de fouilles de tout un quartier de Thysdrus. Des mosaïques de moindre importance ont été laissées en place, notamment dans ce qu'il reste de la Domus Sollertiana. La passionnante maison d'Africa s'élève en bordure de ce champ de fouilles. On a utilisé, pour sa reconstitution, les fondations et les sols d'une immense demeure patricienne (3 000m²), la plus vaste des maisons connues de l'Afrique romaine, exhumés en 1990 dans un autre quartier d'El-Djem. Les murs et la toiture sont le fruit des recherches les plus abouties en matière d'archéologie. Le résultat est étonnant. On peut y admirer plusieurs mosaïques de sol magistrales : *Naissance de Vénus*, *Rome et ses provinces*, *La Déesse Africa*, ces deux dernières œuvres étant uniques, par leur thématique, dans le monde romain. C'est ainsi que la déesse Africa, dont Pline disait que personne en Afrique ne prenait de résolution sans l'avoir invoquée, a donné son nom à cette magnifique maison. Dans l'atrium, présentation des divers matériaux utilisés pour la reconstitution : brique nue, plâtre, marbre, ainsi que d'intéressants tubes de voûtes (tubes coniques qui s'emboîtent et soutiennent la voûte) en terre cuite. Une réussite ! *Route de Sfax Tél. 630 969 Ouvert mi-sept.-mars : tlj. 8h-17h30 ; avr.-juin et 1er-15 sept. : tlj. 7h30-18h30 ; juil.-août : tlj. 7h30-19h Tarif 6DT (billet groupé avec l'entrée de l'amphithéâtre)*

LE SAHEL

Fontaine publique À droite de l'entrée du musée, vous verrez une élégante fontaine à trois arcades, construite au début du XVIIIe siècle avec des blocs de grès. *À droite de l'entrée du musée*

Petit Amphithéâtre Ses dimensions sont bien plus modestes que le monument phare d'El-Djem. Édifié au 1er siècle de notre ère, pour 8 000 spectateurs, il fut remplacé par le Grand Amphithéâtre quelque 150 ans plus tard et laissé à l'abandon. Aujourd'hui ouvert aux quatre vents, il tend hélas ! à devenir une poubelle géante. *En face du musée (de l'autre côté de la voie ferrée)*

Chapiteau de colonne géant Au milieu du carrefour entre la route venant du centre-ville et la nationale qui rejoint Sousse et Tunis repose un chapiteau monumental (1,82m de haut), le plus grand de Tunisie, qui proviendrait de thermes colossaux.

● **Où chiner des antiquités ?** Plusieurs magasins d'antiquités sous les arcades, à gauche de l'entrée de l'amphithéâtre. On peut y dénicher l'objet rare si l'on prend le temps de farfouiller dans d'invraisemblables bric-à-brac. Ne pas oublier de marchander.

● **Où s'offrir un panneau de mosaïque ?** Cette entreprise en exécute sur commande : reproductions de motifs antiques ou de portraits de famille, panneaux de salle de bains, tables, médaillons... Les ouvriers, talentueux, réalisent aussi des objets et meubles en fer forgé, ainsi que des sculptures en marbre. Le minuscule musée attenant restitue les différentes étapes du travail des mosaïstes à l'aide de mannequins de cire. À partir de 60DT, jusqu'à plusieurs milliers de DT, selon la taille et la difficulté de la commande. On peut aussi acheter une amusante boîte-puzzle pour fabriquer soi-même une petite mosaïque (35DT). **Mosaïque d'Afrique** *À 5km d'El-Djem sur la route de Tunis Tél./fax 633 212 mosaiquedafrique@topnet.tn Ouvert tlj.*

CARNET D'ADRESSES

Restauration

🍴 **petits prix**

Le Bonheur 1 Les grands éventails asiatiques accrochés aux murs de la salle n'augurent pas du menu : dans les assiettes, on retrouve les spécialités tunisiennes : couscous, bricks et poisson grillé (de 9DT à 15DT, selon la pêche du jour). Les viandes sont affichées de 5DT à 8DT. Restaurant climatisé, avec quelques tables en terrasse, à un carrefour bruyant. Pas d'alcool. *À l'entrée de la route de Sfax (près de l'hôtel Julius) Ouvert tlj. 10h-22h*

Le Bonheur 2 Même patron et même carte qu'au Bonheur 1, mais cette fois, on bénéficie d'une très belle vue sur l'amphithéâtre de la petite terrasse. Avec ses néons, la salle, un peu trop moderne, manque de charme, mais l'accueil est très cordial. Bonne cuisine sans surprise. Pas d'alcool. *Ouvert tlj. 10h-22h*

Chez Farah Les tableaux, tentures et plats colorés accrochés aux murs donnent à la petite salle une touche conviviale. Grand choix d'entrées et de plats, de l'omelette aux herbes, au couscous et aux spaghettis. La carte propose notamment une salade méchouia juste assez pimentée, de succulentes bricks aux œufs, ainsi qu'un bon méchoui de mouton. Une bonne adresse très simple. Environ

7DT-8DT pour un repas. Petite terrasse. Pas d'alcool. Accueil souriant. *Sur le même trottoir que Le Bonheur 2 en s'éloignant de l'amphithéâtre* Tél. 631 255 Ouvert tlj. 11h-21h

Hébergement

Les possibilités d'hébergement sont rares à El-Djem et dans ses environs, sans doute en raison de la proximité de Mahdia, de Monastir et de Sousse.

 prix moyens

Ksar el-Djem En pleine campagne, cet hôtel-club 3 étoiles profite d'un environnement bucolique auquel concourt son jardin verdoyant et fleuri. Le calme est assuré, mais la qualité de l'accueil et l'entretien des chambres laissent vraiment à désirer. Espérons qu'avec l'arrivée récente du nouveau gérant, cette critique n'ait plus lieu d'être. Les 32 chambres climatisées (et avec la TV) sont réparties en petits groupes autour de la piscine, remplie de juin à septembre. Animations pendant les périodes des vacances. Bar très fréquenté le soir par les habitants d'El Djem. Restaurant. Double 60DT en haute saison, tarif négociable le reste du temps. *À 4km d'El-Djem, sur la route de Tunis* Tél. 632 800 info@ hotelksareljem.com

LE SAHEL

SFAX

Ind. tél. 74

Grand port tunisien, Sfax est aussi, à l'image de ses habitants, réputés fiers et travailleurs, une cité industrielle de premier plan. La deuxième ville du pays (env. 270 000hab.) a peu d'atouts touristiques à faire valoir. Les bombardements de la Seconde Guerre mondiale ont entraîné une reconstruction sans grand charme du centre-ville, mais la séduisante médina, épargnée, mérite une visite.

UN GOÛT PRONONCÉ POUR L'AUTONOMIE La région de Sfax fut colonisée par les Romains, qui fondèrent les cités de Taparura et Thanæ, dont il ne subsiste presque rien. Les matériaux de Taparura servirent à bâtir la cité aghlabide de Syphax, au IXe siècle. La ville joua rapidement un rôle économique important grâce à l'exportation d'huile d'olive et de poisson séché. Sfax résista aux Hilaliens venus d'Égypte en 1057 et, de 1095 à 1099, devint même la capitale d'un petit État indépendant. Elle passa sous la domination du prince normand Roger de Sicile en 1148, avant d'être reprise par les Almohades d'Abd el-Mumin en 1159. D'esprit indépendant, les Sfaxiens résistèrent au bey de Tunis en 1864, et, en 1881, aux Français, dont ils rejettaient le protectorat. Ces derniers durent bombarder Sfax pour venir à bout de la résistance. Les bombardements alliés de 1943 constituent le dernier épisode marquant de l'histoire locale.

UN PORT ET UNE RÉGION PROSPÈRES Sfax, premier port de Tunisie, voit transiter de nombreuses marchandises : d'abord les phosphates de la région de Gafsa, embarqués à destination du monde entier. Une énorme usine de transformation des phosphates se dresse au sud de la ville. Le gouvernorat produit annuellement quelque 80 000t d'huile d'olive, issue des immenses oliveraies de la région, ainsi que 15 000t d'amandes et d'autres fruits (pommes, abricots). Sfax revendique également 23 500t annuelles de produits de la pêche, essentiellement du poisson mais aussi des poulpes et des éponges. Enfin, autre signe de dynamisme économique et culturel, la ville abrite plusieurs universités et écoles supérieures de niveau national.

MODE D'EMPLOI

accès

EN AVION
Aéroport de Sfax-Thyna Quatre vols par semaine (lun.-jeu.) en provenance de Tunis, deux autres en provenance de Paris (mardi et jeudi). Prendre un taxi pour relier l'aéroport au centre-ville (Allô taxi : Tél. 299 900). *À 7km au sud-ouest de la ville (sur la route d'Agareb) Tél. 278 000*

EN TRAIN
Gare (plan 18, C2) Trois ou 4 liaisons/j. avec Sousse et Tunis, 1 ou 2 avec Gabès et depuis Gafsa. *À l'extrémité de l'av. Habib-Bourguiba (côté nord) Tél. 228 364*

EN VOITURE
Sfax se trouve à 257km au sud de Tunis (A1 et route P1), à 125km au sud de Sousse (route P1), à 136km au sud-est de Kairouan (routes P2 et C 81) et à 137km au nord-est de Gabès (route P1).

EN CAR
Il y a deux gares routières. Plusieurs liaisons quotidiennes avec Tunis, Sousse et Gabès. Une ou deux liaisons par jour avec Kairouan, Mahdia, Djerba.
Gare SNTRI (plan 18, C2) Toutes liaisons sauf vers la région de Tozeur-Gafsa. *Rue de Tazarka (à côté de la gare)*

Gare SORETRAS (plan 18, A4) *Av. du Commandant-Bejaoui (dans le prolongement de l'av. Bourguiba, à l'opposé de la gare) Tél. 498 028/030*

EN LOUAGE
Station (plan 18, A4) Louages en provenance de toute la Tunisie. *Av. du Commandant-Bejaoui Tél. 220 907*

orientation

L'artère principale du centre-ville est l'avenue Habib-Bourguiba, orientée nord-sud, presque parallèlement à la médina, située à l'ouest, et au port, à l'est. L'avenue Hedi-Chaker croise perpendiculairement l'avenue Habib-Bourguiba et relie ces deux pôles.

informations touristiques

Office de tourisme (plan 18, B4) *Av. Hedi-Khefacha (dans un petit bâtiment blanc, sur le quai, face à l'ancienne darse A du port) Tél. 497 041 Fax 498 088 Ouvert lun.-jeu. 8h30-13h et 15h-17h45, ven.-sam. 8h30-13h30 (ramadan 8h-14h, sauf ven. 8h-13h)*

banques

Plusieurs distributeurs de billets av. Hedi-Chaker et av. Habib-Bourguiba. Dans la médina, l'agence UBCI (75, rue Sidi-Belhacen) dispose aussi d'un distributeur.

accès Internet

Publinet (plan 18, B3) 2DT/h. À l'angle de l'av. Habib-Bourguiba et de la rue de Kairouan (sur la mezzanine d'une galerie commerciale) Ouvert lun.-sam. 8h-0h et dim. 10h-0h

Publinet (plan 18, C3) 2DT/h. 7, rue Ali-Bach-Hamba Ouvert tlj. 8h-2h

location de voitures

Avis (plan 18, C3) 48, rue Taha-Sfar Tél. 224 605

Hertz (plan 18, C3) 47, av. Habib-Bourguiba Tél. 228 626 ou 226 192

marchés

Grand marché couvert (plan 18, A1) Sous ses très hautes voûtes en brique rouge, étals de viandes, fruits et légumes et, au centre, marché au poisson. À l'extérieur de la médina, près de Bab el-Djebli Ouvert mar.-dim.

Marché central (plan 18, B4) Spécialisé dans les produits de la mer. Près de l'ancien port de pêche (non loin de l'office de tourisme) Entrée par l'av. Habib-Bourguiba et par l'av. Ali-Bach-Hamba Ouvert mar.-dim.

fêtes et manifestations

Festival international de Sfax Concerts, théâtre, cinéma. Mi-juillet-mi août

Festival de la cavalerie à Agareb Cette petite ville, à 20km à l'ouest de Sfax, organise des courses de chevaux et des fantasias. Une semaine en juillet

Festival international des arts plastiques à Mahrès Expositions de peinture et de sculpture. Une semaine, fin juillet-début août

Festival de Sidi Mansour Village à 10km au nord de Sfax où sont présentés animations de rue et spectacles folkloriques. Une semaine en août

LE SAHEL

DÉCOUVRIR
Sfax

☆ **Les essentiels** La médina, le musée Dar Djellouli **Découvrir autrement** Allez siroter un thé au café Diwan, faites une escapade aux îles Kerkennah
> **Carnet d'adresses p.278**

☆ ☺ **Médina (plan 18, B1-B2)** Cette magnifique médina est l'attraction majeure de Sfax. Ses ruelles et ses souks, restés très authentiques, méritent quelques heures de promenade. La vieille ville est enfermée dans de magnifiques remparts, parfaitement restaurés. D'une longueur de 2km, cette enceinte, érigée au IXe siècle, a été remaniée et renforcée à plusieurs reprises. Ponctuée de tours polygonales, oblongues ou circulaires, elle est percée de quelques rares portes dont les principales sont **Bab Diwan** (XIVe s., remaniée), au sud, du côté du centre-ville moderne, et **Bab Djebli**, sur le rempart opposé, près du marché couvert. La médina a conservé une remarquable unité architecturale. Repérable à son minaret, la grande mosquée, au centre de la Vieille Ville, remonte à l'époque aghlabide (IXe s.), et s'inspire donc de celle de Kairouan, bien qu'elle soit d'une taille bien plus modeste. Ce sanctuaire, amputé au XIIe siècle au profit d'habitations et de commerces, fut agrandi au XVIIIe siècle (fermé aux non-musulmans). Le **bordj Ennar** occupe l'angle nord-est de la

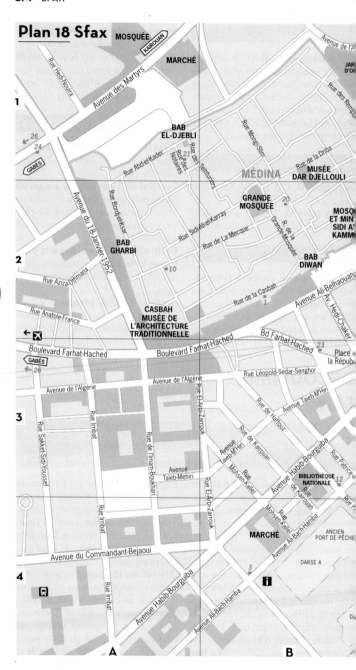

Plan 18 Sfax

MOSQUÉE

KAIROUAN

MARCHÉ

Avenue de l'A

Rue Hedi-Noura

Avenue des Martyrs

Rue des Remp

JAR
D'OI

← 26
24

GABÈS

Rue Abd-el-Kader

Rue Borj-el-Ksar

Rue des
Notaires

21

BAB
EL-DJEBLI

Rue des Teinturiers

Rue Mongi-Slim

Rue de la Driba

MÉDINA

MUSÉE
DAR DJELLOULI

1

Avenue du 18-Janvier-1952

Rue Sidi-Abi-el-Karray

GRANDE
MOSQUÉE

20

MOSQ
ET MIN
SIDI A'
KAMM

Rue de La Mecque

Grande-Mosquée

R. de la

BAB
GHARBI

BAB
DIWAN

2

Rue Aziza-Othmana

10

Rue Anatole-France

CASBAH
MUSÉE DE
L'ARCHITECTURE
TRADITIONNELLE

Rue de la Casbah

Avenue Ali-Belhaouan

Av. Hedi-Chaker

Bd Farhat-Hached

23

Place
la Répub

LE SAHEL

←✈

Boulevard Farhat-Hached

GABÈS
← 26

Boulevard Farhat-Hached

Rue Léopold-Sedar-Senghor

Avenue de l'Algérie

Avenue de l'Algérie

Rue El-Abib-Zarrouk

Rue de Haffouz

Avenue Taieb-M'Hiri

Rue Sakket-Sidi-Youssef

Rue Irribat

Rue de l'Imam-Boukhari

Avenue
Taieb-M'Hiri

Avenue de Kairouan

Rue
Mohsen-Kallel

Avenue Habib-Bourguiba

Rue
de Kairouan

Rue Patrice-

BIBLIOTHÈQUE
NATIONALE

12

3

Rue Irribat

Avenue
Taieb-Mehiri

Rue El-Arbi-Zarrouk

Rue
Mohsen-Kallel

Avenue Ali-Bach-Hamba

MARCHÉ

ANCIEN
PORT DE PÊCHE

Avenue du Commandant-Bejaoui

3

DARSE A

4

🚲

Rue Irribat

Avenue Habib-Bourguiba

Avenue Ali-Bach-Hamba

ℹ

D

A

B

LE SAHEL

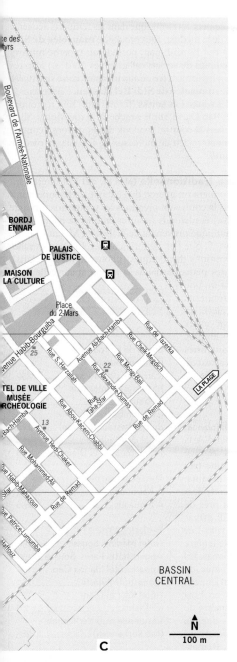

médina : peu spectaculaire, ce petit fort imbriqué dans les remparts accueille l'Association de sauvegarde de la médina. Tout proche, le **mausolée de Sidi Amar Kammoun**, dans la rue Bordj-Ennar, possède un superbe minaret quadrangulaire aux murs sculptés de versets calligraphiés (XVIIe s.) inspirés du style hafside (XIIIe-XVIe s.). Également fermé aux touristes, autre sanctuaire à la façade finement ornée, le **mausolée de Sidi Bel Hassen**, s'élève dans la rue du même nom au sud des souks. Les **souks** (fermés lun.) sont regroupés entre la Grande Mosquée et Bab Djebli, sur la gauche de la rue Mongi-Slim. Près de Bab Djebli, entrez dans la cour du fondouk des Forgerons : comme jadis, les artisans y travaillent au milieu de morceaux de ferraille, au pied de façades encrassées par la fumée.

Musée de l'Architecture traditionnelle (plan 18, A2) Cet intéressant musée de la casbah vous donnera un aperçu de l'habitat traditionnel tunisien. Sous un portique, dans la cour, sont présentés les principaux types de voûtes (en berceau, en ogive) et plafonds (poutres en bois de palmier), de carrelages (carreaux de céramique provenant de Nabeul et Moknine) et de matériaux (pierre, pisé, bois…) que l'on peut rencontrer. Les petites salles du fortin abritent des expositions thématiques (photographies et plans), portant sur l'architecture des petits bordjs de la région et sur celle de la maison traditionnelle, ainsi qu'une collection d'outils de ferronnerie. Du chemin de ronde, peu élevé, on aperçoit malheureusement assez mal la médina, dont les toits les plus proches sont hérissés d'antennes paraboliques. *Dans la petite casbah (à l'angle sud-est de la médina) Ouvert mar.-dim. 9h30-16h30 Tarif 1,10DT Droit photo 1DT*

☆ ☺ **Musée Dar Djellouli** (plan 18, B1) Ce riche musée régional d'Arts et Traditions populaires rénové en 2006 est installé dans une très coquette maison de la médina. Construite au XVIIe siècle, cette dernière a appartenu pendant près de 200 ans à la famille Djellouli, armateurs et gouverneurs de la ville. Les encadrements de porte et de fenêtre sont en pierre rouge de Gabès, les superbes carreaux de céramique, de styles turc et andalou, proviennent de Tunis, et les plafonds en bois sont de facture locale. Le maître de maison recevait ses clients dans la *skifa*, entrée en chicane préservant l'intimité de la maisonnée. Remarquez, dans l'élégant patio, les gouttières en céramique verte qui descendent du toit. Une pierre, au-dessus d'une ouverture, porte une calligraphie sculptée. Un portique d'arcs outrepassés supporte la galerie, parée d'une balustrade en bois. Dans les chambres du rez-de-chaussée, destinées aux hôtes, des cloisons de bois découpé et sculpté délimitent l'alcôve réservée au lit. Des ustensiles et de la vaisselle sont alignés dans la grande cuisine, et des jarres et tamis conservés dans la réserve attenante. Les pièces du premier étage, moins richement décorées, exposent essentiellement les costumes masculins et féminins, dont des robes de mariées, ainsi que des bijoux. Une salle, au deuxième étage, est consacrée à la calligraphie : corans, livres et divers documents anciens se distinguent par le style de leur superbe écriture, coufique, *naskhi*, *thoulti*… *Dans la médina Ouvert tlj. 9h30-16h30 Fermé lun. Tarif 2DT Droit photo 1DT*

Musée d'Archéologie (plan 18, C3) La première salle à gauche du hall d'entrée conserve des vestiges de Thanæ (ou Thyna), ville romaine située à 10km au sud de Sfax. Nombreux tessons et objets en poterie et céramique, lampes à huile, fresques, pièces de monnaie. Dans la première salle à droite du hall, on peut admirer des œuvres mises au jour sur le site romano-byzantin de La Skhirra, à environ 45km au sud-ouest de Mahrès (et à 80km de Sfax). Les mosaïques raffinées et les jarres exposées proviennent de la basilique byzantine de cette cité. Remarquez aussi dans cette salle des ossuaires en marbre sculpté rapportés des îles Kerkennah. Deux autres salles en retrait, à droite et à gauche du hall, présentent de grandes mosaïques de Taparura, site romain de Sfax, et de Thanæ. *33, av. Habib-Bourguiba (au rez-de-chaussée de l'hôtel de ville) Ne pas se fier au panneau sur la droite de la façade, qui laisse supposer que l'entrée se trouve dans la rue voisine Tél. 229 744 Ouvert lun.-sam. 8h30-13h et 15h-18h Tarif 2DT Droit photo 1DT*

● **Où acheter des éponges naturelles ?** Cet entrepôt où sont traitées des éponges pêchées au large de Sfax et de la Libye se cache derrière de grands stores métalliques. Vaste choix d'éponges. La plupart sont exportées vers l'Europe. **Éponges de Sfax** *À l'entrée de l'av. Mohammed-Hedi-el-Kefacha, presque à l'angle avec l'av. Habib-Bourguiba Ouvert lun.-sam.*

● **Où trouver des produits artisanaux ?** Avec leurs commerces bien approvisionnés, les souks sont un paradis pour le touriste. On peut s'y promener, comparer, négocier très tranquillement et sans aucune pression, ce qui n'est pas le cas à Sousse et à Kairouan. **Souks de Sfax** *Ouvert mar.-dim.*

● Où boire un verre ?
Café Diwan (plan 18, B2) Authentique et populaire, ce café maure est installé dans une tour du rempart oriental de la médina. Plusieurs terrasses, que des nattes protègent du soleil, où l'on peut boire un café, un thé et fumer la chicha ou savourer une glace. Remarquez, à l'entrée, la belle gouttière traditionnelle en céramique. Dommage que l'accueil et la propreté ne soient pas à la hauteur. *Rue de la Casbah Ouvert tlj. 8h-0h*

Café Diana House (plan 18, B3) Large terrasse abritée donnant sur l'avenue piétonne Hedi-Chaker, au cœur de la ville moderne. Le café est fréquenté par des

Sfaxiens de tous âges. Les anciens jouent aux cartes ou aux dominos l'après-midi et en début de soirée ; les jeunes prennent ensuite la relève jusqu'à la fermeture. Snack et sandwichs. *Pl. de la République Ouvert tlj. 6h-21h30*

Café L'Océan (plan 18, B4) Ce café-pâtisserie constituera une halte reposante au cours d'une promenade le long des darses de l'ancien port de pêche, plutôt bien réaménagé. Clientèle d'habitués. Choix de gâteaux pour accompagner son thé, son café ou son soda (pas d'alcool). *En face de l'office de tourisme (à l'angle de l'av. Ali-Bach-Hamba et de l'av. Mohammed-Hedi-el-Kefacha) Ouvert tlj. 5h-21h*

CARNET D'ADRESSES

Restauration

🍴 **très petits prix**

7 Novembre Kino (plan 18, A2) Très simple mais très bon et l'un des rares restaurants de la médina. Dans la salle minuscule où se serrent trois tables, des jeunes servent les plats que la cuisinière mitonne sur ses fourneaux, installés dans un coin : ragoût de mouton, boulettes d'agneau en sauce servies avec du pain tiède, couscous de merguez... Le tout pour une poignée de dinars. Également des sandwichs à emporter. Pas d'alcool. *127, rue de La Mecque Fermé le soir et lun.*

🍴 **petits prix**

Triki (plan 18, C4) La bourgeoisie de Sfax vient y déguster des pizzas cuites au feu de bois très réputées (env. 5DT). Autre spécialité : les spaghettis aux fruits de mer. À la carte, des salades et du poisson grillé. Env. 10DT le repas complet. Pas d'alcool. À

l'angle des rues Patrice-Lumumba et Taha-Sfar (près du port) Ouvert tlj.

🍴 **prix moyens**

L'Opéra (plan 18, B3) Beaucoup de recettes à base de poisson et de fruits de mer, dont de superbes crevettes grillées. Au rez-de-chaussée, une salle animée et à l'étage, une autre plus élégante et plus tranquille, où des musiciens se produisent le samedi soir. 15DT le repas. *Rue Haffouz (dans l'immeuble Omrane) Ouvert tlj. 10h-22h*

La Renaissance (plan 18, C3) On vient surtout à La Renaissance pour la qualité de la cuisine, car le cadre n'est guère séduisant. La seconde salle est plus petite et un peu plus chaleureuse que la première. Le loup "à la Sfaxienne" est excellent : le poisson est accompagné d'une sauce qui marie tomates, oignons, poivrons, câpres, pommes de terre et citrons. Prévoir 15DT-20DT par personne. *77, av. Hedi-Chaker Ouvert tlj. 12h-21h*

GAMME DE PRIX	RESTAURATION	HÉBERGEMENT
Très petits prix	moins de 5DT	moins de 15DT
Petits prix	de 5DT à 15DT	de 15DT à 30DT
Prix moyens	de 15DT à 25DT	de 30DT à 60DT
Prix élevés	de 25DT à 40DT	de 60DT à 100DT
Prix très élevés	plus de 40DT	plus de 100DT

LE SAHEL

Hébergement

 **très petits prix**

Médina (plan 18, B2) Un établissement modeste, très simple : au cœur des souks de la Maroquinerie et des Vêtements, 12 chambres rudimentaires mais bien tenues (dont certaines avec lavabo), douches et toilettes collectives. Comptez 4DT le lit, supplément de 1DT pour la douche. Pas de petit déj. *53, rue Mongi-Slim Tél. 220 354*

 **prix moyens**

Ennacer (plan 18, A1) Très bien placé, ce modeste hôtel dresse sa façade blanche aux fenêtres parées de fer forgé bleu azur entre les échoppes de la médina, à deux pas de Bab Djebli, des souks et du marché couvert. Huit chambres à 1, 2 ou 3 lits. Douches et toilettes sur le palier (supplément douche 1DT). Prévoyez 20DT par personne, pas de petit déjeuner. *100, rue des Notaires Tél. 211 037 Fax 200 158*

Alexander (plan 18, C3) Entre le port et la médina, dans le centre moderne, cet hôtel des années 1930 dégage un certain charme désuet. Trente-six chambres, spacieuses, aux murs couverts de papier peint uni ou à ramages, disposent d'un mobilier un peu vieillot en bois vernis. Ni clim. ni TV. À partir de 50DT la double, petit déjeuner compris. Restaurant. Pas de CB. *21, rue Alexandre-Dumas Tél./fax 221 613*

Thyna (plan 18, B3) Une bonne adresse voisine de la médina. L'hôtel propose 27 chambres claires et confortables, avec clim., TV et balcon donnant sur la place Marbourg. Sdb impeccables. Double à 55DT, toute l'année, petit déjeuner-buffet inclus, servi dans l'agréable café maure, tout en tons bleutés. *Angle rue Habib-Mahazoun/ pl. Marbourg Tél. 225 317/266 www. hotel-thyna.com*

 prix élevés

Les Arcades (plan 18, A1) Un 3-étoiles d'un bon rapport qualité-prix avec ses 51 chambres climatisées, dont les murs alternent crépi blanc et parois en bois clair, son élégant hall-patio orné de panneaux de zelliges, son restaurant gastronomique à l'atmosphère chaleureuse, ses deux bars et sa cour-jardin. Double 80DT. CB acceptées. Parking. Seul bémol, la rue qui longe l'hôtel est bruyante. *Av. des Martyrs Tél. 400 700 hotellesarcades@yahoo.fr*

 prix très élevés

Mercure (plan 18, C3) Un hôtel luxueux du centre de Sfax, qui occupe un immeuble des années 1980. Les 8 suites et 122 chambres, spacieuses, sont dotées d'un mobilier moderne en bois clair, de la clim., de la TV, d'un minibar et d'un balcon donnant soit sur la rue et la médina, soit sur le port et la mer. Plusieurs bars et restaurants et une piscine (remplie seulement l'été) sur la terrasse du 2ᵉ étage. La double est facturée 150DT en haute saison, petit déjeuner-buffet compris. CB acceptées. *Av. Habib-Bourguiba Tél. 225 700 mercureSfax@planet.tn*

Syphax (plan 18, A1) L'autre hôtel de luxe de Sfax est un peu excentré. Mais, chose très rare dans cette ville, il se dresse dans un paisible jardin fleuri et bien entretenu avec piscine et court de tennis. Construit au début des années 1980, l'hôtel propose 2 appart-hôtels, 126 chambres et 3 suites avec clim., minibar et TV, toutes décorées dans les tons bleus, de la moquette aux rideaux. Comptez 70DT (50DT en moyenne saison) la double et 9DT/pers. pour

LE SAHEL

le petit déjeuner. CB acceptées. *Du centre de Sfax, prendre la direction de Gabès, puis tourner à droite vers* *La Soukra, longer le stade et suivre les panneaux Tél. 243 333 sangho.* syphax@planet.tn

LE SAHEL

LES ÎLES KERKENNAH *Ind. tél. 74*

Deux grandes îles, Chergui et Gharbi, reliées par une chaussée d'origine romaine, et quelques îlots émiettés le long de leurs côtes forment l'archipel des Kerkennah, à une vingtaine de kilomètres au large de Sfax. Extrêmement plates, posées sur des hauts-fonds, ces îles sont arides et l'agriculture reste très limitée par la salinité de l'eau. Les insulaires ont trouvé leur salut dans les ressources de la pêche (poulpes, crevettes, poissons et éponges), mais beaucoup ont dû aller chercher fortune sur le continent, à Sfax et plus loin en Tunisie, voire en Europe. Ces expatriés reviennent se ressourcer l'été dans l'archipel, alors surpeuplé. Le reste de l'année, les Kerkennah forment un petit paradis pour qui sait apprécier la simplicité de leurs paysages cernés d'une eau turquoise et l'accueil chaleureux de leurs habitants.

D'HANNIBAL À BOURGUIBA Le toponyme "Kerkennah" est dérivé de "Cercina", appellation romaine de l'actuelle île Chergui. L'île Gharbi se nommait Cercinitis. En 195 av. J.-C., traqué par les Romains, Hannibal passe par l'archipel avant de gagner Antioche. Les îles deviennent vite un enjeu stratégique, car les hauts-fonds qui les cernent barrent l'accès du port de Sfax. Les Romains s'en emparent donc, et relient les deux îles par une chaussée, l'actuelle El-Kantara. Occupées de 1153 à 1160 par les Normands, les Kerkennah sont ensuite l'objet des convoitises espagnoles, vénitiennes et ottomanes. Les Ottomans s'y établissent en 1574. Quelques siècles plus tard, en 1945, Habib Bourguiba, recherché par les Français, se réfugie aux Kerkennah avant de trouver asile en Libye.

LA PÊCHE : SAVOIR-FAIRE ET TRADITIONS Les hauts-fonds qui encerclent les îles Kerkennah ont obligé les insulaires à utiliser des barques à fond plat, à une ou deux voiles, les *loud*. Ces bateaux ont presque tous disparu, remplacés d'abord par des felouques, puis par des barques à moteur et de petits chalutiers qui accèdent aux ports en empruntant des chenaux récemment creusés. Sur ces hauts-fonds se pratique la pêche à la nasse (*drina*) : les nasses sont posées soit au bout d'un entonnoir formé de deux haies de palmes plantées dans le haut-fond, soit dissimulées parmi les massifs d'algues. À chaque saison, sa pêche : d'octobre à avril, les pêcheurs capturent les poulpes dans de petites jarres de terre cuite, les gargoulettes ; au printemps, les pêches à la crevette et à la daurade battent leur plein ; de juillet à octobre, c'est la saison de la pêche au mulet, dite "à la sautade" : on frappe l'eau avec des bâtons pour rabattre les poissons effrayés vers des claies (*charfia*) posées sur l'eau.

Plan 19 Îles Kerkennah

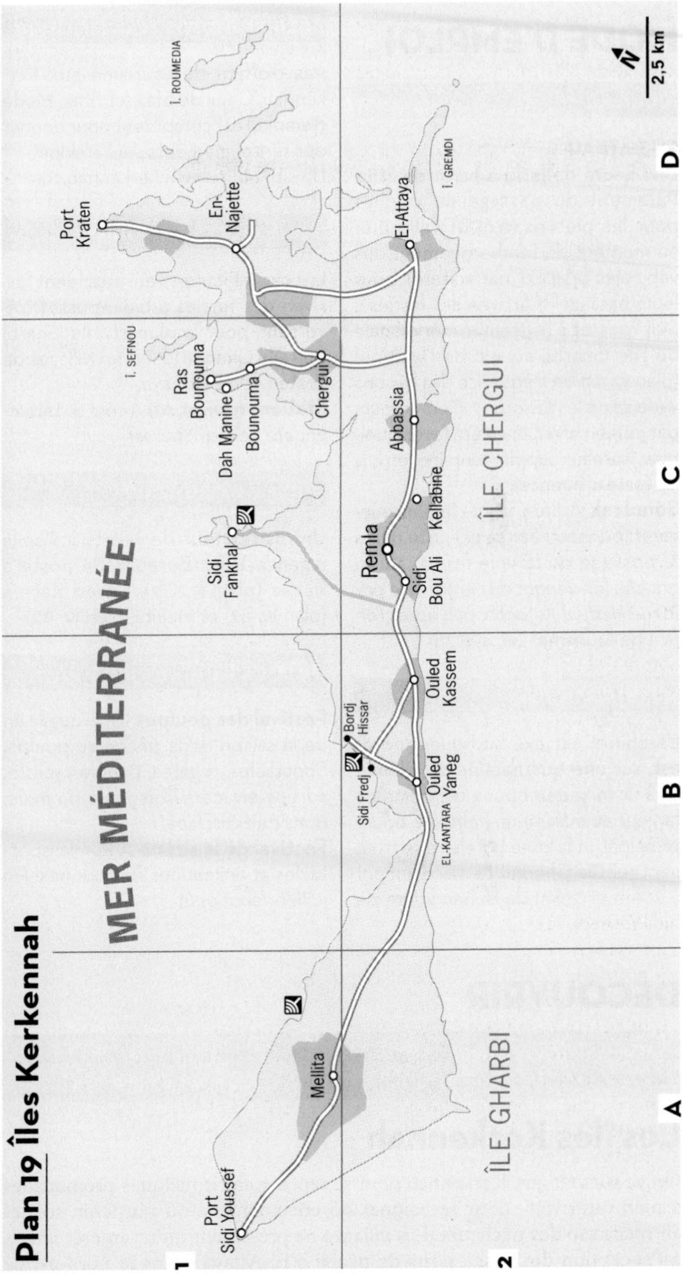

MER MÉDITERRANÉE

Port Sidi Youssef

Mellita

ÎLE GHARBI

EL-KANTARA

Ouled Yaneg

Sidi Fredj

Bordj Hissar

Ouled Kassem

Sidi Bou Ali

Remla

Kellabine

Abbassia

ÎLE CHERGUI

Sidi Fankhal

Ras Bounouma

Dah Manine

Bounouma

Chergui

El-Attaya

I. GREMDI

En-Najette

Port Kraten

I. ROUMEDIA

I. SEFNOU

2,5 km

N

LE SAHEL

LE SAHEL

MODE D'EMPLOI

accès

EN BATEAU

Une heure de ferry à partir de Sfax. Paiement du passage au guichet pour les piétons (0,65DT l'aller), et au moment de l'embarquement des véhicules (4,40DT par voiture), pour leurs passagers. Arrivée des ferries à Sidi Youssef, à l'extrémité méridionale de l'île Gharbi, au sud de l'archipel (plan 19, A1). La fréquence des liaisons varie selon les saisons : 7 allers-retours par jour en hiver, 14 en été (avec quelques bateaux supplémentaires en cas de forte affluence).

Sonotrak *À Sfax, quai d'embarquement (panneau Sonotrak) juste après le passage de la voie ferrée, sur la gauche (en venant du centre-ville par la rue Hedi-el-Kefacha, peu après l'office de tourisme)* Tél. 498 216

orientation

L'archipel est axé sud-ouest/nord-est, sur une quarantaine de kilomètres de longueur et une quinzaine de largeur au maximum. Remla, le bourg principal, et la zone hôtelière se trouvent sur l'île Chergui, respectivement à 20km et 25km du débarcadère de Sidi Youssef.

informations touristiques

Pas d'office de tourisme aux Kerkennah. Celui de Sfax (cf. Sfax, Mode d'emploi) est compétent pour donner des renseignements sur l'archipel.
Un site utile : www.kerkennah.com

transports sur place

Les cars et louages qui attendent l'arrivée des ferries à Sidi Youssef traversent, pour la plupart, l'île Gharbi puis l'île Chergui jusqu'aux villages de Kraten et d'El-Attaya.
Stations (plan 19, A1) *À côté du débarcadère de Sidi Youssef*

poste et banque

Un distributeur de billets à Remla (agence UIB). Bureaux de poste à Remla (plan 19, C2), Ouled Kacem (plan 19, B2) et Mellita (plan 19, A2).

fêtes et manifestations

Festival des poulpes Il marque la fin de la saison de la pêche au poulpe. Spectacles, régates, course cycliste, sorties en mer. *Trois jours fin mars, dans tout l'archipel*
Festival de la sirène À Remla, spectacles et animations folkloriques. *Fin juillet-début août*

DÉCOUVRIR

☆ **Découvrir autrement** Passez quelques heures en mer avec les pêcheurs et profitez-en pour vous baigner au large ➤ **Carnet d'adresses p.283**

Les îles Kerkennah

On va surtout aux Kerkennah pour se reposer, faire quelques promenades à pied ou à vélo, pour se baigner ou effectuer une ou plusieurs sorties en mer avec des pêcheurs. Les villages ne présentent qu'un intérêt limité, à l'exception des petits ports de pêche d'El-Attaya (dans le nord-est de l'île Chergui) et de Kraten (à 10km au nord), où l'on peut observer le manège des barques et des petits chalutiers. Le bordj Hissar, à Sidi Fredj, constitue le seul vestige historique de l'archipel. Ce petit fortin hispano-turc du XVIᵉ siècle, restauré, surveille toujours la mer, pourtant bien paisible. Au pied du bordj, les archéologues fouillent un site romain. *Accessible par une piste à droite 200m avant le Grand Hôtel : le fortin se dresse sur la gauche après les dernières maisons visibles Entrée libre*

Trouver les plus belles plages

Bienvenue dans la carte postale : le sable blanc, les palmiers, l'eau turquoise sont bien là. Mais les amateurs de baignade risquent d'être déçus : il faut faire des centaines de mètres dans l'eau avant qu'elle monte jusqu'à mi-cuisses ! La plage la plus connue et la plus accessible est celle de **Sidi Fredj**, sur l'île Chergui, où sont installés la plupart des hôtels. L'eau est un peu plus profonde devant le Grand Hôtel. Mais la plus belle plage reste certainement celle de **Sidi Fankhal**, au nord-ouest de Remla : dans le village de Sidi Bou Ali, juste avant Remla en venant de Sidi Youssef, suivez le panneau "zone touristique écologique" indiquant une route sur la gauche, qui devient une piste. La plage est au bout (env. 5km), un magnifique croissant frangé de bouquets de palmiers, loin de toute construction. Sur l'**île Gharbi**, une petite plage de sable fin s'étend au pied d'une falaise. En venant de Sidi Youssef, prenez la piste à gauche après Mellita, à hauteur de la grande antenne, et longez la falaise vers la droite pour arriver à la plage. Pas d'ombre ni de fond. Notez que les jeunes Kerkenniens se baignent aux beaux jours au bout des jetées, là où un chenal a été creusé pour permettre aux navires d'accoster.

● **Faire une sortie en mer** Tous les hôtels et la plupart des restaurants et cafés peuvent vous organiser une agréable sortie en mer avec des pêcheurs sur leur felouque. Comptez environ 20DT pour une matinée, déjeuner à bord compris (poisson grillé sur un petit brasero, selon la pêche du jour). Pendant que les pêcheurs remontent leurs nasses ou leurs filets, vous pouvez en profiter pour vous baigner dans une eau limpide et... enfin profonde !

CARNET D'ADRESSES

Restauration

🍴 petits prix

Le Régal (plan 19, D2) Quelques tables se serrent dans l'unique salle de ce restaurant très simple à l'atmosphère familiale : tandis que le patron s'active en cuisine, ses filles servent d'excellents *ojja* aux crevettes (10DT) et salade de poulpe (10DT), suivis d'un étonnant couscous de seiche (10DT)

ou d'une bouillabaisse maison (4DT). Service chaleureux, avec possibilité de négocier le prix des plats selon la pêche du jour. Pas d'alcool. Environ 10-15DT le repas. *El-Attaya* Tél. 484 100 Ouvert tlj. 9h-21h

☺ **Cercina (plan 19, B2)** Belle carte de produits de la mer : *tchich* (soupe) au poulpe en entrée (4,50DT), *ojja* de seiche (9DT), excellente salade de poulpe (10DT), originaux œufs de

LE SAHEL

LE SAHEL

seiche sautés (11DT). Terrasse aérée au bord de l'eau, ou salle plus abritée. Le patron passe de table en table avec un petit mot pour chacun. Mais le restaurant de l'hôtel Cercina se repose sans doute un peu trop sur sa réputation, car certains plats (le poisson au cumin, par exemple) sont un peu décevants, et les serveurs pas toujours très aimables. Sert de l'alcool. Le poisson est facturé 7DT les 100g. *Zone touristique de Sidi Fredj Dans l'hôtel Cercina Tél. 489 600 Fax 489 878 Ouvert tlj. 12h-23h*

☺ **Le Kastil (plan 19, B2)** Attablé à la terrasse de ce restaurant soigné, on a presque les pieds dans l'eau de la très paisible baie de Sidi Fredj. Excellentes spécialités de la mer : calamar grillé, poulpe à la provençale (ces 2 plats pour 12DT). Également des viandes : entrecôte grillée (10DT). Service parfait bien qu'un peu lent. Sert de l'alcool. CB acceptées. (Cf. Carnet d'adresses, Hébergement). *Sidi Fredj Tél. 489 884 Tél. portable 98 626 013 Ouvert tlj. 12h-22h*

La Sirène (Chez Tahar) (plan 19, C2) Des tables de la terrasse ombragée, on profite d'une vue panoramique sur la mer turquoise. Parmi les multiples recettes marines, goûtez aux spaghettis aux fruits de mer (4,50DT), un copieux régal, ainsi qu'aux crevettes grillées (8,50DT) ou aux calamars à la provençale (7,50DT). Comptez 20DT pour un repas, vin compris. *Remla En bord de mer (sur la gauche en venant du centre-ville de Remla) Tél./fax 481 118 Ouvert tlj. 10h-22h*

Hébergement

 très petits prix

Auberge de jeunesse (plan 19, C2) Ce centre de stages et de vacances accueille, lorsqu'il n'est pas plein, ce qui est souvent le cas aux mois de juillet-août, des hôtes de passage : 80 lits sont répartis dans des chambres bien tenues pour 2, 3 et 4 pers. Le confort est minimal. Sanitaires collectifs assez propres. Du premier étage, on a une vue sur la mer, toute proche. 6DT la nuitée par personne, 7DT en demi-pension. *À la sortie nord de Remla, tourner à droite juste avant le panneau indicateur de Kellabine (entrée du village voisin), après le lycée et en face de la poste. Le centre est sur la gauche, au bout de la rue Tél. 481 148 Fax 482 128 Ouvert toute l'année*

 petits prix

Auberge Raed (plan 19, C2) Le jeune patron, Raed, qui a passé quelques années en France et en Grèce, vous reçoit chaleureusement. Les chambres, impeccables, avec salle de bains, donne sur la rue principale de Remla. Côté jardin, quelques chambres plus calmes regardent la mer. Chambres à 2, 3 ou 4 lits (les 4 plus grandes sont climatisées). TV en supplément. Location de vélos. Comptez 25-40DT la double avec petit déjeuner, selon la saison. Plus 5DT/pers. pour la demi-pension. Raed, plein de talent, tient aussi un petit restaurant. En juillet-août, pensez

GAMME DE PRIX	RESTAURATION	HÉBERGEMENT
Très petits prix	moins de 5DT	moins de 15DT
Petits prix	de 5DT à 15DT	de 15DT à 30DT
Prix moyens	de 15DT à 25DT	de 30DT à 60DT
Prix élevés	de 25DT à 40DT	de 60DT à 100DT
Prix très élevés	plus de 40DT	plus de 100DT

à réserver. *Dans la rue principale de* **Remla** *Tél./fax 481 145 Tél. portable 98 587 889 auraed@voila.fr*

Kastil (plan 19, B2) Ces petits bungalows cubiques abritent 20 chambres. Confort rudimentaire, toilettes et douches communes. Ni clim. ni piscine, mais la plage de Sidi Fredj s'étend juste devant le restaurant (cf. Restauration) et le bar, très fréquentés le soir. 20-30DT la double avec le petit déj. *Entre le Cercina et le Résidence Club* **Zone touristique de Sidi Fredj** *Tél. 489 884 Tél. portable 98 626 013*

🧳 prix moyens

☺ **Cercina (plan 19, B2)** L'hôtel le plus charmant des Kerkennah : les chambres donnent directement sur les flots placides où sont échouées quelques felouques, près de la jetée de Sidi Fredj. Chaque chambre, chaulée de blanc, est climatisée. Un cadre idyllique et un accueil parfait : le personnel du Cercina cultive attention et sympathique décontraction. Restaurant (cf. Restauration). Juste derrière, une résidence récente, annexe de l'hôtel, abrite des chambres confortables (mobilier en fer forgé, TV, clim.). Quelques-unes (les 8, 9, 12 et 14), au premier étage, bénéficient d'une vue magnifique sur la baie. De 34DT à 48DT la double, selon le standing (15 chambres en bord de mer, 15 autres en retrait). CB acceptées. *À l'entrée de la* **zone touristique de Sidi Fredj** *Tél. 489 600 hotel.cercina@planet.tn*

🧳 prix élevés

Résidence Club Kerkennah (plan B2) Comme à l'intérieur d'un coquillage, les petits bungalows blancs s'égrènent en spirale sous les palmiers, le long de l'une des rares plages des Kerkennah. Lits bleus, murs crépis, salle de bains avec douche, la moitié des 94 chambres dispose de l'air conditionné. Piscine (l'été), discothèque, et nombreuses autres activités. La double revient à 60DT avec petit déjeuner (supplément de 5DT avec clim.). Deux restaurants. Pas de CB. *Zone touristique de Sidi Fredj Tél. 489 999 http:// residence-club-kerkennah.com*

🧳 prix très élevés

Grand Hôtel (plan B2) Ne vous fiez pas à son nom : ne vous attendez pas à un palace, il s'agit plutôt d'un honnête établissement face à la seule véritable zone de baignade de l'archipel, où l'eau est un peu plus profonde qu'ailleurs. Les 94 chambres disposent d'un balcon sur la mer. Belle piscine, tennis, volley-ball, location de planches à voile et de vélos. Restaurant et bar. Climatisation dans 10 chambres. CB acceptées. Prévoyez 100DT la double, petit déjeuner compris, et 112DT la demi-pension (tarifs été). Trois bungalows avec 3 chambres sont à la disposition des familles et petits groupes. *Zone touristique de Sidi Fredj Tél. 489 868/857/858 www. grand-hotel-kerkennah.com.tn Ouvert toute l'année*

LE SAHEL

GEOREGION

Caravane, dans les dunes du Grand Erg oriental (p.317).

LE SUD-OUEST

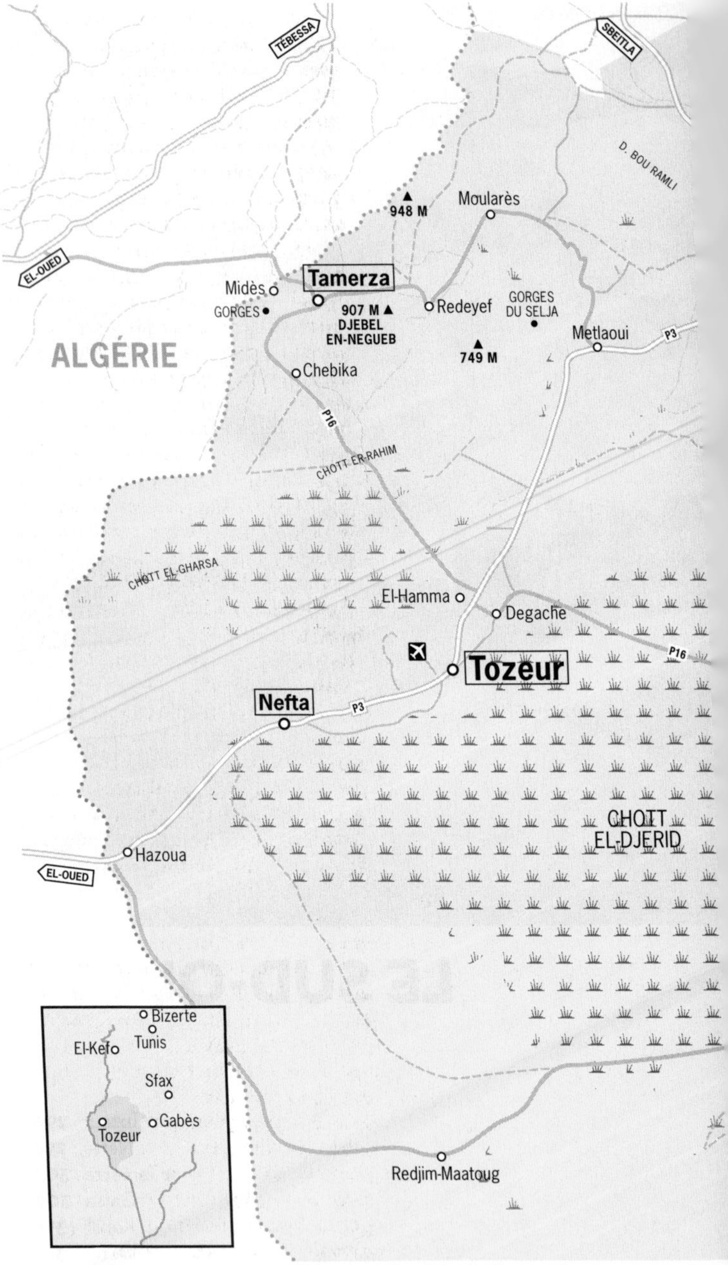

LE SUD-OUEST

TEBESSA

SBEITLA

D. BOU RAMLI

EL-OUED

Midès
GORGES

Tamerza

948 M

Moularès

907 M
DJEBEL
EN-NEGUEB

Redeyef

GORGES
DU SELJA

Metlaoui

P3

ALGÉRIE

Chebika

749 M

P16

CHOTT ER-RAHIM

CHOTT EL-GHARSA

El-Hamma

Degache

P16

Tozeur

Nefta

P3

CHOTT
EL-DJERID

EL-OUED

Hazoua

Bizerte

El-Kef
Tunis

Sfax

Gabès

Tozeur

Redjim-Maatoug

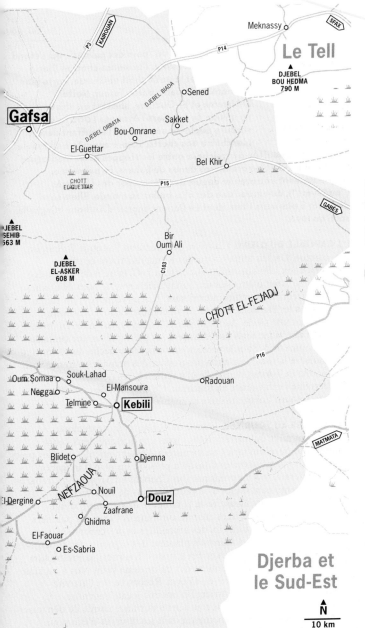

LE SUD-OUEST

★ TOZEUR

Ind. tél. 76

Le bled el-Djerid, ou "pays des palmes", qui s'étend entre deux lacs salés, l'immense chott el-Djerid (4 600km²) et le petit chott el-Gharsa, porte bien son nom. Ses quatre oasis, Tozeur, Nefta, El-Hamma et El-Oudiane, abritent en effet, 1,6 million de palmiers ! Avec ses 1 000 ha de verdure déployés au cœur de l'étouffant désert blanchâtre des chotts, Tozeur apporte à elle seule une véritable bouffée de fraîcheur entre les steppes et les montagnes pelées du Nord et les premières dunes du Sahara. Sa palmeraie, soigneusement entretenue depuis des siècles par des *khammès* ("métayers"), demeure l'une des plus belles du monde. Elle a servi de décor à plusieurs films, dont *Le Patient anglais* d'Anthony Minghella, sorti en 1996.

LA CAPITALE DU DJERID L'histoire de Thuzuros, l'antique Tozeur, est mal connue. On sait toutefois que les Romains prirent ce centre caravanier aux Libyques au Ier siècle avant J.-C. et qu'il devint le siège d'un évêché avant d'être islamisé au VIIe siècle sous le nom de Qastiliya. Enjeu de fréquents conflits intertribaux, Tozeur vécut ses plus riches heures sous les Hafsides. La cité aurait compté jusqu'à cent mille habitants au XIVe siècle. Au XVIIIe siècle, les beys husseinites en firent le siège d'un caïdat, mais ils réduisirent ses prérogatives une centaine d'années plus tard. Sous le protectorat français, le déclin du commerce caravanier et la sédentarisation progressive des nomades mirent à mal l'économie de Tozeur, mais celle-ci a retrouvé, ces dernières années, une certaine vitalité grâce au tourisme. Ce chef-lieu de gouvernorat compte aujourd'hui trente mille habitants.

DES DATTES AU TOURISME L'oasis de Tozeur compte quelque quatre cent mille palmiers, irrigués jadis par quelque deux cents sources (aujourd'hui taries ou menacées d'assèchement,) que des puits remplacent progressivement. Jusqu'à présent, un plan d'irrigation de la palmeraie, mis au point par Ibn Chabbat au Moyen Âge, répartit équitablement l'eau. Grâce à ce procédé, plus de cent variétés de dattes, dont la meilleure reste la fameuse *deglet nour* ("doigt de lumière"), sont récoltées chaque automne. À l'abri des palmiers prospèrent aussi des figuiers, des grenadiers et des citronniers sous le feuillage desquels les *khammès* plantent des oignons, des aubergines, des courgettes, des carottes et des tomates. Toutefois, la production due à ce remarquable étagement des cultures ne suffit plus à satisfaire les besoins de la population du Djerid. Recentrée sur l'activité touristique, plus rémunératrice, l'économie locale engendre des inquiétudes : favoriser le tourisme à outrance risque de dénaturer ce site, ne serait-ce qu'en pompant dans les réserves d'eau pour satisfaire les besoins des hôtels.

MODE D'EMPLOI

accès

EN AVION
L'aéroport de Tozeur-Nefta a été agrandi pour faire face à l'augmentation du trafic. Liaisons directes avec de nombreuses villes d'Europe, dont Paris (4 vols/sem.), Lyon et Marseille (2 vols/sem.), Strasbourg (1 vol/sem.).
Aéroport *À la sortie de la zone touristique (sur la route de Nefta) Tél./ fax 452 503*

EN CAR ET EN LOUAGE
Liaisons avec Gafsa (2h), Douz (3h), Sfax (3h), Tunis (8h), Kairouan (4h) et Sousse (4h30).
Gare routière (plan 20, A1) *Av. Farhat-Hached à côté de l'esplanade du marché en plein air Tél. 452 086*
Station de louage (plan 20, A1) *À côté de la gare routière*

EN VOITURE
Les routes de Gafsa (1h30), Kebili (1h30) et Nefta (20min) sont excellentes.

orientation

On distingue le centre-ville, organisé autour de l'avenue Bourguiba, de la zone touristique, qui s'étend vers l'ouest à partir de l'avenue Abou-el-Kacem-Chebbi, en longeant la palmeraie, le long de la "route touristique". Sur cette avenue, les voies d'accès à la palmeraie sont signalées par de grandes arches en brique.

informations touristiques

Office de tourisme (plan 20, A2) *Av. Abou-el-Kacem-Chebbi (traversez le jardin) Tél. 454 088 Fax 452 051 Ouvert lun.-jeu. 8h30-13h et 15h-17h45, ven.-sam. 8h-13h*
Syndicat d'initiative (plan 20, A1) Attention, les horaires d'ouverture sont assez fantaisistes et vous y glanerez peu d'informations. Mais on essaiera toujours de vous aider. *Avenue Habib-Bourguiba (près de l'avenue Farhat-Hached) Ouvert lun.-sam. 8h-13h et 15h-18h*

poste, banque

Poste (plan 20, B1) *Sur la place du marché couvert, avenue Habib-Bourguiba Tél. 460 130*
Avenue Habib-Bourguiba (plan 20, A1-B2), vous trouverez plusieurs banques dotées d'un distributeur de billets.

accès Internet

Palmnet (plan 20, A1) 2DT/h. *140, route de Nefta à côté de l'esplanade du Marché (mur crénelé) Palmes-net. Tozeur@gnet.tn Ouvert tlj. 8h30-0h*
Publinet (plan 20, A2) 2DT/h. *Dans la rue perpendiculaire à l'av. Abou-el-Kacem-Chebbi (en face de la résidence El-Arich) Ouvert tlj. 8h-18h*

LE SUD-OUEST

Tableau kilométrique

	Tozeur	Nefta	Tamerza	Gafsa	Kebili
Nefta	23				
Tamerza	65	100			
Gafsa	93	116	113		
Kebili	94	117	150	109	
Douz	122	145	178	137	28

DÉCOUVRIR
Tozeur

☆**Les essentiels** La palmeraie, le musée Dar-Cheraït **Découvrir autrement** Faites le tour de la palmeraie en calèche, rendez-vous au belvédère au coucher du soleil pour admirer l'oasis, rejoignez les décors de *La Guerre des étoiles* avec l'agence Quad Plus ➤ **Carnet d'adresses p.295**

LE SUD-OUEST

☺ **Médina (plan 20, B1-B2)** N'hésitez pas à vous perdre dans ce fascinant labyrinthe de ruelles bordées de hauts murs en brique claire. Avec son lacis de passages et de placettes, le quartier d'**Ouled el-Hadef** constitue la partie la plus intéressante de la vieille ville. Les plaques de rue sont rares, mais comme il n'est guère étendu, on finit toujours par déboucher dans une artère passante. Les motifs géométriques formés par les briques disposées en saillie dans les murs sont une particularité de Tozeur et de sa voisine, Nefta, ainsi que les magnifiques **portes en bois clouté**, aux heurtoirs et ferrures élaborés. Les portes anciennes sont assez rares, mais les nouvelles, subventionnées par la municipalité, respectent le style local. Vous passerez parfois sous des passages couverts, les *chabat*, dont les plafonds sont soutenus par des troncs de palmiers vieux de plusieurs siècles. De nombreuses medersas et zaouïas, dont l'accès est réservé aux musulmans, sont disséminées dans ce quartier. *À l'est de l'av. Habib-Bourguiba (derrière le marché couvert et l'hôtel Dar-Ghaouar)*

Musée des Arts et Traditions populaires (plan 20, B1) Installé au cœur de la médina, dans l'ancienne maison de Sidi Bou Aïssa, un marabout marocain du XVIe siècle, ce musée minuscule ne possède pas de richesses inoubliables, mais sa jeune conservatrice, Souad, a su présenter son fonds de manière fort distrayante. À voir, autour de la courette, la cuisine et ses ustensiles traditionnels, et dans les autres pièces, des manuscrits, des métiers à tisser, des costumes, des bijoux, des armes, des lits et des coffres anciens, etc. *Rue de Kairouan Ouvert mar.-dim. 8h-13h et 16h-18h Tarif 1DT*

☆ ☺ **Musée Dar-Cheraït (hors plan A2)** Le premier musée privé de Tunisie et, sans conteste, l'un des plus beaux. Établi depuis 1990 dans un complexe fastueux, juste à côté de l'hôtel Dar-Cheraït, il présente la magnifique collection réunie par le riche homme d'affaires et actuel maire de Tozeur, Abderrazak Cheraït. Une partie de l'édifice restitue l'intérieur d'une maison de notable de jadis. Les quartiers des hommes et les appartements des femmes sont tous décorés de céramiques polychromes, de stucs et de boiseries sculptées extrêmement soignés. Les différentes pièces servent d'écrin à de véritables trésors : armes anciennes, costumes, bijoux, coffres en bois et métal, vases, dont certains monumentaux, verrerie et céramique. Une autre section du musée reconstitue, avec des mannequins de cire, des scènes de la vie quotidienne, un hammam et la maison du poète Chebbi (cf. GEOPanorama). Le complexe abrite aussi un parc de loisirs : d'abord la médina des Mille et Une Nuits, monde enchanté où l'on croise Shéhérazade, Sindbad et Ali Baba (tous en cire) ; ensuite Dar Zamen, qui présente, à l'aide de projections de photos et de

Plan 20 Tozeur

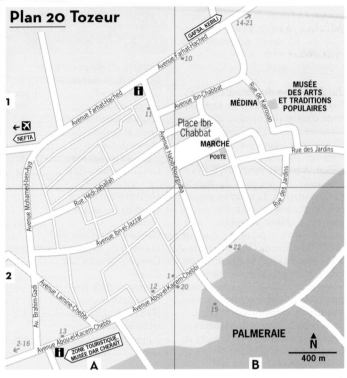

**CAFÉS, BARS ET LIEUX DE
SORTIE** (n° 1 et 2)
Café du Musée
Dar-Cheraït _____ **2** A2
Café La Rosa _____ **1** A2

RESTAURATION (n° 10 à 16)
Andalousia _____ **16** A2
La Médina _____ **10** B1
La République _____ **11** A1
Le Capitol _____ **13** A2
Le Petit Prince _____ **15** B2
Les Andalous _____ **14** B1

Le Soleil _____ **12** A2

HÉBERGEMENT
(n° 20 à 22)
Hôtel du Jardin ___ **21** B1
Résidence Warda ___ **20** B2
Yadis Oasis Tozeur ___ **22** B2

vidéos, l'histoire de la Tunisie, de la préhistoire à nos jours. Un parc retraçant
l'histoire de l'humanité est ouvert en annexe de ce dernier site depuis 2006.
*Route touristique Tél. 452 100 www.darcherait.com Ouvert tlj. 8h-0h Tarif musée
5,50DT Tarif médina 6DT Tarif Dar Zamen 6DT*

Belvédère Peu élevés, ces quelques rochers ocre que des escaliers en ciment
permettent d'escalader facilement offrent un panorama complet de la ville, la
palmeraie et, au loin, du chott el-Djerid. Luminosité parfaite en fin d'après-midi.
Près du parking, des **sources chaudes** jaillissent au milieu des dattiers. Les
rochers du belvédère sont affublés depuis quelques années de trois gigantesques
sculptures en ciment représentant le visage du poète Chebbi (cf. GEOPanorama), enfant du pays. Juste à côté, un aigle en bronze fait référence à son

poème *Le Chant de Prométhée*, écrit peu avant sa mort, à l'âge de vingt-cinq ans. *En venant du centre-ville la route d'accès est à gauche juste avant l'hôtel Dar-Cheraït*

Jardin et zoo du Paradis (plan 20, B2) On peut y observer les représentants d'un grand nombre d'espèces animales de la région (fennecs, reptiles, chacals, outardes et oiseaux), mais les panneaux explicatifs font défaut. À part les rongeurs, toujours très actifs, les animaux du Paradis s'ennuient ferme. Et seules les gazelles et les autruches jouissent d'un enclos spacieux. Quant au jardin voisin, implanté dans la palmeraie, il n'a de paradis que le nom. Certes, sa végétation contraste avec l'aridité du désert, mais aucune indication ne renseigne le promeneur sur les plantes, au demeurant assez communes (palmiers, roses trémières, géraniums, rosiers, lauriers-roses et bougainvillées). Amateurs de botanique s'abstenir ! *En bordure de la palmeraie Tél. 452 687 Ouvert tlj. 8h-tombée de la nuit Tarif 2DT*

Marabout de Sidi Ali Bou Lifa Ce mausolée se dresse derrière un énorme jujubier qui étend, selon la légende, ses racines entrelacées jusqu'à La Mecque. De nombreux pèlerins viennent se recueillir sur le tombeau du saint. *À l'entrée du chemin menant au zoo-jardin du Paradis à la sortie du hameau d'Abbes*

Tombeau d'Abou el-Kacem Chebbi Le poète tozeurois (cf. GEOPanorama), mort en 1934, repose dans une salle d'un institut culturel coiffé d'un dôme, en bordure de la palmeraie. Encadrée de portraits de Chebbi, de sa famille, de ses amis et de citations gravées sur le mur, la tombe se trouve à droite du hall d'entrée. *En venant du centre-ville prendre l'av. Abou-el-Kacem-Chebbi et tourner dans la rue à gauche juste avant l'office de tourisme Ouvert tlj. Entrée gratuite*

● **Où faire du shopping ?** Nombreuses boutiques d'artisanat dans l'avenue Habib-Bourguiba et en face du musée Dar-Cheraït.
Grande boutique (plan 20, B1) Ce magasin d'artisanat propose tapis, chicha, vaisselle, bibelots, bijoux, djellabas... Son exubérant propriétaire connaît bien sa ville et vous contera mille histoires, en espérant bien sûr que vous ne repartirez pas les mains vides. Ce passionné d'antiquités vend aussi beaucoup de céramiques, portes et meubles anciens. CB acceptées. *Sur une placette de*

la médina (non loin du petit musée des Arts et Traditions populaires) Tél. 460 827 Ouvert 7h-19h

Maison de l'artisanat (plan 20, A2) Sur trois niveaux, un grand choix de couscoussiers et autres produits artisanaux. Le magasin est vieillot, mais vous pourrez y acheter tranquillement vos souvenirs, d'autant que les prix sont fixes. *Av. Abou-el-Kacem-Chebbi Ouvert lun.-jeu.*

● Où boire un verre ?

Café La Rosa (plan 20, A2) Vous pourrez boire un verre ou fumer la chicha sur sa petite terrasse abritée. Un lieu très animé le soir, surtout l'été, quand les hommes de Tozeur viennent prendre le frais. *Av. Abou-el-Kacem-Chebbi (face à l'entrée de l'hôtel Continental)*

Café du musée Dar-Cheraït (plan 20, A2) Les chaises et les tables en fer forgé de cet élégant café invitent à une pause rafraîchissante autour d'une fontaine, dans la charmante cour du musée. Un havre de calme. *Musée Dar-Cheraït Route touristique Ouvert tlj. 8h-0h*

● En calèche autour de la palmeraie
Les calèches empruntent l'unique route goudronnée, qui fait le tour de la palmeraie. Les éventuels arrêts sont à négocier avec le guide. *Départs dans l'av. Abou-el-Kacem-Chebbi à côté de l'école hôtelière Tarif env. 6DT/h la promenade dans l'oasis*

● Se balader à VTT
Location de vélos à l'heure (5DT), à la demi-journée (25DT) et à la journée (40DT). **Agence Ameur** *138, av. Abou-el-Kacem-Chebbi Tél. 460 227 Tél. portable 98 825 605*

● Galoper dans les dunes
Ce petit ranch propose des balades à cheval d'une durée variable (1h, 2h, demi-journée, journée). Les promenades les plus longues permettent de traverser la palmeraie et de faire une incursion dans le désert. Tarif (repas compris) 25DT/1h ; 50DT/2h ; 80DT/demi-journée ; 120DT/journée **Équi-balade** *Route touristique (à côté de l'hôtel Dar-Cheraït) Tél. 452 613 Fax 462 957 Ouvert tlj.*

● Faire une virée en quad
Excursions en quad accompagnées : balade d'une heure vers la palmeraie et le belvédère (40DT), de 2h vers l'oasis Naflayet (80DT), et excursion d'une demi-journée jusqu'à Oung Djemel, où subsistent des décors du tournage du film *La Guerre des étoiles* (120DT). Également des sorties à la journée (240DT). **Agence Quad-Plus** *Route touristique (à 100m de l'hôtel Fram) Tél. 472 277/23 235 065 www.quadplusplus.com*

CARNET D'ADRESSES

Restauration

On trouve un assez vaste choix de restaurants à Tozeur, de la gargote à l'établissement luxueux, mais peu de restaurants intermédiaires.

 petits prix

La Médina (plan 20, B1) Fleurs en plastique et guirlandes lumineuses composent un cadre assez kitsch, mais la carte propose un vaste choix de spécialités

LE SUD-OUEST

tunisiennes (certaines sur commande, comme l'agneau à la gargoulette ou le couscous de viande de chameau) à des prix très raisonnables : env. 4DT le plat. Excellentes *keftas* relevées juste comme il faut. Accueil aimable. Pas d'alcool. *19, av. Farhat-Hached*

La République (plan 20, A1) Que ce soit dans la salle ou sous les arcades de la cour, vous passerez un agréable moment autour d'un couscous, de bricks et d'autres spécialités tunisiennes aussi savoureuses que bon marché (3-4DT le plat). Ambiance assurée : le restaurant partage sa cour avec un café. Pas d'alcool. *Un panneau sur le trottoir de l'av. Habib-Bourguiba signale ce restaurant dissimulé au fond d'un passage*

Le Soleil (plan 20, A2) Une bonne cuisine familiale (savoureux ragoût de mouton) dans une salle rectangulaire tout en bois clair. Accueil et service irréprochables. Comptez 8-10DT le repas. Pas d'alcool. *58, av. Abou-el-Kacem-Chebbi (presque en face de la résidence Warda) Ouvert tlj.*

Le Capitol (plan 20, A2) Une adresse sans façon, mais au cadre avenant, à proximité de la palmeraie. Pour goûter une bonne cuisine à prix très doux (de 4DT à 5DT le plat). Salle climatisée et quelques tables sur le trottoir. Pas d'alcool. *152, av. Abou-el-Kacem-Chebbi (face à la station des calèches)*

🍴 prix moyens

☺ **Les Andalous** (plan 20, B1) Ce restaurant partage le cadre verdoyant de l'hôtel du Jardin (cf. Hébergement). Faute d'une terrasse sous les palmiers, les tables dressées près des fenêtres sont les plus agréables. Bonne carte de spécialités, comme la *tchakchouka* (pâtes, pommes de terre, raisins,

pois chiches, harissa...) au poulet, à commander la veille. Les plats sont copieux et le service est plutôt soigné. Le soir, l'animation musicale (*malouf* certains soirs) et la carte des vins et alcools attirent les bons vivants. Comptez env. 12DT le repas. *Bd de l'Environnement (à l'entrée de la route de Degache) Tél. 454 196 Fax 454 199 Ouvert tlj. midi et soir*

Le Petit Prince (plan 20, B2) La carte est élaborée (gigot d'agneau aux herbes 17DT, couscous de viande de chameau 13DT, tajine maison 8,50DT) et les plats copieux. La salle est tapissée de portraits du héros de Saint-Exupéry : dans son enfance, le patron aurait incarné le Petit Prince au cinéma. Également quelques tables sous les palmiers du jardin. Environ 25DT le repas, vin 12-16DT. Animation musicale après 23h. *À l'entrée de la palmeraie (à droite du palais du gouverneur au bas de l'av. Habib-Bourguiba) Tél. 452 518 Fax 461 248 Ouvert 12h-15h et 19h30-23h*

🍴 prix élevés

Andalousia (plan 20, A2) L'Andalousia installe des tables autour de la piscine de l'hôtel Dar-Cheraït dès que la température le permet, c'est-à-dire de mars à novembre. Viande et poisson grillés, sandwichs (7-8DT tout de même), tous délicieux. Service à l'image de l'hôtel : un peu collet monté mais impeccable. Comptez 35DT le repas (vin 12-20DT). L'hôtel abrite un autre restaurant, plus élégant et plus cher. CB acceptées. *Zone touristique (dans l'hôtel Dar-Cheraït) Tél. 454 888 Fax 454 472 Ouvert 12h-15h et 19h-0h*

Hébergement

Rares sont les hôtels réellement bon marché. Mais, hors saison, les prix sont souvent beaucoup plus bas que ceux que nous indiquons, et il est toujours possible de négocier.

 camping

Les Beaux Rêves (hors plan) Ce petit terrain de camping rustique s'étend à l'ombre des palmiers, à l'entrée du secteur hôtelier moderne. Les sanitaires sont sommaires mais propres. Le raccordement à une ligne électrique coûte 3DT/jour. L'emplacement revient à 6DT/pers. On peut louer l'un des petits bungalows aux très fines cloisons en tiges de palmes. Possibilité de dormir pour le même prix à la belle étoile ou sous une tente berbère. Ammar Bey, le sympathique patron, organise diverses excursions. Il se mettra en quatre pour rendre votre séjour agréable et vous préparera un repas sur commande. *Route touristique (sur la gauche en venant du centre-ville)* **Zone touristique** *Tél. 473 331 http://beauxreves.koi29.com*

 petits prix

Résidence Warda (plan 20, B2) Cet établissement voisin de la palmeraie est d'un excellent rapport qualité-prix : 30DT la double avec sdb et WC (supplément de 4DT avec clim.), petit déjeuner inclus. Les chambres sont toutes impeccables, et celles qui donnent sur le patio fleuri, particulièrement tranquilles. *Av. Aboul-el-Kacem-Chebbi* **Centre-ville** *Tél. 452 597 Fax 452 744*

 prix moyens

Hôtel du Jardin (plan 20, B1) Cet établissement occupe une maison particulière au cadre verdoyant, un peu à l'écart du centre-ville. Les 20 chambres, avec douche et clim., sont bien tenues et donnent pour la plupart sur une terrasse agréable qu'ombragent les palmiers du jardin. Tout irait pour le mieux si le restaurant contigu, Les Andalous (cf. Restauration), ne proposait une animation musicale tous les soirs. Jusqu'à minuit, gare aux vibrations ! Déconseillé aux couche-tôt. 40DT la double. *Bd de l'Environnement* **Centre-ville** *Tél. 454 196 www.hotel-lejardin.com*

Résidence El-Amen (hors plan) Une excellente adresse, en retrait de la route touristique, donc au calme. L'accueil est aussi chaleureux que les couleurs qui habillent les 15 chambres, simples mais toutes d'une propreté irréprochable. Chambre familiale pour 4 pers. à 52DT, petit déjeuner compris (supplément 4,50DT clim. ; 3,50DT TV). Un deux-pièces indépendant pour 75DT, avec cuisine et salle de bains. *10, av. Taoufik-el-Hakim* **Zone touristique** *Tél. 473 322 amentozeur@yahoo.fr*

 prix très élevés

Yadis-Oasis-Tozeur (plan 20, B2) Ce 3-étoiles bien situé, entre le centre-ville et l'oasis, dans la palmeraie, compte 114 chambres, certaines avec balcon. Les plus grandes peuvent recevoir 4 ou 5 personnes. Le jardin abrite 2 piscines et un petit bassin,

LE SUD-OUEST

GAMME DE PRIX	RESTAURATION	HÉBERGEMENT
Très petits prix	moins de 5DT	moins de 15DT
Petits prix	de 5DT à 15DT	de 15DT à 30DT
Prix moyens	de 15DT à 25DT	de 30DT à 60DT
Prix élevés	de 25DT à 40DT	de 60DT à 100DT
Prix très élevés	plus de 40DT	plus de 100DT

LE SUD-OUEST

ainsi qu'un "centre berbère" pour les soirées à thème. Comptez 140DT la double avec petit déjeuner. CB acceptées. *Pl. des Martyrs* **Centre-ville** *Tél.* 452 300 *Fax* 461 522

Ksar Jerid (hors plan) Ce 3-étoiles moderne réinterprète l'étonnante architecture des greniers fortifiés de la région de Matmata. Les 90 chambres, spacieuses, disposent d'une sdb impeccable et de la clim./c, mais la TV est en supplément (5DT). Préférez celles de la partie droite, proches de la piscine, dont les teintes orangées se marient parfaitement avec celles des bougainvillées. Tennis, restaurant, café maure, bar dansant, salle de jeux, distributeur de billets dans le hall et piscine couverte en cours d'aménagement. Seul bémol, le Ksar Jerid s'élève au milieu de terrains vagues. Double 140DT en saison, supplément de 20DT du 23 décembre au 5 janvier, en avril et en août. CB acceptées. *Route de Nefta* **Zone touristique** *Tél.* 454 357 *Fax* 454 515

☺ **Dar Cheraït (hors plan)** Ce 5-étoiles aux murs de brique claire piquetés de moucharabiehs conjugue luxueusement références hispano-mauresques et confort contemporain. Les tapis épais qui réchauffent le sol en marbre du hall, du patio aux arcades ciselées et des chambres sont tous des pièces uniques. Tout comme les meubles, bibelots et boiseries qui décorent les 85 chambres et les 12 suites somptueuses. Plusieurs restaurants raffinés (accessibles aux non-résidents, cf. Restauration), une piscine au milieu d'un jardin resplendissant, agrémenté de terrasses et d'un solarium, un hammam tout de marbre et de céramiques polychromes revêtu, des salles de sport et des courts de tennis, rien ne manque pour faire du Dar Cheraït une référence. Prix évidemment à l'avenant : 248DT la double, 1 000DT la suite présidentielle... *Route touristique* **Zone touristique** *Tél.* 454 888 *www.darcherait.com.tn*

NEFTA

Comme Tozeur, cette ancienne étape caravanière continue d'exploiter des dattiers, aux fruits particulièrement savoureux, tout en misant sur le tourisme pour sortir de sa torpeur. Mais, même si sa palmeraie est aussi étendue que celle de sa voisine, Nefta ne bénéficie ni de l'aura ni de l'infrastructure touristique de sa rivale. Un atout, si l'on recherche le calme et la sérénité ! La ville est célèbre pour sa "Corbeille", un cirque naturel qu'occupe une séduisante palmeraie. Les cent cinquante-deux sources de l'oasis ont aussi permis le développement d'une immense palmeraie, de l'autre côté de l'oued, au bord du chott el-Djerid.

UNE VILLE SAINTE Étape importante pour les pèlerins se rendant à Kairouan ou à La Mecque dès le IXᵉ siècle, Nefta devint un haut lieu du soufisme au Moyen Âge. Cette cité de vingt mille habitants abrite ainsi vingt-quatre mosquées et plus de cent marabouts, ce qui en fait la deuxième ville sainte de Tunisie après Kairouan. Le mausolée de Sidi Bou Ali, un saint homme du XIIIe siècle particulièrement vénéré, et d'autres marabouts de Nefta voient affluer les pèlerins lors des grandes fêtes religieuses. Le pèlerinage le plus important de l'année a lieu le troisième jour suivant la fête du Mouton (Aïd el-Kébir) et attire même des Tunisiens expatriés.

MODE D'EMPLOI

accès

EN CAR ET EN LOUAGE

Plusieurs liaisons quotidiennes avec Tunis, Gabès, Gafsa, Kebili, Sousse, Tozeur. Louages pour toute la Tunisie.
Gare routière (plan 21, B2) *Av. Habib-Bourguiba (face au syndicat d'initiative) Tél. 430 602*
Station de louage (plan 21, B2) *Av. Habib-Bourguiba (face au poste de police)*

EN VOITURE

Nefta se trouve à 23km au sud-ouest de Tozeur sur la P3. Cette route rectiligne escalade un petit plateau pour offrir un point de vue magnifique sur les deux chotts. Une deuxième route, parallèle, longe les palmeraies plantées dans la plaine, il y a une quinzaine d'années, afin d'enrayer la désertification et de fournir une activité aux nomades sédentarisés. Elle s'embranche sur la P3 à 1km au sud de la route de l'aéroport (tournez à gauche à hauteur du panneau indicateur) et arrive à proximité de la grande arche qui marque l'entrée de Nefta.

orientation

La ville s'étire le long de l'avenue Habib-Bourguiba, au nord de l'axe est-ouest tracé par la palmeraie. La Corbeille, au centre, forme un second point de repère. L'oued qui traverse l'agglomération relie la Corbeille à la palmeraie. La zone hôtelière s'étend à l'ouest de la ville.

informations touristiques

Syndicat d'initiative (plan 21, B2) Dynamique, il dispense une foule d'informations et organise des visites guidées de la médina, de la Corbeille et de la palmeraie, qu'il est possible de prolonger par celle de la grande dune et par une incursion sur le chott el-Djerid. Il peut aussi organiser des sorties en quad, à cheval, à dos de dromadaire... Mais attention, les horaires d'ouverture sont un peu fantaisistes. *Sur la droite dans l'av. Habib-Bourguiba (à l'entrée de Nefta) Tél. 430 236 Ouvert tlj. 8h-19h*

poste et banques

Poste *Av. Habib-Bourguiba, près du pont enjambant la Corbeille*
Plusieurs banques sur l'avenue Habib-Bourguiba (plan 21, B2).

accès Internet

Consultation possible dans une boutique de l'avenue Habib-Bourguiba, sur la gauche 400m après le syndicat d'initiative (plan 21, B2, ouvert lun.-jeu. 8h-18h, ven.-sam. 8h-13h)

LE SUD-OUEST

DÉCOUVRIR
Nefta

> ☆**Les essentiels** La Corbeille et la grande palmeraie **Découvrir autrement** Attardez-vous au musée Dar-Houidi autour d'un repas traditionnel, admirez le Sahara du haut de la grande dune, sirotez un jus de palme dans l'une des buvettes de la palmeraie ➤ **Carnet d'adresses p.302**

☆ ☺ **Corbeille et grande palmeraie (plan 21, A2-B1)** L'importante palmeraie de Nefta (quelque 600 000 palmiers) est partagée en deux : au sud de la ville, au bord du chott el-Djerid, la partie la plus étendue ; et au cœur de la ville, la surprenante Corbeille. Dominé par les dômes et minarets des vieux quartiers de la ville, ce site étonnant a failli devenir un trou aride quand les sources se sont taries. Grâce au forage de puits et à la construction d'un bassin d'alimentation, la Corbeille a repris vie. Mais comme à Tozeur, la consommation exponentielle de l'eau reste un problème. La terrasse du café de la Corbeille (fermé), près de la zaouïa Sidi Brahim et non loin de l'hôtel Mirage, au nord-ouest, constitue le meilleur point de vue sur ce site encaissé. Seuls quelques chemins permettent de s'aventurer entre les parcelles cultivées à partir de la route qui fait le tour de la grande palmeraie. Cette dernière abrite le marabout de Sidi Bou Ali, saint homme né au Maroc qui aurait planté, au XIIIᵉ siècle, les premiers palmiers de l'oasis et conçu son ingénieux système de parcellisation et de répartition de l'eau.

Médina (plan 21, A2) Le quartier le plus intéressant de la vieille ville forme une mosaïque de maisons aux murs de brique claire piquetés de motifs géométriques qui ont, pour la plupart, conservé leurs vénérables portes en bois clouté. Dans les ruelles qui se perdent sous des passages couverts de troncs de palmiers, on croise des femmes dissimulées sous un voile noir dont la bande bleue les distingue des femmes de Tozeur (bande blanche). Les deux panneaux qui donnent un plan succinct du quartier (av. Habib-Bourguiba, près du café Oasis, et place de la Libération) servent de point de départ à la visite. L'autre quartier historique, à l'ouest de la Corbeille, a sans doute moins d'allure, mais on peut y voir à l'œuvre des potiers et des briquetiers. *Entre l'av. Habib-Bourguiba et la palmeraie*

Musée Dar-Houidi (plan 21, B2) Construite au XVIIᵉ siècle, cette maison de la médina a été transformée en musée par Tahar Houidi, son jeune héritier. Composée de plusieurs corps de bâtiments ordonnés autour d'une cour fleurie, elle montre bien l'habitat traditionnel des cités du désert. D'un côté la cuisine, de l'autre la grange surmontée d'un grenier et, sur les autres côtés, les chambres et les pièces à vivre. La hauteur des plafonds (6m) et l'épaisseur des murs préservent de la chaleur estivale. L'ensemble est orné d'ustensiles (dont une collection d'objets en bois d'olivier) et de meubles anciens. Des manuscrits anciens sont exposés dans le petit bureau. Le musée comprend aussi un café traditionnel et un restaurant (cf. Carnet d'adresses). *Quartier El-Hawaïda Tél. 432 511 Tél. portable 98 577 705 tahar. houidi@topnet.tn Ouvert tlj. 8h-1h Tarif 3DT*

☺ **Grande dune** Assez fréquentée, mais splendide au coucher du soleil, la plus haute dune des environs de Nefta vous donnera un avant-goût du Sahara. Comptez 15min de marche à partir du parking pour gagner le site… à moins d'opter pour une balade à dos de dromadaire. *À env. 12km à l'ouest de Nefta en direction de la frontière algérienne*

● **Où acheter des souvenirs ?** Vous trouverez quelques boutiques d'artisanat sur la place de la Libération, près de l'hôtel Habib, à Nefta. Signalons également le grand marché de roses des sables qui bat son plein à une dizaine de kilomètres à l'ouest de la ville, au bord du chott el-Djerid en direction de la grande dune et de la frontière algérienne.

LE SUD-OUEST

Plan 21 Nefta

CAFÉS, BARS ET LIEUX DE SORTIE (n° 1 et 2)
Buvettes
de la palmeraie _____ **2** A2
Café Jouj _____ **1** B2

RESTAURATION (n° 10 à 12)
Dar Houidi _____ **12** B2
Le Paradis _____ **10** B2
Les Sources _____ **11** B2

HÉBERGEMENT (n° 20 à 24)
Caravansérail _____ **23** A2
Habib _____ **20** B2
La Rose _____ **22** A2
Marhala _____ **21** A2
Sahara Palace _____ **24** A1

● **Où boire un verre ?**

Buvettes de la palmeraie (plan 21, A2) De petits paradis posés sous les dattiers, au milieu des cultures maraîchères ! Rien de mieux pour faire une pause sous la tonnelle après une balade dans l'oasis. Vous pourrez déguster un jus de palme ou fumer du genièvre dans une minuscule pipe en roseau. *Sur la route qui fait le tour de la palmeraie*

Café Jouj (plan 21, B2) Ce café, fréquenté par les hommes de Nefta, étend son agréable terrasse sous les arbres et propose café, thé, sodas et chicha. *Au cœur de la médina, sur la très calme place de la Liberté face à l'hôtel Habib*

● **Aller au hammam** Les touristes peuvent s'y rendre en couple sur réservation. Tarif 1,60DT Massage 1DT. **Hammam de l'Oasis (plan 21, B2)** *Quartier Algma (à droite de la Grande Mosquée) Av. Abou-Ali Tél. 430 009 Ouvert 6h-12h et 18h-0h pour les hommes ; 12h-18h pour les femmes Les lun. et ven., la tranche 18h-0h est réservée aux femmes*

● **Faire du quad et du char à voile** Location de quad à l'heure (40DT/pers.), à la demi-journée et à la journée (voire davantage, avec nuit dans le désert), pour des randonnées accompagnées. On peut se rendre en quad à Oung Djemel, dont les dunes et rochers (dont l'un évoque une tête de chameau) ont servi de décor au film *La Guerre des étoiles*. L'agence propose aussi des excursions en 4x4 et des sorties à la demi-journée pour faire du char à voile sur le chott el-Djerid (75DT/pers.). **Agence Désert-Évasion** *Au bord d'un chemin le long de la route touristique, à env. 300m à l'ouest de l'hôtel Sofitel Sahara Palace Tél. 431 041 Tél. portable 20 450 358 www.desert-evasion.com.tn*

CARNET D'ADRESSES

Restauration

Le choix est limité, mais n'oubliez pas que la plupart des hôtels disposent d'un restaurant correct, voire chic, tel celui du Sahara-Palace.

🍴 petits prix

Les Sources (plan 21, B2) Une salle accueillante, signalée par une jarre géante en brique. Dans un cadre soigné, on savoure de copieux couscous et *tchakchouka* de merguez. Env. 7DT le repas. *Près du syndicat d'initiative*

Le Paradis (El-Ferdaous) (plan 21, B2) Ce restaurant rafraîchissant installe ses quelques tables sous les arbres, loin de l'agitation du centre-ville. Abdeselem, le patron, concocte de goûteux ragoûts de mouton et des brochettes d'agneau (5DT). Bon accueil. Sert de l'alcool. *À l'entrée de la palmeraie*

🍴 prix moyens

☺ **Dar Houidi (plan 21, B2)** Ce restaurant qui dépend du musée Dar-Houidi (cf. Découvrir Nefta) occupe une maison ancienne de la médina. Pour dîner dans un cadre traditionnel, dans la cour, ou dans une salle décorée de tissages. Réservation obligatoire pour savourer un repas (menu complet autour d'un méchoui ou d'un couscous de mouton) à 15DT ; 35DT s'il est accompagné d'un spectacle folklorique. On peut se contenter de prendre un verre (avec, toujours sur réservation, la possibilité d'assister à un spectacle pour 19DT). CB acceptées. *Quartier El-Hawaïda Tél. 432 511 ou 98 577 705 tahar.houidi@topnet.tn*

Hébergement

L'infrastructure hôtelière est nettement moins développée qu'à Tozeur et les hôtels bon marché sont rares. Les prix sont négociables en dehors des vacances de fin d'année, de février et d'avril.

 petits prix

Habib (plan 21, B2) Seize chambres bon marché, mais d'une propreté douteuse et d'un confort sommaire. Elles disposent, pour la plupart, d'une douche, mais les toilettes sont sur le palier. On peut dormir à la belle étoile sur la terrasse, qui domine le vieux quartier central (si l'on a réglé sa chambre avant). Pas de clim. 19DT la double. *Pl. de la Libération Tél. 430 497 Fax 430 522*

 prix élevés

Marhala (plan 21, A2) Propriété du Touring Club de Tunisie, ce 2-étoiles de style saharien n'est pas sans charme. Il possède une trentaine de chambres de style assez rustique, mais avec clim. et sdb, un restaurant, un bar, une piscine et un court de tennis. Accueil cordial. Organisation de méharées et excursions en quad. 62DT la chambre double toute l'année. *Zone touristique Tél. 430 027 hotelmarhala@voila.fr*

 prix très élevés

La Rose (plan 21, A2) L'hôtel est surtout fréquenté par les groupes, mais vous serez bien accueilli dans ce 3-étoiles fonctionnel de la zone touristique, la plupart de ses 100 chambres climatisées, mais sans TV, donnent sur la palmeraie. L'agréable restaurant-bar domine une piscine. 130DT la double toute l'année. Pas de CB. *À l'intersection de l'av. Habib-Bourguiba et de la route des Hôtels (face à la garde nationale) Tél. 430 696/697 Fax 430 385*

☺ **Caravansérail (plan 21, A2)** Cet établissement de 136 chambres est l'un des plus élégants de Nefta, avec ses pierres apparentes et son jardin fleuri autour d'une jolie piscine. L'aile récente dispose de chambres spacieuses bien équipées (TV, minibar, sdb avec baignoire, balcon). Dans l'aile plus ancienne, chambres un peu plus simples, la plupart avec douche. Chaleureux salon-bar, discothèque et courts de tennis en bon état. 130DT la double, prix négociable pour les chambres de catégorie inférieure. CB acceptées. *Zone touristique (en face du Marhala à l'orée de la palmeraie) Tél. 430 355 Fax 430 344*

Sahara Palace (plan 21, A1) Construit en 1968, fréquenté en son temps par Habib Bourguiba, ce palace bénéficie d'un magnifique panorama sur la Corbeille, la ville et le chott el-Djerid. C'est l'atout principal de ce 5-étoiles, qui a beaucoup perdu de son cachet. Mais il subissait, lors de notre passage, de gros travaux de rénovation. Avant ces travaux, les chambres, qui donnent toutes sur la Corbeille, étaient petites et facturées 200DT la double, avec un supplément de 100DT pour les fêtes de fin d'année ! Les 7 suites (400DT), bien plus spacieuses, étaient superbes et pouvaient accueillir chacune 4 personnes. Piscine, café maure, 2 restaurants. CB acceptées. *Route touristique www.tuma-hotels. com/nefta_saharapalace.htm*

★TAMERZA

Ind. tél. 76

Dans son écrin de crêtes montagneuses, l'oasis de Tamerza compose un décor unique : accrochée au flanc d'un gigantesque canyon du djebel en-Negueb, elle domine une plaine qui s'étire jusqu'au chott el-Djerid. La bourgade s'est sans doute construite sur les ruines d'Ad Turres, un jalon du *limes Tripolitanus* romain, dont les Byzantins firent le siège d'un évêché. Abandonnée depuis les pluies torrentielles de 1969, comme les deux autres vieux villages suspendus du djebel, Chebika et Midès, elle livre aujourd'hui ses ruines romantiques de pierre et de terre aux cinéastes et aux touristes.

LES OASIS DE MONTAGNE Alternance de rouges, de jaunes, de mauves, d'ocre et de blancs, les montagnes qui se dressent au nord du chott el-Gharsa, près de la frontière algérienne, enveloppent les minuscules taches vertes des oasis dans leurs replis. Le massif ne dépasse guère 940m d'altitude mais, en quelques kilomètres, la plaine désertique fait place à un relief accidenté, résultat d'une érosion éolienne et pluviale millénaire. Près des sources, les hommes ont bâti des villages fortifiés, dont les trois plus visités, Tamerza, Chebika et Midès, ne sont plus que des ruines de carte postale. Le sous-sol de la région abrite l'une des plus grandes réserves de phosphate au monde : l'économie locale, tout comme le paysage de certaines zones, en sont marqués pour longtemps.

MODE D'EMPLOI

accès

EN CAR ET EN LOUAGE
Une liaison quotidienne en car et plusieurs en louage entre Tozeur (rens. à la gare routière de Tozeur) et Tamerza via Chebika. La liaison avec Midès est plus aléatoire. Cependant, les louages qui assurent le service jusqu'au poste-frontière avec l'Algérie, toute proche, poussent jusqu'à Midès.

PAR LA ROUTE
Tamerza se trouve à 65km au nord de Tozeur en suivant la P3 en direction de Gafsa jusqu'à El-Hamma (10km), puis la P16. **Chebika** est la première oasis que l'on découvre en venant de Tozeur (53km) : elle se détache peu à peu sur une montagne aux couleurs changeantes, à mesure que l'on progresse dans la traversée du chott er-Rahim. Passé Chebika, la P16 grimpe sèchement à l'assaut de l'abrupt djebel en-Negueb et propose, au détour de virages vertigineux, de magnifiques panoramas sur les chotts el-Gharsa et er-Rahim ainsi que sur les formations minérales alentour. **Midès** se trouve à 7km au nord-ouest de Tamerza. En venant de Gafsa, à 100km à l'est de Tamerza, il faut suivre la P3 jusqu'à Metlaoui, puis la C122 qui passe par Moularès et Redeyef.

informations touristiques

Syndicat d'initiative Accueil sympathique. Possibilités de promenades guidées. La randonnée pédestre de Tamerza à Midès est la plus intéressante, car elle passe par la montagne et rejoint le canyon de Midès. Comptez 3h de marche AR et faites-vous accompagner par un guide sous peine de vous perdre (aucun balisage). *Dans la rue principale Ouvert tlj. 8h-13h et 15h-18h*

DÉCOUVRIR

☆**Les essentiels** Les ruines du vieux Tamerza, le village de Midès **Découvrir autrement** Empruntez la superbe route en lacet de la piste Rommel pour admirer des paysages sublimes, lézardez dans le petit train du même nom et découvrez les gorges du Selja ➤ **Carnet d'adresses p.308**

Tamerza

Le vieux Tamerza Ses ruines s'étendent à l'extrémité du bourg moderne, sur la route de Midès et de Redeyef. Remontez la rue principale à partir du mausolée blanc et vert qui en garde l'angle sud-ouest, jusqu'à la *kalaa* "forteresse", au sommet des ruines. Ici et là, dans les courettes des maisons de pierre en ruine on peut voir quelques jarres à demi enterrées et de petites colonnades qui ont résisté à la destruction. La mosquée, à l'orée de la palmeraie, est soigneusement entretenue par les fidèles.

Les cascades sur l'oued Khanga Ces chutes font aussi la fierté des habitants de Tamerza. La première s'épanche juste à la sortie du village, à côté de l'hôtel des Cascades. Un court sentier rejoint le site à partir du parking de l'hôtel. Un autre chemin, en aval, traverse le Khanga et s'enfonce dans un petit canyon dont les parois sont tapissées de coquillages fossilisés. Le chemin grimpe sur le plateau, d'où s'offre une vue splendide sur l'oasis, et rejoint la première cascade. Il est possible de faire cette balade d'environ 30min sous la conduite d'un jeune guide, Farouk Ezdeni, accrédité par le syndicat d'initiative, qui attend les touristes devant l'hôtel des Cascades. Il connaît la région comme sa poche et vous proposera bien d'autres découvertes, telle celle de la "piste Rommel" (cf. plus loin). La seconde chute, haute d'une dizaine de mètres et dite "grande cascade", barre le cours de l'oued nettement en aval. Pour la rejoindre, il faut sortir de Tamerza et suivre la route de Chebika (P16) sur 2km avant de bifurquer à droite. La piste aboutit à un parking cerné d'échoppes de souvenirs et de buvettes, d'où un sentier rejoint les chutes.

● **Où boire un verre ?** Le plus chaleureux des cafés voisins des cascades de Tamerza bénéficie d'un cadre unique. Adossé à la falaise, juste au-dessus de la chute centrale, l'établissement regarde la palmeraie de l'hôtel des Cascades. Le patron, Mounir, fera tout pour vous être agréable. Pour vous délasser au frais et fumer une chicha après une journée d'excursion. Petite boutique de souvenirs attenante. **Café des Palmiers**

Les environs de Tamerza

Les autres oasis de montagne

Chebika Cette petite palmeraie s'étend au débouché d'une gorge d'où jaillit une source, déjà exploitée dans l'Antiquité. On suppose que Chebika s'est érigée sur le site d'Ad Speculum, poste de défense du *limes Tripolitanus*, système romain de fortification destiné à tenir en respect les tribus berbères du Sud. À gauche de la gorge s'étend le bourg bâti en 1969, quand des pluies diluviennes contraignirent la population à abandonner le vieux village en contre-haut, menacé par des glissements de terrain. L'ethnologue Jean Duvignaud (cf. GEODocs) fit de longs séjours à Chebika dans les années 1960 avant d'écrire son ouvrage majeur sur les mutations du tiers-monde. Le sentier qui mène à la gorge part du parking aménagé près des ruines. Une courte promenade bien aménagée permet d'accéder à une petite cascade dissimulée au milieu des rochers et des palmiers. En revenant sur vos pas, vous verrez un autre escalier et un sentier sur la droite. Ils mènent à un point de vue saisissant sur la gorge, les ruines, l'oasis et le chott. En traversant une faille étroite en contrebas, on rejoint le vieux village, dominé par une petite *kalaa* en ruine. Quelques ruelles entrelacées et bordées de murs en pierre à demi effondrés ou restaurés forment le maigre héritage de l'ancienne Chebika. *À une quinzaine de kilomètres au sud-ouest de Tamerza*

☆ ☺ **Midès** Accroché au bord d'une falaise dominant l'oued Oudeï, le spectaculaire village de Midès s'inscrit dans la plus pittoresque des trois oasis de la région. La frontière algérienne est à deux pas, de l'autre côté des crêtes pelées. Là aussi, les pluies de 1969 obligèrent les habitants à partir vivre dans le nouveau village voisin. Reste un site magnifique, dont l'occupation remonte à la préhistoire. Ce promontoire est protégé sur trois côtés par des gorges profondes et dissimulé, de l'autre, par une belle palmeraie et des cultures maraîchères. Le village berbère, Madès de son nom romain, bénéficiait donc d'excellentes défenses naturelles, complétées, du côté de l'oasis, par un mur aujourd'hui disparu. Les ruines montrent que ses habitants ont réutilisé des matériaux antiques – colonnes ou blocs de pierre taillée. Encore en assez bon état, certaines maisons en pierre ont conservé leurs greniers et toits en terrasse. Un œil exercé décèlera sur les murs des restes de l'enduit à base de gypse broyé qui en assurait l'imperméabilité. Autour du village, des sentiers descendent au fond des gorges ou escaladent les falaises : mieux vaut se faire accompagner d'un guide pour ne pas se perdre ou risquer une chute. Souvent constellé de fossiles, le lit de l'oued est tapissé par endroits de marbre rose et blanc. Les échantillons de différents minéraux extraits du sous-sol de la région – gypse, géodes, célestine, quartz, calcédoine, barytine, coquillages cristallisés, etc. – abondent sur les étals des marchands de souvenirs. *À une dizaine de kilomètres à l'ouest de Tamerza*

Gorges et canyons spectaculaires

☺ **"Piste Rommel"** Les paysages époustouflants du djebel en-Negueb et le souffle de l'Histoire, c'est ce que promet cette excursion en voiture d'environ trois heures à partir de Tamerza (praticable en simple voiture de tourisme,

LES GORGES DU SELJA EN TRAIN

Le train de six wagons construit en 1910 et offert au bey de Tunis par la France transporte aujourd'hui les touristes dans les gorges du Selja sur env. 40km. Installé dans un fauteuil en cuir ou sur une banquette en bois, on est surpris, au sortir d'étroits tunnels, par de fantastiques à-pics qui ne sont pas sans rappeler le décor des westerns. L'aller-retour prend deux heures, avec plusieurs arrêts pour admirer les sites.

Le Lézard rouge *Départ de la gare de Metlaoui mar. et jeu. 10h ; lun., mer., ven. et dim. 10h30 Rés. obligatoire Tél. 241 469 Fax 241 604 ou à l'hôtel Tamerza-Palace Tarif 20DT, moins de 12 ans 12,50DT*

mais plus aisée en 4x4). La légende raconte qu'au cours de la Seconde Guerre mondiale, afin d'échapper aux Alliés qui contrôlaient la route Tamerza-Chebika à l'ouest et le secteur de Metlaoui à l'est, les troupes du maréchal Rommel durent aménager, au sud de Redeyef, une route en ciment pour faire passer leurs chars à travers la montagne. Les guides sont persuadés que cette histoire est vraie… Quoi qu'il en soit, la route en lacet existe bel et bien, passant par des endroits d'une beauté sublime, qu'il vaut mieux découvrir sous la conduite d'un guide car le chemin est très difficile à trouver. De **Redeyef**, à une trentaine de kilomètres de Tamerza, la piste se dirige vers le sud, en direction des crêtes du djebel en-Negueb. Après un col à plus de 900m d'altitude, une première halte au bord du plateau offre un panorama splendide sur les dénivellations accidentées et, au loin, sur le chott el-Gharsa, qui se situe au niveau de la mer. Près de là, une grotte aux parois formées d'un conglomérat de fossiles de coquillages a servi de décor au film *Le Patient anglais*. Le marchand de fossiles et de cristaux installé à l'entrée vous la fera visiter. Ensuite, la piste surplombe plusieurs canyons vertigineux et rejoint la fameuse route cimentée, pas toujours en bon état mais carrossable, qui se faufile entre les falaises, les rochers sculptés par l'érosion et de petits pics effilés aux magnifiques teintes orangées. La route prend fin au pied du massif. Une autre piste, après le village de **Segdoud**, permet de grimper de nouveau à l'assaut du djebel pour rejoindre Redeyef en profitant de panoramas différents mais tout aussi superbes. Votre guide vous indiquera les endroits où vous arrêter pour marcher un peu et admirer les sites principaux, dont une crête étonnante, découpée comme un dos de dinosaure.

☺ **Gorges du Selja** Metlaoui, à 80km à l'est de Tamerza, sur la route de Gafsa, est un gros centre d'exploitation et de traitement du phosphate découvert en 1885 dans la région par un ingénieur français, Philippe Thomas. Les exportations de ce minerai représentent une importante source de revenus pour l'État tunisien. Il est acheminé des mines des montagnes voisines jusqu'à Metlaoui par différentes lignes ferroviaires. De Redeyef, l'une d'elles suit le vertigineux canyon creusé par l'oued Selja et accueille, entre deux convois de minerai, le Lézard rouge. Il est aussi possible de visiter les gorges à pied, en prenant bien garde aux convois qui circulent sur les voies. Et ne vous laissez pas surprendre dans un tunnel ! *À la sortie de Metlaoui sur la route de Tozeur tourner à droite vers Selja et au bout de 2km prendre encore à droite. Au bout de la piste, à 500m, on peut laisser son véhicule sur un parking, au pied de la montagne*

LE SUD-OUEST

CARNET D'ADRESSES

Restauration, hébergement

🍴 très petits prix

Gelain Ce restaurant dispose d'une terrasse, comme son voisin, le Chedli, et sert les mêmes plats traditionnels, mais à la carte (plats 3-4DT). Signalons un excellent tagine, ou "pain de galette". Accueil et cadre agréables. *Dans la rue menant à l'hôtel des Cascades*

Le Soleil Une petite salle climatisée toute simple et une terrasse qui ne l'est pas moins : le cadre n'a rien d'original, mais l'accueil et la cuisine sont exquis. Pour 5DT, vous dégusterez un excellent couscous ou un bon méchoui d'agneau. Pas d'alcool (sauf pour les groupes). *En retrait de la rue principale de Tamerza sur la gauche en venant de Chebika* Tél. 485 296 Fax 485 480

🧳🍴 petits prix

Chedli L'établissement doit beaucoup de son succès au sens de l'hospitalité de son patron berbère, Chedli. Ce dernier sera ravi de vous commenter les fresques illustrant l'histoire et la vie quotidienne de la Tunisie qui encadrent la petite cascade de la terrasse du restaurant. Autre intérêt, le menu unique à 7,50DT avec choix d'entrées (salades et bricks) et de plats de bonne facture, dont un excellent couscous. *Dans la rue menant à l'hôtel des Cascades*

🧳 prix moyens

Hôtel des Cascades Ses petits bungalows en ciment couverts de tiges de palme sont installés sous des dattiers au bord de l'oued, près de la cascade de Tamerza. Chambres spartiates, mais bien tenues, et blocs sanitaires à part. La piscine n'est mise en eau que l'été. 30DT la double. *Au bout d'une rue perpendiculaire à la principale, à droite en venant de Chebika juste après les restaurants Chedli et Gelain* Tél./fax 485 332 *Ouvert toute l'année*

🧳🍴 prix très élevés

☺ **Tamerza-Palace** L'un des plus beaux hôtels de Tunisie. Inspirée de celle des *ksour*, l'architecture de ce 4-étoiles s'intègre parfaitement au cadre montagneux. La décoration et le service raffinés, l'accueil parfait, un excellent restaurant et une piscine agréable en font un lieu de séjour inoubliable. Les chambres et suites très confortables, au mobilier en fer forgé, ont toutes une vue superbe sur le vieux village, la palmeraie et la montagne. À partir de 330DT la double en haute saison. Tarif négociables hors saison et réduction en réservant par Internet. CB acceptées. *Route de Midès (à la sortie de Tamerza)* Tél. 485 344/345 www.tamerza-palace.com

GAMME DE PRIX	RESTAURATION	HÉBERGEMENT
Très petits prix	moins de 5DT	moins de 15DT
Petits prix	de 5DT à 15DT	de 15DT à 30DT
Prix moyens	de 15DT à 25DT	de 30DT à 60DT
Prix élevés	de 25DT à 40DT	de 60DT à 100DT
Prix très élevés	plus de 40DT	plus de 100DT

GAFSA

Ind. tél. 76

Entre steppes, Sahel et désert, au pied des djebels Bou Ramli et Orbata, la ville de Gafsa (80 000 hab.) est la porte du Sud tunisien. Les habitants exploitent les ressources de sa riche oasis : oliviers et palmiers dattiers, au pied desquels poussent figuiers, amandiers, pistachiers, grenadiers, citronniers et cultures maraîchères. Autre activité ancestrale, les femmes tissent de petits tapis multicolores aux motifs géométriques assez naïfs. Quant aux mines de phosphate exploitées depuis la fin du XIXe siècle (cf. Découvrir Tamerza et ses environs, les gorges du Selja), elles ont contribué à faire de Gafsa une ville industrielle caractérisée par un urbanisme anarchique, mais ses quelques beaux vestiges romains méritent un coup d'œil.

DES CAPSIENS À BARBEROUSSE Comme l'attestent les "escargotières", gisements archéologiques de fossiles et de pierres taillées, la région de Gafsa abrita, entre les Xe et VIIIe millénaires avant notre ère, la civilisation capsienne (de Capsa, nom romain de Gafsa), l'une des plus anciennes d'Afrique du Nord. El-Mekta, à 15km au nord de la ville, en constitue le site le plus important. Au IIe siècle av. J.-C., la cité numide de Capsa est conquise par les Romains, qui renversent le roi Jugurtha puis colonisent la région pendant plusieurs siècles. Seules les deux piscines de la médina témoignent encore de cette période. En 668, les Arabes s'emparent de la cité, que les Byzantins avaient rebaptisée Justiniana en 580, et l'islamisent avec difficulté du fait de la résistance berbère. Gafsa bénéficie d'une grande autonomie politique tout au long du Moyen Âge mais, en 1400, la ville est prise par les Hafsides. Ceux-ci font ériger une casbah qui ne résiste pas, en 1556, aux assauts de Dragut, corsaire turc à la solde de Barberousse. Après les bombardements de la Seconde Guerre mondiale, la ville a été presque totalement reconstruite.

LE SUD-OUEST

MODE D'EMPLOI

accès

EN AVION
Quatre liaisons hebdomadaires avec Tunis. 45min de vol.
Aéroport de Gafsa *À 6km du centre-ville sur la route de Tunis Tél. 217 700 Fax 217 800*

EN TRAIN
Un train de nuit relie quotidiennement Gafsa à Tunis via Sfax, où on peut prendre une correspondance pour Gabès.
Gare *À 3km du centre de Gafsa (sur la route de Gabès) Tél. 270 666*

EN CAR ET EN LOUAGE
Cars réguliers pour et en provenance de Tunis, El-Kef, Kairouan, Tozeur.
Gare routière *Av. du 2-Mars dans le centre-ville (en face de l'hôtel Maamoun) Tél. 221 587*
Station de Louage *Rue Abou-el-Kacem-Chebbi*

EN VOITURE

Gafsa est à 210km de Kairouan, 197km de Sfax, 93km de Tozeur et à 149km de Gabès.

orientation

La médina est cernée par deux grands axes : l'avenue Taïeb-Mehiri à l'est, qui traverse tout le centre-ville du nord au sud, et l'avenue Habib-Bourguiba, à l'ouest.

informations touristiques

Office de tourisme Le personnel est très serviable. *À côté du musée sur la pl. des Piscines-Romaines Tél. 221 664 Ouvert lun.-jeu. 8h30-13h et 15h-17h45*

(en été jusqu'à 20h), ven.-sam. 8h-13h www.tourist-office.org/tunisia/gafsa. htm

poste, banques

Bureau de poste À l'angle du boulevard de l'Environnement et de l'avenue Habib-Bourguiba, au nord de la casbah. Trois banques disposent de distributeurs automatiques de billets. *Av. Taïeb-Mehiri, près du square central et sur le bd de l'Environnement*

accès Internet

Publinet, l'univers d'Internet 1,2DT/h. *Rue Abou-el-Kacem-Chebbi Tél. 228 605 Ouvert tlj. 8h-0h*

DÉCOUVRIR

☆ **Les essentiels** Les piscines romaines **Découvrir autrement** Prenez un verre à la terrasse du café El-Bordj, admirez le paysage sur la route qui relie El-Guettar à Sene ➤ **Carnet d'adresses p.312**

Gafsa

Médina Des remparts restaurés forment le seul vestige de la casbah, en lisière de l'oasis. Le fort, bâti au xve siècle, fut détruit pendant la Seconde Guerre mondiale par l'explosion d'un dépôt de munitions. Le site est maintenant occupé par le palais de justice. Traversez l'avenue Bourguiba pour entrer dans les vieux quartiers de la médina, et flânez au hasard de leurs ruelles. On devine parfois, derrière d'imposantes portes closes, de grandes maisons de notables. L'une d'entre elles, **Dar Loungo**, non loin des piscines romaines et de la mosquée, a été rénovée il y a quelques années. Ses bâtiments du xixe siècle sont maintenant occupés par des associations. Demandez à voir le grand vestibule du premier étage, dont le plafond en bois peint de motifs floraux est remarquable. Du toit, vue superbe sur la médina et l'oasis.

Musée d'Histoire et d'Archéologie Une visite aussi rapide qu'intéressante, car si le musée n'occupe que deux salles, il abrite toutefois des pièces de valeur : de grandes mosaïques romaines (ive s.) mises au jour dans les environs et évoquant la pratique de sports athlétiques et Vénus à la chasse. Des pierres gravées, des silex et d'autres objets préhistoriques légués par la civilisation capsienne (9000-8000 av. J.-C.) complètent la collection. *Place des Piscines-Romaines (à côté de l'office de tourisme) Ouvert été : mar.-dim. 9h30-16h30 ; le reste de l'année : tlj. 7h30-12h et 15h-19h Tarif 1,10DT*

☆ **Piscines romaines** Deux profonds bassins alimentés par une source thermale à 31°C surprennent le visiteur sur une placette de la médina. Aux beaux jours, les enfants plongent dans leur eau limpide aux reflets émeraude. L'un des bassins est bordé par le portique (chapiteaux antiques) d'une imposante maison du XVIIIᵉ siècle, Dar el-Bey, qu'occupe l'antenne régionale de l'Institut national du patrimoine.

Centre d'artisanat Le tissage est la grande spécialité artisanale de Gafsa : les tentures traditionnelles sont composées de plusieurs carrés d'environ 25cm de côté, ornés de motifs géométriques ou de figures anthropomorphiques et animalières stylisées. Le fond est généralement noir ou beige. Il est pratiquement impossible de trouver deux tapisseries de Gafsa identiques. Atelier et expositions temporaires. *Près de l'hôpital Tél. 220 152 Ouvert lun.-jeu. 8h30-13h et 15h-17h45 ; ven.-sam. 8h30-13h Entrée libre*

LE SUD-OUEST

Belvédère Cette promenade de 20min aller/retour offre un beau panorama sur l'oasis et la ville. *Prendre la rue S.-Bouyahya entre un marabout et le cimetière en face du centre d'artisanat puis tourner à gauche dans le sentier tracé entre un mur de pierre et une maison blanche ; 20m plus loin, obliquer à droite sur un large chemin qui longe une grande maison beige et gravir la colline (djebel el-Meda)*

L'Escargotière Réservé aux férus d'archéologie, ce musée conserve un gisement de coquillages fossilisés et de pierres taillées par la civilisation capsienne (environ 8000 av. J.-C.). *De la place Pasteur remonter la rue Ibn-Khaldoun sur 1km avant de tourner à gauche (panneau indiquant L'Escargotière). La rue goudronnée devient sablonneuse. Au premier croisement, prendre à gauche. Le musée se dresse tout de suite à droite Ouvert hiver : mar.-dim. 9h30-16h30 ; été : mar.-dim. 7h30-12h et 15h-19h Tarif 1,10DT*

● **Où boire un verre ?** Voici la seule terrasse de café vraiment agréable de Gafsa, les autres occupant des coins de trottoir cernés par la circulation. Ici, c'est calme, entre médina et casbah, face au palais de justice, sur une avenue bordée de grands arbres. L'ambiance du café, fréquenté par les joueurs de cartes et la jeunesse de Gafsa, est sympathique. Pas d'alcool. **Café El-Bordj** *Av. Habib-Bourguiba Ouvert tlj. 17h-1h*

Les environs de Gafsa

☺ **La route d'El-Guettar à Sened** Elle traverse des paysages magnifiques. **El-Guettar** se trouve à 18km de Gafsa sur la route de Gabès (P15). À la sortie du bourg, tournez à gauche vers Bou Omrane et Sakket : la petite route serpente au milieu des champs, dans une vallée cernée par le djebel Orbata, au nord, et le djebel Ank, au sud. Après avoir traversé les villages berbères de **Bou Omrane** et de **Sakket**, la route en lacet escalade la montagne : du sommet, à plus de 1 000m, on jouit d'une vue fantastique sur la plaine sahélienne, au nord, et sur les montagnes, au sud. Attention, pour redescendre vers **Sened** (au nord), il faut prendre une mauvaise piste sur la droite avant d'arriver au sommet. À moins de disposer d'un 4x4, mieux vaut rebrousser chemin vers Sakket. *À l'est de Gafsa*

CARNET D'ADRESSES

Restauration

🍴 petits prix

Chez Abid En fait, deux petits restaurants contigus et réunis sous la même enseigne car ils appartiennent à la même famille. Les deux "Abid" rivalisent gentiment dans l'exécution d'une bonne cuisine traditionnelle : salades méchouia et tunisienne, ragoût d'agneau et de poisson, méchoui de mouton... Comptez 7-8DT le repas. *Rue Laaboub (à l'entrée de la médina côté ville moderne en venant du square jouxtant la gare routière) Tél. 221 055*

Chez Tony Très fréquentée par les habitants de Gafsa, cette pizzeria, où la bière coule à flots, comprend plusieurs petites salles à l'éclairage tamisé. Goûtez au lapin ou aux volailles aux herbes façon berbère car les pizzas n'ont vraiment rien d'excep-

tionnel. Un repas revient à 7DT. Certains soirs (notamment le samedi), des musiciens ajoutent une note chaleureuse à l'ambiance déjà animée. *Rue Abou-el-Kacem-Chebbi*

🍴 prix moyens

Errachid La grande salle du restaurant de l'hôtel Maamoun dispose d'une terrasse côté cour, sous la tonnelle. Le personnel souriant et efficace sert de savoureuses spécialités comme le couscous et le tagine tunisiens. Le plat du jour varie de 7DT à 10DT, et un repas complet revient à 15DT. Animations folkloriques le soir. Une des meilleures adresses de Gafsa. *Tél. 226 701 Fax 226 440 Ouvert midi et soir*

Orbata Au menu, du bon poisson, grillé, au four ou en couscous (35DT pour 2), ce qui est plutôt rare à Gafsa. Vous pouvez aussi vous régaler d'une

GAMME DE PRIX	RESTAURATION	HÉBERGEMENT
Très petits prix	moins de 5DT	moins de 15DT
Petits prix	de 5DT à 15DT	de 15DT à 30DT
Prix moyens	de 15DT à 25DT	de 30DT à 60DT
Prix élevés	de 25DT à 40DT	de 60DT à 100DT
Prix très élevés	plus de 40DT	plus de 100DT

escalope de veau, d'un gigot d'agneau et, sur commande, de copieuses *tchakchouka* et *kamounia*. L'Orbata sert aussi de fines pizzas. La qualité de la cuisine et la longue carte des vins incitent à faire le déplacement dans ce restaurant de l'hôtel Gafsa-Palace. Pizzas de 4DT à 6DT, plats de 10DT à 15DT. *Route de Tunis (juste après l'aéroport) Tél. 217 600 Fax 217 670 Ouvert 10h-0h*

Hébergement

 camping

Camping de la Galia Un terrain calme, avec piscine (seulement en été), dans l'oasis. Si le coin détente est bien abrité, ses 30 emplacements manquent d'ombre. Sanitaires en bon état et propres, restaurant-pizzeria (ouvert aussi aux non-résidents). 4DT par personne et par jour, plus 3DT par tente, 4DT par camping-car, 4DT par voiture. Supplément pour la douche chaude (2DT) et l'électricité (3DT). *Route au sud de la vieille ville (au bout des remparts de la casbah) Le camping est à 500m après la bifurcation à droite le long du mur d'un marabout Tél. 229 165 Tél. portable 98 531 999 Fax 229 135 Ouvert toute l'année*

 prix moyens

Lune hôtel Ce petit hôtel moderne dispose de 10 chambres pimpantes (sdb avec baignoire, mais pas de clim.) à un prix raisonnable (36DT la double). Restaurant et bar. Demandez une chambre sur l'arrière pour éviter le bruit de la rue. *Ancienne route de la Gare Tél. 220 218 Fax 220 980*

Hôtel Gafsa Dans le centre-ville, cet immeuble récent dispose de 42 chambres simples et confortables, toutes climatisées. Les quelques "suites", en

fait de grandes chambres avec coin salon et TV, sont négociables en basse saison pour un prix à peine supérieur à celui d'une double normale. Accueil agréable. Chambre double 40DT, petit déjeuner compris. Pas de CB. *Rue Ahmed-Snoussi Tél. 224 000/225 000 Fax 224 747*

 prix élevés

Hôtel Maamoun L'établissement le plus confortable du centre de Gafsa : deux suites aux immenses lits dorés à baldaquin, très rococo (100DT) et 68 chambres climatisées et accueillantes, avec leurs tapis épais et leurs rideaux fleuris (80DT). Préférez celles qui donnent sur la cour, car la rue est bruyante. Les prix sont négociables. L'hôtel dispose d'une piscine (remplie seulement l'été), d'un bon restaurant, Errachid (cf. Restauration) et d'un bar où l'on sert de l'alcool. Pas de CB. *Av. Taïeb-Mehiri*

prix très élevés

☺ **Jugurtha-Palace** Après des années de travaux de rénovation, cet hôtel de luxe à la décoration extra-vagante a ouvert ses portes. Côté hall et salons, plafonds à caissons en bois peint dans des couleurs vives, carrelages et colonnes en marbre, fauteuils massifs et chaises en bois doré évoquant des sculptures contemporaines ; côté chambres, 120 au total dont 5 suites présidentielles, mobilier aux rondeurs outrancières, tout en dorures, lits énormes semblant sortis d'un dessin animé de Tim Burton, et même 2 salles de bains avec hydromasseurs pour les suites ! On retrouve aussi cette excentricité dans le luxuriant jardin de 5ha dont l'une des 2 piscines est construite au milieu d'un lac artificiel ! En attendant l'inauguration d'un centre thermal (prévue pour 2010), on peut déjà profiter des courts de tennis, du centre

LE SUD-OUEST

équestre, du minigolf et des 3 restaurants. Comptez 120DT la chambre double avec petit déjeuner. *Route de Feriana à la sortie de Gafsa (après le campus universitaire)* Tél. 211 200/201 www.hoteljugurthapalace.com

Gafsa-Palace Ce 5-étoiles luxueux offre enfin (avec le Jugurtha) les prestations haut de gamme dont Gafsa manquait cruellement. Cent cinquante-

sept chambres tout confort, au mobilier et au décor vert pastel, une suite présidentielle, 4 restaurants, un café maure, 2 piscines, un hammam, une salle de sport et un petit jardin... tout est ici réuni pour un séjour douillet, mais on cherche en vain l'âme du Gafsa-Palace... Comptez 160DT la double. *Route de l'Aéroport direction Tunis (à 6km du centre-ville)* Tél. 217 600 www.gafsapalace.com

KEBILI

Ind. tél. 75

o Gafsa
Tozeur o
● **Kebili**

Chef-lieu de gouvernorat, Kebili est aussi une étape entre Djerba ou le Dahar et les oasis du Sud. La ville actuelle, bâtie sur un plan en damier, sortit de terre à la fin du XIXe siècle, quand les Français voulurent décongestionner le bourg médiéval blotti dans la palmeraie. Si le centre administratif du Nefzaoua manque de charme, les paysages stupéfiants du chott el-Djerid sont tout proches...

LA CAPITALE DU NEFZAOUA Petit pays aride parsemé d'oasis, l'actuel Nefzaoua, au sud-est du chott el-Djerid, se distingue dès l'Antiquité : selon Ptolémée, la tribu des Nybgenii, d'origine soudanaise, y développe l'agriculture. Dans cette *Civitas Nybgenorium* de l'Empire romain, Telmine, la ville principale, est élevée au rang de municipe en 128. Mais les Zénètes s'imposent au Ve ou au VIe siècle. En absorbant les Nybgenii, ces Berbères fondent la confédération des Nefzaoua, mot signifiant "palmier dattier". Islamisé à la fin du VIIe siècle, le pays devient une zone d'échanges entre sédentaires et nomades. Déchiré par les rivalités tribales au Moyen Âge, le Nefzaoua est annexé par les Ottomans au XVIe siècle. Kebili, la capitale, fief de la tribu des Ouled Yacoub, demeure jusqu'au XIXe siècle un important marché aux esclaves. Les descendants de ces derniers vivent dans les oasis de la région, notamment celle d'El-Mansoura.

LE CHOTT EL-DJERID Ses 4 600km² en font le plus vaste des lacs salés du Maghreb. Un chott est une dépression fermée, située juste au niveau de la mer, dont le fond plat et argileux est ennoyé en hiver et couvert, en été, d'une couche de sel et de gypse cristallisés, due à l'intense évaporation de cette eau. Les chotts du Sud tunisien formaient de véritables lacs il y a deux cent mille à cent mille ans. Des gisements de coquillages fossilisés en témoignent. Selon la légende, le chott el-Djerid, qui s'étend à l'ouest de Kebili, correspondrait au lac Triton décrit au VIe siècle av. J.-C. par Hérodote, un lac mythique qui communiquait avec la mer. Avec son prolongement oriental, le chott el-Fejadj, long d'une centaine de kilomètres, le chott el-Djerid occupe toute la largeur du Sud tunisien. Au XIXᵉ siècle, certains savants et hommes d'affaires français, enthousiasmés par l'achèvement du canal de Suez (1869), envisagèrent de creuser un canal pour relier les chotts au golfe de Gabès et ainsi les transformer en une mer intérieure. Jules Verne a mis en scène cette idée folle dans son dernier roman *L'Invasion de la mer*. Nous vous conseillons de découvrir le chott el-Djerid en suivant la route P16 entre Kebili et Tozeur. Sur une trentaine de kilomètres, vous traverserez des étendues infinies de sel et serez sans doute témoin de mirages, ces phénomènes d'optique dus à la réfraction inégale des rayons lumineux sur des couches d'air de température différente.

MODE D'EMPLOI

LE SUD-OUEST

accès

EN CAR ET EN LOUAGE
Liaisons quotidiennes avec Tozeur, Douz, Gabès et Tunis.
Gare routière *À l'entrée de la route de Tozeur après la place de l'Indépendance*
Station de louage *Av. Habib-Bourguiba*

EN VOITURE
Kebili est à 94km de Tozeur (P16), 120km de Gabès (P16), 207km de Djerba (P16 et P1), 28km de Douz (C206) et à 127km de Matmata (C206 et C105).

orientation

Le centre-ville s'articule autour de la place de l'Indépendance. De cette place part l'avenue Habib-Bourguiba, laquelle se prolonge, au sud, par la route de Douz.

poste, banques

Bureau de poste principal *Place de l'Indépendance*
Banque du Sud Distributeur de billets. *Sur la route de Douz*
Banque de l'Habitat Distributeur de billets. *Place du 7-Novembre*

DÉCOUVRIR

☆**Les essentiels** Les ruines de la vieille ville **Découvrir autrement** Traversez l'immense étendue du chott el-Djerid par la route P16, offrez-vous un panorama superbe sur le chott, du site de Bir Oum Ali
➤ **Carnet d'adresses p.316**

Kebili

☆ **Ruines de la vieille ville** Abandonné dans les années 1950, quand la ville fondée par les Français en 1892 prit son essor, le vieux Kebili ressemble à un village dévasté par un cataclysme. Serrées au cœur de la palmeraie, les maisons en pierre aux toits effondrés bordent des ruelles vides, hantées par la présence de leurs anciens habitants. Nombre de matériaux de réemploi datent de l'ère romaine. Ici une colonne monolithique devenue linteau de fenêtre, là une pierre soigneusement taillée gravée de caractères latins, et ici encore un chapiteau entre deux briques… Les dômes des marabouts et de la mosquée, entretenus par les fidèles, émergent des ruines. *Accès par une piste à gauche après Les Amis du camping qui s'enfonce dans la palmeraie*

Piscine romaine Visible sur la gauche de la route de Douz, à la sortie de Kebili, le bassin circulaire aménagé par les Romains a, depuis, été restauré à grand renfort de béton. Il est rempli d'une eau thermale aussi utilisée par le hammam voisin (cf. ci-dessous).

● **Aller au hammam** Établi sur une source thermale déjà exploitée par les Romains (cf. ci-dessus), ce hammam n'est évidemment pas mixte, mais hommes et femmes peuvent s'y rendre aux mêmes heures (entrées et salles séparées). **Hammam Ras el-Aïn** *Route de Douz sur la gauche juste après le grand bassin Ouvert tlj. 5h-22h Tarif 0,80DT Massage 2DT*

Les environs de Kebili

Bir Oum Ali La montagne du Cherb, qui domine la rive septentrionale du chott el-Fejadj, a servi de frontière naturelle à l'Empire romain. Par elle passait, en effet, le *limes Tripolitanus*, un système défensif composé de postes fixes, de tours de guet, de fossés et de murs, destiné à surveiller les Berbères et à canaliser leurs déplacements. D'importants vestiges de ce dispositif serpentent dans la montagne au lieu-dit Bir Oum Ali. Ce site offre un panorama grandiose sur le chott. *Au nord de Kebili sur la C103 (direction Gafsa), à gauche des premières boucles que la route trace dans le massif*

CARNET D'ADRESSES

Restauration, hébergement

 camping

☺ **Les Amis du camping** Un terrain bien entretenu, à l'ombre de grands palmiers. En été, le toit du restaurant sert de dortoir. Le jeune et jovial patron, Arafat, vous donnera des informations sur la région. Seulement 3 WC et 3 douches, mais propres. Comptez 5DT/pers. et 5DT/véhicule. *Route de Bechelli et El-Faouar (à la sortie sud-ouest de Kebili) Tél./fax 492 710 les-amis-du-camping@voila.fr*

 petits prix

Benchaaben Kebili manque cruellement de bons restaurants. Ce petit

GAMME DE PRIX	RESTAURATION	HÉBERGEMENT
Très petits prix	moins de 5DT	moins de 15DT
Petits prix	de 5DT à 15DT	de 15DT à 30DT
Prix moyens	de 15DT à 25DT	de 30DT à 60DT
Prix élevés	de 25DT à 40DT	de 60DT à 100DT
Prix très élevés	plus de 40DT	plus de 100DT

établissement familial sort du lot. En cuisine, Mme Benchaaben n'a pas son pareil pour cuisiner le couscous de mouton, les brochettes d'agneau et le méchoui. En salle, le patron assure un accueil très cordial. Environ 6-7DT le repas. Pas d'alcool. *Sur la place de la station de louage*

🧳 prix élevés

Fort des Autruches Véritable curiosité, ce fortin bâti par les Français au début du XXe siècle a abrité jadis un élevage d'autruches. Depuis, 44 chambres (70DT en haute saison) ont été aménagées autour de ses paisibles patios. Le charme rétro s'est un peu émoussé, les sdb mériteraient d'être rénovées, mais vous serez au calme, et l'accueil est jeune et sympathique. Petite piscine thermale. *Route de Douz (prendre à gauche avant la sortie de Kebili) Tél./fax 492 104*

🧳🍴 prix très élevés

Oasis Dar-Kebili L'unique établissement luxueux de Kebili présente une belle architecture saharienne, alternance d'arcades et de fenêtres cernées de briques claires. Les 124 chambres à dominante rose saumon sont confortables (clim., TV, minibar). Elles donnent sur les 2 grandes piscines, mais seule la 316 bénéficie d'un balcon. Prévoyez 145DT la double. Deux restaurants, un bar, un café maure et une discothèque. CB acceptées. *Route de Douz (à côté du fort des Autruches) Tél. 491 436/113 hoteloasisdartozeur@topnet.tn info. oasiskebili@yadis.com*

Dans les environs

🧳 prix élevés

Hôtel des Dunes Les grands eucalyptus du parc apportent beaucoup de fraîcheur à cet établissement installé en bordure méridionale de l'aride chott el-Djerid. Climatisées, les 90 chambres, décorées de frises de zelliges, comptent souvent 3 ou 4 lits. Pour le prix d'une double, des suites avec coin salon attendent les familles. Piscine et discothèque. Comptez 100DT la double. CB (Mastercard) acceptées. *Souk Lahad (à 20km de Kebili sur la route de Tozeur – P16) Tél. 480 711/795 Fax 480 653*

LE SUD-OUEST

DOUZ

Ind. tél. 75

C'est de Douz que vous pourrez le plus facilement partir à la découverte des dunes du Grand Erg oriental, d'autant qu'une kyrielle d'agences de voyages locales sont en mesure d'organiser la moindre excursion à la carte. Fief de la tribu des Mérazigues, Bédouins semi-nomades vivant de l'agriculture des oasis et de l'élevage des dromadaires et des chèvres, Douz n'était, il y a encore quelques décennies, qu'une paisible oasis dotée de quelques mosquées et marabouts. La petite cité est aujourd'hui truffée d'hôtels, sillonnée par les 4x4 et les cars de touristes. Les Bédouins se sédentarisent et trouvent dans l'accueil des visiteurs une nouvelle source de revenus. Vous rencontrerez partout des gens prêts à vous conduire dans le désert... Prenez le temps de réfléchir et de comparer les offres. Pour éviter toute mésaventure, optez pour une agence agréée.

MODE D'EMPLOI

accès

EN CAR
Des cars relient quotidiennement Douz à Kebili, Tozeur, Gabès, Sfax, Tunis.

Gare routière (plan 22, B1) *Derrière le cimetière près de l'av. Taïeb-Mehiri*

EN VOITURE
Trois routes mènent à Douz : la C206, qui arrive de Kebili (30km) et de Tozeur (122km), la C105 en provenance de Gabès et de Matmata (100km), et la C210, qui vient de Tozeur et de Nefta en longeant la frontière de l'Algérie et en contournant le chott el-Djerid par le sud.

orientation

Il y a deux secteurs à Douz : le centre-ville, autour de la place du Marché, et la zone touristique, au sud de la palmeraie, près des premières dunes. Le rond-point orné d'une statue de dromadaire est un bon point de repère à l'entrée de Douz : en face, la rue du 7-Novembre mène au centre-ville, alors que la rue Taïeb-Mehiri tourne à droite vers l'office de tourisme et la zone touristique.

informations touristiques et adresses utiles

Office de tourisme (plan 22, A2) Pas d'excursions mais ses efficaces responsables sont des mines d'informations. Ils vous mettront en garde contre les guides improvisés et vous conseilleront de vous adresser à une agence, notamment pour des raisons de sécurité : si vous comptez vous aventurer dans le désert sans escorte, ne manquez pas de leur communiquer votre programme. Les horaires d'ouverture sont souvent extensibles. *Av. des Martyrs (presque en face du musée) Tél./fax 470 351 Ouvert tlj. 8h-13h30 et 15h-18h ; ramadan 8h-14h*

Banque du Sud (plan 22, B1) Distributeur de billets (on peut retirer du liquide avec une carte bleue au guichet de plusieurs autres banques). *À l'entrée de l'av. Habib-Bourguiba (en venant du centre-ville)*

Publinet (plan 22, B1) Accès Internet : 2DT/h. *Rue El-Hanine Ouvert 8h-0h*

marché et festivals

Marché des dattes *Tlj. pendant la saison de récolte des dattes (sept.-fév.) à 100m de la gare de louage vers la gauche*

Festival du Sahara Ce rassemblement de Bédouins et de Touaregs vous permettra de découvrir des mariages traditionnels, des courses de dromadaires, de chevaux et de lévriers, des combats de dromadaires, des jeux de balle aux bâtons (*miguef*), des concours de poésie, des expositions et des colloques. *Dernière semaine de décembre sur la place Hnich*

Festival du tourisme saharien Présentation de la culture bédouine à travers des spectacles folkloriques. *En novembre*

DÉCOUVRIR

☆ **Les essentiels** Le musée du Sahara, le marché du jeudi à Douz **Découvrir autrement** Organisez une excursion dans le Grand Erg oriental avec une des agences de Douz, partez à la découverte des ruines de Zaafrane à dos de dromadaire, survolez les dunes en ULM ➤ **Carnet d'adresses p.322**

Douz

Les dunes Les premières dunes blanches se dressent à proximité de la zone hôtelière moderne. La plus haute, celle d'Ofra, rabotée par le temps et le passage des touristes, domine le principal point de départ des promenades à dos de dromadaire. Celles-ci se résument à une boucle de 1h sans grand intérêt (le paysage est monotone, on ne perd jamais de vue les hôtels… et l'on croise beaucoup de touristes. Pour une première balade dans les dunes, mieux vaut vous rendre à Zaafrane, à 12km à l'ouest de Douz, et profiter de ce "baptême de dromadaire" pour vous promener parmi les ruines du vieux village abandonné. Mais pour avoir un véritable avant-goût du désert, il faut au moins y passer une nuit et s'éloigner des zones touristiques. De nombreuses agences de Douz proposent ce genre d'excursion (cf. GEO-Pratique).

☆ ☺ **Musée du Sahara** (plan 22, A2) Sa visite permet de mieux comprendre la vie des habitants de cette région du Sahara, en commençant par l'histoire des quatre grandes tribus nomades que sont les Ouled Yacoub (est de Kebili), les Mérazigues (Douz et Sud-Est), les Adhara (sud de Zaafrane) et les Ghrib (sud du chott el-Djerid). Le musée présente l'art du tissage, notamment des *flij* et des *triga*, longues bandes en poil de chameau ou de chèvre qui forment le toit des tentes, la laine étant réservée aux tapis et aux vêtements. On peut admirer une magnifique tente bédouine reconstituée dont la toile noire symbolise, dans le Sud-Ouest tunisien, fierté et courage. Le côté droit de la tente est réservé à l'homme, alors que la femme et les enfants en occupent le côté gauche, dédié aux tâches domestiques. La parure et le costume féminins sont mis en avant, avec une collection de boucles d'oreille, de bracelets et de colliers en argent et en corne. Vous apprendrez que les motifs géométriques blancs du *bakhnoug*, voile noir que porte la femme mariée, permettent d'identifier sa famille. Autre parure et marque d'appartenance tribale ou villageoise, le tatouage (*oucham*). Le palanquin qui trône près de la sortie sert encore occasionnellement à transporter une fiancée sur un dromadaire vers le

OÙ COMPTER LES MOUTONS ?
Douz accueille l'un des plus importants marchés du Sud saharien. Il débute le mercredi après-midi, avec l'installation des premiers étals sur la place du Marché. Et le lendemain, il s'anime dès les premières heures du jour. Sous les palmiers, près de la rue El-Hanine, les Bédouins négocient âprement chèvres, moutons, chevaux et dromadaires au souk des Animaux. À partir de 10h-11h, l'activité se relâche et, à midi, tout est terminé.
☆ **Marché du jeudi** *Place du Marché et alentour*

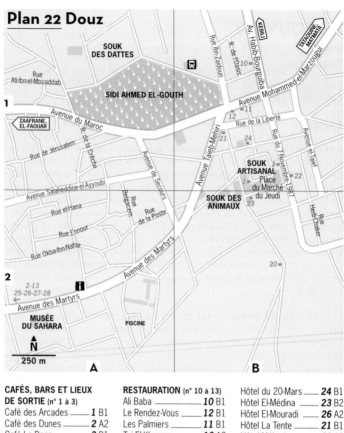

Plan 22 Douz

SOUK DES DATTES

SIDI AHMED EL-GOUTH

Rue Afi-Ibn-el-Mouaddab

Avenue du Maroc

ZAAFRANE, EL-FAOUAR

Rue de Jérusalem

Rue de la Crèche

Avenue Salaheddine-el-Ayyoubi

Rue el-Hana

Rue Ennour

Rue Okba-Ibn-Nafaa

Av. Habib-Bourguiba

KEBILI

TATAOUINE, MATMATA

Rue Ibn-Zaidoun

R. de l'Oasis

Avenue Mohammed-el-Marzougui

Avenue Mohammed-el-Marzougui

Rue de la Liberté

Avenue Taïeb-Mehiri

Avenue de Secours

Rue Belgacem

Rue de la Poste

Avenue el-Taïef

Avenue du 7-Novembre-1987

SOUK ARTISANAL

Place du Marché du Jeudi

SOUK DES ANIMAUX

Rue Hethi-Chaker

Avenue des Martyrs

Avenue des Martyrs

2-13
25-26-27-28

MUSÉE DU SAHARA

PISCINE

N
250 m

A   B

CAFÉS, BARS ET LIEUX DE SORTIE (n° 1 à 3)
Café des Arcades —— **1** B1
Café des Dunes —— **2** A2
Café La Rosa —— **3** B1

RESTAURATION (n° 10 à 13)
Ali Baba —— **10** B1
Le Rendez-Vous —— **12** B1
Les Palmiers —— **11** B1
Tej El-Khayem —— **13** A2

HÉBERGEMENT (n° 20 à 28)
Camping Désert Club **20** B2

Hôtel du 20-Mars —— **24** B1
Hôtel El-Médina —— **23** B2
Hôtel El-Mouradi —— **26** A2
Hôtel La Tente —— **21** B1
Hôtel Méhari —— **28** A2
Hôtel Sahara —— **27** A2
Hôtel Touareg —— **25** A2
Résidence Belhabib — **22** B1

lieu de ses noces, comme le veut la tradition. La visite sera encore bien plus passionnante si vous vous laissez guider par Belgacem Abdelatif, un poète qui sait faire vibrer ces collections de toute son érudition enthousiaste. *Av. des Martyrs Ouvert sept.-mai : mar.-dim. 9h30-16h30 ; juin-août : mar.-dim. 7h-11h et 17h-20h Tarif 1,10DT Droit photo 1DT*

● **Où acheter des *balgha* ?** Les étals des échoppes de la place du Marché regorgent de *balgha*, ces chaussures à bout rond et à la fine semelle souple, taillées dans le cuir de chameau ou de chèvre, typiques de Douz. On trouve des *balgha* de presque toutes les couleurs, unies ou à motifs, et leur prix reste très raisonnable (de 15DT à 30DT la paire).

LE SUD-OUEST

● Où boire un verre ?

Café La Rosa (plan 22, B1) Ce café maure central, qui fait face au restaurant La Rosa (mêmes propriétaires), est très fréquenté le soir. On peut boire un thé ou fumer une chicha sur ses banquettes en bois recouvertes de tissus berbères et de coussins brodés, ou sous les petites tentes bédouines de la cour. Pas d'alcool. *Av. du 7-Novembre-1987 Ouvert jusqu'à 0h*

Café des Arcades (plan 22, B1) À l'ombre d'un arbre touffu, voici une terrasse où il fait bon boire un rafraîchissement et fumer une chicha (au miel, à la menthe, à la pomme, à la fraise). Pas d'alcool. *Sur la place du Marché Ouvert jusqu'à 1h*

Café des Dunes (plan 22, A2) Lumières tamisées, banquettes incrustées de mosaïques, tables basses en bois foncé : cet agréable café-bar un peu excentré sert de l'alcool et propose la chicha. *Sur la route touristique juste à côté de l'agence sportive Pégase face aux premières dunes (1km environ après les hôtels sur la droite) Ouvert jusqu'à 1h*

● **Apprécier le désert autrement** Pourquoi ne pas survoler Douz en ULM ? Le baptême dure 10min et coûte 60DT. On peut aussi opter pour un vol de 5min pour 35DT. Le centre dispose également d'une piste de 1,5km pour le kart-cross, sorte de petit buggy tout-terrain : le tour de piste coûte 10DT, deux tours 16DT, trois tours 20DT. Possibilité de partir en balade au volant d'un kart-cross avec un guide-accompagnateur (35DT les 15min, 60DT les 30min) ou à dos de dromadaire. Enfin, sur réservation, l'agence propose d'emmener de petits groupes (minimum 15 pers.) glisser dans un étonnant mini-hovercraft sur le chott el-Djerid (38DT les 10min). **Centre d'animation et d'aventure** *Dans la zone touristique (près du café des Dunes) Tél. 470 793 Fax 470 835*

● **Faire du VTT** L'agence loue des VTT à l'heure (2DT) ou à la journée (16DT). **Agence Nefzaoua-Voyages** *Rue du 2-Mars Tél. 472 920 Tél. portable 98 590 167 Fax 472 922*

Les environs de Douz

Zaafrane Le bourg a été construit après l'abandon, il y a un demi-siècle, de l'ancien village ensablé. De ce dernier, seuls quelques pans de murs fantomatiques émergent encore des dunes. Des vestiges à découvrir au cours d'une courte promenade à dos de dromadaire (environ 1h30 AR). Le point de départ se trouve à la sortie de Zaafrane, près du "syndicat d'initiative", qui gère le site, et de l'hôtel Zaafrane. Le syndicat d'initiative organise aussi des excursions qui incluent une ou plusieurs nuits dans le désert (réservez). Randonnée chamelière plus une nuit, 45DT la journée tout compris sauf boissons. *Syndicat d'initiative Route d'El-Faouar Tél. portable 98 232 147 Ouvert tlj. du lever au coucher du soleil*

☺ **Circuit des Oasis** Un circuit de 70km sur une bonne route goudronnée permet de découvrir les bourgs environnants et, surtout, les paysages variés de la région du Nefzaoua. Celle-ci s'étend au sud-est du chott el-Djerid, et Douz en est l'un des maillons principaux. À Douz, prenez la direction de Zaafrane et d'El-Faouar. Vous atteindrez la première localité au bout de

12km, après avoir longé et traversé des palmeraies. Ce secteur de quelque 90ha fait partie des nouvelles plantations destinées à endiguer l'avancée du désert et offre des parcelles cultivables aux nomades sédentarisés. Passé Zaafrane, la route bifurque en direction d'El-Faouar (laissant à droite celle de Nouïl et Kebili), longe des dunes sur la gauche et traverse un petit lac salé, prolongement méridional du grand chott el-Djerid, avant d'atteindre Dhigma. À la sortie du village, on peut voir les troupeaux s'abreuver à l'unique point d'eau de la région. L'embranchement de gauche mène à l'**oasis d'Es-Sabria**, aux portes du Sahara. Cette localité aux maisons couvertes de voûtes en berceau de pierre ou de torchis est dramatiquement menacée d'ensablement. De hautes dunes cernent le village, tandis que route et édifices sont parfois en partie recouverts… 5km plus loin, la petite ville d'**El-Faouar** est le fief de la tribu des Ghrib. Bordée d'une palmeraie, la cité doit aussi lutter contre l'avancée du sable. Après 10km vers l'ouest, la route rejoint la C210, qui mène à la frontière algérienne en contournant le chott el-Djerid par le sud. En l'empruntant, vous pouvez aussi rejoindre Nefta et Tozeur. Mais, pour revenir à Douz, il vous faudra tourner à droite, vers Kebili. La route traverse de magnifiques paysages de dunes, de petits chotts, de palmeraies et d'étangs… Les villages d'**El-Dergine** et de **Bechini**, défiés aussi par le sable, font l'objet d'un programme de protection. Enfin, à 16km de Douz, **Nouïl** est un autre point de départ d'excursions dans le désert.

CARNET D'ADRESSES

Restauration

Hormis les restaurants d'hôtel de la zone touristique, pris d'assaut par les groupes, on ne trouve guère que de petits établissements simples, mais sympathiques.

🍴 très petits prix

Ali Baba (plan 22, B1) Derrière la petite salle toute simple se cachent des tables ombragées et une tente bédouine dans un jardinet fleuri. Le patron vous invite cordialement à déguster une bonne cuisine, plutôt épicée. Copieux couscous de mouton, d'agneau et de merguez à 4DT. 5, av. Habib-Bourguiba À la sortie de Douz en direction de Kebili sur la gauche (juste après la statue du dromadaire)

Les Palmiers (plan 22, B1) Les murs de la salle sont tapissés de photos du rallye Paris-Dakar 2003, qui fit étape à Douz. Quelques tables sont disposées dans la courette fraîche et, si la température le permet, on peut s'installer sur le toit-terrasse. Ambiance jeune et décontractée : l'humour de "Magic" Mahjoud, le serveur, est communicatif. Goûtez aux bricks et aux *ojja* (œufs brouillés aux légumes ou à la viande), les célèbres spécialités maison. Comptez 7DT le repas complet. *À l'entrée de l'av. Taïeb-Mehiri (à 100m de la place du Dromadaire)*

Le Rendez-Vous (plan 22, B1) Une carte très variée, où figurent de savoureux couscous (4-5DT). On peut aussi commander (au moins 10 heures avant), pour 5 personnes minimum, une gargoulette à l'agneau (5DT). Accueil souriant et service efficace. La grande salle carrée, haute de plafond, est climatisée. En saison, quelques tables sont dressées sur le trottoir. Le restaurant accepte les cartes bancaires et est autorisé à faire du change. *Sur l'av. Taïeb-Mehiri (à côté du restaurant Les Palmiers) Tél./fax 470 802*

 prix moyens

☺ **Tej El-Khayem (plan 22, A2)** Avec sa décoration claire et soignée, la salle climatisée est hospitalière, surtout le soir, à la lueur des bougies. Le service est parfait, et les spécialités tunisiennes (gargoulette à l'agneau sur commande 70DT pour 4) très copieuses : une excellente adresse, qui sert de l'alcool. Animation folklorique le soir sous les tentes montées à côté du restaurant. Env. 20DT pour un repas, vin compris. *Zone touristique Tél./fax 472 446 www. tejelkhayem.com*

Hébergement

Les établissements bon marché se trouvent dans le centre-ville, et les hôtels luxueux dans la zone touristique, près des premières dunes. Prix négociables en basse saison.

 camping

Camping Désert-Club (plan 22, B2) On plante sa tente dans la fraîcheur de l'oasis, non loin du centre de Douz. Des emplacements pas tous ombragés mais au calme, et un restaurant italo-tunisien sous un toit de palmes. Les sanitaires sont en bon état. La nuitée revient à 5DT/pers., auxquels il faut ajouter 3DT/ moto, 4DT/voiture, 5DT/camping-car et 7DT/caravane. Raccordements à l'électricité et à l'eau en supplément (2DT). *À 200m du **centre-ville** sur la piste de la palmeraie (dans le prolongement de la rue El-Hanine) Tél./fax 470 575 brahim2020@yahoo.fr*

 très petits prix

Hôtel La Tente (plan 22, B1) L'accueil charmant d'Ali, le patron, est pour beaucoup dans le succès de cet hôtel modeste. Treize chambres de 2, 3, 4 ou 6 lits avec douche et WC (10DT/pers.), douche (7,50DT/pers.) ou sanitaires sur le palier (5DT/pers.). Supplément 5DT pour clim., 1,50DT pour petit déjeuner, 2,50DT pendant le festival. Petite terrasse sur le toit . *Rue El-Hanine (à deux pas de la place du Marché) **Centre-ville** Tél./fax 470 468*

 petits prix

Résidence Belhabib (plan 22, B1) Une résidence bien tenue. Cinq chambres avec sdb et clim. (25DT la double). Sept autres (certaines à 4 ou 6 lits), non climatisées, se partagent les sanitaires sur le palier (14DT la double). Le petit déjeuner est compris. Vous pouvez aussi dormir sur la grande terrasse pour 4DT. *Rue du 7-Novembre **Centre-ville** Tél. 471 115*

Hôtel El-Médina (plan 22, B2) De la terrasse sur laquelle on peut dormir à la belle étoile, la vue embrasse toute la ville, l'oasis et le désert ainsi que le minaret de la mosquée voisine (gare

LE SUD-OUEST

GAMME DE PRIX	RESTAURATION	HÉBERGEMENT
Très petits prix	moins de 5DT	moins de 15DT
Petits prix	de 5DT à 15DT	de 15DT à 30DT
Prix moyens	de 15DT à 25DT	de 30DT à 60DT
Prix élevés	de 25DT à 40DT	de 60DT à 100DT
Prix très élevés	plus de 40DT	plus de 100DT

aux appels du muezzin à l'aube !). Les chambres, bien tenues, sont presque toutes climatisées : 40DT la double avec sdb, 20DT avec sanitaires sur le palier, petit déj. compris. Supplément 5DT pendant le festival. Un sympathique coin café est installé dans la petite cour. *Rue El-Hanine* **Centreville** *Tél./fax 470 010*

Hôtel du 20-Mars (plan 22, B1) Cette bonne adresse propose 31 chambres réparties autour d'un patio. Celles de l'étage, les plus modernes, bénéficient d'un agréable mobilier en pin et donnent, pour certaines, sur la place du Marché. Comptez 30DT la double avec sanitaires privés et clim., 20DT sans la clim., 16-18DT avec sanitaires communs, sans clim., mais petit déj. compris ; 30DT la chambre à 4 lits. L'hôtel abrite un restaurant et l'agence Nefzaoua-Voyages. *Rue du 20-Mars* **Centre-ville** *Tél. 470 269 hotel20mars@planet.tn*

prix élevés

Hôtel Touareg (plan 22, A2) Chambres avec vue ! Choisissez : la plupart disposent d'un balcon donnant soit sur le désert, soit sur l'immense piscine, d'où émerge un îlot verdoyant. Également 5 appartements de 2 chambres – parfaits pour des familles, d'autant que les prix sont négociables –, un restaurant, un café maure et un bar. Cent trente-quatre chambres avec clim.. Prévoyez 120DT la double en haute saison, avec un supplément de 20DT en fin d'année. CB acceptées. *Route touristique* **Zone touristique** *Tél. 470 057/470 245*

prix très élevés

Hôtel El-Mouradi (plan 22, A2) Comme l'annonce l'immense hall à coupole et revêtement de marbre, voilà l'établissement le plus luxueux

de Douz. Outre 23 suites et 157 chambres spacieuses, décorées dans les tons pastel, l'hôtel abrite 2 piscines, un hammam, un sauna, une salle de fitness et 2 tennis. Accueil souriant. Comptez 160DT la double (+ 60DT/pers. à Noël, + 120DT/pers. à la Saint-Sylvestre et un supplément de 40DT/pers. pour les suites). CB acceptées. *Route touristique* **Zone touristique** *Tél. 470 303 info.douz@elmouradi.com*

Hôtel Sahara (plan 22, A2) Un café maure aux lumières tamisées et aux gros coussins brodés, un beau hammam, une grande piscine découverte posée sur une immense terrasse fleurie et une autre, couverte, remplie d'eau thermale... Tout invite à la détente. Les 152 chambres sont climatisées. La double revient à 130DT (supplément de 10DT/pers. d'octobre à juin) CB acceptées. *Route touristique* **Zone touristique** Tél. 470 864 Fax 470 566

Hôtel Méhari (plan 22, A2) Un 3-étoiles moderne de 127 chambres, au pied des premières dunes, autant dire au calme. Ses bâtiments évoquant l'architecture des *ksour* s'ordonnent autour d'un vaste jardin agrémenté de 2 piscines, dont une d'eau thermale. Fréquenté surtout par les groupes, le Méhari présente un bon rapport qualité-prix : 114DT la double avec clim. et douche (supplément de 25DT/pers. pendant les fêtes de fin d'année). CB acceptées. *Route touristique* **Zone touristique** Tél. 470 481 mehari.douz@ goldenyasmin.com

Dans les environs

🧳 petits prix

Campement de Nouïl Loin de l'agitation de Douz, ce campement rudimentaire installé au milieu des dunes, sous des bouquets de palmiers, destine ses deux tentes bédouines aux petits groupes de randonneurs et ses 10 bungalows ronds, chaulés de blanc et sommairement meublés de 2 lits, aux voyageurs en quête de calme. Sanitaires collectifs avec eau chaude. Bar et restaurant (env. 6DT le repas). La nuitée revient à 30DT/pers. en demi-pension. Tarif négociables en basse saison. *À 15km à l'ouest de Douz* (à la sortie de Zaafrane tourner à droite en direction de Nouïl) Tél. 455 118 www.zaied-travel.com

🧳 prix moyens

☺ **Hôtel Zaafrane** Le calme absolu : au pied des dunes de Zaafrane, au milieu des palmiers, 40 chambres climatisées, avec la TV, qui se partagent des bungalows dressés de part et d'autre d'une somptueuse et récente piscine. Idéal pour se reposer et faire quelques promenades à pied dans les dunes. L'hôtel met aussi à la disposition de ses clients un campement saharien à proximité. Accueil prévenant. Agence de tourisme sur place (cf. GEOPratique). Double 60DT, 80DT en demi-pension (préférable, étant donné le relatif isolement de l'hôtel). *À la sortie de Zaafrane* (à 10km de Douz en direction d'El-Faouar) Tél. 450 020 Fax 450 033

🧳 prix élevés

Hôtel El-Faouar Ce 3-étoiles semble naître du sable, à l'entrée d'El-Faouar. Ses 140 chambres climatisées, pour la plupart triples ou quadruples, accueillent surtout des groupes en excursion. Le bar, installé dans une grande salle voûtée, et la petite piscine sur le toit, avec son vaste solarium, constituent les uniques distractions. Comptez 90DT la chambre double, prix qui chute hors saison. Pas de CB. *À l'entrée d'El-Faouar sur la gauche* (à 30km de Douz) Tél. 460 531 Fax 460 576

GEOREGION

Ksar, région de Tataouine.

DJERBA
ET LE SUD-EST

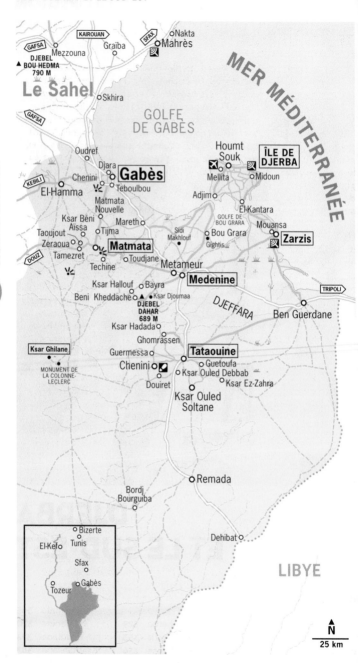

★ DJERBA

Ind. tél. 75

Gabès o **Djerba**
Medenine o
o
Tataouine

Petite île ensoleillée du Sud tunisien mentionnée par Hérodote et chantée par Homère, Djerba assume sans complexe sa vocation touristique. Toute l'année, ses hôtels-clubs accueillent des cohortes de touristes débarqués de charters. Ces vacanciers reprennent souvent l'avion en n'ayant vu que les plages de carte postale de la côte nord-est et les échoppes touristiques de Houmt Souk, le chef-lieu. Dommage, car Djerba a bien d'autres attraits. Cette île plate, de 25km de long sur 22km de large, au climat doux (jamais moins de 10°C) s'est forgé, au fil des siècles, une identité puissante, comme en témoignent son habitat et son organisation sociale.

L'ÎLE DES LOTOPHAGES Homère brosse un tableau paradisiaque de l'"'île des Lotophages" dans son *Odyssée*. À peine ont-ils débarqué que les compagnons d'Ulysse se voient offrir par les autochtones des fleurs de lotus et "sitôt que l'un d'eux goûte à ces fruits de miel il ne veut plus rentrer ni donner de nouvelles". Colonisée par les Berbères, fréquentée par les Grecs et les Phéniciens, Meninx – nom antique de l'île – acquiert un rôle commercial stratégique en passant sous contrôle carthaginois, puis romain. Très tôt christianisée, Djerba connaît une longue période de troubles, marquée par des invasions vandale, puis byzantine, avant que les Arabes s'en emparent. Ces derniers n'auront de cesse de refouler les Berbères vers les terres méridionales de l'île, les plus pauvres. Au VIIIe siècle, Djerba devient un sanctuaire de l'"hérésie" kharidjite, doctrine rigoriste hostile au pouvoir central. Après le départ des Fatimides pour Le Caire, en 969, Djerba connaît une certaine indépendance… et y prend goût. Au XIe siècle, elle se révolte contre la dynastie ziride. Mise à sac en 1135 par les Normands de Sicile, prise par les Almohades vers 1210, elle passe sous contrôle des Aragonais en 1284, mais les chasse en 1333. En 1432, les Djerbiens repoussent l'assaut d'Alphonse V d'Aragon et, en 1510, humilient Pierre de Navarre. L'île devient ensuite un repaire de corsaires turcs. En 1560, pour faire entendre raison au forban Dragut, les Européens montent une importante expédition, qui tourne à la catastrophe, au bordj el-Kébir.
Il faut attendre le XIXe siècle pour que Djerba retrouve une relative sérénité. Ce poste avancé de l'Afrique en Méditerranée n'a toutefois jamais cessé d'être une île commerçante et prospère. De plus c'est une terre sans grandes ressources naturelles, mais que ses habitants ont su transformer en un jardin fertile. Depuis les années 1960, c'est le tourisme qui les fait vivre. Comme le remarque avec malice Salah Eddine Tlatli, dans *L'Île des Lotophages* : "Comment imaginer que les placides épiciers qu'on voit aujourd'hui tout bourgeoisement installés derrière leurs comptoirs aient eu pour ancêtres ces héros de la liberté qui durant près de dix siècles se sont battus sans merci pour que leur petite île ne connaisse pas la servitude et la tyrannie ?"

UN HABITAT ORIGINAL Sans l'homme, Djerba serait restée un territoire plat et sec, à quelques encablures du Sahara. Pour assurer leur subsistance autant que leur défense, les Djerbiens ont mis au point un système original. Les exploitations agricoles, ou *menzel*, capables de se maintenir en autarcie, sont dispersées dans toute l'île et reliées par un lacis de chemins. Cet éparpillement de l'habitat visait à déstabiliser l'envahisseur potentiel. Chaque *menzel* est protégé par des *tabia*, talus hérissés de haies de cactus. Il abrite une maison cubique à atrium (*houch*) et des parcelles cultivées (vergers, oliveraies, palmeraies). Comme les mosquées djerbiennes, le *houch* présente des caractéristiques défensives : murs épais ponctués de tours d'angle et aveugles ou percés de minuscules fenêtres haut placées. Tout *menzel* dispose d'une citerne destinée à lui assurer l'autosuffisance en eau. Une stratégie payante : les assaillants ont souvent souffert de la soif, n'ayant pas accès à ces points d'eau privés et âprement défendus.

MODE D'EMPLOI

orientation et circulation

Le chef-lieu de l'île, Houmt Souk (le "quartier du Marché"), est installé sur la côte nord. D'Adjim, où accoste le bac en provenance du continent, on rejoint la ville par la C116 et, d'El-Kantara, au bout de la chaussée romaine, par la C117. Une route touristique relie Houmt Souk à la "zone touristique", sur la côte nord-est. Midoun, deuxième agglomération de l'île, s'étend à quelques kilomètres au nord dans les terres. Le bordj Djellij défend la pointe nord-ouest. Dans le centre, un bon réseau routier dessert La Ghriba, Erriadh, El-May, Mahboubine et Sedouikech. La vitesse est limitée à 70km/h sur route (contre 90km/h dans le reste du pays).

Houmt Souk La principale ville de l'île compte plus de vingt mille habitants. Le centre-ville s'étend entre deux axes nord-sud : l'avenue Habib-Bourguiba, à l'ouest, et l'avenue Abdelhamid-el-Kadhi, à l'est. Il abrite les souks, le marché central et sa criée aux poissons. En vous promenant dans ses ruelles, vous découvrirez d'authentiques fondouks et d'adorables placettes fleuries. Au nord de la ville, le bordj el-Kébir veille toujours sur le port et la nouvelle marina.

La côte nord-est C'est la zone touristique où se concentrent les hôtels qui s'alignent le long de l'immense plage de Sidi-Mahrès et, passé le cap Taguermès et son phare, le long de la plage de la Seguia, jusqu'à Aghir. À l'intérieur des terres, Midoun, la deuxième ville de Djerba (près de 7 000 hab.) draine les foules de la zone hôtelière avec ses petites rues bordées de boutiques de souvenirs.

Le centre et l'ouest Au centre de l'île, Erriadh, ancien foyer de peuplement juif, abrite une synagogue qui date du ve siècle avant notre ère. En continuant vers le sud vous arriverez à Guellela, un village berbère célèbre pour ses poteries traditionnelles. De ce côté, les amateurs trouveront des plages beaucoup moins fréquentées que celles de la zone touristique.

accès

EN AVION

L'aéroport de Djerba-Zarzis est situé à Mellita, à 9km à l'ouest de Houmt Souk, le chef-lieu de l'île. Il accueille chaque jour plusieurs vols directs en provenance de Paris. Comptez environ 2h30 de vol. Également des liaisons avec Marseille, Lyon, Nice et Nantes. Les taxis qui stationnent à l'aéroport desservent toute l'île (assurez-vous que la voiture est équipée d'un compteur et que ce dernier tourne !). Comptez 5DT la course de l'aéroport à Houmt Souk et de 8DT à 12DT jusqu'à la zone touristique. La ligne de cars n°15 relie l'aéroport à Houmt Souk trois fois par jour (à 7h15, 12h15 et 18h15 ; env. 1DT).

Aéroport international Djerba-Zarzis (plan 23, A1) *Tél. 650 233 Fax 650 585*

Tunisair (plan 24, A2) *Av. Habib-Bourguiba, Houmt Souk Tél. 650 320*

EN FORMULE "TRAIN-CAR"
Cette formule permet de relier Tunis à Djerba via Gabès. La liaison Tunis-Gabès s'effectue en train et le trajet Gabès-Houmt Souk en car. Tarif 15,40DT AS, 26DT AR. Départ de Tunis à 6h, 13h05, 13h30 et 22h20 et de Houmt Souk à 21h15 (arrivée à Tunis à 5h35).

SNCFT (plan 24, A4) *Tél. 71 254 440*

EN CAR
Gare routière de Houmt Souk (plan 24, A4) Liaisons quotidiennes avec Sfax, Sousse, Tunis, Gabès, Bizerte et Zarzis assurées par la SNTRI. Cars SRTGM pour Tataouine, Medenine, Zarzis, Ben Guerdane, Gabès et Sfax. Comptez 7,50DT en provenance de Tataouine, 10,35DT de Sfax, 2,50DT de Zarzis, 21,25DT de Tunis et 5,20DT de Gabès. *Derrière le bureau Tunisair au bas de l'av. Habib-Bourguiba Tél. 650 076/508*

Gare routière de Midoun (plan 23, B1) Cars quotidiens en provenance de Tunis (SNTRI), de Sfax et de Gabès (SRTGM et SNTRI). Cars pour Tunis : départ à 6h, 7h40 et 19h ; car pour Zarzis : départ à 8h. *À côté du lycée technique sur la route d'Aghir Tél. 732 037*

EN LOUAGE
Station devant la gare routière de Houmt Souk. Nombreuses liaisons avec Zarzis (3DT), Gabès (6,50DT), Matmata (8DT), Tataouine (7,50DT), Douz (13DT) et Tunis (23,40DT). Plusieurs départs par jour, de 5h à 16h. Départs plus nombreux le matin. Pas de louage à Midoun. Tarifs fixes à se faire confirmer par le responsable de la station.

Station de louages (plan 24, A4) *Tél. 98 533 271*

EN VOITURE
La route de 7km qui relie le continent à El-Kantara, à la pointe sud de l'île, suit la chaussée romaine construite sous Tibère pour joindre les comptoirs commerciaux de Meninx et de Zita.

EN BATEAU
Un ferry relie tous les jours Djorf (à 90km au sud-est de Gabès) au port

Tableau kilométrique

	Djerba	Zarzis	Gabès	Medenine	Tataouine
Zarzis	30				
Gabès	85	135			
Medenine	65	62	73		
Tataouine	114	111	49	49	
Matmata	110	123	42	61	50

Plan 23 Djerba

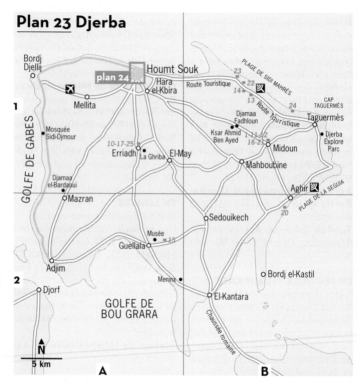

CAFÉS, BARS ET LIEUX DE SORTIE (n° 1)
Café de la Jeunesse — **1** B1

RESTAURATION (n° 10 à 17)
Chef Haouari — **13** B1
Da Carlo
(I Sapori Italiani) — **11** B1
Grillade Cobry — **15** A2
Le Petit Repas — **10** A1
Restaurant
du Dar Dhiafa — **17** A1
Restaurant
El-Guestille — **12** B1
Restaurant La Famille **14** B1
Restaurant Le Khalif — **16** B1

HÉBERGEMENT (n° 20 à 25)
Camping et centre de stage
et de vacances Aghir **20** B2
Dar Dhiafa — **25** A1
Hôtel Dar-Salem — **22** B1
Hôtel Djerba-Midoun **21** B1
Mövenpick — **23** B1
Sofitel Palm Beach — **24** B1

djerbien d'Adjim (plan 23, A2). Service toutes les 30min de 6h à 21h, toutes les heures de 21h à minuit et de 4h à 6h et toutes les 2h de minuit à 4h. Tarif 0,80DT/voiture, 0,10DT/scooter. Gratuit pour les vélos et les piétons. La traversée dure à peu près 15min, mais l'attente peut atteindre 2h en cas de grande affluence. Moins de monde le soir dans le sens Djorf-Adjim. Il arrive que la liaison soit interrompue par le mauvais temps. *Tél. 660 015*

informations touristiques

Office national de tourisme tunisien (ONTT) (plan 24, B1) Ce bureau dispose d'une liste d'hôtels, mais n'assure pas les réservations. Vous y trouverez les horaires des cars et quelques plaquettes sur Djerba.

*Houmt Souk Av. de l'Environnement
(à 500m au nord-est du centre-ville)
Tél. 650 016/544 Fax 650 581 Ouvert
hiver : lun.-jeu. 8h30-13h et 15h-17h45,
ven.-sam. 8h-13h ; été : lun.-sam. 7h30-
13h30 et 17h-19h ; ramadan : lun.-jeu.
8h-14h et ven.-sam. 8h-13h*
**Syndicat d'initiative de Houmt
Souk (plan 24, A3)** Il ne fournit que
quelques renseignements, un plan de
la ville et une carte payante de l'île.
Programme des activités plus détaillé
en été. *Pl. des Martyrs Tél. portable 97
599 062/98 253 894 Ouvert lun.-jeu.
8h30-13h et 15h-17h45, ven.-sam. 8h-13h
(et 17h-19h en été) ; ramadan : lun.-jeu.
8h-14h et ven.-sam. 8h-13h*
**Syndicat d'initiative de Midoun
(plan 23, B1)** C'est là que vous aurez des
informations sur la fantasia (démonstration équestre avec reconstitution
d'un mariage djerbien, etc.) qui se
déroule à Midoun tous les mardis à
15h. 2DT/pers. Horaires assez fanta-
sistes. *Pl. de la République Tél. 730
074/075 Ouvert lun.-dim. 8h-13h et
15h-18h ; ramadan : lun.-sam. 8h-14h*

poste et téléphone

On trouve de nombreux taxiphones à
Houmt Souk (av. Habib-Bourguiba), à
Midoun et sur la côte touristique.
Poste de Houmt Souk (plan 24, A3)
Service de change. *Av. Habib-Bourguiba Tél. 650 094 Ouvert sept.-juin :
lun.-ven. 8h-18h et sam. 8h-12h30 ; juil.-
août : lun.-sam. 7h30-13h30 et 17h-19h,
dim. 9h-11h ; ramadan : lun.-sam.
8h-13h30, ven. 8h-12h30*

banques et change

À **Houmt Souk**, toutes les banques
tunisiennes sont représentées dans
le centre-ville (pl. Mokhtar-Attia, av.
Habib-Bourguiba, av. Abdelamid-el-
Kadhi, pl. Sidi-Brahim, route de l'Aéroport) (plan 24, A3-B3). Elles le sont

aussi à **Midoun**. Chacune dispose d'un
distributeur automatique de billets et
d'un service de change. *Ouvert hiver :
lun.-ven. 8h-16h (parfois une coupure
de 12h à 13h) ; été : lun.-ven 7h30-12h30
Une banque est toujours ouverte sam.-
dim. 9h-12h*
Sur la **côte touristique**, plusieurs distributeurs, parfois devant ou dans les
hôtels. Distributeur de l'Amen Bank
devant le casino (Pasino), un autre
de l'ATB dans le Djerba Explore Parc.
Sachez également que vous pouvez
changer votre argent à toute heure
dans l'un des quatre bureaux de
change et au bureau de poste (ouvert
tlj. 7h-19h) de **l'aéroport**. Un seul distributeur automatique (BIAT).

accès Internet

Cybercafé Publinet (plan 24, B4)
1,50DT/h. *Av. Habib-Bourguiba (face
au lycée technique) Houmt Souk
Ouvert lun.-sam. 8h-0h*
Cyber Pl@net (plan 24, B2) 1,50DT/h.
*Rue Sidi-Abbes (avant la station Shell
de l'avenue Abdelhamid-el-Kadhi, der-
rière le café des Arcades) Houmt Souk
Ouvert tlj. 8h-0h*
Infonet Center (plan 23, B1) 1,50DT/h.
*Derrière l'hôtel Djerba Midoun Ouvert
tlj. 8h-1h*

transports sur place

EN CAR
Six lignes de cars (nos10-16) sillonnent
l'île, reliant tlj. Houmt Souk (départ de
la gare routière) à la zone touristique
(ligne 11), à Midoun (lignes 10, 11 et 13),
à Adjim (ligne 12), à Guellala (ligne 14),
à l'aéroport (ligne 15) et à Sedwekche
(ligne16). Quelque 8 cars relient quotidiennement Midoun à Houmt Souk
et à la zone touristique.
Gare routière (plan 24, A4) *Av. Habib-
Bourguiba Houmt Souk Tél. 650
076/508*

TAXIS

Les prix sont raisonnables, mais majorés de 50% de 21h à 5h. La plupart des taxis proposent des tours de l'île à la journée ou à la demi-journée (env. 50DT pour voir Guellala, la synagogue de La Ghriba, la chaussée romaine et Houmt Souk). Les "grands taxis" blancs peuvent sortir de l'île, ce qui n'est pas le cas des taxis jaunes. Tous doivent être équipés d'un taximètre. À Houmt Souk, ils stationnent sur la pl. Sidi-Brahim (plan 24, B2), l'av. Habib-Bourguiba – du marché central à la poste – et face à la gare routière. À Midoun, on les trouve derrière l'hôpital et devant la poste (pl. de la République).

location de voitures

La location d'une voiture (de 80DT à 120DT/j.) n'est indispensable que si vous souhaitez sortir de l'île. Les principales agences de location (Hertz, Avis, Europcar) sont représentées à l'aéroport, sur l'av. Abdelhamid-el-Kadhi à Houmt Souk et dans certains grands hôtels. Négociez les tarifs, surtout en basse saison.

Europcar (plan 24, B2) *Av. Abdelamid-el-Kadhi (à côté de la pâtisserie Mihirssi)* **Houmt Souk** *Tél. 650 357 Ouvert tlj. 8h-12h30 et 14h30-18h*

Hertz (plan 24, B2) *Av. Habib-Bourguiba* **Houmt Souk** *Tél. 650 196 Ouvert tlj. 8h-12h et 15h-18h*

location de deux-roues

Adapté aux petites distances, le scooter donne une grande liberté de mouvement (accès aux pistes, aux plages). Comptez de 35DT à 45DT/j. À vélo ou à VTT, les prix vont de 10DT à 15DT/j.
Midoun Fun Quad Découvertes (plan 24, B2) Vélos, scooters (45DT/j.) et quads. *Av. Abdelamid-el-Kadhi (face à la station Shell)* **Houmt Souk** *Tél. portable 98 212 231*

Holidays Bikes Tunisie (plan 23, B1) *Route touristique (peu avant la bifurcation vers Midoun) Tél. portable 98 212 397*

Djerba à pied

Le tour de l'île peut aisément se faire en une journée. Tâchez cependant de consacrer au moins deux jours à Djerba afin d'en découvrir tous les aspects. L'âme insulaire s'apprivoise loin des plages. C'est dans la campagne que vous trouverez les traditionnels *menzel*, huileries, ateliers de tissage et mosquées. La région de Midoun se prête très bien à la promenade, d'autant que les citronniers, grenadiers et autres arbres fruitiers de ses vergers embaument presque toute l'année. De nombreux sentiers poussiéreux serpentent entre les *tabia* (murets de terre) qui délimitent les exploitations agricoles. Plusieurs itinéraires sont détaillés dans *L'Île de Djerba : un regard de l'intérieur* de Caroline Courtin (éd. Piment).

urgences

SAMU *Tél. 650 018 ou 190*
Pharmacie de nuit (plan 24, B4) *Av. Habib-Bourguiba (près du lycée technique)* **Houmt Souk** *Tél. 650 707 Ouvert 19h30-8h30*
Hôpital Sadom-Mokadem (plan 24, B4) *Av. Habib-Bourguiba* **Houmt Souk** *Tél. 650 018 Fax 650 202*

marchés

Houmt Souk accueille un marché très animé le lundi et le jeudi matin. Ce "souk libyen" se tient entre la mosquée des Turcs et la route touristique. Les autres villages de Djerba ont aussi leur marché hebdomadaire : le samedi à El-May, le dimanche à Adjim, Erriadh et Mellita, le mardi à Sedouikech et Guellala, et le vendredi à Midoun.

fêtes et manifestations

Pèlerinage de La Ghriba *Fin avr.-début mai*
Festival de la plongée À Adjim. *Fin juil.* Tél. 660 234
Festival d'Ulysse Animations et concerts dans le centre de Houmt Souk *Juil.-août* Tél. 650 416

Fête de la Mer À Houmt Souk. *A lieu occasionnellement*
Festival du film historique et mythologique Les années impaires à Houmt Souk. *En juillet ou en août (pas de date fixe)* Tél. 650 416
Fantasia À Midoun. *Le mardi à 15h (retirez les billets sur place à 14h30 à côté de la poste)*

DÉCOUVRIR
Houmt Souk

☆ **Les essentiels** Le bordj el-Kébir, le musée des Arts et Traditions populaires **Découvrir autrement** Goûtez l'atmosphère des anciens fondouks, découvrez les trésors du magasin d'antiquités Ben Ghorbel Sadok, succombez aux pâtisseries du café Ben-Yadder ➤ **Carnet d'adresses p.347**

Principale – sinon seule – ville de l'île, avec plus de vingt mille habitants, Houmt Souk ("quartier des Souks") est le chef-lieu de Djerba. Son charme opère encore en dépit d'une forte fréquentation touristique. Le centre-ville s'étend entre deux axes nord-sud : l'avenue Habib-Bourguiba, à l'ouest, et l'avenue Abdelhamid-el-Kadhi, à l'est.

Le centre-ville

Les souks (plan 24, A2-A3) Entre la place Mokhtar-Attia et le square Mongi-Bali s'étendent le souk couvert et le souk des Bijoutiers (rue de Bizerte, rue des Bijoutiers). Houmt Souk était jadis réputée pour ses bijoux filigranés, émaillés et rehaussés de pierres fines, ciselés par des orfèvres juifs. Cette tradition a disparu, même si nombre d'échoppes de bijoutiers demeurent aux mains d'artisans juifs. Au souk couvert, on trouve des tapis, des babouches et des babioles touristiques (cf. Où faire ses emplettes ?).

☺ **Les fondouks (plan 24, A2-B2)** Les hôtels Erriadh, Marhala, Arisha et l'auberge de jeunesse occupent d'anciens fondouks. Une façon somme toute logique de perpétuer la vocation de ces caravansérails qui hébergeaient les marchands de passage, il y a encore quatre siècles. Tous s'organisaient autour d'une cour, avec les écuries et les magasins au rez-de-chaussée et les chambrettes destinées aux voyageurs à l'étage, mais leur taille et leur aspect varient : cour vaste ou exiguë, cernée ou non d'un portique, murs simplement chaulés ou ornés de panneaux de céramique. Signalons également le fondouk Ben Gorbal (17, rue Habib-Bougatfa), assez vaste, qui abrite des ateliers, et les deux anciens caravansérails de la rue Moncef-Bey, face à l'hôtel Marhala : celui du n°30, dont les murs sont soutenus par d'épais contreforts et le foundouk Bouchadakh (cf. Où faire ses emplettes ?). Au gré de votre balade dans le centre-ville, vous en découvrirez d'autres, moins bien entretenus mais tout aussi pittoresques.

DJERBA ET LE SUD-EST

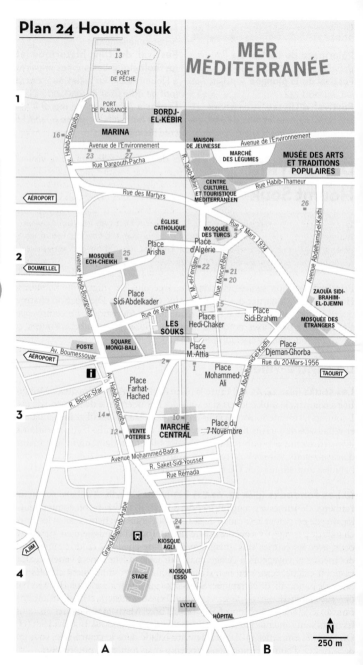

Plan 24 Houmt Souk

MER MÉDITERRANÉE

PORT DE PÊCHE

13

1

PORT DE PLAISANCE

BORDJ-EL-KÉBIR

MARINA

16

Av. Habib-Bourguiba

MAISON DE JEUNESSE

Avenue de l'Environnement

Avenue de l'Environnement

23   27

Rue Dargouth-Pacha

R. Taieb-Mhiri

MARCHÉ DES LÉGUMES

MUSÉE DES ARTS ET TRADITIONS POPULAIRES

AÉROPORT

Rue des Martyrs

CENTRE CULTUREL ET TOURISTIQUE MÉDITERRANÉEN

Rue Habib-Thameur

26

ÉGLISE CATHOLIQUE

MOSQUÉE DES TURCS

Rue 2 Mars 1934

3

2

BOUMELLEL

Avenue Habib-Bourguiba

MOSQUÉE ECH-CHEIKH

25

Place Arisha

Place d'Algérie

R. M.-el-Ferdjani

Rue Moncef-Bey

22

21

20

Avenue Abdelhamid-el-Kadhi

ZAOUÏA SIDI-BRAHIM-EL-DJEMNI

Place Sidi-Abdelkader

Rue de Bizerte

11

15

Place Hedi-Chaker

Place Sidi-Brahim

MOSQUÉE DES ÉTRANGERS

LES SOUKS

Av. Boumessouar

POSTE

SQUARE MONGI-BALI

Place M.-Attia

Place Djeman-Ghorba

AÉROPORT

2

Rue du 20-Mars-1956

TAOURIT

R. Béchir-Sfar

Av. Habib-Bourguiba

1

Place Mohammed-Ali

Avenue Abdelhamid-el-Kadhi

Place Farhat-Hached

3

14

12

VENTE POTERIES

10

MARCHÉ CENTRAL

Place du 7-Novembre

Avenue Mohammed-Badra

R. Saket-Sidi-Youssef

Rue Rémada

AJIM

Grand-Maghreb-Arabe

24

KIOSQUE AGLI

4

STADE

KIOSQUE ESSO

LYCÉE

HÔPITAL

N

250 m

Mosquées (plan 24, B2) Les mosquées de la vieille ville, qui ne se visitent pas, témoignent de la variété des rites observés par les musulmans de Djerba. La **mosquée des Turcs (Djamaa el-Trouk)**, sise sur la place d'Algérie, se signale par ses nombreux petits dômes blancs et son minaret rond surmonté d'un lanternon pointu, typique des mosquées hanéfites. La **mosquée des Étrangers (Djamaa el-Ghorba)**, pl. Sidi-Brahim, présente pour sa part un minaret carré, élément classique des mosquées malékites. De l'autre côté de la place s'élève la **zaouïa Sidi-Brahim-el-Djemni**, qui comprend un mausolée, une medersa, une boulangerie et un hammam. Cette petite mosquée achevée au début du XVIIIᵉ siècle présente un beau dôme bombé de forme irrégulière, couvert de tuiles vernissées vertes. La **mosquée Ech-Cheikh** (av. Habib-Bourguiba, plan 24, A2) est le principal lieu de culte ibadite de l'île.

Église catholique (plan 24, A2) Sur une placette, à deux pas de l'hôtel Arisha, on aperçoit la jolie façade blanche hispano-mauresque et les deux clochetons de l'unique église de l'île, bâtie au XIXᵉ siècle pour les pêcheurs maltais, italiens et grecs de l'île, et aujourd'hui désaffectée. *Rue Ghazi-Mustapha*

Criée aux poissons (plan 24, A3) Assis sur des chaises bleues perchées sur une estrade, trois vendeurs mettent aux enchères des chapelets de poissons. Les particuliers s'arrachent les guirlandes colorées de soles, de rougets, de sars, de loups et de poulpes pour une poignée de dinars. Une curiosité puisque les autres ventes à la criée tunisiennes sont réservées aux professionnels. *Marché central Ouvert tlj. 9h30-14h (jusqu'à 16h lun. et jeu.)*

● **Où faire ses emplettes ?**
Rue des Bijoutiers et rue de Bizerte (plan 24, A2) Houmt Souk doit sa longue tradition d'orfèvrerie à ses artisans juifs. Ces derniers sont encore nombreux dans ces deux rues, mais leur travail a perdu de sa finesse.
☺ **Antiquités Ben Ghorbel Sadok (Ali Baba)** Authentiques bijoux berbères, objets en fer forgé, coffres de mariage djerbiens en bois de cèdre, poteries et portes anciennes, tapis anciens, amphores, peignes à tisser la laine, etc. Ce magasin d'antiquités-brocante mérite bien son surnom de caverne d'Ali Baba ! Son prodigieux bric-à-brac envahit deux étages et toute la cour d'une maison ! Le lieu vaut à lui seul le coup d'œil. *14, rue de Bizerte Tél. 653 335 Ouvert tlj. 8h-19h*
Fondouk Bouchadakh (plan 24, B2) Cet ancien fondouk fréquenté, jadis, par des Maltais, abrite deux sympathiques échoppes : un "atelier de nattes" (à l'étage), où sont tressés des chapeaux en palmes séchées, des paniers et des nattes en jonc ; et le "souk antique", une petite brocante tenue par Mohammed Marahoub. S'il en

DJERBA ET LE SUD-EST

a le temps, ce vieil homme sympathique vous expliquera un peu l'histoire du fondouk. Poteries, vieux phonographes, meules, outils, fenêtres en fer forgé et divers objets... *Entre la rue Moncef-Bey et la rue Mohammed-el-Ferjani Fermé ven.*

Socopa (plan 24, A2) À défaut de proposer les prix les plus avantageux (ils sont fixes), ce magasin d'État garantit la qualité de ses produits artisanaux d'un double estampillage. Du coup, les visiteurs viennent souvent se faire une idée... avant d'aller marchander au souk ! Le magasin fait le change. CB acceptées. *Av. Habib-Bourguiba (face à la mosquée Ech-Cheikh) Tél./fax 650 040 www.socopa.com.tn Ouvert juil.-août : lun.-sam. 8h30-13h et 16h-19h ; sept.-juin : lun.-sam 8h30-12h30 et 15h-18h ; ramadan : 8h30-15h*

● Où boire un verre, manger sur le pouce ?

☺ **Café Ben-Dammech (plan 24, B3)** Les Djerbiens apprécient ce café dont les chaises occupent la jolie place Mokhtar-Attia. Les anciens jouent aux dominos, les jeunes dissertent en prenant des poses alanguies. On les comprend : il fait bon déguster un jus d'orange (1,80DT) ou un thé à l'ombre de la gigantesque bougainvillée. *Ouvert tlj. 24h/24 d'avr. à oct.*

☺ **Café-pâtisserie Ben-Yedder (plan 24, A3)** Vous observerez à loisir le centre animé de Houmt Souk de la terrasse de ce célèbre café. Ses pâtisseries fines sont fameuses (surtout les baklavas et les *sfaxi*). Les Djerbiens s'y pressent aussi pour grignoter un sandwich à toute heure de la journée. *Pl. Farhat-Hached Ouvert tlj. 6h-20h30*

La Fontaine (plan 24, B2) Cet agréable café possède un jardin ombragé d'eucalyptus. Vous pouvez fumer la chicha dans son chalet ou bien siroter des jus de fruits et citronnades (env. 1DT) ou déguster des glaces maison (2-3DT) près de la fontaine. Quelques pizzas, salades et pâtisseries à la carte. *Rue du 2-Mars-1934 (derrière la mosquée des Turcs) Ouvert tlj. 8h-21h*

● Où déguster une pâtisserie ?

☺ **Pâtisserie Mihirssi (plan 24, B2)** C'est là qu'il vous faudra faire le plein de pâtisseries avant de reprendre l'avion. Vous craquerez pour les baklavas et pour les tartelettes, chaussons, galettes, boulettes, petits-fours et autres délices aux amandes. 8DT les 500g. *Av. Abdelhamid-el-Kadhi (derrière Europcar) Ouvert tlj. 4h-20h*

Pâtisserie Marhaba – Chez Batik (plan 24, B) Des pâtisseries, bien sûr, des jus d'orange et de carotte (0,80DT) et surtout d'excellentes glaces maison à l'orange, au citron, au chocolat, à la pistache et à la vanille (0,80DT). *Rue Mohammed-el-Ferdjani (à côté de l'hôtel Erriadh) Ouvert tlj. 8h-22h*

● ☺ Aller au hammam

Le plus vieux hammam de Houmt Souk. Apportez une serviette ou deux, un gant de crin et un maillot de bain (boxer-short pour les hommes). Tarif 2DT le bain, 3,50DT avec massage. Pour les femmes, gommage à 11,50DT. **Hammam Sidi-Brahim (plan 24, B2)** *Pl. Sidi-Brahim Ouvert 6h-12h pour les hommes 13h-18h pour les femmes*

Vers le bord de mer

☆ ☺ **Bordj el-Kébir (ou bordj Ghazi-Mustapha) (plan 24, A1)** Cette citadelle imposante fut le théâtre d'un épisode particulièrement sanglant, en

1560. Après la défaite de leur flotte, plus de cinq mille soldats espagnols s'y réfugièrent pour échapper à Dragut. Au terme de trois longs mois de siège, le pirate turc parvint à prendre le fort et fit décapiter tous ses occupants. En signe de triomphe, il empila leurs têtes en une tour macabre haute de 8m à côté du fort. Une stèle, derrière le nouveau théâtre, a remplacé cette tour des Crânes détruite en 1848 à la suite d'une pétition adressée au bey de Tunis par les chrétiens de l'île. Des fouilles récentes ont montré qu'il n'y a pas un mais deux forts emboîtés. Le premier fut érigé au IXe siècle par les Aghlabides sur des vestiges romains, dont subsistent un pan de mur et une citerne, et agrandi par Roger de Loria au XIIIe siècle. Le second, du XVe siècle, est l'œuvre du sultan hafside Abou Farès. Au XVIe siècle, le gouverneur turc Mustapha el-Ghazi le fit restaurer. La koubba dont on peut encore voir les deux dômes protège d'ailleurs la dépouille et les Espagnols le dotèrent d'un rempart en forme d'étoile aujourd'hui disparu. Du haut des remparts, on distingue bien le fossé, large de 10 à 15m qui court autour de la puissante muraille rectangulaire, cantonnée de tours. *Angle de l'av. de l'Environnement et de la rue Taïeb-Mehiri Tél. 650 540 Ouvert avr.-mi-sept. : sam.-jeu. 8h-19h ; mi-sept.-mars : sam.-jeu. 9h30-16h30 ; ramadan : sam.-jeu. 9h-15h Tarif 3DT, moins de 6 ans gratuit Droit photo 1DT*

Marché libyen (plan 24, A1-B1) Il bat son plein le lundi et le jeudi matin, mais débute la veille, dans l'après-midi. Les marchandises (alimentation, vêtements), qui viennent pour partie de Libye, coûtent bien moins cher qu'au marché central. On y croise, au milieu d'une foule bigarrée, des femmes portant le costume traditionnel blanc à liseré rouge. *Autour de la rue Taïeb-Mehiri (juste avant l'office de tourisme en quittant Houmt Souk)*

Port (plan 24, A1) Le petit port de pêche ne présente guère d'intérêt. On y voit toutefois de photogéniques tas de gargoulettes, amphores servant à capturer les poulpes. Belle vue sur le bordj el-Kébir en dépit de la nouvelle marina.

Pointe aux Flamants Une dizaine de bateaux façon navires de pirates (avec personnel costumé et grimé !) proposent des excursions à la journée jusqu'à cette presqu'île sablonneuse inaccessible en voiture. Les flamants ne sont pas toujours au rendez-vous, mais on a toutes les chances de pouvoir en observer au printemps. Arrivé à destination, baignade, farniente et barbecue sur la plage. Très touristique. Départ à 9h, retour à 16h. La prestation est partout la même. Certains hôtels proposent la balade à 40DT/pers. mais, sur le port, on peut négocier la journée à 20DT auprès de la société Barberousse. Téléphonez avant en basse saison car les départs sont moins nombreux. *Tél. portable 98 424 509 Départs mar.-dim.*

À l'est du centre-ville

☆ **Musée des Arts et Traditions populaires** (plan 24, B2) La visite guidée (gratuite) de ce musée constitue une excellente approche de la culture insulaire, d'autant que l'ancienne zaouïa (XVIIIe s.) qu'il occupe ne manque pas de grâce avec ses murs décorés de stucs et de bandeaux de céramique et ses dômes ouvragés coiffés de tuiles vernissées. L'ancienne salle de prière présente une intéressante collection de costumes. Dans l'ancienne bibliothèque de la medersa sont exposés des corans anciens. Une troisième pièce renferme de magnifiques bijoux berbères, bédouins et juifs. Différentes sortes de poteries ont été réunies dans une dépendance de la première cour. L'un des trois cénotaphes exposés dans une salle de la deuxième cour serait celui de Sidi Zitouni, saint homme auquel la zaouïa était dédiée. Un nouveau bâtiment accueille depuis 2008 des expositions ethnographiques sur l'île. *Av. Abdelhamid-el-Kadhi Tél. 650 540. Ouvert avr.-mi-sept. : 9h-18h ; mi-sept.-mars : 9h30-16h30 ; ramadan : 9h30-15h Fermé ven. Tarif 3DT Droit photo 1DT)*

Ateliers de tissage (plan 24, B2) Les ateliers de tissage (*hanout*) djerbiens présentent une architecture très particulière. Signalés par une façade triangulaire, ils dessinent une longue pièce à demi enterrée – bénéficiant ainsi d'une température douce en toute saison –, dont les murs sont soutenus par de lourds contreforts. On peut visiter deux de ces ateliers traditionnels, encore en activité, rue Sidi-Chiboub, à la sortie orientale de Houmt Souk. *Il faut se garer près de Jumbo Tours avant le croisement de l'av. Abdelhamid-el-Kadhi et de la route du littoral, puis remonter la rue Pluvier jusqu'au bout et prendre la rue Sidi-Chiboub sur la gauche. C'est à 200m*

Midoun et la côte est

> ☆ **Les essentiels** Midoun, le ksar Ahmid Ben Ayed, le Djerba Explore Parc
> **Découvrir autrement** Visitez l'huilerie traditionnelle Fsili, partez en balade dans les environs de Mahboubine pour découvrir les *menzel*, rendez-vous au bordj el-Kastil en quad ➤ **Carnet d'adresses p.347**

☆ **Midoun** La deuxième ville de Djerba (près de sept mille habitants) draine les foules de la zone hôtelière avec ses petites rues bordées de boutiques de souvenirs. S'il ne possède pas le charme de Houmt Souk, le bourg n'est pas dénué d'intérêt. Face au Soja Center, au milieu des poteries, s'élève le "Zitounet al-Adhla", un vieil olivier au pied duquel on vendait de la volaille et des œufs. Lors de la fête de l'Aïd el-Séghir, les enfants peignaient jadis des œufs en jaune et rouge et se les échangeaient sous l'arbre. De Midoun, plusieurs itinéraires de randonnée permettent de découvrir les nombreux vergers, *menzel* et huileries souterraines des environs.

Huilerie traditionnelle Fsili Cette huilerie souterraine centenaire est la mieux conservée des *maasera* de la région. On avait coutume d'enterrer les huileries pour qu'en hiver, période de pressage des olives, la tiédeur ambiante facilite l'écoulement de l'huile. Les olives étaient écrasées sous le *mdar* (une grosse meule mue par un dromadaire ou un âne). La pâte obtenue passait ensuite sous une presse, donnant, d'un côté, de l'huile et, de l'autre, une pâte sèche utilisée comme aliment pour le bétail, comme combustible et même comme savon. Intéressantes explications du guide. *Pl. Midoun Tél. 730 074 (SI de Midoun) Ouvert lun.-sam. 9h-18h (ramadan 8h-14h) Tarif 1DT Gratuit pour les moins de 10 ans*

● **Où boire un verre ?** Un gigantesque ficus ombrage les petites tables de ce café qui donne sur la grand-place de Midoun. Idéal pour savourer un thé à la menthe. **Café de la Jeunesse (plan 23, B1)** *Pl. de la République Ouvert tlj. 6h-19h*

À l'ouest de Midoun

Djamaa Fadhloun (plan 23, B1) Isolée dans la campagne, cette mosquée wahhabite du XIIIe siècle présente toutes les particularités des mosquées djerbiennes. Son minaret trapu, les lourds contreforts de ses murs chaulés percés de meurtrières attestent sa vocation défensive : comme d'autres mosquées de l'île, elle a servi de refuge aux insulaires en période de troubles. Remarquez aussi les gouttières qui canalisaient les eaux de pluie jusqu'à la citerne, aménagée sous l'impluvium de la cour. Fondée en 1279, la Djamaa Fadhloun abritait jadis une medersa et les appartements de l'imam et de sa famille. Aujourd'hui restaurée, elle se visite sous la conduite du jeune Mohsen (2DT). *À env. 4km de Midoun (sur la route de Houmt Souk à gauche) Ouvert été : 9h-19h ; hiver : 9h30-16h30 ; ramadan : 8h-16h*

☆ ☺ **Ksar Ahmid Ben Ayed (plan 23, B1)** À environ 2km à l'ouest de la mosquée Djamaa Fadhloun, ce palais abandonné fut bâti en 1810 pour le gouverneur de l'île, Ahmid Ben Ayed. Si le rez-de-chaussée a été reconverti en bâtiment agricole, l'escalier qui grimpe au premier étage débouche sur un élégant patio hispano-mauresque. Malgré le manque d'entretien, les pièces qu'il dessert témoignent encore d'un faste dispendieux : plafonds en bois peint à l'italienne, sols en marbre, murs ornés de zelliges et de stucs, hélas ! fort dégradés. De l'écriture berbère apparaît sur certains murs chaulés. Derrière le palais, on aperçoit les restes d'un hammam et d'une annexe tout aussi raffinés. Un charme émouvant émane de ces ruines. *De la mosquée Djamaa Fadhloun, rouler sur 100m ; tourner à droite à hauteur de la citerne puis à gauche 50m plus loin, et continuer tout droit sur 1,5km. Le château apparaît à gauche de la piste avant une grosse maison blanche et bleue. Autre accès possible par la route de Midoun à Houmt Souk : suivre l'indication Djamaa el-Gueïd et prendre le chemin en face de la mosquée, c'est à 200m*

À l'est de Midoun

☆ ☺ **Djerba Explore Parc (plan 23, B1)** Ce complexe réunit un exceptionnel musée des Arts et d'Histoire, un écomusée présentant l'habitat et l'artisanat djerbiens et un vaste bassin dans lequel s'ébattent quatre cents crocodiles du Nil. On peut assister au nourrissage des sauriens (à 16h mer., ven. et dim.), visiter un *menzel* brillamment reconstitué, avec son *houch*, son huilerie et son atelier de tissage, et se cultiver au passionnant musée Lalla Hadria. Une étape conseillée sans réserves. Les objets exposés ont été glanés dans tout le monde musulman, et ils montrent l'influence exercée par l'art islamique du Bassin méditerranéen aux confins de l'Asie. Admirez les céramiques en "lustre métallique" de Bagdad (IXe s.), les parchemins coufiques, les tissus ottomans, les sabres en or chiites, les boiseries arabo-andalouses, les portes berbères, les poteries émaillées tunisiennes, les céramiques persanes…

La salle des costumes et celle des bijoux abritent des trésors d'élégance et de raffinement. La visite guidée (gratuite) vous permettra d'obtenir des explications détaillées. Le complexe abrite aussi un restaurant, un café et un hôtel. *Phare de Taguermès (route touristique) Tél. 745 277 www.djerbaexplore. com Ouvert hiver : tlj. 9h-19h ; été : tlj. 9h-21h ; ramadan : tlj. 9h-17h Tarif Musée 3DT, Djerba heritage 2,50DT, crocodiles 7DT Pass pour les trois attractions 12DT, enfant 6DT Droit photo 2DT*

● **Aller à la plage** Avec son sable fin léché par une eau turquoise, Sidi Mahrès (ou Sidi Mahrez) est la plus belle plage de l'île. C'est aussi la plus longue et la plus fréquentée ! Elle s'étend de l'Athénée-Palace (en venant de Houmt Souk) au phare de Taguermès. La plage de la Seguia lui succède jusqu'à Aghir. On en trouve une troisième, moins belle mais plus tranquille, un peu au nord de la zone touristique, à environ 8km de Houmt Souk, en prenant la piste (1,5km de long) qui part sur la gauche, juste avant le petit terrain de football.

● **Faire une promenade à cheval** Les petits centres équestres qui jalonnent la route touristique offrent tous à peu près les mêmes prestations : des balades à l'intérieur de l'île ou sur la plage du "Lagon bleu" (près du Club Méd). Comptez de 25DT à 30DT la randonnée de 3h, un peu plus en haute saison – n'oubliez pas de négocier. **Ranch Charif** *Entre le restaurant Dar Zmen et le rond-point sur la route de Midoun Tél. portable 98 501 759*

● **Faire du quad**
Midoun Fun Quad Découvertes (plan 24, B2) Pour 35DT, vous pouvez suivre la sortie guidée de 1h30 *Av. Abdelamid-el-Kadhi (face à la station-service Shell)*
Holidays Bikes Tunisie Quads et scootcars (petits quads avec pare-brise). Nous vous recommandons l'excursion à scootcar (circuit guidé 1h30) autour du cap Lalla-Hadria. Quatre sorties/jour. La plus agréable reste la dernière, au coucher du soleil. *Route touristique (peu avant la bifurcation vers Midoun) Tél. 98 212 397*
Ali Baba Quads (Center Ali Baba) Ce prestataire a l'avantage d'être installé non loin du bordj el-Kastil. On peut donc approcher le fort lors d'une des balades accompagnées proposées tlj. à 9h, 11h, 14h et 16h. Tarif 35DT pour un circuit de 1h30. Réservez la veille. *Zone touristique d'Aghir (face à l'hôtel Palm Azur) Tél. 705 202*

● **Jouer au golf** Sur la côte nord-est, dans un bel environnement, l'unique golf de Djerba combine un parcours de 18 trous et un parcours de 9 trous, assez variés. Le plus : de beaux points de vue sur la mer. L'été, mieux vaut jouer en tout début ou en fin de journée pour éviter la chaleur. Carte verte indiquant le niveau du joueur exigée à l'entrée. Forfait 4 parcours (18 trous) 342DT/pers. Réservation obligatoire. **Djerba Golf-Club** *Zone touristique Tél. 745 055 www. djerbagolf.com*

Au sud de Midoun

Mahboubine (plan 23, B1) Ce petit village se distingue par sa mosquée el-Kateb. Élevée au XIXᵉ siècle par Ali el-Kateb, un riche commerçant djerbien établi à Istanbul, elle évoque la mosquée Bleue, sinon Sainte-Sophie, avec ses petits dômes blancs de style byzantin. En suivant la petite route qui part juste en face de la mosquée et laisse sur sa droite, au bout de 800m, la piste qui mène à Midoun, vous découvrirez de beaux *menzel*, avec leurs vergers, leurs oliveraies, leurs canaux d'irrigation et leurs puits. *À 3km à l'ouest de Midoun*

Bordj el-Kastil (plan 23, B2) Au bout d'une longue bande de sable colonisée par la salicorne (à env. 10km de la côte sud-est), ce fort fut élevé en 1285 par Roger de Loria, amiral d'Aragon et de Sicile, pour défendre l'accès au golfe de Bou Grara. La visite de ce bordj à l'abandon peut être l'occasion de faire une belle balade en quad ou en scooter à travers un étonnant no man's land (cf. Faire du quad), dans lequel les voitures risquent de s'ensabler, sauf en plein été. On peut aussi accéder au fort en bateau à partir d'El-Kantara. Daou M'Charek propose une excursion en mer tlj. (mars-nov. départ 9h, arrivée 16h) à 30DT/pers. avec barbecue sur la pointe aux Flamants toute proche (*Tél. portable 98 430 353*). Moyennant 12DT/pers., le restaurant El-Kantara (*Tél. portable 97 200 108*) peut organiser d'août à septembre un AR avec ou sans accompagnateur (dans ce dernier cas, il est conseillé de savoir piloter un bateau à moteur et de bien vérifier l'état du matériel). La traversée s'effectue en 30min.

DJERBA ET LE SUD-EST

Le centre et l'ouest

☆**Les essentiels** La synagogue de La Ghriba, le musée de Guellala, les mosquées "d'en-bas" de Djamaa el-Bardaoui **Découvrir autrement** Visitez en famille l'atelier du potier Ali Berbère, laissez-vous tenter par les terres cuites de l'atelier Aroussi Ben Amor ➤ **Carnet d'adresses p.347**

Une échappée à Erriadh

Erriadh (plan 23, A1) El-Hara Esseghira, l'actuel Erriadh, était l'un des deux villages, avec El-Hara el-Kébira, où vivait, jadis, la communauté juive de l'île. Certains font remonter l'installation des juifs à Djerba au Ve siècle av. J.-C., d'autres à la conquête arabe, quand une partie des tribus judéo-berbères combattant Idris Ier se serait réfugiée dans l'île. Erriadh a vu sa population décliner progressivement depuis la création de l'État d'Israël. Depuis quelques années, des juifs tunisiens qui avaient émigré en France reviennent s'y installer. *À 8km au sud de Houmt Souk*

☆ **Synagogue de La Ghriba** (plan 23, A1) La synagogue de La Ghriba ("l'Étrange", "l'Étrangère") a fait la une de l'actualité le 11 avril 2002. Ce jour-là, un attentat d'Al-Qaida y fit dix-huit morts, dont douze touristes, pour la plupart allemands. Le grand bâtiment carré blanchi à la chaux est, depuis, placé sous étroite surveillance. L'édifice actuel a été largement restauré dans les années 1920, mais l'origine du sanctuaire remonterait au Ve siècle avant notre ère, quand la diaspora qui suivit la destruction du temple de Salomon à Jérusalem, en 586 av. J.-C., conduisit certains juifs à s'établir à Djerba après avoir nomadisé dans le désert. La Ghriba abrite l'une des plus vieilles torahs du monde (non exposée). Chaque année, le trente-troisième jour après la Pâque juive (fin avr.-début mai), les rouleaux du Livre saint sont sortis du sanctuaire, au cours d'une fête fastueuse qui attire des pèlerins du monde entier. L'intérieur présente un beau décor de majoliques, de vitraux et de colonnades d'un bleu intense. Dans la première salle, des hommes psalmodient inlassablement l'un des textes de l'Ancien Testament et prient neuf fois par jour (sauf le vendredi, veille du sabbat) au profit des donateurs d'offrandes. En face de la synagogue s'élève le vieux fondouk où sont logés les fidèles lors du pèlerinage annuel. *À 8,5km de Houmt Souk Accès en taxi de Houmt Souk 3DT Le car s'arrête à Erriadh, à 800m de la Entrée libre (droit photo 1DT) Tél. 670 921/944 Fax 670 478*

El-May (plan 23, A1) On s'arrêtera à El-May rien que pour admirer sa belle mosquée fortifiée, d'un blanc éclatant. Ce village installé au cœur de l'île marquait jadis la frontière entre deux territoires ibadites (l'ibadisme est un courant religieux issu du kharidjisme qui divisa l'île en deux). *À 3km au sud-est d'Erriadh*

Guellala

Guellala (plan 23, A2) Ce village berbère est dédié à la fabrication et au commerce de la poterie jaune et vert, jadis célèbre dans tout le Bassin méditerranéen. Elle n'a pas résisté à la concurrence de Nabeul, dont la production inonde de nos jours le marché tunisien. Des ateliers de Guellala ne sortent plus que des poteries brutes à usage domestique. L'argile qui sert à leur fabrication est extraite des nombreuses galeries souterraines qui entourent le village. On peut en visiter deux, à 300m sur la gauche après la sortie du musée de Guellala : celle de Moni Ben Mimoun (côté droit) et la "mine" Cobry (juste avant le restaurant-grill du même nom, côté gauche). Après une descente dans les entrailles de la terre, éclairées à la bougie, on vous expliquera que l'argile blanchit après un séjour prolongé dans l'eau de mer, tandis qu'un séjour dans l'eau douce lui donne une couleur ocre. *Au sud de l'île, à 16km de Houmt Souk*

☆ **Musée de Guellala** (plan 23, A2) Sur les "hauteurs" de Guellala, point culminant de l'île (52m), ce musée récent, climatisé et spacieux, donne un bon aperçu de la culture tunisienne. Des mannequins de cire

Tissage manuel, Medenine.

et des figurants en costume reproduisent des scènes de la vie traditionnelle : mariage, tissage, battage du blé, etc. Surtout, des bâtiments traditionnels ont été reconstitués grandeur nature (*menzel*, huilerie, minaret de mosquée, marabout). Une réussite ! En revanche, pas un mot sur la poterie de Guellala ! *À 800m de Guellala (fléché) Tél. 761 114 Fax 761 115 Ouvert sept.-juin : tlj. 8h-18h ; juil.-août : tlj. 8h-22h ; ramadan : tlj. 8h-16h Tarif 5DT, moins de 12 ans 3DT Gratuit pour les moins de 6 ans Ajoutez 1DT de droit photo (3DT le caméscope) et 1DT pour grimper au sommet du minaret*

● **Visiter un atelier de potier** Vous pouvez visiter celui d'**Ali Berbère**, sur la route d'El-Kantara. Ce grand-père polyglotte invite les touristes dans son antre à une démonstration qui amusera surtout les enfants. Pour découvrir un véritable centre de production, avec son four chauffé jusqu'à 1 200°C au bois d'olivier et de palmier et son immense salle où finissent de sécher des jarres, demandez l'atelier d'**Adel Ben Romdhane** *Tél. portable 97 200 360 Ouvert été : tlj. 6h30-19h30 ; hiver : tlj. 8h-18h ; ramadan : 8h-16h*

● **Où dénicher des poteries traditionnelles ?** Écrasée par la production industrielle de Nabeul, la poterie de Guellala tente de survivre. Pour être sûr d'acheter "local", il faut s'orienter vers les terres cuites non vernissées. **Aroussi Ben Amor (plan 23, A2)** Seul cet atelier coincé entre le poste de police et le café Ben-Dilane produit encore les traditionnelles poteries émaillées de Guellala. On y travaille toujours le plomb, qui donne le jaune, et le cuivre, qui donne le vert. *Tél. portable 97 907 376 Ouvert tlj. 8h-20h (ramadan 8h-17h)*

La côte ouest

Bordj Djellij (plan 23, A1) Ce petit phare érigé sur les ruines d'un bordj du XVIIIᵉ siècle signale la pointe nord-ouest de l'île. Sur la cale, les pêcheurs réparent leurs filets. À une centaine de mètres du rivage, des haies de palmes émergent de l'eau. Il s'agit des *ziba* qui canalisent le poisson vers les nasses installées aux extrémités. Un piège astucieux, typiquement djerbien, dont les pêcheurs locaux vous expliquent volontiers le fonctionnement. Avec un peu de chance, on vous invitera même à aller relever les nasses pour voir les *zriba* de près. *À env. 10km à l'ouest de Houmt Souk par la nouvelle route côtière*

Mosquée Sidi-Djmour (plan 23, A1) Perchée sur ses rochers, cette jolie petite mosquée fortifiée domine un lagon turquoise. On peut se balader sur le chemin côtier pour apprécier un paysage vierge de toute construction… Ce qui n'est pas si banal à Djerba ! *À 6km au sud-ouest de Mellita (en prenant la rue Ennakhil) et à 10km au nord d'Adjim par la piste*

☆ **Djamaa el-Bardaoui (plan 23, A1)** Entre Houmt Souk et Adjim, quelques mosquées "d'en-bas" (*djamaa louta*) rappellent les persécutions qui obligèrent les ibadites à se cacher sous terre pour prier. La Djamaa el-Bardaoui est la plus célèbre de ces mosquées souterraines aux portes bleues. N'hésitez pas à entrer. *De Houmt Souk, tourner à droite 500m avant le hameau de Mazran et faire 300m. Attention ! les puits forés autour de la mosquée ne sont pas signalés : gare aux chutes !*

Adjim (plan 23, A2) Ce village de pêcheurs d'éponges s'étend face aux falaises de Djorf, de l'autre côté du golfe de Bou Grara. De là, un bac permet de rejoindre la côte tunisienne en moins de 15min (cf. Djerba, Mode d'emploi). De temps à autre, quelques pêcheurs d'éponges pratiquent encore la plongée en apnée. Hélas ! depuis quelques années, la sécheresse a considérablement appauvri les fonds marins d'Adjim.

CARNET D'ADRESSES

Lieux de sortie

Casino

Grand casino de Djerba (Pasino) Les machines à sous fonctionnent tlj. de 10h à 4h, la salle de jeu tlj. de 20h à 4h. Vous pouvez vous contenter de prendre un verre au bar, noyé sous la végétation, ou de fumer la chicha au café maure reconstitué avec force banquettes et coussins. Également un restaurant, El-Ferida (ouvert mar.-dim.), à l'étonnante décoration chargée façon palais des Mille et Une Nuits. *Zone touristique de Sidi Mahrès Tél. 757 537 casinodjerba@yahoo.fr*

Boîtes de nuit

S'il n'y a aucune boîte de nuit à Houmt Souk, la zone touristique, quant à elle, n'en manque pas ! La plupart des établissements hôteliers de la côte nord-est disposent d'une discothèque, à quoi s'ajoute une poignée de boîtes de nuit privées. À noter que l'entrée est libre partout.

La Bomba La principale boîte de l'île. Clientèle de touristes et de Tunisiens. Tenue correcte exigée. Avant de vous déhancher sur la piste, vous pourrez prendre un apéritif, grignoter ou jouer au billard au Latino's bar, juste à côté. On y sert un menu espagnol (tortilla, paella) sur fond de rythmes latinos dans un cadre hispanisant sympathique. *Route touristique (devant l'hôtel Vinci) Tél. 730 400 Discothèque tlj. 23h-4h Latino's bar lun.-sam. 19h-1h*

Rym Beach L'hôtel-club Seabel Rym Beach dispose d'une grande discothèque, très fréquentée. Une seconde boîte sur la plage en saison. *Zone touristique (à 15km de Houmt Souk et 6km de Midoun) Tél. 745 614 rymbeach. dir@gnet.tn*

Sun-Club *Route touristique de Sidi Mahrès (sur la gauche avant le casino) Tél. 758 758 À partir de 23h30*

Restauration

🍽 très petits prix

☺ **Chez Salem (plan 24, A3)** Ici, il revient au client d'aller acheter au marché le poisson ou les crevettes que Salem cuisinera sur son gril. Un passage sur les braises ardentes, un peu de citron, du persil haché et voilà votre assiette fin prête ! Une formule sympathique, à la bonne franquette et très populaire parmi les Djerbiens. Comptez env. 5DT/pers. le poisson acheté au marché et 3,50DT de gril. Un excellent rapport qualité-prix. *Juste à côté du marché aux poissons, sous le passage couvert Houmt Souk Ouvert lun.-sam. 12h-16h*

☺ **Le Petit Repas (plan 23, A1)** Le jovial Moncef confectionne, de l'avis général, les meilleures bricks de l'île.

Un peu de thon, de purée de pommes de terre, un œuf, une pincée de câpres, et le tour est joué. Seulement 1,50DT la brick ! *Carrefour central **Erriadh** Ouvert tlj. 6h-20h (jusqu'à 22h en été) sauf le mois de ramadan*

🍴 petits prix

Restaurant Les Palmiers (plan 24, B2) Les petits budgets s'y régaleront sans redouter l'addition. Le tajine et le riz tunisien (cuit à la vapeur) n'excèdent pas 3,50DT, les délicieux *ojja* (œufs brouillés et sauce tomate) se dégustent pour 3DT, et les bricks à partir de 0,70DT. La spécialité de la maison reste le couscous aux calamars à 5DT. Menu du jour à 7DT, avec entrée, plat, dessert et thé. Le décor, façon tente berbère, se révèle plaisant, et le service toujours souriant. *41, rue Mohammed-el-Ferdjani **Houmt Souk** Ouvert tlj. midi et soir*

Restaurant Le Sportif (plan 24, A3) Avec sa salle toute simple donnant sur l'avenue Habib-Bourguiba, ce restaurant populaire n'est pas du genre aguicheur. Et c'est tant mieux ! Les plats du jour battent des records de prix : 3,50DT maximum. Goûtez le *mermez* (morceaux d'agneau et pois chiches dans une sauce aux oignons), le couscous d'agneau et le riz djerbien. Au dessert, une tranche de pastèque ou de melon (0,50DT) fait l'affaire. Solides portions, à défaut d'un menu varié. Pas d'alcool. *147, av. Habib-Bourguiba **Houmt Souk** Tél. 97 200 785 Fax 621 744 Ouvert tlj. midi et soir*

Da Carlo (I Sapori Italiani) (plan 23, B1) Une pizzeria recommandée aux estomacs las des couscous, bricks et poissons grillés. Carlo, un élégant Milanais installé depuis une dizaine d'années à Midoun, prépare des pizzas et des pâtes savoureuses pour une bouchée de pain : de 3,50DT à 7DT. Service irréprochable. *Rue Amilcar **Midoun** Tél. 730 734 Ouvert lun.-sam. 12h-0h (tlj. juin-sept.)*

Restaurant El-Guestille (plan 23, B1) On s'attable avec plaisir dans la cour fraîche, à l'ombre des canisses et d'un vénérable jasmin. Quelques tortues baladeuses amusent les enfants et le service est souriant. Cuisine honnête, à bon prix. Essayez le couscous ou le tajine (pas toujours à la carte). *19, rue Marsa-Ettefah **Midoun** Ouvert tlj. midi et soir*

Chef Haouari (plan 23, B1) Si la petite terrasse éclairée au néon de cette pizzeria-grill n'invite guère à s'attarder, les plats sont bon marché, très corrects et l'ambiance est excellente. Chef Haouari, qui sillonne le monde pour promouvoir la cuisine méditerranéenne, a toujours un mot aimable pour ses clients, leur présente le poisson du jour avant de le griller (14DT) et leur offre le thé à la menthe en fin de repas. Ceux qui choisissent la gargoulette (27DT) repartent même avec la poterie qui a servi à cuire le plat : "C'est cadeau". Glaces maison l'été. *Route touristique face au Sun-Club Tél. 758 587 Fax 757 213 Ouvert tlj. 24h/24*

Restaurant La Famille (Chez Labidi) (plan 23, B1) Cette petite table familiale du bord de route ne paie pas de mine, mais on y sert une bonne cuisine locale. Le midi, une entrée peut suffire. Gargoulette, couscous d'agneau, spaghettis aux fruits de mer à petits prix (6DT). Plus cher mais très copieux, le couscous royal tient ses promesses (10DT). Pas d'alcool. Café turc et narguilé au café voisin. Accueil courtois, service discret. *Route touristique (à 11km au sud-est de Houmt Souk et à 1km au nord du casino) 96 393 325 Ouvert tlj. 10h-22h (0h en juil.-août)*

☺ **Grillade Cobry (plan 23, A2)** Perché sur une colline à 300m du musée de Guellala (sur la gauche en sortant), ce restaurant de 6 tables jouit d'une belle vue sur la région et le golfe de Bou Grara. Profitez-en pour assister sur sa terrasse au coucher du soleil. Djamel, l'affable chef, propose pour 13DT ou 16DT le menu idéal : soupe aux œufs de poisson, salade tunisienne, poisson du jour, dessert et thé au romarin du jardin. Mieux vaut réserver. *Route de Sedouikech* **Guellala** *Tél. 98 253 635 Ouvert tlj. midi et soir*

🍴 prix moyens

Le Petit Repas – restaurant Pêcheur (plan 24, A1) Ce petit établissement du port jouit d'une vue imprenable sur le bordj el-Kébir. Comptez 30DT le repas pour 2. Les poissons sont d'une grande fraîcheur et présentés au client pour qu'il fasse son choix. Comptez 25DT les 5 gambas. Pas d'alcool. *Houmt Souk (Tarak) Tél. 98 423 282 Ouvert oct.-avr. seulement à midi ; mai-sept. midi et soir*

Restaurant El-Foundouk (plan 24, A3) Pour fuir la foule des souks et l'agitation de l'avenue Habib-Bourguiba, rien de mieux que ce restaurant niché au fond de la cour d'un ancien caravansérail. Les assiettes sont joliment présentées et tout irait pour le mieux si les plats étaient un peu moins relevés ! Essayez le riz djerbien, le couscous royal, ou, si vous êtes 4, les plats typiques qui se commandent 24h à l'avance (gargoulette, *mloukhia*, couscous djerbien) de 16DT à 40DT. *135, rue du Grand-Maghreb-Arabe* **Houmt Souk** *Tél. portable 98 424 830 Ouvert tlj. 10h-23h*

☺ **Restaurant de l'Île – Chez Chef Hassine (plan 24, B2)** Ce restaurant de poisson a la cote auprès des touristes comme des Djerbiens. Le menu à 10DT est d'un très bon rapport qualité-prix, surtout si vous choisissez le copieux couscous-poisson. À la carte, les prix grimpent un peu. Si vous avez envie d'un bon plateau de fruits de mer, mieux vaut opter pour le menu à 30DT, vin et bouteille d'eau compris. Serveurs tirés à quatre épingles et salle climatisée. CB acceptées. *Pl. Hedi-Chaker* **Houmt Souk** *Tél./fax 650 651 Ouvert tlj. 9h-15h et 18h-0h*

Restaurant Le Khalif (plan 23, B1) Ce restaurant de poisson connaît des hauts et des bas. Pour éviter les mauvaises surprises, vous pouvez vous contenter le midi de l'assiette du Khalif à 11DT (*méchouïa*, pois chiches, salade tunisienne et crevettes grillées). Le soir, pourquoi ne pas tenter la gargoulette du Khalif (sur commande) à 25DT ? Grillades et poisson sont assez onéreux. La terrasse ombragée est reposante, mais l'accueil manque de chaleur. CB acceptées. **Midoun** *Route du Phare (face à l'hôtel Midoun au premier étage d'un immeuble) Ouvert lun.-sam. 12h-15h et 19h-23h*

🍴 prix élevés

☺ **Restaurant Haroun (plan 24, A1)** "La" table chic de Houmt Souk. On y va pour déguster d'excellents crustacés et poissons, notamment le loup (20DT) et la daurade grillés (19DT) et le mérou à la gargoulette (40DT pour 2, sur commande). Une cuisine fine et légère à arroser d'un vin blanc (de 12DT à 22DT la bouteille) que vous apprécierez le soir, quand la grande salle et les alcôves sont éclairées à la bougie et qu'un orchestre traditionnel distille une ambiance agréable – à condition qu'un ou plusieurs groupes ne gâchent pas votre intimité ! À midi, on déjeune sur le pont d'un faux bateau pirate. Service efficace et souriant. Env. 40DT/pers.

Réservation conseillée l'été. CB acceptées. *Houmt Souk* Le port Tél. 650 488 Fax 650 815 Ouvert tlj. 9h30-15h et 17h30-23h (et plus en été)

☺ **Restaurant du Dar Dhiafa (plan 23, A1)** Une table aussi exquise que la maison d'hôte qui l'abrite (cf. Carnet d'adresses). Avec ses tommettes et ses chaises en bois patiné, la salle semble sortie d'un magazine de décoration. Dans les assiettes, une cuisine méditerranéenne de très bonne tenue à des prix abordables : de 30DT à 40DT/pers. Le couscous (23DT) et la langouste grillée (12DT les 100g) sont excellents. Belle carte des vins. *Erriadh* Tél. 671 166/167 Fax 670 793 Ouvert midi et soir (réservez si vous n'êtes pas pensionnaire)

Hébergement

La majorité des hôtels de Djerba sont installés sur la côte nord-est, le long de la plage de Sidi Mahrès. Houmt Souk n'a pas de plage à offrir mais une formule d'hôtellerie originale : de vieux fondouks, caravansérails reconvertis en hôtels et pensions. Le confort est parfois spartiate, mais quel cachet !

🧳 très petits prix

Auberge de jeunesse (plan 24, B2) On aimerait que toutes les auberges de jeunesse aient autant d'allure ! Celle-ci (90 lits) occupe un ancien caravansérail. Pour seulement 7DT, petit déj. compris, vous passerez la nuit dans une cellule blanche, plutôt monacale mais non dénuée de caractère. Attention : les chambres ont toutes la même taille, qu'on les partage à 2 ou à 5 ! Douches et WC collectifs (sauf dans 2 chambres). Propreté irréprochable et personnel serviable. Prenez vos précautions si vous ne voulez pas être réveillé de bonne heure par le muezzin de la mosquée voisine. *Houmt Souk* Rue Moncef-Bey (juste à côté du Marhala) Tél./fax 650 619

Camping et centre de stage et de vacances Aghir (plan 23, B2) Vous ne trouverez pas moins cher à Djerba que ces bungalows blanc et bleu des années 1960, installés sur la plage d'Aghir. Le confort est spartiate et les sanitaires sont assez vétustes, mais les voûtes et les zelliges qui ornent les pièces confèrent un certain charme à l'ensemble. Les campeurs peuvent planter leur tente sur la plage, parmi les mimosas et les fuchsias. Restaurant ouvert en haute saison. Attention : alcool et tapage formellement interdits ! 5DT/pers. en grande tente, 2,50DT/pers. en petite tente, 5DT/voiture ou caravane. Ajoutez 2DT pour le petit déj. *Aghir Zone touristique* (ligne de car n°10) Tél./fax 750 266

🧳 petits prix

☺ **Marhala – Touring-Club (plan 24, B2)** On entre dans cet ancien caravansérail de 42 chambres en passant sous une belle porte bleu vif. Les chambres voûtées du rdc, refaites et très propres (avec sdb/WC), donnent sur une grande cour agrémentée de palmiers, de bougainvillées et de mimosas. Celles du premier étage sont moins confortables : une minuscule fenêtre et seulement des douches et WC collectifs. La double est à 30DT. Possibilité de demi-pension et de pension complète au restaurant-bar. Attention, l'appel à la prière du matin lancé de la mosquée voisine est assez... sonore. *Houmt Souk* Rue Moncef-Bey Tél. 650 146 Fax 653 317

🧳 prix moyens

☺ **Hôtel Erriadh (plan 24, B2)** Ce fondouk vieux de 400 ans est l'un des plus beaux de Houmt Souk. Le matin, c'est un bonheur que de déjeuner dans le patio égayé de zelliges, de cactus et de bougainvillées. Le confort reste sommaire, comme l'aménagement des sdb, et le chauffage est parfois coupé un peu tôt au printemps, mais le mobilier traditionnel (lits sur banquette, placards en bois peint, etc.) compose un cadre chaleureux. À l'étage, de beaux moucharabiehs protègent les fenêtres des chambres sur rue. Comptez 45DT la double, a/c payant (4DT). Accueil aimable. Pas de CB. *Houmt Souk Rue Mohammed-el-Ferjani Tél. 650 756 hotel.erriadh@topnet.tn*

Hôtel du Lotos (plan 24, A1) Cette vaste demeure aux volets bleus, bâtie en 1940 par le fils d'un armateur et marchand d'éponges grec, a un charme désuet. Les 14 chambres hautes de plafond, avec terrasse, et la galerie couverte qui abrite le restaurant composent un décor simple mais particulièrement attachant. Dommage que la vue sur la mer se trouve gâchée par un câble électrique. Terrasse commune au soleil pour les chambres 7, 8 et 9, à l'ombre pour la 19. Comptez 50DT la double. Supplément a/c de 6DT. Bar ouvert jusqu'à minuit aux clients de l'hôtel. Au restaurant, comptez de 20DT à 25DT pour 2. Parking. CB acceptées. *Houmt Souk 18, rue de la République Tél. 650 026 www.lotoshotel.com*

Hôtel El-Machrek (plan 24, A4) Les voyageurs éprouvés par un trek dans le désert et aspirant à un peu de confort avant de reprendre l'avion peuvent poser leurs valises dans cet hôtel sans charme mais moderne (a/c, TV satellite) situé derrière la gare routière. Ils en apprécieront la propreté et le calme (sur cour). Restaurant et café. Pour 2, comptez 49DT. CB acceptées. *156, av. Habib-Bourguiba Houmt Souk Tél. 653 155/156 hotel. elmachrek@planet.tn*

Hôtel Arisha (plan 24, A2) Il occupe lui aussi un ancien fondouk. Les chambres avec douche et a/c, confortables, ont été restaurées et décorées avec goût (panneaux de céramique aux murs et mobilier de style). L'été, vous apprécierez la piscine du patio. Dix-sept chambres. 55DT la double. Restaurant-bar ouvert tlj. *36, rue Ghazi-Mustapha Houmt Souk Tél. 650 384 Fax 653 945*

Hôtel Les Palmes d'or (plan 24, B2) Légèrement excentré, ce 2-étoiles récent est l'hôtel le plus confortable de Houmt Souk. TV satellite, a/c, douche ou baignoire, balcon ou terrasse (à l'étage) pour chaque chambre. Saluons la décoration, sobre mais gaie, telles les têtes de lit en faïence colorée. Propreté irréprochable. La double est à 35DT. CB acceptées. Location de vélos et centre Internet juste en face. *84, av. Abdelhamid-el-Kadhi (juste après la station Shell en venant du centre-ville) Houmt Souk Tél. 653 369/370 palmedor@gnet.tn hotelerie.tun@ planet.tn*

GAMME DE PRIX	RESTAURATION	HÉBERGEMENT
Très petits prix	moins de 5DT	moins de 15DT
Petits prix	de 5DT à 15DT	de 15DT à 30DT
Prix moyens	de 15DT à 25DT	de 30DT à 60DT
Prix élevés	de 25DT à 40DT	de 60DT à 100DT
Prix très élevés	plus de 40DT	plus de 100DT

prix élevés

☺ **Hôtel Dar-Faïza (plan 24, A1)** Une excellente adresse, non loin du bordj el-Kébir, qui donne l'impression de séjourner dans une maison djerbienne. Le personnel est cordial et les chambres chaulées de blanc sont distribuées autour d'un patio ou d'un beau jardin dont la petite piscine permet de se rafraîchir aux heures les plus chaudes. Les nᵒˢ 3 à 7 disposent d'une belle terrasse. La double est à 70DT du 15 juil. au 30 août. Supplément a/c à 5DT. Restaurant correct. *6, rue de la République* **Houmt Souk** *Tél. 650 083 www.darfaizadarsalem.com*

Hôtel Djerba-Midoun (plan 23, B1) Sans conteste le meilleur hôtel de Midoun. Ses 36 chambres sont bien tenues et confortables : TV, tél. et a/c, sdb avec douche ou baignoire. Un agréable patio apporte un peu de fraîcheur l'été. Le salon télé est coiffé d'une remarquable coupole en stuc ciselé ! Double à 41DT. *Rue du 13-Août* **Midoun** *Tél. 730 006/140 Fax 730 093*

prix très élevés

Hôtel Dar-Salem (plan 23, B1) Ce petit établissement se distingue par son atmosphère familiale des hôtels mastodontes de Sidi Mahrès. Ses 22 chambres jouissent d'une belle vue sur la mer. La plage privée est à 50m et la piscine permet de se délasser au calme. Quelques points restent à parfaire : le petit déj., l'accueil et le bar, noyé sous la fumée de cigarettes. La double est à 158DT avec petit déjeuner. Supplément pour la vue sur mer : de 6DT à 8DT selon la saison. CB acceptées. Location de cycles et de voitures. *Zone touristique (plage de Sidi Mahrès)* *Tél. 757 667/668 www. darfaizadarsalem.com*

☺ **Mövenpick (plan 23, B1)** Posé sur la plage de Sidi Mahrès, ce 5-étoiles a été rénové dans un style tunisien sobre et élégant. Les tons crème et blanc cassé se marient à merveille avec l'azur de la mer. Outre un superbe centre de thalasso (cf. GEOPratique), le Mövenpick dispose de 4 courts de tennis, de 2 belles piscines, de 3 restaurants et d'un miniclub pour enfants. Chambres avec terrasse, tout confort et décorées avec goût. De 155DT à 220DT la double. CB acceptées. *Route touristique plage de Sidi Mahrès (à 10km de Houmt Souk et 20km de l'aéroport)* *Tél. 758 777/778 reservation.djerba@ utic.com.tn*

☺ **Sofitel Palm Beach (plan 23, B1)** Assurément l'un des plus beaux palaces de Djerba. Son architecture allie avec raffinement des éléments romains et andalous. Les galeries de colonnes en pierre blonde et la superbe coupole dentelée du hall en imposent. Deux cent cinquante-cinq chambres luxueuses avec têtes de lit en pierre sculptée, meubles en acajou, loggias sur la mer et sdb ornées de zelliges. La grande piscine à cascades est à quelques mètres de la plage de sable fin... Également une piscine couverte au spa de l'hôtel, 4 restaurants et un piano-bar chic. Activités nautiques et sportives à l'hôtel Coralia voisin. Comptez 740DT pour 2. *Route touristique* *Tél. 757 777 www. sofitel.com*

☺ **Dar Dhiafa (plan 23, A1)** Un couple italo-tunisien tombé amoureux d'Erriadh a réaménagé et décoré avec goût ces 5 vieilles maisons abandonnées pour y aménager de somptueuses chambres d'hôtes. On circule de l'une à l'autre par un labyrinthe magique de corridors qui débouchent sur des patios ombragés de bougainvillées et rafraîchis par 2 adorables piscines.

Chaque chambre a sa personnalité et ses atouts : une terrasse dominant les dômes d'Erriadh (la "maison du poète", sublime !), une douche bleu Klein, un lit en alcôve creusée dans le mur... À partir de 195DT la double (12DT pour le petit déj.). Accueil sympathique. Hammam et salle de massage. Pour ne rien gâcher, la table de cette maison de charme est excellente (cf. Restauration). CB acceptées. *Erriadh* *Tél. 671 166/167 www.hoteldardhiafa.com*

ZARZIS

Ind. tél. 75

Avec ses longues plages de sable et ses hôtels-clubs, Zarzis joue la carte de la séduction façon Djerba. Les projets d'hôtels se développent à foison depuis que l'île voisine a atteint son point de saturation. Zarzis ne serait-elle qu'une Djerba bis ? La ville a pourtant autre chose à offrir que son sable et sa mer émeraude. Campée au cœur d'une grande région oléicole, elle abrite un marché berbère (le mercredi à Mouansa), un port franc et entretient une longue tradition de pêche à l'éponge, célébrée chaque été par un festival. Mais tout cela reste insuffisant pour retenir le visiteur plus d'une demi-journée. On se contentera de se délasser sur l'une des plages de la zone touristique avant de rejoindre le désert ou le Sud berbère.

MODE D'EMPLOI

accès

EN CAR
Cars quotidiens de la SRTGM (Tél. 684 560) en provenance de Gabès (6DT), Tataouine (4,90DT) via Medenine (3DT), Djerba (2,650DT) et Ben Guerdane (2,20DT). Cars de la SNTRI (Tél. 690 643) en provenance de Sfax, Sousse, Kairouan, Tunis et Bizerte. Vous débourserez 21,150DT pour un trajet Zarzis-Tunis via Kairouan.
Gare routière *Sur la route du port (à 1km du centre-ville)*

EN LOUAGE
Départs essentiellement le matin pour Tataouine (5,20DT), Medenine (3DT), Gabès (6,65DT ; transfert possible pour Tozeur, Douz, Matmata). Comptez 170DT la journée à Matmata avec chauffeur. Renseignements auprès de Zouagh, le chef des louages.
Station *Face à la gare routière Tél. portable 90 962 371*

EN TAXI
Il faut 50DT pour aller à Djerba et Medenine. Pas de taxi pour Tataouine.
Station *Près de la pl. de la Jeunesse (station Shell)*

EN VOITURE
Zarzis s'étend à env. 30km au sud-est de Djerba (El-Kantara) et à 65km à l'est de Medenine.

orientation

Zarzis s'organise autour de sa grande mosquée et de la place de la Jeunesse. Le souk est coincé entre ces deux places. La zone touristique s'étend sur plusieurs kilomètres de côte, au nord de la ville.

informations touristiques

Office de tourisme *Route touristique (à côté du restaurant Abou Nawas) Tél./fax 680 445 Ouvert sept.-juin : lun.-jeu. 8h30-13h et 15h-17h45, ven.-sam. 8h-13h ; ramadan : dim.-jeu. 8h-14h, ven. 8h-13h ; juil.-août : lun.-sam. 8h-14h et 16h-19h, dim. et jours fériés 9h-13h et 16h-19h*

poste et banques

Les banques sont rassemblées dans le centre-ville. Vous trouverez deux distributeurs automatiques de billets, qui se font face sur l'av. Habib-Bourguiba : à la poste et à la Banque de Tunisie.
Poste *Av. Habib-Bourguiba Tél. 694 125 Fax 694 774 Ouvert lun.-ven. 8h-13h et 14h-17h, sam. 8h-13h*

marché, fêtes et manifestations

Très fréquenté, le marché berbère se tient le mercredi à Mouansa, à 1km à l'ouest du centre-ville. L'occasion d'acheter de beaux tissus et des kilims locaux. Au marché aux dromadaires, on ne vend plus que des chevaux et des chèvres.
Festival des éponges *Tél. 684 356 juil.-août*
Fête de l'Olivier *Tél. 684 356 fin nov.*

DÉCOUVRIR
Zarzis

☆**Les essentiels** Le marché berbère de Mouansa **Découvrir autrement** Flânez sur le vieux port de Zarzis pour observer le va-et-vient des bateaux de pêche, lézardez sur les plages de la zone touristique
➤ **Carnet d'adresses p.355**

Dans le centre-ville se tient un petit **souk** touristique sans grand intérêt. Derrière son porche à arcades, les boutiques s'alignent le long de ruelles blanches. Vous pouvez faire un tour sur le **port** si vous ne craignez pas de marcher un peu, car il se trouve à 1,5km du centre-ville. De mai à septembre, saison de la pêche à l'éponge, vous pouvez assister au débarquement de cette précieuse cargaison. Les bateaux colorés et les gargoulettes (jarres utilisées pour la pêche au poulpe) entassées sur les quais composent un charmant tableau.

Musée de Zarzis Ce petit musée installé dans une église désaffectée intéressera surtout les passionnés d'archéologie. En effet, il abrite une maquette du site romain de Gightis et divers vestiges de Zian, un sanctuaire découvert en 1998 dans la région et qui a livré un sarcophage et des stèles votives. Ces dernières présentent des motifs ouraniens (soleil, croissant de lune) et des formes triangulaires symbolisant la divinité carthaginoise Tanit. Le reste de la collection est plus anecdotique : gargoulettes (*garrouch*) utilisées pour capturer les poulpes, harpons et lunettes miroirs servant aux pêcheurs d'éponges. *Après le café Le Rendez-vous (route du port) Ouvert avr.-sept. : mar.-dim. 9h-13h et 15h-19h ; oct.-mars : 9h-16h30 Tarif 2,10DT Droit photo 1DT*

● **Où boire un verre ?** La surprenante architecture éclectique de cet hôtel évoque les habitations troglodytiques de Matmata comme les ksour de la région de Tataouine. Dépaysant ! **L'Odyssée Resort** *Zone touristique Zarzis Tél. 705 705/700 Fax 705 190*

CARNET D'ADRESSES

Restauration

Les bonnes tables sont rares à Zarzis.

prix moyens

Restaurant Le Dauphin Poisson du jour grillé de 10DT à 18DT. Garniture passable. Menus de 12DT à 40DT. Service sympathique. Alcool servi. *Zone touristique Sangho (non loin de l'hôtel Sangho) Tél. 705 499 Fax 705 624 Ouvert tlj. 8h-2h*

prix élevés

Il Jardino Sans doute le meilleur restaurant de Zarzis. On y croque des pizzas à midi, entre deux bains de soleil sur la plage voisine. Le soir, les nappes blanches sont mises et la carte devient gastronomique : poisson dans sa croûte de sel (20DT), filet de daurade dans son "écorce" de pommes de terre (20DT), langouste thermidor (15DT les 100g). Mais le meilleur est encore le plus simple : le poisson grillé du jour (loup ou daurade, 10DT les 100g). Un bon rapport qualité-prix. Orchestre oriental le soir du lun. au sam. CB acceptées. *Zone touristique Lalla Mariam Sangho (à côté de l'hôtel Oamarit) Tél./fax 705 781 Ouvert tlj. midi et soir (jusqu'à minuit et plus en été)*

Hébergement

prix élevés

Hôtel Zyen Si vous voulez profiter d'une vue sur la mer, essayez ce petit hôtel perché sur la falaise, face au Sangho. Certaines chambres disposent d'une belle et grande terrasse. Elles gagneraient cependant à être mieux entretenues. Petite piscine, plage à 300m, au pied d'un long escalier. Tarif 60DT pour 2 (juil.-mi-sept.) ou 40DT (mi-mars-juin et mi-sept.-oct.). Carte Visa acceptée. *Zone touristique Sangho Tél. 706 630/531 Fax 706 629*

prix très élevés

☺ **Odyssée Resort Zarzis** Cet étonnant palais d'un blanc éclatant se classe parmi les plus beaux hôtels du Sud tunisien. Son architecture copie avec élégance celle des ksour et des maisons troglodytiques du Sud berbère (murs ocre et grands patios), ce qui ne l'empêche pas de disposer d'équipements dernier

GAMME DE PRIX	RESTAURATION	HÉBERGEMENT
Très petits prix	moins de 5DT	moins de 15DT
Petits prix	de 5DT à 15DT	de 15DT à 30DT
Prix moyens	de 15DT à 25DT	de 30DT à 60DT
Prix élevés	de 25DT à 40DT	de 60DT à 100DT
Prix très élevés	plus de 40DT	plus de 100DT

cri (restaurants, piscines, centre de thalasso, discothèque). Les chambres avec terrasse donnent sur une splendide palmeraie. La plage et la piscine principale sont sublimes, mais il faut y subir de bruyantes animations ! Base nautique, courts de tennis sur terre battue, promenades à cheval et autres activités sportives. Double à 294DT : c'est cher, certes, mais incontestablement supérieur au Sangho, de même catégorie. CB acceptées, distributeur dans l'hôtel. *Zone touristique Tél. 705 705/700 www.odysseeresort.com*

☺ **Résidence Sultana** Vous craquerez littéralement pour cet hôtel de charme posé en bord de mer. Ses propriétaires franco-tunisiens ont rénové avec amour leur ancienne maison, donnant à chacune des 12 chambres une décoration individualisée. Au fond du jardin verdoyant, agrémenté d'une piscine, vous pourrez plonger d'un ponton dans la grande bleue. Romantique en diable ! Avec ses *tadelakt* et ses fresques, le hammam n'est pas mal non plus. Au restaurant (réservé aux hôtes), vous vous régalerez tout particulièrement de poisson du jour grillé accompagné de vin blanc, rafraîchi par la brise marine. Transfert de l'aéroport et excursions possibles. En saison, le propriétaire vous emmènera peut-être assister à la cueillette des olives. De 140DT à 200DT la double. CB acceptées. *Route touristique Tél. 705 115 Tél. portable 98 302 416 www.residence-sultana.com*

Sangho-Club Le premier hôtel *resort* de la chaîne Sangho étale ses 364 bungalows dans un parc agrémenté de palmiers et de fleurs, entre falaise et plage de sable fin. Derrière les lauriers-roses, les hibiscus, les roses trémières et les aloès, on distingue le bleu-vert de la mer. Dans un tel cadre, on peut regretter que les bungalows datent un peu. En revanche, les tarifs sont bien à jour : 260DT la double (pension complète obligatoire et 25DT de supplément bord de mer). C'est cher payé, même si l'hôtel ne manque de rien : piscine, restaurant, boutiques, centre de balnéothérapie récent et bien équipé, case nautique, miniclub, tennis en terre battue, minigolf, sans oublier les animations. Excursions dans le désert possibles avec l'opérateur Sangho. *Zone touristique Tél. 705 124/134 www.sangho-zarzis.com*

GABÈS

Ind. tél. 75

Gabès ●
Medenine ○
○
Tataouine

**Nichée au fond de son golfe, appelé jadis "Petite Syrte", Gabès constitue une étape agréable mais facultative entre le Sahel et le Sud tunisien.
La ville a la chance de posséder l'une des plus belles et des plus vastes oasis du pays, qu'alimente l'oued Gabès. En vous promenant en calèche, vous pourrez observer la traditionnelle culture sur trois étages (palmiers, arbres fruitiers et céréales)**
avec, en fond sonore, le glouglou de l'eau dans les canaux d'irrigation. Vous retrouverez au souk de Gabès les produits de cette agriculture, notamment la poudre de henné, spécialité et fierté de la ville.

ENTRE SAHARA ET MÉDITERRANÉE Fondée il y a près de trois mille ans par les Phéniciens, "Tacapès" devient un important centre commercial carthaginois avant de rejoindre la longue liste des comptoirs méditerranéens de l'Empire romain. Tombée aux mains du roi de Numidie, Massinissa, en 161 av. J.-C., elle est reconquise par Jules César. Étape incontournable entre Sahara et Méditerranée, sur le chemin de Carthage et la route du sel, Gabès devient le siège d'un évêché aux ive-vi^e siècles, mais les invasions vandale et byzantine la ruinent. Elle renaît avec l'arrivée, au viie siècle, de Sidi Boulbaba, un compagnon du Prophète dont elle fera son saint patron. Sous les Aghlabides (ixe s.) et les Fatimides (xe s.), on édifie une citadelle, des caravansérails, une grande mosquée, de nombreux bains et même un phare pour guider les caravanes transsahariennes. Ses souks regorgent de soieries et de cuirs recherchés. Hélas ! au xvie siècle, les Hilaliens saccagent la "très grande ville entourée de hautes murailles anciennes" décrite par Léon l'Africain, entraînant "sa déchéance". Sous les Mouradites (xviie s.), Gabès forme trois villages distincts : El-Menzel, Djara et Sidi Boulbaba. Le protectorat français la dote d'une base militaire destinée à défendre la frontière avec la Tripolitaine. Pendant la Seconde Guerre mondiale, la ville souffre des combats livrés sur la ligne Mareth toute proche. Libérée par les Alliés en mars 1943, elle retrouve un rôle prépondérant dans les années 1970, avec la modernisation de son port et la création d'un complexe industriel lié à la découverte de pétrole dans le golfe de Gabès. Son activité industrielle et portuaire a d'ailleurs longtemps rendu la baignade difficile. On peut aujourd'hui s'y essayer : les Gabésiens jurent que leur eau est propre !

MODE D'EMPLOI

accès

EN TRAIN
Quatre trains quotidiens en provenance de Sfax, Sousse et Tunis. Le voyage dure 5h en express, 6h en train classique. Tarif 21DT en classe confort, 19,70DT en première classe et 14,70DT en deuxième classe. Un train de nuit permet de rallier Tunis à Gabès sans perdre une demi-journée de transport.
Gare (plan 25, B1) *Rue Mongi-Slim Tél. 270 944*

EN CAR
Cars quotidiens pour et en provenance de Matmata, Tozeur, Douz, Gafsa, Tataouine, Medenine, Djerba et Tunis (via Sousse ou Kairouan).

Comptez 15,76DT le trajet Gabès-Tunis via Kairouan (6h de trajet) et 5,20DT Gabès-Djerba.
Gare routière (plan 25, A1) *Pl. du Maghreb (nord-ouest, près de l'oasis) Tél. 274 248*

EN LOUAGE
Les destinations sont souvent indiquées sur les voitures. Liaisons avec toute la Tunisie (Medenine, Tataouine, Douz, Tunis, Sfax, Sousse, Djerba, etc.). Pour Matmata l'Ancienne, comptez 1,80DT.
Station pour Matmata (plan 25, B1) *Av. Farhat-Hached (devant le restaurant du Sud à côté de la station Esso)*
Station pour les autres destinations (plan 25, B1) *Pl. du Maghreb (devant la gare routière) Tél. 274 705*

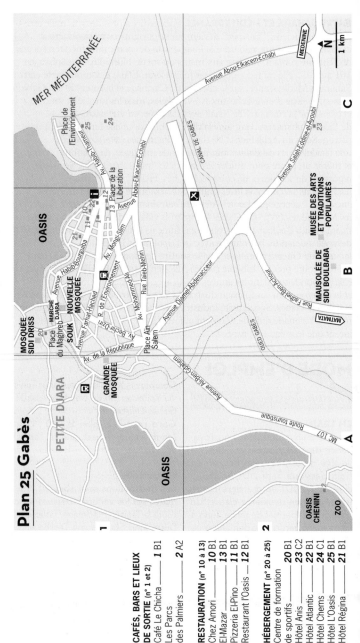

Plan 25 Gabès

CAFÉS, BARS ET LIEUX DE SORTIE (n° 1 et 2)

Café Le Chicha ___ **1** B1
Les Parcs des Palmiers ___ **2** A2

RESTAURATION (n° 10 à 13)

Chez Amori ___ **10** B1
El-Mazar ___ **13** B1
Pizzeria El-Pino ___ **11** B1
Restaurant l'Oasis ___ **12** B1

HÉBERGEMENT (n° 20 à 25)

Centre de formation de sportifs ___ **20** B1
Hôtel Anis ___ **23** C2
Hôtel Atlantic ___ **22** B1
Hôtel Chems ___ **24** C1
Hôtel L'Oasis ___ **25** B1
Hôtel Régina ___ **21** B1

EN VOITURE

Gabès est à 135km au sud de Sfax, à 210km à l'est de Tozeur, 85km à l'ouest de Djerba et 42km au nord de Matmata.

orientation

Les deux grands axes, l'avenue Habib-Bourguiba et l'avenue Farhat-Hached, partent de la place de la Libération, non loin du port. L'avenue Habib-Bourguiba débouche sur la place du marché Djara (souks), que signale le minaret de la nouvelle mosquée. Attention : le nom des rues n'est pas toujours indiqué en français. De plus, certains axes ont changé de nom, mais les habitants ne connaissent souvent que l'ancien.

informations touristiques

Office de tourisme (plan 25, B1) Personnel compétent. *Av. Habib-Bourguiba (pl. de la Libération face au kiosque à journaux bleu et blanc) Tél./ fax 270 254 Ouvert lun.-jeu. 8h30-13h et 15h-17h45, ven.-sam. 8h-13h ; juil.-août : lun.-sam. 7h30-13h30 et 17h-19h ; ramadan : lun.-sam. 8h-14h*

poste, banques et change

La plupart des banques sont alignées le long de l'avenue Habib-Bourguiba (Banque du Sud, UIB, BIAT, Bank of Tunisia, etc.). Tous ces établissements disposent de distributeurs de billets et d'un service de change. Également un distributeur de billets à la poste. Vous pouvez aussi changer votre argent dans les hôtels Chems et L'Oasis.

Poste (plan 25, B1) *Av. Habib-Bourguiba Ouvert sept.-juin : lun.-ven. 8h-18h, sam. 8h-13h, dim. 9h-11h ; juil.-août : lun.-sam. 7h30-13h30 et 17h-19h, dim. 9h-11h ; ramadan : lun.-sam. 8h-14h, dim. 9h-11h*

accès Internet

Gabès Center (plan 25, B1) Publinet au premier étage du complexe Gabès Center. Tarif 1,50DT/h. *Av. Habib-Bourguiba Tél./fax 275 724 Ouvert tlj. 8h-20h (voire plus)*

transports sur place

Taxis (plan 25, B1) *Deux stations à la gare routière et au pied de la nouvelle mosquée (quartier de Djara)*

fêtes et manifestations

Foire internationale Pendant trois semaines. Étals d'artisanat dans le centre-ville. *Début juil.*

Festival international Soirées musicales en plein air dans la ville. *Mi-juil.-mi-août*

Festival de la mer Ce festival populaire sur le thème de la mer se déroule sur le port. Animations folkloriques et compétitions sportives. *Dernier week-end de juil.*

DÉCOUVRIR
Gabès et ses environs

☆ **Les essentiels** L'oasis de Gabès **Découvrir autrement** Flânez dans les allées du marché Djara, découvrez la "ligne Maginot du désert" à Mareth, reposez-vous dans l'agréable jardin du café Les Parcs des Palmiers

➤ **Carnet d'adresses p.363**

DJERBA ET LE SUD-EST

Récolte des dattes, palmeraie de Gabès.

Cours de calligraphie, à Gafsa.

Gabès

Marché Djara (plan 25, B1) Il se tient tous les jours au pied de la nouvelle mosquée (1952), dont le minaret flambant neuf domine le centre-ville. Passé les boutiques sous arcades, vous vous enfoncerez dans un sympathique petit souk couvert. Les épices, vanneries de Chenini et babouches côtoient des monticules de poudre grise et beige de henné, cultivé intensivement dans l'oasis. Vous pouvez y faire des affaires, même si le souk est très touristique. Sur la place de la grande mosquée se tient, du mardi au dimanche, le marché où les Gabésiens achètent fruits et légumes, vêtements et bijoux.

Mausolée de Sidi Boulbaba (plan 25, B2) Le plus ancien monument de la ville est dédié à Sidi Boulbaba, qui participa à la conquête arabe de l'Afrique du Nord et finit ses jours à Gabès en 661. Les pèlerins viennent en grand nombre rendre hommage à ce compagnon du Prophète. Chaque année, lors du ramadan, des festivités et des concerts de musique soufie ont lieu dans l'enceinte du mausolée. Si l'accès de la chambre funéraire est réservé aux musulmans, en revanche, la cour, aux belles arcades en pierre de taille très claire, est ouverte à tous. *De la pl. des Martyrs (ou pl. Sidi-Boulbaba) prendre la route de Matmata et tourner à gauche au bout de 300m. Le mausolée s'élève face à la mosquée Sidi Boulbaba*

DJERBA ET LE SUD-EST

Musée des Arts et Traditions populaires (plan 25, B2) Ce petit musée occupe l'ancienne medersa construite à côté du mausolée de Sidi Boulbaba à la même époque (1692) et dans le même style, comme en témoigne sa petite cour aux arcades élégantes. Remarquez les calligraphies gravées sur le porche. Le musée met l'accent sur l'artisanat féminin (tissage et broderie), les costumes de mariage, l'agriculture oasienne et l'alimentation traditionnelle. La visite risque d'être fastidieuse si vous vous privez des commentaires nourris du guide. *Tél. 390 111 Ouvert avr.-mi-sept. : mar.-dim. 8h-13h et 16h-19h ; mi-sept-mars : mar.-dim. 9h-12h et 14h-18h ; ramadan : mar.-dim. 9h30-15h30 Tarif 2DT Droit photo 1DT*

Mosquée Sidi Driss (plan 25, B1) Il faut franchir l'oued Gabès et entrer dans le quartier de la Petite Djara pour trouver cette mosquée du XIIe siècle – que l'on ne peut pas visiter. Rénovée au XVIIe siècle, elle présente un beau minaret en pierre de taille ocre. De lourds contreforts enduits de chaux blanche soutiennent ses murs.

● **Où boire un verre ?** Voici un café qui, mieux mis en valeur, serait le lieu de détente idéal après une journée en ville. La façade blanche aux balcons en bois cache plusieurs patios et un "salon privé" de style traditionnel. Hélas ! l'endroit est en pleine déliquescence. Toutefois, on y boit un excellent jus de citron (1,50DT). Également des jus d'orange, cafés turcs et chicha (2DT). **Café Le Chicha (plan 25, B1)** *Pl. de la Libération*

☆☺ L'oasis de Gabès

L'oasis de Gabès (plan 25, A2) est l'une des plus importantes de Tunisie et l'une des plus originales du Maghreb puisqu'elle s'étend jusqu'à 20m de la mer. Sa palmeraie (env. trois cent mille arbres) ne saurait faire oublier que Gabès est aussi le centre tunisien de la culture du henné et de la grenade. C'est en fait une culture sur trois niveaux que l'on pratique là : les palmiers, puis les arbres fruitiers (grenadiers, figuiers, pêchers, pommiers, bananiers, orangers et citronniers), puis les céréales et le henné. Des calèches relient Gabès à l'oasis, mais le trajet peut très bien s'effectuer en voiture, voire à pied. L'oasis, très étendue, se prête bien à la **promenade en calèche** (12DT la balade de 1h15). Les calèches stationnent devant la gare routière, place du Maghreb. N'hésitez pas à vous éloigner de la route pour vous promener le long des canaux d'irrigation et découvrir les cultures noyées sous la verdure. Le village de Chenini, à quelque 6km de la gare routière, est réputé pour la qualité de sa vannerie. Son petit zoo doit prochainement se doter d'un aquarium, d'un vivarium et d'une clinique vétérinaire pour constituer le "musée naturel" de **Chenini**. L'objectif est de présenter un aperçu de la faune des oasis, des djebels et du Sahara. En tournant deux fois à gauche à la sortie du zoo, on grimpera jusqu'à un terre-plein d'où s'offre une vue spectaculaire sur le canyon au fond duquel prospère la palmeraie, avec les toits de Gabès à l'arrière-plan. Attention à ne pas tomber dans l'un des puits non signalés forés près du belvédère. Vous pouvez rejoindre directement Chenini de Gabès en empruntant la route de Sfax puis celle d'El-Hama et en suivant les panneaux signalant Nahel et Chenini. *Zoo de Chenini Ouvert sept.-mai : tlj. 8h-17h ; juin-août : tlj. 8h-19h Tarif 1DT*

● **Où boire un verre ?** Il fait bon siroter un jus de palme (*lâghmi,* meilleur le matin quand il est tout frais) dans le petit jardin de ce café où prospèrent roses, jasmins et mûriers. Quelques plats le midi (de 1DT à 6DT). **Les Parcs des Palmiers (plan 25, A2)** *Chenini Tél. 227 454 Ouvert tlj. 9h-22h (et plus en été)*

Au sud de Gabès

Musée militaire de la ligne de Mareth Surnommée la "ligne Maginot du désert", la ligne défensive de Mareth fut construite par les Français de 1936 à 1940 pour contrôler l'accès à la Tripolitaine (actuelle Libye), alors colonie italienne. Véritable barrage entre les monts Matmata et le golfe de Gabès, elle joua un rôle capital lors de la campagne de Tunisie, qui mit aux prises les Alliés aux forces de l'Axe de novembre 1942 à mai 1943. Le maréchal Rommel finit par abandonner la ligne après que les forces britanniques du général Montgomery venues du Sud eurent réussi une percée à l'issue de la bataille décisive de la campagne de Tunisie, dite "bataille de Mareth" (6 mars-7 avril 1943). Installé à côté de blockhaus, ce musée un peu vieillot intéressera surtout les passionnés d'histoire militaire. Quelques pièces d'artillerie y sont exposées. Le guide, un soldat, fournit des explications détaillées. *À 35km au sud de Gabès (sur la route de Medenine) Tél. 306 433 Ouvert mar.-dim. 9h-14h45 sauf Aïd el-Fitr et Aïd el-Kébir Tarif 1DT (droit photo 2DT)*

CARNET D'ADRESSES

Restauration

🍴 petits prix

Chez Amori (plan 25, B1) Cette gargote du centre-ville sert des petits plats à des prix imbattables : bricks à 1,20DT, *kamounia* et *ojja* à 4DT, couscous-mouton à 3DT, poisson grillé à 5DT. Et 2 menus complets à 7DT chacun. La qualité est acceptable. Accueil cordial d'Amori, le propriétaire, qui a tenu un restaurant à Nice. *82, av. Habib-Bourguiba Ouvert tlj. 11h-21h*

Pizzeria El-Pino (plan 25, B1) Cette pizzeria particulièrement pimpante incite à faire des infidélités à la cuisine locale. Aux pizzas, fines et copieuses (de 3,50DT à 7DT), s'ajoutent quelques recettes de pâtes, plats français (escalope cordon bleu, tournedos) et des entrées tunisiennes (*ojja*, bricks). *144, av. Habib-Bourguiba (face à la poste) Tél. 272 010 Ouvert lun.-sam. 12h-15h et 17h-23h*

🍴 prix moyens

Restaurant L'Oasis (plan 25, B1) L'ancien "restaurant franco-arabe" ouvert depuis 1948 propose une cuisine franco-tunisienne de bonne tenue comme le gigot d'agneau au four (12DT). On vous conseille plutôt les plats à commander 2h avant : le tajine *malsouka* (20DT pour 2 pers.), l'agneau figolla (gargoulette, 65DT pour 4 pers.) et le couscous royal de Gabès (aux légumes, 30DT pour 2 pers.). Desserts de saison. Le menu touristique à 11DT n'a guère d'intérêt. Bon service si vous prenez la peine de discuter un peu avec les serveurs. Alcool servi. *15, av. Farhat-Hached Tél. 273 087 Tél. portable 97 213 177 Ouvert lun.-sam. 12h-15h et 17h30-22h*

El-Mazar (plan 25, B1) L'un des meilleurs restaurants de Gabès. Dans un cadre un peu désuet, vous vous régalerez de poisson frais, présenté comme il se doit avant son passage au gril. Essayez un plat de daurade. Assiettes bien présentées et service à la hauteur. Carte variée et prix intéressants. *Av. Farhat-Hached (non loin du restaurant L'Oasis) Tél. 272 065 Ouvert tlj. 12h-15h et 19h-22h*

Hébergement

L'offre hôtelière est assez décevante. Les deux seuls 3-étoiles de la ville sont

GAMME DE PRIX	RESTAURATION	HÉBERGEMENT
Très petits prix	moins de 5DT	moins de 15DT
Petits prix	de 5DT à 15DT	de 15DT à 30DT
Prix moyens	de 15DT à 25DT	de 30DT à 60DT
Prix élevés	de 25DT à 40DT	de 60DT à 100DT
Prix très élevés	plus de 40DT	plus de 100DT

DJERBA ET LE SUD-EST

vieillots. Les autres établissements le sont plus encore et manquent de confort. Pas de quoi donner envie de s'attarder à Gabès...

très petits prix

Centre de formation de sportifs (plan 25, B1) À la lisière de l'oasis, ce centre connu sous le nom de Sanit el-Bey bénéficie d'un cadre verdoyant et de calme. Ses 7 préfabriqués au confort spartiate, mais propres, abritent des dortoirs et de grandes chambres. Sanitaires collectifs. Seulement 5DT/pers. (+1,50DT pour le petit déj.). Pour camper, 3DT/pers., 3DT la caravane. Le centre possède une cantine. *Rue de l'Oasis (quartier de la Petite-Djara, près de la mosquée Sidi-Driss) Tél./fax 270 271*

petits prix

Hôtel Régina (plan 25, B1) Toutes les chambres de ce petit hôtel central donnent sur une jolie cour fleurie à arcades. Comme partout, le confort est limité et les sdb sont plutôt vétustes. On n'y passera pas plus d'une nuit ou deux. En revanche, il faut saluer l'accueil et la prévenance du personnel. Comptez 20DT la double (avec petit déj., a/c à 5DT et TV à 5DT). L'hôtel possède un café et un restaurant populaire. *138, av. Habib-Bourguiba Tél. 272 095 Fax 221 710*

Hôtel Atlantic (plan 25, B1) On choisira de passer une nuit dans cet hôtel de 1926 si l'on aime les bâtiments de style colonial un peu décatis. Avec sa frise en céramique et ses persiennes bleues, la façade a de l'allure ; les hauts couloirs de l'hôtel et son carrelage ancien peuvent séduire, mais les chambres manquent de confort : un lit, une armoire, une vieille sdb et c'est tout. Chauffage défectueux en hiver. Prix très sages : 25DT la double. *4, av. Habib-Bourguiba Tél. 220 034*

prix moyens

☺ **Hôtel Anis (plan 25, C2)** Ce 2-étoiles excentré offre le meilleur rapport qualité-prix de Gabès. Les chambres sont propres et confortables (a/c, TV) et l'on peut déjeuner ou dîner au restaurant de l'hôtel si l'on n'a pas le courage de sortir en ville. Seulement 50DT pour 2 (66DT en demi-pension). Mieux vaut prévoir du liquide car le terminal de paiement électronique tombe souvent en panne. *Av. Salah-Eddine-el-Ayoubi (route de Medenine)*

prix élevés

Hôtel Chems (plan 25, C1) Aussi daté que son voisin, L'Oasis. Bien sûr, le confort est très correct, mais les murs crépis, la moquette usée et la décoration désuète n'incitent pas à séjourner longtemps. Les 120 chambres sont plus spacieuses que celles de L'Oasis. L'hôtel dispose d'une piscine découverte, d'un restaurant et d'un bar. 90DT la double. *Route de la Plage Tél. 270 547 www.hotelchems.com.tn*

GAMME DE PRIX	RESTAURATION	HÉBERGEMENT
Très petits prix	moins de 5DT	moins de 15DT
Petits prix	de 5DT à 15DT	de 15DT à 30DT
Prix moyens	de 15DT à 25DT	de 30DT à 60DT
Prix élevés	de 25DT à 40DT	de 60DT à 100DT
Prix très élevés	plus de 40DT	plus de 100DT

Ind. tél. 75

prix trés élevés

Hôtel L'Oasis (plan 25, C1) Ce 3-étoiles des années 1960 n'a guère changé depuis son ouverture. En dépit d'un confort indéniable (a/c, sdb, TV), les 110 chambres souffrent d'un manque criant de modernité. La piscine est ouverte aux beaux jours. On pourra s'amuser à compter les lapins qui ont pris pension dans le jardin. Double 130DT (basse saison)-142DT (haute saison). *Route de la Plage Tél. 270 381/728/782/884 www. sdts.tourism.tn*

MATMATA

Village vedette du Sud-Est tunisien, Matmata attire un flot de touristes... Un peu décourageant pour celui qui veut admirer tranquillement ses célèbres maisons troglodytiques, mais l'étape reste incontournable. Niché dans une vaste cuvette, sur les hauteurs du Dahar (600m), le village s'est entièrement développé sous terre, faute d'autre matériau de construction en quantité suffisante, mais aussi pour se protéger des rigueurs du climat comme des convoitises. Chaque maison s'ordonne autour d'une fosse à ciel ouvert de 5 à 10m de diamètre et de profondeur. Vues du ciel, les quelque sept cents "cratères" ainsi creusés par les Djebali dans le tendre sol argileux des monts Matmata donnent au village un aspect lunaire.

MODE D'EMPLOI

accès

EN CAR
Neuf cars/jour en provenance de Gabès, deux ou trois de Techine et Tamezret, un de Djerba. Précisez bien que vous vous rendez à Matmata l'Ancienne si vous prenez le car à Gabès. Arrêt sur la place du Marché.

EN LOUAGE
Liaisons pour Matmata-Nouvelle (avec correspondance pour Gabès), Tamezret et Techine. Pas de liaisons directe vers Toujane, il faut se rendre à Gabès où emprunter des liaisons privées (env. 30DT A/R). Arrêt sur la pl. du marché.

EN VOITURE
Attention à ne pas confondre Matmata (sous-entendu l'Ancienne) avec Matmata-Nouvelle, ville moderne bâtie à 15km au nord. Matmata l'Ancienne se trouve à 40km au sud de Gabès. La route de Medenine, presque entièrement goudronnée, est praticable en voiture de tourisme. Celle de Douz est goudronnée de bout en bout. Attention : pas de station-service à Matmata ! La plus proche est la station Esso de Matmata-Nouvelle.

orientation

Difficile de se perdre dans un village aussi petit ! Le restaurant Chez

DJERBA ET LE SUD-EST

Abdoul en marque le centre. Les maisons troglodytiques les plus visitées sont derrière l'hôtel Sidi-Driss.

informations touristiques

Syndicat d'initiative Ses trois guides officiels proposent des visites du village en 1h. Comptez 10DT pour deux et plus, 5DT si vous êtes seul. *Route de Medenine (avant l'hôtel Kousseïla) Tél. 240 114/075 Ouvert lun.-jeu. 8h-12h et 15h-17h30, ven.-sam. 8h-12h On trouve parfois un guide au bureau le dim.*

adresses utiles

Attention, ni banque ni distributeur automatique de billets. Prendre ses précautions à Gabès, Medenine, Tataouine ou, pour le change uniquement, à Matmata-Nouvelle (à 10km au nord). Deux taxiphones dans une boutique ouverte 8h-22h (1h en été).

Poste *Sur la gauche à l'entrée du village en venant de Gabès Tél. 240 007 Ouvert lun.-jeu. 8h-12h et 15h-17h45, ven.-sam. 8h-13h ; lun.-sam. 8h-13h30 (ramadan)*

marché, fêtes et manifestations

Marché Le lundi. *Devant la gare routière*
Festival de Matmata Expositions d'artisanat local, animations folkloriques, reconstitution de mariages traditionnels, parades costumées, colloques... Un bon aperçu de la culture berbère. *2e quinzaine de mars Tél. 240 001*
Journées culturelles de Matmata-Nouvelle Animations folkloriques. *Une semaine en juil.*
Festival de Tamezret Trois jours (ven.-dim.) de festivités berbères : défilé costumé, mariage traditionnel, chants le soir. *Mi-août*

DÉCOUVRIR

☆ **Les essentiels** Les maisons troglodytiques, le village berbère de Tamezret
Découvrir autrement Appréciez le calme du village troglodytique de Techine, dénichez le miel le plus fameux et les châles les plus solides à Toujane
➤ **Carnet d'adresses p.368**

Matmata

À peine arrivé, vous serez assailli par des jeunes qui voudront vous servir de guide. On peut s'en agacer, mais sachez que seul, vous aurez du mal à passer le seuil des maisons souterraines encore habitées. Des guides officiels vous attendent au syndicat d'initiative. Prévoyez quelques dinars pour rétribuer les propriétaires des maisons. Le petit col signalé par un "Matmata bienvenue" en lettres géantes, à la sortie nord du village, offre un **panorama** splendide sur les reliefs de la région. Les cultures en terrasses sont irriguées grâce aux retenues (*djesser*) aménagées sur les oueds. Ce système permet aux Djebali de tirer le meilleur parti des rares précipitations. Vous pourrez faire une **promenade** dans les montagnes qui cernent Matmata, à condition d'éviter la zone militaire. En redescendant du col, sur la route qui vient de Gabès, vous verrez un chemin sur la droite. Il gravit une colline d'où l'on distingue fort bien les trous formés par les maisons troglodytiques. Un véritable gruyère !

☆ **Maisons troglodytiques** Les maisons souterraines de Matmata n'ont, en fait, rien de berbère : les premières furent aménagées par les Romains et récupérées par les Arabes, qui en creusèrent d'autres. En revanche, elles ont toutes les mêmes caractéristiques. Une galerie creusée dans la colline débouche sur la cour circulaire, sous laquelle une citerne recueille les eaux de pluie, évitant ainsi toute inondation. Les pièces voûtées distribuées autour conservent la fraîcheur en été et la chaleur en hiver. Elles sont fermées par de robustes portes en bois de palmier. On trouve souvent les communs au rez-de-chaussée et les pièces à vivre aux 1er et 2e étages. L'une de ces maisons, derrière l'hôtel Sidi Driss, a été transformée en musée. Vous y découvrirez une chambre à coucher avec son lit en bois de palmier, une cuisine avec ses jarres, une meule en pierre (*rhab*), un four à pain, un métier à tisser… Un sentier sur la gauche, juste avant l'hôtel Amazigh en venant de Matmata, mène à une maison troglodytique encore habitée, ce qui est de plus en plus rare. Surtout, comme elle s'élève à l'écart du village, elle est assez peu visitée. Méfiez-vous des contrefaçons ! Il y a beaucoup de maisons troglodytiques prétendument anciennes sur la route de Tamezret. Des pièces "berbères" aux mains de Fatma peintes au-dessus des portes, tout est récent ! Il s'agit d'attirer les touristes… et leurs dinars. *Musée Ouvert généralement 8h-17h (parfois fermé l'hiver en cas de mauvais temps) Entrée libre*

Les environs de Matmata

Tijma Ce hameau aux maisons troglodytiques bien conservées voit lui aussi passer de nombreux touristes. La vieille Fatma, qui arbore les tatouages et le costume rouge traditionnels, sait les attirer chez elle avec une faconde étonnante pour qui connaît la réserve naturelle des Berbères. On peut visiter plus tranquillement une autre maison souterraine, à 200m de là, de l'autre côté de la route. *À 5km au nord de Matmata (sur la route de Gabès)*

☆ ☺ **Tamezret** Ce splendide village perché se confond avec la roche. Ses ruelles pimpantes grimpent en zigzag jusqu'à la mosquée, au sommet de la colline : là, panorama sublime sur les mamelons qui moutonnent à perte de vue. Au loin se profilent les premières dunes du Grand Erg. À la différence de Matmata, Tamezret a su conserver son identité berbère et ses habitants se montrent réservés à l'égard des touristes. Le village s'étage sur trois niveaux. Un corridor relie chaque maison à un tunnel souterrain qui débouche à 1km de là et permettait jadis à la population de fuir en cas d'attaque. Ne manquez pas de visiter le **Musée berbère**, signalé, au cœur du village. Mongi Bouras, un enfant du pays épris de la culture berbère, a restauré cette vieille maison et l'a meublée à l'ancienne avec un grand souci du détail. Ses commentaires sont passionnants. *À 10km à l'ouest de Matmata Tél. portable 98 567 266 www.dar-tamazret.com Ouvert tlj. 8h-18h Participation libre Sonner avant d'entrer*

● THÉ AVEC VUE Thé aux amandes exquis et, surtout, vue imprenable du haut du toit-terrasse. On trouve parfois porte close dans la journée, mais le café ouvre en fin d'après-midi pour accueillir les joueurs de cartes, fumeurs de narguilé et autres habitués. ☺ **Café berbère** *Sur les hauteurs de Tamezret Ouvert tlj. 7h30-23h*

DJERBA ET LE SUD-EST

Ksar Ben Aïssa Le panorama à 360° qu'offre ce nid d'aigle se mérite ! Seul un sentier caillouteux grimpe jusqu'au village abandonné, perché sur un éperon rocheux. Comme à Tamezret, ses trois niveaux de constructions troglodytiques à l'horizontale truffent la montagne. L'été, arrivez de préférence au petit matin ou en fin de journée. Comptez 30min d'ascension. Suivez le panneau "Ksar Ben Aïssa". *À 5km à l'ouest de Matmata (sur la route de Tamezret) Il faut faire quelques centaines de mètres pour atteindre le grand escalier signalant le départ du sentier*

Techine Perdu au milieu de vallonnements désertiques, ravinés par l'érosion, ce village troglodytique ne manque pas de caractère. Comme les cars de touristes n'y marquent pas l'arrêt, vous pourrez vous promener tranquillement parmi ses maisons, marabouts et petites parcelles cultivées. Techine est réputé pour les meubles anciens qui garnissent encore certaines de ses maisons, notamment ces belles étagères tarabiscotées, dont les croisillons en bois de palmier sont enduits d'argile blanchie à la chaux. Pour découvrir un intérieur traditionnel, il est conseillé de louer les services d'un guide local, tel Salah, qui tient le petit magasin d'artisanat baptisé "Informations touristiques" (ouvert toute la journée). *À 12km au sud-est de Matmata*

☺ **Toujane** Du haut de ses 600m, Toujane domine la plaine, qui s'abaisse doucement jusqu'à la mer. Par temps clair, vous pourrez distinguer Djerba à l'horizon. Nombre de ses maisons de pierre adossées à la montagne sont vides, leurs occupants ayant préféré le confort du village moderne, à quelques kilomètres de là. La localité n'en est pas moins réputée pour son miel et ses *bakhnoug*, châles en laine rouge très fins, et les boutiques de la rue principale vendent des kilims et des *mergoum* (grands tapis) bien moins chers qu'à Djerba ou Tunis. Vous pourrez visiter quelques ateliers de tissage en vous adressant à Miloud, à l'auberge Shambala. Il est possible de faire de belles balades en grimpant sur la crête, où dorment les ruines d'un village encore plus vieux. Un bol d'air pur et de silence ! La route de Matmata, qui suit le bord du plateau et domine toute la plaine, est bien plus spectaculaire que celle qui descend vers Medenine. *À 28km à l'est de Matmata*

CARNET D'ADRESSES

Restauration, hébergement

Matmata ne compte que deux restaurants, mais les hôtels disposent de leurs propres tables. On peut passer la nuit sous terre dans l'un des trois hôtels troglodytiques de Matmata. L'expérience est amusante, mais plutôt inconfortable ! Et il faut composer avec les groupes ! Les camping-cars peuvent s'installer sur la place du marché.

 petits prix

Restaurant et café Chez Abdoul Abdoul, le patron, accueille ses hôtes d'un : "Soyez les bienvenus !" Les plats sont bons et abordables : tajine 4DT, poivrons farcis 5DT et couscous 3-4DT. Menu complet à 9DT. *Au cœur du village (près de la bifurcation pour*

Tamezret) *Tél./fax 240 189 Ouvert tlj. 8h-0h*

Restaurant et café Ben-Khalifa Ce nouveau restaurant a le mérite de proposer quelques spécialités régionales comme la brick aux légumes (2,50DT) et le *barkoukach*, couscous consistant à la mode de Tamezret (6DT). De la terrasse, le regard embrasse tout le village, la mosquée et, le soir, le ciel étoilé. Excellent accueil. *Av. Habib-Bourguiba (face à la pl. du Marché) Tél. portable 98 612 425 ou 23 212 425 Ouvert tlj. 7h-22h (voire plus en été)*

Hôtel Sidi-Driss George Lucas a tourné dans cet hôtel souterrain des scènes de *La Guerre des étoiles* en 1976 et en 2000. Les quelques décors qui n'ont pas été démontés attirent des norias de curieux, d'autant que la visite est libre. Difficile de trouver la sérénité dans ces conditions ! Pas de double mais plusieurs lits dans chaque chambre : 21DT/pers. Pas de CB. *Dans le centre (à côté de l'hôtel Matmata) Tél. 240 005 Fax 240 265*

![icons] **prix moyens**

☺ **Marhala du Touring-Club de Tunisie** Le meilleur hôtel troglodytique occupe plusieurs maisons souterraines reliées par des corridors. Les lits-banquettes sont un peu durs et les sanitaires rudimentaires, mais les chambres et dortoirs donnent sur une cour charmante. Double à 34DT. Le restaurant, qui affiche un menu touristique à 5DT, est bondé le midi,

mais tranquille le soir. Le bar sert des alcools tunisiens (environ 2DT la bière). *Sur la route de Toujane Tél. 240 015 www.touringclubtunisie.org*

Hôtel Matmata Les 66 chambres, neuves ou refaites et climatisées, de cet hôtel central sont réparties dans de petits bâtiments ocre qui rappellent les *ghorfa* – ces petits greniers voûtés de tradition berbère. Le restaurant et le bar donnent sur une piscine, appréciable aux beaux jours. 70DT pour 2. Pas de CB. Réservation facultative. *Dans le centre (à côté de l'hôtel Sidi-Driss) Tél. 240 066 Tél. portable 98 468 178 Fax 240 177*

![icons] **prix élevés**

☺ **Hôtel Ksar-Amazigh** On ne sera pas déçu par ce bel hôtel-restaurant aux faux airs de ksar (grenier fortifié). Tout comme la grande piscine, les chambres 214-219 et 256-260 jouissent d'une vue panoramique sur un beau paysage lunaire. Confortables, celles-ci mériteraient tout de même d'être rafraîchies. 75DT la double. Réservez en haute saison. *Route de Tamezret (à 1km à l'ouest du village) Tél. 240 088/062 Fax 240 173*

☺ **Hôtel Diar-el-Barbar** Le plus bel hôtel de Matmata. Une vue imprenable sur les mamelons lunaires du Dahar, dont profitent la piscine découverte et le restaurant, et des intérieurs qui s'inspirent avec brio de l'architecture locale : patios ocre, chambres de style *ghorfa*, mais tout confort (a/c,TV, réfri-

GAMME DE PRIX	RESTAURATION	HÉBERGEMENT
Très petits prix	moins de 5DT	moins de 15DT
Petits prix	de 5DT à 15DT	de 15DT à 30DT
Prix moyens	de 15DT à 25DT	de 30DT à 60DT
Prix élevés	de 25DT à 40DT	de 60DT à 100DT
Prix très élevés	plus de 40DT	plus de 100DT

gérateur, sdb avec baignoire et sèche-cheveux). Et buffet varié au restaurant. Seul bémol, le passage des groupes et le tapage des oiseaux qui nichent dans la cour perturbent parfois le calme du lieu. 116DT pour 2. *Route de Tamezret à 1,2km du village Tél. 240 074 contact@ diarelbarbar.com*

Dans les environs

Si certains habitants aimeraient bien louer des chambres aux touristes, sachez que seule l'auberge Shambala a la licence requise.

 prix moyens

☺ **Auberge Shambala** Quelques chambres troglodytiques, spacieuses et plus confortables que celles des hôtels souterrains de Matmata (attention cependant, l'eau est rationnée et les draps ne sont pas fournis). Calme exceptionnel et panorama époustouflant sur Toujane, la montagne et la plaine jusqu'à la mer depuis la terrasse que partagent les chambres les plus récentes, accrochées à 200m au-dessus de la route. Excellent accueil des frères Ben Bakar. Béchir, le patron, prépare des repas sur commande (env. 20DT/pers.). De 30DT à 40DT la double en demi-pension. Vente de tapis et de miel, organisation de circuits dans la montagne. *Toujane (à 28km à l'est de Matmata) Tél. portable 98 663 482 ou 96 249 829*

MEDENINE
Ind. tél. 75

Gabès ○
Medenine ●
Tataouine ○

Seule sa position au carrefour des routes de Gabès, de Djerba, de Tataouine et de Matmata peut vous retenir une heure, voire une nuit, à Medenine. Le centre-ville est animé le samedi et le dimanche, jours de marché, mais ce chef-lieu de gouvernorat n'a plus grand-chose d'autre à offrir aux visiteurs. En 1930, on y dénombrait encore vingt-cinq ksour du XVIIe siècle rassemblant quelque six mille *ghorfa* ! Mais, dans les années 1980, les autorités décidèrent d'assainir la ville et rasèrent cet ensemble unique. Il ne reste plus qu'un petit ksar, réhabilité en souk touristique. La municipalité est en train d'en restaurer un autre, juste derrière.

MODE D'EMPLOI

accès

EN CAR
Gare routière principale Liaisons cars SRTGM (Tél. 600 749) avec Gabès, Tataouine, Zarzis, Ghomrassen, Ben Guerdane ; liaisons cars SNTRI (Tél. 600 427) pour Sousse, Sfax et Tunis. Départs quotidiens. *Sur la route de Gabès (à 2,5km du centre-ville)*
Gare routière du centre-ville Cars quotidiens de la SRTGM pour et en provenance de Djerba, Zarzis et Ben Guerdane. *Sur l'av. du 18-Janvier (au-dessus de la pl. du 7-Novembre) Tél. 642 541*

EN LOUAGE

Départs quotidiens pour Tataouine (2,20DT), Gabès (3,70DT), Djerba, Zarzis, Sfax (9,50DT), Ben Guerdane, Sousse et Tunis : devant la gare routière principale. Départs quotidiens pour l'intérieur du gouvernorat (Zarzis, Djerba et Ben Guerdane) : devant la gare routière du centre-ville (av. du 18-Janvier).

EN VOITURE

Medenine est à 70km au sud-ouest de Djerba, 73km au sud-est de Gabès, 50km au nord de Tataouine et 60km à l'ouest de Matmata. La route de Matmata est entièrement goudronnée. Deux routes relient Medenine à Tataouine : la P19 est la plus directe. La C113 jusqu'à Beni Kheddache, puis la C207 via le ksar Hadada et Ghomrassen traversent des paysages bien plus remarquables.

orientation

La place du 7-Novembre, dont la sculpture rouge en forme d'orgues symbolisant la femme tunisienne, marque le centre de Medenine. De là, l'avenue Habib-Bourguiba rejoint, au nord-ouest, la route de Gabès. De l'autre côté de la place part la route de Djorf. Elle passe devant le ksar avant de sortir du centre-ville.

poste et banques

Les banques sont regroupées avenue Habib-Bourguiba et place du 7-Novembre. La BNA et la Banque du Sud disposent de distributeurs automatiques de billets.

Poste Elle dispose aussi d'un distributeur automatique de billets. *Pl. des Martyrs Ouvert sept.-juin : lun.-sam. 8h-18h, dim. 9h-11h ; juil.-août : lun.-ven. 7h30-13h et 17h-19h, sam. 7h30-13h30 ; ramadan : lun.-sam. 8h-15h, dim. 9h-11h*

accès Internet

Publinet Comptez 1,50DT/h. *Près de la pl. du 7-Novembre (au rez-de-chaussée de l'immeuble jaune ODS) Ouvert tlj. 8h30-23h*

marché

Il se tient le week-end, dans le lit de l'oued, de chaque côté de la place du 7-Novembre. Le marché couvert (permanent) de l'av. Habib-Bourguiba, face à l'hôtel Hanaa, présente plus d'intérêt, avec ses étals de fruits, de légumes et de poisson.

DÉCOUVRIR

☆ **Les essentiels** Le site de Gightis, les *ghorfa* du ksar Hallouf **Découvrir autrement** Jouez aux explorateurs lors de la visite du ksar abandonné de Djoumaa, découvrez le ksar Hallouf le temps d'un repas
> **Carnet d'adresses p.373**

Medenine

Ksar Ses *ghorfa* s'ordonnent sur deux niveaux autour d'une vaste cour. Les sollicitations insistantes des marchands de souvenirs qui ont envahi les cellules du rez-de-chaussée et la cour rendent la visite plutôt désagréable. Il faut sortir du ksar et longer son enceinte sur la gauche pour en découvrir un autre.

Les environs de Medenine

☆ **Gightis** Niché au creux du golfe de Bou Grara, le site de Gightis (ou Gighti) déploie sur près de 60ha ses ruines face à la mer. Ce comptoir punique devenu un port romain au Iᵉʳ siècle av. J.-C. connut son apogée au début de notre ère. Les caravanes transsahariennes y apportaient l'or, l'ivoire et les esclaves destinés aux grandes cités de l'Empire. La prospérité de l'emporium ne saute plus vraiment aux yeux. Le port fut mis à sac par les Vandales. Les Byzantins tentèrent bien de le relever, mais il fut définitivement abandonné après la conquête arabe du VIIᵉ siècle. On identifie sans trop de peine la plateforme du forum. Sur son côté ouest s'élevait sans doute le capitole, temple dont subsistent le podium et les bases de six colonnes. Tout autour gisent les maigres vestiges de thermes et de sanctuaires et, au nord, les ruines de la citadelle byzantine. *Bou Grara (à 26km au nord-est de Medenine sur la route de Djorf) Ouvert avr.-mi-sept. : sam.-jeu. 8h-12h et 15h-19h ; mi-sept.-mars : sam.-jeu. 8h30-17h30 Tarif 1,10DT Droit photo 1DT*

À la découverte des ksour

Metameur Une belle arche chaulée de blanc marque l'entrée de ce joli ksar de plaine, vieux de plus de trois siècles et récemment restauré par Drifi Hachim, qui a opportunément transformé quelques-unes de ses *ghorfa* en chambres. Une halte intéressante pour ceux qui, entre Matmata et Djerba, ne prévoient pas de visiter les ksour de la région de Tataouine. *À 6km à l'ouest de Medenine (route de Matmata)*

☺ **Ksar Djoumaa** Accroché à l'extrémité d'une arête montagneuse, ce ksar abandonné surplombe la plaine fauve et pelée de la Djeffara. Édifié en 1764, il constituait un abri sûr et un grenier imprenable contre les pillards arabes de la plaine. Le protectorat français en fit un relais doté d'un bureau de poste et d'une mosquée. Une longue allée de *ghorfa* mène à une cour, gardée par une arche à triple voûte. Aux murs et aux plafonds de certains de ces greniers voûtés, on peut voir des empreintes de mains, de pieds et divers motifs dessinés par les maçons. *À 26km au sud-ouest de Medenine (par la C113) De la route une piste praticable de 400m mène au ksar*

☆ ☺ **Ksar Hallouf** Perché sur une colline, le ksar Hallouf domine une petite oasis verdoyante et toute la région. Ses *ghorfa* sont bien conservées, au point de servir, pour certaines, de chambres à coucher (cf. Carnet d'adresses). Bâti en 1849, le ksar abrite les ruines d'une église, d'une mosquée, d'un lieu de réunion utilisé par les juifs et un cimetière multiconfessionnel. Il renferme aussi un vieux moulin à huile. Si vous êtes motorisé, suivez la superbe route qui relie le ksar Hallouf au petit village de Bayra : le ruban de bitume traverse des gorges spectaculaires et serpente entre d'imposantes montagnes érodées. *À env. 36km à l'ouest de Medenine et 8km au nord de Beni Kheddache (en prenant à droite 100m après le restaurant Le Bédouin en traversant Zammour puis El-Modhar). Accès possible de Medenine via Bayra*

CARNET D'ADRESSES

Restauration

 très petits prix

Restaurant Chrigui Une gargote parmi bien d'autres sur l'avenue Habib-Bourguiba. Pour quelques dinars, on y mange des plats corrects sur une toile cirée : couscous, *kammounia*, salade tunisienne, méchoui, côtelettes d'agneau grillé, etc. (de 1DT à 5DT). *Av. Habib-Bourguiba (au pied de l'hôtel Hanaa) Ouvert tlj. 6h-0h*

petits prix

Restaurant Errachid (anciennement El-Ksour) Sans atteindre des sommets, ce petit restaurant fait l'unanimité à Medenine. Pas de carte, mais un menu, détaillé oralement par le serveur et composé d'une entrée, d'un plat au choix et d'un fruit ou d'un thé à la menthe. On préférera la terrasse à la salle, banale. *Pl. du 7-Novembre (rue à droite de l'hôtel Sangho) Ouvert tlj. 6h-22h30 (le soir seulement pendant le ramadan)*

Hébergement

très petits prix

Maison des jeunes Ce bâtiment en béton peint est vraiment tristounet, mais il conviendra aux budgets modestes : 5DT/pers. en chambre de 4 lits (60 lits). Les matelas sont confortables et les sanitaires collectifs assez propres. Petit déj. et repas uniquement pour les groupes. Accès Internet. *Route de Djorf (700m après le ksar sur la gauche) Tél./fax 640 338*

Hôtel Hanaa À défaut de trouver mieux, on y posera sa valise pour une nuit ! Si les nouvelles chambres familiales du rdc bénéficient d'un réfrigérateur et d'une sdb, l'aménagement des autres se limite à un lit ou deux et à un lavabo ! Les sanitaires collectifs sont dans un piètre état. Heureusement, les prix sont dérisoires : 7DT/pers. sans douche, 8DT avec (pas de petit déj.). De 25DT à 30DT pour 4·pers. Parking surveillé moyennant 2DT. *Av. Habib-Bourguiba (face au marché couvert) Tél. 640 690*

Dans les environs

petits prix

Relais touristique du ksar Hallouf Vous passerez à coup sûr une nuit de rêve dans le cadre magique du ksar Hallouf, bâti au-dessus d'une paisible palmeraie. Ici, les *ghorfa* (20 lits) sont joliment décorées à la berbère. Sanitaires collectifs. L'été ou autour du Nouvel An, il organise des soirées musicales et poétiques dans la cour du ksar ou sur la colline. 20DT/pers. en demi-pension. Le restaurant-café est ouvert midi et soir : 8DT tout

DJERBA ET LE SUD-EST

GAMME DE PRIX	RESTAURATION	HÉBERGEMENT
Très petits prix	moins de 5DT	moins de 15DT
Petits prix	de 5DT à 15DT	de 15DT à 30DT
Prix moyens	de 15DT à 25DT	de 30DT à 60DT
Prix élevés	de 25DT à 40DT	de 60DT à 100DT
Prix très élevés	plus de 40DT	plus de 100DT

DJERBA ET LE SUD-EST

compris (sur réservation). *Ksar Hallouf* Tél. 637 148

🍴 prix moyens

☺ **Restaurant Le Bédouin** Les 4x4 en route pour Ksar Ghilane font souvent halte dans ce café-restaurant idéalement situé dans les hauteurs de Beni Kheddache. Depuis peu, Le Bédouin propose même à la location un studio pour 4 pers. à 50DT la nuit. La vue à plus de 180° englobe le rocher solitaire de Mezenzen, le ksar

Zammour sur sa crête, les mamelons montagneux dispersés dans la plaine et les habitations troglodytiques qui truffent les collines. Le restaurant sert des plats classiques, mais si vous êtes 4 ou plus, arrangez-vous pour commander un *koufa*, méchoui cuit dans un four traditionnel. On retrouve ce plat dans le très copieux menu complet à 16DT. *Zammour (1km après Beni Kheddache sur la route de Hallouf)* Tél. 637 258 Tél. portable 98 232 818 Ouvert tlj. 8h-22h (voire 0h et plus en été)

TATAOUINE

Ind. tél. 75

Gabès o
Medenine o
Tataouine

"Capitale" du Sud berbère, Tataouine est le camp de base idéal pour rayonner dans la région des ksour. C'est aussi le passage obligé des 4x4 en route pour le Grand Erg. À défaut d'avoir du charme, la ville sait se montrer hospitalière avec ceux qui ont essuyé la poussière et la chaleur écrasante du désert. Elle connaît un pic d'activité le lundi et le jeudi, jours de marché. Ce sera alors l'occasion de faire vos emplettes au milieu d'une foule de ksouriens. Tataouine est aussi la "capitale" de la corne de gazelle tunisienne, consistante pâtisserie à base de miel et d'amandes. Née d'un camp militaire installé par les Français pour contrôler les tribus locales, la bourgade se dota de 1892 à 1916 d'un marché, d'une infirmerie, d'une école et... d'un camp disciplinaire ! C'est là que les bataillons d'infanterie légère d'Afrique, les "bat' d'Af'", tenaient leur garnison. Créés en Algérie en 1832, et dissous un siècle plus tard, ils accueillaient dans leurs rangs des hommes condamnés par des tribunaux civils ou militaires.

MODE D'EMPLOI

accès

EN CAR
Gare routière principale Cars quotidiens pour Chenini, Douiret, Matmata, Medenine, Tunis, Zarzis, Djerba, Ghomrassen et le ksar Hadada *À 2km du centre sur la route de Medenine.* Tél. 860 031

EN LOUAGE
Les louages rouges desservent Medenine, Gabès, Sfax, Sousse, Kairouan, Tunis, Zarzis et Djerba, env. 10 fois/j. Les louages jaunes desservent Chenini, Douiret, Ouled Soltane et Remada, env. 20 fois/j. On trouve d'autres louages jaunes dans les rues autour du souk. Le plus simple est de se renseigner sur place.

Station Pour les louages longue distance. *Rue du 2-Mars (derrière la station-service Total) Tél. 862 874*

EN TAXI
Même s'ils ne doivent pas dépasser un rayon de 10km autour de Tataouine, les taxis, de couleur jaune, vous emmèneront sans problème jusqu'à Chenini et Douiret. Plus onéreux que les louages.
Station *Rue du 1er-Juin-1955*

EN VOITURE
Tataouine se trouve à 50km au sud de Medenine par la belle route panoramique du djebel (la C207 et, après Beni Kheddache, la C113) ou par la P19, plus directe mais monotone, et à 80km au sud-ouest de Ben Guerdane.

orientation

Principaux axes de circulation, les avenues Habib-Bourguiba et Farhat-Hached convergent vers le bureau du tourisme. Le souk occupe une place située entre l'avenue Habib-Bourguiba et l'avenue Hedi-Chaker, qui abrite le syndicat d'initiative.

informations touristiques

Bureau du tourisme *Av. Habib-Bourguiba Tél. 850 686 Ouvert lun.-jeu. 8h30-13h et 15h-17h45, ven.-sam. 8h-13h*
Syndicat d'initiative C'est là qu'il faut demander l'autorisation d'accès à la zone militaire du Grand Sud tunisien (on peut aussi adresser la demande au gouvernorat). Brochure utile sur le Grand Sud, avec carte GPS. Serviable et compétent, le directeur vous arrangera des locations de 4x4 avec chauffeur et des circuits à tarifs intéressants. *Av. Hedi-Chaker Tél. 862 674 Fax 862 028 Ouvert sept.-juin : lun.-jeu.*

8h30-13h et 15h-17h45, ven. 8h30-13h, sam. 8h-13h30 ; juil.-août : tlj. 8h-13h ; ramadan : tlj. 8h-14h
Gouvernorat de Tataouine *Cité du 7-Novembre Tél. 870 352/323*

poste, banques et change

Les cinq banques du centre-ville changent les devises. On les trouve avenue Farhat-Hached (Banque du Sud, Banque de l'Habitat et Amen Bank), avenue Habib-Bourguiba (STB) et avenue Ahmed-Tlili (BNA). La Banque du Sud, la Banque de l'Habitat et la BNA sont équipées d'un distributeur automatique de billets.
Poste Change. *Av. Farhat-Hached (à l'angle de l'avenue Hedi-Chaker) Ouvert sept.-juin : lun.-sam. 8h15-16h ; juil.-août : tlj. 7h15-11h45 ; ramadan : lun.-sam. 8h-12h45*

accès Internet

Publinet 1,50DT/h. *Av. Hedi-Chaker Tél. 852 550 Ouvert tlj. 8h-0h*
Ksournet Comptez 1,30DT/h mais les tarifs sont négociables. *Av. Habib-Bourguiba (à côté de la pâtisserie Kram) Tél. 853 056 Ouvert tlj. 9h-1h*

stations-service

On en dénombre six. Hormis à Ghomrassen (à 24km au nord-ouest de Tataouine), on n'en rencontrera pas d'autres dans la région.

urgences

Hôpital régional *Cité du 7-Novembre Tél. 870 114*
Pharmacie de nuit *À côté de la pâtisserie Quinze Tél. 851 493 Ouvert 19h30-8h30*
Pharmacie Dokkar *Av. Hedi-Chaker (à côté de l'hôtel La Gazelle) Tél. 861 902*

marché, fêtes et manifestations

Marché Tapis et kilims berbères, bijoux anciens, vanneries, babouches en peau de chameau (*balgha*), etc. Animé et pittoresque. *Lun. et jeu.*
Festival international des ksour sahariens Trois jours de fêtes et d'animations autour de la vie bédouine et du folklore berbère. *2ᵉ quinzaine de mars Tél. portable 98 438 183*
Festival de l'enfant à Ghomrassen *En mars*
Festival des jeux populaires de Beni-M'Hira *En avr.*
Festival du henné à Chenini *Tél. 228 170 ou 227 350 En juil.*

DÉCOUVRIR

☆**Les essentiels** Les villages des crêtes berbères, les ksour Ez-Zahra et Ouled Soltane **Découvrir autrement** Dégustez les fameuses cornes de gazelle de Tataouine, randonnez de Douiret à Chenini, grimpez au sommet du mausolée de Sidi Arfa à Ghomrassen ➤ **Carnet d'adresses p.380**

Tataouine

Musée de la Mémoire de la terre Ce petit musée retrace, avec peu de moyens, l'histoire de la région, en mettant l'accent sur la préhistoire. Il y a cent quarante millions d'années, la mer venait lécher les falaises du Dahar, et des dinosaures peuplaient les forêts qu'a remplacées le désert. On a retrouvé dans les environs des fossiles marins du jurassique, des ossements de dinosaures et des peintures rupestres plus récentes. Le musée fournit aussi quelques explications intéressantes sur les inscriptions ksouriennes, l'écriture berbère (le *tifinagh*) et le marquage des dromadaires. Le guide vous remettra en outre une brochure détaillée du "Jurassic Park", un circuit géologique de 50km dans la région. *Route de Chenini (face à l'hôtel Mabrouk) Tél./fax 850 244 www.aamtt.org Ouvert tlj. 8h-18h sauf j. fér. ; ramadan : tlj. 8h-16h Tarif 1,50DT, étudiant 0,50DT Gratuit moins de 12 ans*

● **Où faire ses emplettes ?** Le souk de Tataouine (permanent) et le marché bihebdomadaire (lun. et jeu.) regorgent de produits artisanaux de la région : vannerie, kilims et tapis berbères, etc.
Caverne d'Ali Baba (chez Moktar Megbli) On vient surtout dans cette boutique marchander de beaux tapis de tente, des *bakhnoug* ("châles"), des kilims et des coussins bédouins. Aussi quelques bijoux et objets anciens (lampes à huile, outils agricoles, poteries, etc.) à chiner dans la partie brocante. CB acceptées. *57, av. Habib-Bourguiba Tél. 860 040 Tél. portable 98 234 050 Ouvert lun.-sam. 8h-19h, dim. 8h-12h*

● **Où manger des cornes de gazelle ?** Les cornes de gazelle sont "la" spécialité de Tataouine. Elles n'ont rien de commun avec le gâteau marocain en forme de croissant qui porte le même nom. Ici, c'est une pâtisserie très sucrée à base d'amandes, de noisettes et de graines de sésame concassées, frites et enrobées de miel. Un délice calorique !

☺ **Pâtisserie du Sud** C'est dans cette pâtisserie que sont nées les fameuses cornes de gazelle, un jour de 1952, quand M. Ounissi Abdallah prit des libertés avec la recette du baklava. Son invention connut un succès immédiat et, depuis, sa "création", a été copiée, imitée, mais, d'après les connaisseurs, jamais égalée. Comptez 0,40DT l'unité. Également des macarons, baklavas, gâteaux secs et citronnades. *Av. Habib-Bourguiba Tél. 860 748 Ouvert tlj. 6h-21h*

Pâtisserie Mohammed-Kelfa L'un des "spécialistes" des cornes de gazelle (0,50DT la pièce). Également des baklavas et des loukoums aromatisés (pomme, rose, etc.). On peut assister à la confection des cornes de gazelle le matin de 9h à 13h. *Av. Hedi-Chaker Ouvert tlj. 6h-20h*

Les environs de Tataouine

Autour de Ghomrassen

Ghomrassen Gros bourg niché au fond d'une cuvette du Dahar, Ghomrassen mérite une visite pour ses habitations creusées à flanc de montagne. Ancienne capitale de la confédération des Ouerghamma (Berbères arabisés de la plaine de la Djeffara), Ghomrassen s'est développée au pied d'une *kalaa* ("citadelle"), sur les vestiges de laquelle se dresse le marabout de Sidi Arfa, parent du célèbre historien Ibn Khaldoun. Ce belvédère offre une vue spectaculaire sur les maisons troglodytiques, encore habitées pour certaines, et leurs greniers, serrés les uns contre les autres à flanc de coteau. Il vous faudra laisser votre voiture sur la place du Marché et comptez de 15 à 20min d'ascension jusqu'au mausolée. Ghomrassen s'anime à la faveur du souk du vendredi, et elle est célèbre pour ses marchands de beignets, qu'on retrouve jusqu'à Tunis. *À 23km au nord de Tataouine par la C207 ou la C121*

Ksar Hadada (ou ksar Hedada) Le ksar forme un labyrinthe assez monotone de 380 *ghorfa* à un étage au cœur du village. De ces greniers, construits par la tribu des Hadada (Berbères arabisés) en 1331, on fit des chambres d'hôtel de 1925 à 1997, puis le décor de *Star Wars : La Menace fantôme*, de George Lucas, sorti en 1999. *À 6km au nord de Ghomrassen*

● **Où boire un verre ?** L'endroit rêvé pour siroter un thé à la menthe, une "eau de fleur" ou sucer une glace. Le toit en terrasse offre une belle vue sur le ksar Hadada et le djebel Matmata. **Café de l'Étoile** *Ksar Hadada (à côté de l'entrée du ksar) Tél. 96 249 688 Ouvert tlj. 5h-2h (24h/24 en été)*

☆ Les villages berbères de crête

Ksar Ouled Debbab Sur le chemin de Douiret, vous pouvez faire une courte halte dans ce ksar posté sur une colline, au-dessus du village moderne auquel il a donné son nom. Sa position commandait un passage stratégique entre deux djebels. Ses deux longues rangées de *ghorfa* d'un ou deux niveaux, qui servirent un temps de relais touristiques, sont à présent à l'abandon. Ces ruines ne manquent pas de charme, mais celles de Douiret et de Chenini sont plus émouvantes. *À 9km au sud de Tataouine sur la route de Remada*

☺ **Douiret** L'un des plus beaux villages perchés de la région - avec Chenini – mais bien moins fréquenté que ce dernier. De loin, seule sa mosquée blanche se détache sur l'ocre de la montagne. Berbères nomades, les Douiri édifièrent d'abord un ksar pour mettre leurs biens en sûreté. Quand ils choisirent de s'y fixer, au XVIIᵉ siècle, chaque famille creusa sa maison dans la roche tendre et érigea un mini ksar de pierre juste en face, pour en camoufler l'entrée tout en lui faisant de l'ombre. Excellente vigie sur la plaine qui se déploie à son pied, Douiret prospéra grâce au passage des caravanes reliant Gabès à Ghadamès, en Libye, jusqu'au début du XXᵉ siècle. Depuis, à l'exception d'une seule famille, les villageois ont préféré se réinstaller dans la plaine. C'est ainsi que le ksar forme un dédale de *ghorfa* en ruine qui s'élèvent jusqu'à quatre étages et communiquent parfois entre elles. Un chemin, qui part de la mosquée blanche et contourne la montagne, mène à une vieille mosquée troglodytique, cachée par un imposant figuier. L'Asnaped, association de sauvegarde de Douiret, a ouvert un petit **musée** présentant divers antiquités berbères, tapis, poteries romaines, etc. *À 22km au sud-ouest de Tataouine* **Musée** *Tél. 878 066 asnaped@yahoo.com Ouvert mar.-dim. 7h-18h Tarif 1,20DT*

☺ **Chenini** L'affluence touristique n'a pu entamer le charme de ce magnifique village berbère, perché sur une crête qui paraît vertigineuse, quand on le découvre brusquement au sortir d'un défilé, en venant de Douiret. Il faut vous garer à l'entrée du village et remonter le sentier caillouteux qui passe à travers une buvette signalée par le panneau rouge "Grotte berbère" pour grimper jusqu'au ksar, construit à la fin du XIIᵉ siècle par les Zénètes sur les hauteurs du village. Les ruelles de Chenini sont jalonnées de *ghorfa* et d'habitations troglodytiques à demi écroulées. Une piste contourne la colline pour rejoindre la belle **mosquée des Sept-Dormants**, reconnaissable à son minaret penché. Cette mosquée qui daterait du XIIIᵉ siècle abrite un marabout et une grotte des Sept-Dormants (sept martyrs chrétiens du IIIᵉ s. qui, emmurés dans une grotte, se seraient réveillés aussi brièvement que miraculeusement au Vᵉ siècle pour constater que leur religion avait triomphé des persécutions). Le **centre Kenza** d'animation culturelle et touristique, inauguré en 2007, abrite le musée ethnographique de l'Art traditionnel ber-

Le Djebel à pied

L'absence de sentiers balisés ne doit pas décourager les marcheurs qui veulent explorer le djebel : vous trouverez toujours un guide pour vous faire accompagner.
De Douiret à Chenini La plus classique des randonnées (3h) suit le superbe chemin de crête qui relie ces deux villages. Vous trouverez dans les deux localités un guide pour vous accompagner. La promenade peut se faire à dos d'âne à partir de Douiret. Comptez 60DT l'excursion à la journée avec pique-nique (attention, vous devez former un groupe de 3 pers. minimum). Une autre excursion pédestre relie Chenini à Guermessa (renseignez-vous sur place). *Rens. chez Raouf ou à la maison de Douiret (cf. Carnet d'adresses)*

bère de Chenini, un restaurant troglodytique et une buvette à base de plantes aromatiques et médicinales du désert. *À 20km au nord de Douiret (dans le village troglodyte, entrée du côté de l'huilerie souterraine) Tél./ fax 870 541 Tél. portable 96 861 930 www.kenza-chenini.com*

Guermessa Guermessa clôt en beauté le triptyque des villages de crête berbères. Les habitations troglodytiques et leurs greniers en ruine occupent deux mamelons de taille inégale dominant une vaste plaine pelée. Un peu moins spectaculaire que Chenini et Douiret, ce site est aussi beaucoup moins visité, car d'un accès plus difficile. Le plus simple pour y accéder est de garer votre voiture dans le village moderne, au pied de la montagne, puis de suivre le sentier abrupt qui grimpe jusqu'au site (env. 30min d'ascension). Seuls les 4x4 peuvent prendre sans risque la piste caillouteuse qui contourne la montagne (de Guermessa-Nouvelle, empruntez la route de Ghomrassen et suivez le panneau "Ksar Ghilane" ; après 3km de piste, tournez à gauche puis roulez sur 3,5km). *À 20km à l'ouest de Tataouine en suivant la route de Ghomrassen sur 7km puis la route du 7-Novembre sur 13km*

● **Où boire un verre le soir ?** Le soir, il fait bon boire un whisky ou un cocktail au bord de la piscine de cet hôtel adossé à la montagne. On peut aussi se délasser sur les banquettes du café maure en fumant la chicha. **Bar de l'hôtel Sangho** *Route de Chenini (à 3km du centre-ville) Tél. 860 124/102 Fax 862 177 Bar ouvert tlj. 8h-0h et café maure tlj. 11h-15h et 19h30-23h (voir plus en été)*

En partant vers le sud

Quittez Tataouine par la route qui prolonge l'avenue Hedi-Chaker.

Guetoufa Les touristes ne se bousculent pas dans ce village qui tourne le dos à Tataouine. Derrière un haut mur d'enceinte, on découvre trois cents *ghorfa* de deux ou trois étages distribués autour d'une cour ronde. Même abandonné, l'ensemble donne une bonne idée de l'organisation d'un ksar, avec ses alvéoles reliées par des escaliers de façade. *À 7km à l'est de Tataouine*

☆ ☺ **Ksar Ez-Zahra** Ce superbe ksar arabe du début du XVIe siècle pourrait voler la vedette au ksar Ouled Soltane, s'il était plus connu. Mêmes murs de couleur crème, mêmes façades étageant leurs *ghorfa* sur quatre niveaux. Seule la première des deux ceintures concentriques de **greniers** est encore utilisée, tandis que la cour centrale est abandonnée. *À 11km au sud-est de Tataouine*

☆ ☺ **Ksar Ouled Soltane** Ce ksar de carte postale rassemble ses jolies *ghorfa* autour de deux cours pavées concentriques, bien restaurées. Les escaliers qui courent sur les façades lisses donnent au site un charme surnaturel. Ouled Soltane est un ksar arabe, non fortifié, à la différence des ksour berbères, qui avaient une double vocation agricole et défensive. Les nomades arabes ne faisaient qu'y stocker leurs céréales et leurs jarres d'huile d'olive. Ses quatre cents *ghorfa* sont réparties sur trois ou quatre étages et les plus anciennes remontent au XVe siècle. Le ksar n'est plus occupé depuis 1985, mais sa ceinture extérieure de **greniers** voûtés, qui date du XIXe siècle, est encore utilisée. *À 23km au sud de Tataouine*

● **Explorer la région des ksour** L'agence propose un vaste choix d'excursions à pied ou en 4x4. La durée varie de la demi-journée à la semaine, avec visite des ksour et possibilité de déjeuner chez l'habitant. Comptez 60DT/ pers. la randonnée pédestre d'une journée. Le circuit de trois jours en 4x4 dans le Sud tunisien revient à 155€/pers. L'agence propose aussi des méharées avec bivouac dans le Grand Erg (180€ les trois jours et deux nuits). Il est possible d'organiser des circuits "secs" à partir de Tataouine. **Sangho** *Rens. à l'hôtel Sangho de Tataouine Tél. 860 124 Tél. portable 98 813 564 ; 30, rue de Richelieu 75001 Paris Tél. 01 42 97 14 16 www.sangho-tataouine.com*

CARNET D'ADRESSES

Restauration

🍴 **petits prix**

Restaurant Essindabad Ce petit restaurant populaire fait l'unanimité à Tataouine. On y savoure des spécialités tunisiennes de bonne tenue, telle la *koucha*, pour quelques dinars. Attention cependant, il affiche régulièrement complet. *13, rue du 1er-Juin-1955 (face au marché aux légumes) Tél. 852 367 Ouvert hiver : lun.-ven. 12h-14h et 18h-20h, sam. 12h-14h ; été : lun.-ven. 12h-14h et 20h-22h Fermeture annuelle en août*

Restaurant El-Madina Installée au fond d'une petite galerie commerciale, une cuisine simple mais honnête : méchoui, *kamounia*, couscous-mouton, etc. (4-7DT). Le poisson grillé de Djerba apporte un peu de fraîcheur en été. *Cité commerciale, av. Farhat-Hached Ouvert tlj. 7h-22h*

🍴 **prix moyens**

Relais Le Bordj Il faut s'éloigner un peu du centre pour débusquer ce restaurant. Si le cadre est enchanteur – jardin fleuri, tables abritées sous de grandes arcades en pierre et terrasse panoramique – , la cuisine déçoit. Pas de carte, mais un menu assez standard (deux entrées, plat, dessert et thé) de 8,50DT à 12DT. *Route de Remada Du mémorial de la Terre (rond-point* *ponctué d'un grand globe terrestre), faites 900m en direction de Remada puis tournez à gauche un peu avant une mosquée ; encore 400m, et c'est fléché Tél. 840 099 Tél. portable 99 182 431 Ouvert tlj. 12h-15h et 19h-0h (il arrive que le restaurant ferme plus tôt en début de saison)*

Hébergement

La plupart des hôtels proposent la demi-pension. Une formule intéressante car les restaurants sont rares à Tataouine.

 camping

Camping à l'hôtel Mabrouk Moyennant 8DT/pers., les campeurs peuvent planter leur tente dans le jardin de l'hôtel Mabrouk, qui donne sur la montagne. Un cadre agréable mais peu ombragé et assez éloigné du centre de Tataouine. Douches et WC à l'hôtel. *Route de Chenini (à 3km de Tataouine juste après l'hôtel Sangho) Tél. 852 852/853 853 Tél. portable 98 438 115 Fax 850 100*

 très petits prix

Hôtel El-Medina Avec ses lits en fer, sa peinture craquelée et ses sanitaires sur le palier, cet hôtel offre un confort... limité ! L'entretien laisse à désirer, l'eau chaude est payante (1DT), et la rue bruyante. Mais, comme il y a pire à Tataouine, les budgets très serrés pourront s'en contenter. Comptez 15DT pour 2 (douche comprise, mais supplément petit déj. 1,50DT). Pas de restaurant. *Rue Habib-Mestaoui Tél. portable 95 700 040*

 petits prix

Résidence hôtel Hamza Face au syndicat d'initiative, 10 chambres blanches et toutes simples. La literie est confortable, la propreté irréprochable, et la climatisation bien agréable les nuits de canicule. Attention : il faut partager la douche et les WC avec la chambre voisine. Seulement 25DT la double. *Av. Hedi-Chaker Tél. 863 506 Tél./fax 862 068*

 prix moyens

Hôtel La Gazelle Bien situé en plein centre, cet hôtel-restaurant-bar abrite 23 chambres blanches, sans fioritures, mais nettes et confortables (douches chaudes, a/c, bonne literie). Le soir, on peut fumer la chicha sous la tente bédouine installée dans le jardinet. Cuisine locale sans surprise (15DT le repas complet). 50DT pour 2 (70DT en demi-pension). *Av. Hedi-Chaker Tél. 860 009 Fax 862 860*

 prix élevés

☺ **Hôtel Mabrouk** Sans doute le meilleur rapport qualité-prix de Tataouine. Des allées fleuries desservent les 41 chambres, réparties dans des bungalows en pierre apparente d'un confort et d'une propreté irréprochables. Seule manque une piscine. Le petit déjeuner se prend dans

DJERBA ET LE SUD-EST

GAMME DE PRIX	RESTAURATION	HÉBERGEMENT
Très petits prix	moins de 5DT	moins de 15DT
Petits prix	de 5DT à 15DT	de 15DT à 30DT
Prix moyens	de 15DT à 25DT	de 30DT à 60DT
Prix élevés	de 25DT à 40DT	de 60DT à 100DT
Prix très élevés	plus de 40DT	plus de 100DT

un grand réfectoire, et le dîner, dans une salle plus intime et plus élégante (19h30-21h). Comptez 80DT pour 2 en demi-pension. Prix négociables en basse et moyenne saison. Pas de CB. *Route de Chenini (à 3km de Tataouine juste après l'hôtel Sangho) Tél. 852 852/853 853 Tél. portable 98 438 115 hotelmabrouk@messagerie.net*

☺ **Hôtel Dakyanus** Ce bel hôtel aux airs d'hacienda concourt dans la même catégorie que le Mabrouk. Sa majestueuse porte en bois de palmier, son hall à colonnade rouge, sa piscine refaite et ses élégants bâtiments de pierre en font un lieu de séjour chic. Chambres avec a/c, sdb et décoration florale. Bar *lounge* assez réussi. Dommage que le Dakyanus soit loin de tout, car la cuisine qu'on y sert est plutôt quelconque. Personnel accueillant. Double 70DT (basse saison)-145DT (haute saison). CB acceptées. *Route de Ghomrassen (à 7km du centre-ville) Tél. 832 199 www.dakyanushotel.com*

🧳 prix très élevés

☺ **Hôtel Sangho** L'hôtel star de Tataouine s'est payé le luxe d'afficher son nom en lettres géantes, qui s'illuminent le soir, sur une colline à l'entrée de la ville. Les chambres sont réparties dans des bungalows ocre disséminés dans un jardin en terrasses, autour d'une piscine bleu lagon. L'abondance et la qualité du buffet incitent à opter pour la demi-pension. 115DT la double (130DT en demi-pension). Organisation

d'excursions dans le désert (El-Borma, Ksar Ghilane). Le restaurant est ouvert aux non-résidents. CB acceptées. *Route de Chenini (à 3km du centre-ville) Tél. 860 124 ou 860 102 Fax 862 177 www.sangho-tataouine.com*

Dans les environs

🧳 🍴 petits prix

☺ **Chez Raouf** Le rendez-vous de ceux qui rentrent d'une promenade dans le vieux Douiret. Le thé au romarin se prend à l'ombre de *ghorfa* restaurées ou sur la terrasse qui domine la belle vallée encaissée. Le midi, *kamounia*, couscous, "dans une jarre" et autres plats de 5DT à 10DT. Vous y trouverez des guides pour visiter le village et ses environs. Le frère de Raouf, Farhat, propose ainsi des circuits vers Rals el-Oued, une région injustement délaissée par les agences de voyages. Profitez-en ! *Douiret (près de la mosquée) à 22km au sud-ouest de Tataouine Tél. 878 061 Tél. portable 97 497 242 Ouvert tlj. 8h-0h et plus*

☺ **La maison de Douiret** Les 9 chambres souterraines de ce tout nouvel établissement ont été arrangées avec goût par l'Asnaped, l'Association de sauvegarde de Douiret : murs chaulés, tapis, poutres en bois d'olivier, portes en bois de palmier... Rustique et pittoresque. Comptez 35DT pour 2 (40DT en demi-pension chez Raouf). Réservation nécessaire. *Douiret Tél./fax 878 066 www.asnaped.org.tn*

GAMME DE PRIX	RESTAURATION	HÉBERGEMENT
Très petits prix	moins de 5DT	moins de 15DT
Petits prix	de 5DT à 15DT	de 15DT à 30DT
Prix moyens	de 15DT à 25DT	de 30DT à 60DT
Prix élevés	de 25DT à 40DT	de 60DT à 100DT
Prix très élevés	plus de 40DT	plus de 100DT

🍴 prix moyens

Restaurant Mabrouk-Chenini Si vous cherchez l'intimité et l'authenticité, passez votre chemin ! Avec ses 3 grandes salles, ce restaurant vise surtout les groupes de touristes. De 12DT à 18DT, tous les incontournables de la cuisine tunisienne (couscous, gargoulette, méchoui) et l'inévitable corne de gazelle. Du toit-terrasse, jolie vue sur le village. *À l'entrée de* **Chenini** *en venant de Douiret Tél. 862 805 ou 852 852 Fax 850 100 Ouvert déc.-mai : tlj. midi ; juin-nov. : tlj. midi et soir jusqu'à 22h et plus*

KSAR GHILANE
Ind. tél. 75

Là commence le Grand Erg ! La petite oasis de Ksar Ghilane fait face aux premières dunes du Sahara, qui ondulent à perte de vue. L'expression "aux portes du désert" prend ici tout son sens. Les nombreuses méharées en provenance de Douz se terminent sous les tamaris de l'oasis. La récompense ultime n'est-elle pas de prendre dans sa source un véritable bain de jouvence après plusieurs jours de marche ? Trois campements accueillent les visiteurs. Les longues excursions à travers le désert se font sur réservation, au départ de Douz, mais il est possible de venir en indépendant humer le parfum du Sahara. Attention, toutefois, Ksar Ghilane n'est accessible qu'en 4x4 (vous pourrez en louer à Tataouine) et, sur place, seul un petit tour à dos de dromadaire ou à cheval vous sera proposé. La meilleure saison reste le printemps : l'été, le mercure peut dépasser 50°C !

MODE D'EMPLOI

accès

EN VOITURE
À env. 90km à l'ouest de Tataouine, 70km à l'ouest de Chenini et 75km à l'est de Douz à vol d'oiseau. Les pistes qui relient Ksar Ghilane à Beni Kheddache (la meilleure), Guermessa et Chenini ne sont pas praticables pour un simple véhicule de tourisme, et les panneaux confus rendent l'orientation hasardeuse. Mieux vaut louer un 4x4 avec chauffeur (150DT-180DT/jour). S'adresser au syndicat d'initiative ou à la récep-tion des hôtels à Tataouine (Sangho). Le trajet au départ de Tataouine dure env. 2h30.

orientation

La petite source thermale marque le centre de l'oasis. Les excursions jusqu'au fort romain prennent leur départ à deux pas, au pied des premières dunes.

informations touristiques

On ne trouve ni office de tourisme, ni bureau de poste, ni banque à Ksar

Ghilane. Les informations touristiques se glanent essentiellement à la réception des campements et au poste de la garde nationale, à côté de la source thermale. Ce dernier fournit les informations (météo, état des pistes, points GPS) nécessaires aux conducteurs de 4x4.

Garde nationale de Douz *Tél. 470 554 Ouvert tlj. 24h/24*

DÉCOUVRIR

☆**Les essentiels** La source thermale, le fort romain **Découvrir autrement** Délassez-vous dans la petite source thermale de Ksar Ghilane, partez à l'assaut des dunes et du fort romain à dos de dromadaire

> **Carnet d'adresses p.385**

Ksar Ghilane

☆ **Source thermale** Elle fait le bonheur (30°C) des touristes éreintés par une excursion dans le désert. En fait, il n'y a pas une, mais deux sources, forées respectivement en 1958 et en 1965. La tour du campement Pansea, en accès libre, offre un **point de vue** éblouissant sur Ksar Ghilane et les premières dunes du Sahara, surtout au coucher du soleil. On remarquera la **colonne Leclerc**, en fait une colonnette blanche qui commémore la victoire de la force L du général Leclerc, venue du Tchad, sur les troupes de l'Axe en février et mars 1943, lors de la campagne de Tunisie.

● **Se baigner à Ksar Ghilane** Vous pourrez vous délasser dans la source chaude (accès libre) et dans la belle piscine du relais Pansea. L'accès à cette dernière est payant, mais l'eau plus fraîche ! *Tél. Djerba 75 621 870 Tarif 10DT, moins de 12 ans 5DT*

Aux portes du désert

☆ **Fort romain** Posé sur les sables du désert, il constitue un but idéal de balade à dos de dromadaire ou à cheval au lever comme au coucher du soleil. L'édifice, restauré pendant la Seconde Guerre mondiale, a été reconquis par les sables depuis. Balade de 1h30 à dos de dromadaire : 20DT. Réservation nécessaire auprès de M. Ali ou d'un chamelier. De beaux cavaliers vêtus à la bédouine, les yeux soulignés de khôl, vous emmèneront galoper dans les dunes, façon Lawrence d'Arabie : 15DT/h et 25DT/2h. *À 5km au nord-ouest de Ksar Ghilane*

● **S'aventurer dans le désert** Cette agence organise des excursions dans le désert à partir de Douz (cf. aussi GEOPratique), mais aussi de Ksar Ghilane. Vous pourrez aussi y louer un 4x4 avec chauffeur pour vous rendre de Tataouine à Ksar Ghilane. **M'Razig Voyages** *Av. du 7-Novembre Douz Tél. 470 255 Fax 470 515*

CARNET D'ADRESSES

Restauration, hébergement

Vous apprécierez moins votre nuit sous la tente si vous venez de passer une semaine dans le désert... Seuls les campements servent à manger et, à l'exception du Pansea, la restauration n'est pas fameuse. Vous pourrez vous rafraîchir aux buvettes installées autour de la source chaude, faire du **camping sauvage** et vous installer dans les dunes ou à l'ombre des tamaris, près de Ksar Ghilane. Il vous faudra impérativement signaler votre présence au poste de la garde nationale, à deux pas de la source thermale. *Garde nationale de Douz* Tél. 470 554 Ouvert tlj. 24h/24

 prix moyens

Campement Ghilane Aux portes du désert, on peut rêver mieux que ces tentes de mauvaise toile au soubassement de béton ! Douche tiède. Comptez 50DT pour 2 avec petit déjeuner, 70DT en demi-pension et 100DT en pension complète. Menu à 10DT au restaurant (pas de carte) et bar. Vous pourrez aussi planter votre tente dans le sable sous les tamaris (5DT/pers.). *Tél. 470 255 (centrale de réservation M'Razig Voyages à Douz) Fax 470 515*

Campement Le Paradis Le campement tout indiqué pour les petits et moyens budgets, avec ses 35 tentes en toile, de 4, 6 ou 8 lits chacune, plantées dans le sable fin. Comptez 50DT la nuitée pour 2 avec petit déjeuner, 65DT en demi-pension et 100DT en pension complète. Le menu unique à 10DT n'atteint pas des sommets et le prix du vin est exorbitant. Vous pouvez aussi dresser votre tente sous les palmiers (5DT/pers.). *Tél. 470 255 (centrale de réservation M'Razig Voyages à Douz) Fax 470 515*

 prix très élevés

Relais Pansea Un campement de luxe avec un salon de massage, un hammam et un bar élégant qui sert de délicieux cocktails (ouvert jusqu'à 1h). Les tentes dressées dans un beau jardin avec piscine disposent toutes d'un climatiseur, d'une sdb et d'une discrète décoration saharienne. Le restaurant sert une cuisine bien meilleure que celle des autres campements : agneau à la gargoulette, pain dans le sable, etc. Comptez 30DT le repas. Vous pouvez aussi commander un dîner romantique sous une tente bédouine : au sommet de la tour d'observation, près de la piscine (32DT/pers.), au milieu des dunes (63DT/pers.) ou dans le fort romain (70DT/pers.). L'hôtel organise des méharées, des promenades en quad ou à dos de dromadaire. 206DT la double avec petit déj. (toute l'année). Réservation obligatoire au bureau de Djerba. Pas de CB. *Tél. 621 870 (à Djerba) www.pansea.com*

Bouquets de jasmin, ou l'art de vivre tunisien.

POUR EN SAVOIR PLUS

BIBLIOGRAPHIE

généralités

Tunisie (La), M. Camau, coll. "Que sais-je ?", PUF, Paris, 1989

histoire et politique

Afrique antique, histoire et monuments, A. Laronde, J.-Cl. Golvin, Tallandier, Paris, 2001
Approches du Maghreb romain (2 vol.), P.-A. Février, Édisud, Aix-en-Provence, 1989-1990
Carthage, M. Hours-Miédan, coll. "Que sais-je ?", PUF, Paris, 1996
Carthage, S. Lancel, Fayard, Paris, 1992
Description de l'Afrique, Léon l'Africain, A. Maisonneuve, Paris, 1956
Djerba, l'île des Lotophages, Salah Eddine Tlatli, Cérès, 1967
Entre Orient et Occident, juifs et musulmans de Tunisie au XIXe siècle, D. Cohen-Tanoudji, Éd. de l'Éclat, Paris, 2007
Hannibal, S. Lancel, Fayard, Paris, 1996
Histoire de l'Afrique du Nord (Des origines à 1830), Ch.-A. Julien, Payot, Paris, 1994
Histoire de la Tunisie (4 vol.), collectif, SID, Tunis, 1973-1976
Histoire militaire des guerres puniques, Y. Le Bohec, Éd. du Rocher, Paris, 2003
Légende de Carthage (La), A. Beschaouch, coll. "Découvertes", Gallimard, Paris, 1993
Période carthaginoise (La), B. H. Warmington, in Histoire générale de l'Afrique. Volume II : L'Afrique ancienne, dir. G. Mokhtar, pp. 475-499, Présence africaine/ Edicef/Unesco, Paris, 2000

Préhistoire du Sahara et de ses abords, G. Aumassip, Maisonneuve et Larose, Paris, 2004
Tunisie, héritière de Carthage, A. Faure et F. Poli, Le Jaguar, 1995
Tunisie, terre de paradoxes, A. Sfeir, Éds. de l'Archipel, Paris, 2006
Vie quotidienne en Afrique du Nord au temps de saint Augustin (La), A.-G. Hamman, Fayard, Paris, 1992

culture et société

Berbères (Les), G. Camps, Babel, Paris, 2007
Berbères (Les), J. Servier, coll. "Que sais-je ?", PUF, Paris, 1999
Chebika, mutations dans un village du Maghreb, J. Duvignaud, Gallimard, Paris, 1968
Cinémas d'Afrique francophone et du Maghreb, D. Brahimi, Nathan, Paris, 1999
Civilisation islamique (La), J. Burlot, Hachette, Paris, 1982
Deux cents recettes de cuisine tunisienne, E. Zeitoun, Grancher, Paris, 2000
Ibn Khaldun, naissance de l'histoire, passé du tiers monde, Y. Lacoste, Paris, 2009
Islam et Dialogue, M. Talbi, MTE, Tunis
Islamisme au Maghreb (L'), F. Burgat, Payot, 1995
Monuments et les Sites culturels tunisiens du patrimoine mondial (Les), ministère de la Culture, APPC, 1999
Mosaïque en Tunisie (La), M. Hassine, CNRS, Paris, 1995
Musique classique du Maghreb (La), M. Guettat, Sindbad, Paris, 1980
Saveurs de Tunisie, F. Benabadji, Lodi, Paris, 2007

Sols de l'Afrique romaine,
M. Blanchard-Lemée et M. Ennaïfer,
Imprimerie nationale, Paris, 1995
Tunisie, la cuisine de ma mère,
O. Touitou, Minerva, Paris, 2003
*Tunisie du Sud. Ksars et villages
de crêtes,* André Louis, CNRS,
Paris, 1976

beaux livres

Abou el-Kacem Chebbi,
A. Cherait, Apollonia, 2002
Lumières de désert, J.-L. Manaud
et D. Popp, Le Chêne, Paris, 2002
Maisons de la médina (Tunis),
J. Binous et S. Jabeur, Dar Ashraf
Éditions, 2001
*Médinances : huit visages
de la médina de Tunis,*
Bettaïeb, Alif, 1998
Tozeur, Dar Cheraït, A. Hamza,
IAT, 2001
*Tunisie antique : de Hannibal
à saint Augustin (La),* H. Slim
et N. Fauqué, Mengés, Paris, 2001

littérature

Baccar (T.) et Garmadi (S.),
Écrivains de Tunisie, Sindbad,
Paris, 1981
Ben Hassan (B.) et Charnay (T.),
Contes merveilleux de Tunisie,
Maisonneuve et Larose, Paris, 1997
Chebbi (A. el-Kacem), *Poèmes,*
trad. A. Ghedira, Seghers, Paris, 1953
Duhamel (G.), *Le Prince Jaffar,*
Le Mercure de France, Paris, 1929
Flaubert (G.), *Salammbô,*
coll. "Folio", Gallimard, Paris, 1974
Fontaine (J.), *Histoire de
la littérature tunisienne,* Cérès,
Tunis, 2003
Highsmith (P.), *L'Empreinte du faux,*
Livre de Poche, Paris, 1969
Khawam (R.), *La Poésie arabe,*
Phébus, Paris, 1995

Maupassant (G. de), *De Tunis à
Kairouan,* Éditions Ibn Charaf, 1993
Mellah (F.), *Élissa, la reine
vagabonde,* Seuil, Paris, 1988
Memmi (A.), *Le Désert,* Gallimard,
Paris, 1977 ; *Le Scorpion,* coll. "folio",
Gallimard, Paris, 1969 ; *La Statue
de sel,* coll. "Folio", Gallimard, Paris
Moati (N.), *Belles de Tunis,*
Éd. du Seuil, Paris, 1984
Rondeau (D.), *Carthage,*
coll. "Folio", Gallimard, Paris, 2009
Roy (C.) et Sebag (P.), *Tunisie,*
Delpire, 1961
Zouari (F.), *Ce pays dont je meurs,*
Ramsay, Paris, 1999

langue

L'Arabe tunisien de poche,
M. Quitout, Assimil, Paris, 2002

GLOSSAIRE

Aghlabides Première dynastie
arabe (801-809) à régner sur
l'Ifriqiya. Leur capitale est Kairouan
Aïd Fête
Aïd el-Kébir Fête commémorant
le sacrifice d'Abraham
Aïd el-Séghir Fête célébrant
la rupture du jeûne du ramadan
Aïn Source
Alfa Végétal entrant dans la
composition de la pâte à papier
Almohades Dynastie berbère
originaire du Maroc (1159-1269). Leur
empire s'étend sur le sud espagnol
et tout le Maghreb
Arc Courbe décrite par une voûte
Arc en plein cintre Demi-cercle
régulier ; s'oppose à l'arc brisé
Baal Premier des dieux du panthéon
phénicien, puis punique ; assimilé
à Zeus (Jupiter) et à Saturne
Bab Porte
Bakhnoug Longue étoffe qui sert de
voile aux femmes

POUR EN SAVOIR PLUS

Baraka Bénédiction, chance
Beni Hilal Tribu de Haute-Égypte, qui envahit la Tunisie de 1052 à 1057 et saccagea Kairouan
Bey Titre du souverain tunisien
Bir Puits
Bit Pièce, chambre
Bled Pays, campagne
Bordj Château, fort, bastion
Burnous Cape de laine
Cadi Juge, magistrat
Caïd Anciennement, chef militaire ; aujourd'hui, fonctionnaire exerçant une autorité sur une circonscription
Casbah Citadelle, généralement située dans un angle de la médina
Cella Lieu clos du temple qui abrite la statue de la divinité
Chatt Plage
Chott Dépression, généralement occupée par un lac salé, où les oueds viennent se jeter
Chéchia Couvre-chef en feutre
Chehili Sirocco tunisien ; vent qui souffle du Sahara vers le nord
Chorba Soupe aux vermicelles
Corinthien En architecture, l'un des trois ordres grecs, caractérisé par des colonnes au chapiteau sculpté de feuilles d'acanthe
Coufique Calligraphie arabe "monumentale" fondée sur l'emploi de caractères géométriques
Dar Grande demeure.
Deglet nour Littéralement, "doigt de lumière" : datte de qualité supérieure (région du Djerid)
Dey Officier supérieur des janissaires (XVIIe s.)
Djebel Montagne
Djehfa Cortège nuptial monté à dos de dromadaire
Dorique En architecture, l'un des trois ordres grecs, caractérisé par des colonnes dépourvues de base, au fût orné de cannelures et au chapiteau évasé
Douar Village, hameau ou groupement de tentes

Driba Vestibule, salle de justice dans les grandes demeures
Erg Région dunaire (Sahara), résultant de l'érosion des parties montagneuses dont les matériaux sont apportés par le vent et les oueds
Fatimides Dynastie chiite (909-973) établie à Mahdia. Les Fatimides quitteront la Tunisie pour fonder Le Caire
Ferrachia Couverture en laine
Foggara Canalisation souterraine dans la région des oasis
Fondouk Caravansérail, relais, hôtel destiné aux marchands de passage, consulat étranger
Forum Place publique de la cité romaine où se discutent les affaires publiques
Foum Passage, défilé
Ghar Grotte
Ghorfa Cellule voûtée utilisée, à l'origine, pour entreposer le grain
Gourbi Habitation en terre ou en torchis
Guelb Piton rocheux émergeant d'une plaine
Habous Biens fonciers collectifs, s'opposant à la propriété privée, constitués généralement pour l'entretien d'un marabout, d'une medersa, ou appartenant à une tribu
Hadj Pèlerinage à La Mecque, mais aussi titre du pèlerin à son retour
Hafsides Dynastie arabo-berbère fondée par Abou-Hafs sur les ruines de l'Empire almohade (1230-1574)
Hamada Plateau rocailleux
Hammam Bains maures
Hanout Atelier de tissage, boutique
Haram Espace réservé à la prière
Hartani (plur. harratine) Jardinier, métayer des oasis
Hassi Point d'eau
Hilalien Cf. Beni Hilal
Houli Couverture de Gafsa

Husseinites Dynastie fondée par Hussein Ben Ali. Elle règne sur la Tunisie de 1705 à 1957

Ifriqiya Nom donné par les Arabes à l'ancienne Africa romaine, qui regroupait l'Afrique du Nord à l'exception de l'Égypte

Imam Dignitaire religieux qui dirige la prière, cette charge pouvant être remplie par tout musulman. En pratique, l'imam doit avoir reçu une formation théologique

Ionique En architecture, l'un des trois ordres grecs, caractérisé par un chapiteau à deux volutes opposées symétriquement

Janissaires Soldats d'élite de l'infanterie turque

Kadous Clepsydre utilisée pour la distribution de l'eau dans les oasis

Kef Pierre, falaise au bord d'un oued, berge

Kesra Galette de blé ; désigne communément le pain

Khammès Métayer

Kharidjite Adepte du kharidjisme, doctrine islamique puritaine qui se développa en particulier parmi les Berbères de Djerba, prônant l'égalité entre tous les musulmans

Khomsa Figure emblématique traditionnelle, connue sous le nom de "main de Fat(i)ma" ; censée protéger du mauvais œil

Koubba Coupole coiffant la tombe d'un saint ; caractérise, par extension, l'ensemble du mausolée

Ksar (plur. ksour) Construction résultant de l'association de greniers individuels (*ghorfas*)

Leghmi Jus de palme

Maasera Pressoir à huile

Madjin Citerne

Maghreb Ouest, couchant ; occident du monde musulman, Afrique du Nord

Makhsen Magasin à vivres

Maqsùra Petite chambre attenante au salon

Marabout Saint homme ; désigne également son mausolée

Marhala Relais dans le Sud assurant vivre et couvert ; gîte d'étape (ancien caravansérail)

Medersa École coranique souvent attachée à une mosquée

Médina Cité typique de l'urbanisme arabe

Menzel Exploitation agricole fortifiée typiquement djerbienne

Midha Espace dédié aux ablutions

Mihrab Niche indiquant, dans les mosquées, la direction de La Mecque

Minbar Chaire, située dans la mosquée, du haut de laquelle l'imam prononce son prêche

Moucharabieh Fenêtre fermée par un treillage de bois. Permet de voir sans être vu

Muezzin Homme qui appelle (traditionnellement) les fidèles à la prière du haut du minaret

Nador Tour de guet, phare

Oust el-dar Cour, patio

Palestre Lieu dévolu aux exercices physiques dans les thermes romains

Péristyle Colonnade entourant un édifice ou une cour

Podium Plate-forme d'un temple romain

Purification Avant la prière, tout musulman doit accomplir certains actes de purification, se laver les mains, le visage, les bras et les pieds ; il doit aussi se déchausser avant de pénétrer dans la mosquée

Qibla Mur du haram contenant le mihrab ; indique la direction de La Mecque

Ramadan Mois de jeûne (le neuvième de l'année lunaire, ou hégirienne) au cours duquel les musulmans célèbrent la Révélation que Mahomet a reçue à cette période de l'année

Ribat Monastère fortifié bâti le long des côtes d'Afrique du Nord

POUR EN SAVOIR PLUS

au IXᵉ siècle ; jouait également
un rôle universitaire
Roumi (plur. nsara) et, plus
communément, **gaouri** Européen
Sahel Littoral de Sousse à Sfax
Souk Partie de la médina réservée
au commerce
Sebkha Dépression, lagune, lac salé
Seguia Canal d'irrigation (oasis)
Skifa (sqifa) Entrée de la maison
traditionnelle
Tabia Murets de terre séparant
les parcelles (oasis)
Tanit Déesse principale
du panthéon punique ; forme, avec
Baal Hammon, le grand couple divin
de Carthage
Thalla Acacia raddiana très commun
dans le Sahara ; chameaux et
chèvres sont friands de ses feuilles ;
ses épines servent d'aiguilles
à coudre
Tourbet Mausolée abritant,
généralement, des personnalités
non religieuses (comme les beys)
Vents Barrani, guebli (sud/sud-est),
chergui (ouest), bahri (maritime)
Zaouïa Mausolée d'un saint autour
duquel s'assemblent les confréries
qui perpétuent sa tradition
Zarb Palmes sèches surmontant
les *tabia*
Zellige Morceau de brique émaillée
servant à la décoration intérieure
ou extérieure de monuments
de style hispano-mauresque
Zirides Dynastie berbère (973-1159)
fondée par Buluggin Ibn Ziri.
Renversée par les Almohades
Zitoun Olivier. Arbre symbole
de la Méditerranée

LEXIQUE

nombres

Un Wahed
Deux Ithnin, zouz
Trois Tlatha
Quatre Arba'a
Cinq Khamsa
Six Sitta
Sept Saba'a
Huit Th'mania
Neuf Tessa'a
Dix Achra
Vingt : 'ichren
Cinquante Khamsin
Cent Mya
Cinq cents Khams mya
Mille Alf

calendrier

Lundi Lethnin
Mardi Ethelatha
Mercredi Lerbaa
Jeudi Lekhmiss
Vendredi Ejjemaa
Samedi Essebt
Dimanche Lahad
Janvier Djanfi
Février Fivri
Mars Mares
Avril Avril
Mai Mai
Juin Jwan
Juillet Jwilia
Août Out
Septembre Septamber
Octobre October
Novembre Nouvamber
Décembre Diçamber

couleurs

Blanc Abyadh
Noir Akhal
Rouge Ahmar
Vert Akkdhar
Bleu Azraq

Jaune Asfar
Orange Bourdgani
Rose Wardi

formules usuelles

Oui Naam, yh
Non Lâ
S'il vous plaît Min fadhlek
Merci Barak alahou fik
Pardon Samahni
Bonjour Sbah el-khir
Bonsoir Tisbah-alakhir
Au revoir Bes-slama
Aujourd'hui El-youm
Demain Ghoudwa
Hier El-bareh
Interdit Mamnou', yassak
Je suis français (e) Ana fransâwi (a)
Je ne comprends pas Mâ nefhemch
Pouvez-vous m'aider ? Itnajem taawenni ?
Informations Irchadat ; akhbar
Quelle heure est-il ? Kaddach el-wakt

se repérer

Où est... ? Fin... ?
Près Kerib
Loin B'id
À gauche Allissar
À droite Allimine
Sud Djanoub
Nord Shamal
Est Sharq
Ouest Gharb
Tout droit Imchi toul, barra direct
Arrière Ouakher
Devant Qoddem
Derrière El-tali

visiter

Visite Ziara
Ouvert Maftouh
Fermé Msakkar
Guichet Chibbek
Billet Tiskra

Maison Dar, filla
Jardin Dj'nina
Théâtre Teâtro, masrah
Cinéma Cinima
Musée Mathaf, dar el-ajayeb
Galerie Riwaq, galeri
Photo Tasswira

à l'hôtel

Hôtel Outil, nozl
Chambre Biit, ghorfa
Clé Meftah
Douche Douche
Lavabo Lafabo
Toilettes Mihadhe
Petit déjeuner Ftour es-sbah
Salle de bains Bit hammam
Serviette de toilette Manchfa
Drap Malhfa
Couverture Ghta
Oreiller Mkhadda
J'ai retenu une chambre Hjezt biit fil outil
Je voudrais une chambre Nheb biit fil outil

au restaurant

Restaurant Mata'am
Menu El-mlni, el-lista, el-qaïma
Addition Lahsaab
Déjeuner Leftour
Dîner La'acha
Eau El-maa
Vin Ech-chraab
Verre Kass
Assiette Es-shan
Couteau Es-essekkina
Fourchette El-farchita
Cuillère El-megharfa
Pain Khobz
Beurre Zebda
Olives Zitoun
Fromage Djében
Salade Slata
Légumes Khodra
Viande Elham
Bœuf Bagri

POUR EN SAVOIR PLUS

Poulet Djadj
Mouton Alouch
Poisson Hoût
Dessert Eddisser
Fruits Ghalla
Glace Djilate, krima
Café Qahwa
Thé Tey

à la poste

La poste El-bousta, el-barid
Timbre-poste Timbri
Téléphone Talifoun
Télégramme Barqia

achats

Magasin Maghaza-hanout
Bureau de change Banka, makteb es-sarf
Le prix Essoum, ithaman
Combien ça coûte ? Keddach essoum ?
C'est trop cher Yasser ghali
Boulanger Khabbaz
Pâtisserie Batisseri/hanout gattou
Épicerie 'Attar
Boucherie Zazzar
Magasin de photo Hanout moussawar
Tabac Hanout doukhân
Librairie Maktba
Kiosque à journaux Baya'a-djarayed
Journal Djarida
Livre Ktab
Antiquaire Bayaa lantika
Bijoutier Sayghi
Bijoux Syagha
Tapis Zarbia
Poterie Fokhkhaar
Plat S'hane, tebsi
Pot Mahbes, nawwar, fajjou
Panier Qoffa
Or Dhehab
Argent Foddha
Fer Hdid
Bronze Bronz

Cuivre N'hass
Terre cuite Tin
Faïence Fokhkhar, fayense
Soie H'rir
Coton K'tonn
Laine Souf
Verre Billar
Bois Louh, kh'chebb

voyager

Autobus Car, bus
Avion Tayara
Taxi Taxi
Voiture Karhba, sayara
Bagages Bagage, falijete
Billet Tiskra
Change Tabdil leflouss
Correspondance Mourassla, jweb
Douane Diwana
Gare Limhatta
Quai Racif
Porteur Hammel
Train Trino
Départ Machye
Arrivée Jey-wsoul
Retard Tawkhir
Agence de voyages Wikalet asfaar
Aéroport Matar
Louage Lawage
Station-service Kiosk
Essence Issanse
Gonfler Yonfokh
Huile Zit
Louer Kra
Pont Qantra
Roue Adjla
Route Thniya, triq
Garage Garage

urgences

Police Boulissia, chourta
Pompiers Asker lahriqa, himaya madaniya
Hôpital Sbitar, moustachfa
Pharmacie Sbissiria, saïdalia, farmassi
Médecin Tbib, doktour

bliez, échangez, partagez
s plus belles photos

w.geo.fr

GEO.fr

Communauté Photo GEO : vos plus belles photos en ligne.

La Communauté Photo GEO, c'est un espace illimité et gratuit pour stocker et mettre en valeur vos photos. C'est aussi de nombreuses fonctionnalités pour partager et échanger vos photos avec vos proches et d'autres photographes.

Connectez vous sur www.geo.fr

Remerciements à Claude Renault, membre de la Communauté GEO, pour les photographies réalisées en Inde.

Les bons plans des voyageurs sont sur mon**voyageur**.com

CONSULTEZ les avis des voyageurs sur des milliers d'adresses dans le mond (hébergements, restaurants, patrimoine, loisirs…)

CHOISISSEZ votre prochaine destination de voyage en fonction de vos critère personnels (budget, période de l'année, centres d'intérêts…)

PARTAGEZ toutes vos découvertes, vos émotions et vos expériences ave la communauté des voyageurs.

AIDEZ-NOUS À CONSTRUIRE DES GEO**GUIDE** QUI RÉPONDENT ENCORE MIEUX À VOS ENVIES !

Merci de nous retourner ce questionnaire à l'adresse suivante :

Questionnaire GEO**GUIDE** - BP 67 - 59053 Roubaix Cedex 1
Pour vous remercier, nous aurons le plaisir de vous offrir une nouveauté Folio.

Pour commencer, dans quel GEOGUIDE **avez-vous trouvé ce questionnaire ?**

....

VOS VOYAGES

Combien de séjours à but touristique effectuez-vous chaque année :

En France	❑ 1	❑ 2	❑ 3 et +
À l'étranger	❑ 1	❑ 2	❑ 3 et +

Vous partez pour (plusieurs réponses possibles, hors visite parents et amis) :

La France	❑ 1 semaine	❑ 2 semaines	❑ 3 semaines et +
L'étranger	❑ 1 semaine	❑ 2 semaines	❑ 3 semaines et +

Combien de week-ends à but touristique effectuez-vous chaque année (hors visite parents et amis) :

En France	❑ 1	❑ 2	❑ 3 et +
À l'étranger	❑ 1	❑ 2	❑ 3 et +

Vous partez (plusieurs réponses possibles) :

	Voyage en France	Voyage à l'étranger	Week-end
Seul			
En couple			
En famille			
Avec des amis			
En voyage organisé			

Comment voyagez-vous principalement (hors visite parents et amis) ?
En voiture ❑ En train ❑ En avion ❑ Autres : ....

VOS GUIDES DE VOYAGE

Quand vous partez, combien et quel type de guides achetez-vous ?

	Voyage en France	Voyage à l'étranger	Week-end
Guides pratiques *			
Guides culturels **			

* axés sur les informations pratiques et les adresses, contenant plus de texte et de cartes que de photographies
** axés sur l'histoire et la culture, contenant beaucoup de photographies et d'illustrations

Combien de temps avant votre départ achetez-vous votre (vos) guide(s) :

	Voyage en France	Voyage à l'étranger	Week-end
Entre 3 et 6 mois avant			
Dans le mois qui précède			
Sur place			

Avec les guides de quelles collections partez-vous le plus souvent (plusieurs réponses possibles) :

....
....

Cherchez-vous de l'information sur votre destination ailleurs que dans les guides de voyage :
Oui ❑ Non
Si oui, où :

❑ presse magazine	❑ sites internet des offices de tourisme
❑ forums de voyageurs	❑ offices de tourisme (sur place)
❑ voyagistes en ligne	❑ autre : ....

● **Si vous avez acheté ce guide vous-même, pourquoi avez-vous choisi GEOGUIDE**
(plusieurs réponses possibles) :

❑ conseil de votre entourage ❑ article de presse
❑ conseil de votre libraire ❑ confiance dans les guides Gallimard
❑ publicité ❑ confiance dans le magazine GEO
❑ vous l'avez découvert vous-même sur votre lieu d'achat

Dans ce dernier cas, quels sont les critères qui ont motivé l'achat de ce GEOGUIDE ?

❑ format ❑ contenu pratique
❑ couverture ❑ contenu culturel
❑ rabat proposant des cartes dépliantes ❑ volume d'information
❑ photographies couleur ❑ prix
❑ présentation intérieure en couleurs ❑ autre : ....

● **Que pensez-vous de votre GEOGUIDE et de ses différentes rubriques ?**
Concernant les informations culturelles, vous avez trouvé GEOGUIDE :

	Pour l'introduction culturelle générale (le GEOPANORAMA)	Pour les visites et descriptions des sites (dans les GEOREGION)
Très complet		
Complet		
Assez complet		
Pas du tout complet		

Concernant les informations pratiques (prix, horaires, coordonnées...), vous avez trouvé GEOGUIDE

❑ Très fiable ❑ Fiable ❑ Assez fiable ❑ Pas du tout fiable

Votre opinion sur la sélection d'adresses :

	Qualité des adresses		Nombre d'adresses	
	Suffisante	Insuffisante	Suffisant	Insuffisant
Hébergement				
Restauration				
Monuments, sites				
Balades et randonnées				
Activités de loisirs				
Shopping				

● **Avez-vous des remarques et suggestions ?**
....
....

● **Repartirez-vous avec un GEOGUIDE ?** ❑ Oui ❑ Non

● **Vous êtes :** ❑ un homme ❑ une femme

● **Votre âge :** ❑ - de 25 ans ❑ 25-34 ans ❑ 35-44 ans ❑ 45-64 ans ❑ 65 ans et +

● **Votre profession :**
❑ agriculteur ❑ profession libérale ❑ cadre supérieur ❑ encadrement et technicien
❑ employé ❑ ouvrier ❑ retraité ❑ sans activité professionnelle ❑ étudiant

● **Êtes-vous abonné(e) au magazine GEO ?** ❑ Oui ❑ Non
Si non, quel est votre magazine préféré ? ....

Merci de nous indiquer votre adresse si vous souhaitez recevoir un Folio *
Nom : ....
Adresse : ....
Code postal : .... Ville : .... Pays : ....
Acceptez-vous d'être contacté(e) par mail pour être informé(e) des nouveautés GEOGUIDE ? ❑ Oui ❑ N
Adresse mail : ....

En application de l'article 27 de la loi du 6 janvier 1978, les personnes physiques sont informées qu'elle
pourront faire l'objet d'un droit d'accès et de rectification des données nominatives les concernant.
* OFFRE VALABLE JUSQU'AU 31/08/2010

INDEX

Rose des sables.

INDEX

INDEX

INDEX DES CARTES ET DES PLANS

LÉGENDES DES CARTES ET DES PLANS

| Aaa | Ville ou site étape |
| Autoroute et 2x2 voies |
| Route principale |
| Route secondaire |
| Autre route |
| Piste |
| Voie ferrée |
| Frontière |

Axe urbain principal
Zone urbaine
Espace vert
Cimetière chrétien
Cimetière juif
Cimetière musulman
⇌ Tunnel, col, défilé
▲ Sommet

🛈 Office de tourisme
✈ Aéroport
🚆 Gare ferroviaire
🚏 Gare routière
🏖 Plage
Départ de randonnée
● Site remarquable
Point de vue

TITRES DÉJÀ PARUS

GEOGUIDE France

- Alsace
- Bordelais Landes
- Bretagne Nord
- Bretagne Sud
- Charente-Maritime Vendée
- Châteaux de la Loire
- Corse
- Côte d'Azur
- Guadeloupe
- Languedoc-Roussillon
- Martinique
- Normandie
- Paris
- Pays basque
- Périgord Quercy Agenais
- Provence
- Pyrénées
- Réunion
- Sortir à Paris
- Tahiti Polynésie française

GEOGUIDE Étranger

- Andalousie
- Argentine
- Belgique
- Crète
- Croatie
- Cuba
- Égypte
- Espagne, côte est
- Grèce continentale
- Îles grecques et Athènes
- Irlande
- Italie du Nord
- Italie du Sud
- Londres
- Maroc
- Maurice
- Mexique
- Pays basque
- Portugal
- Québec
- Rome
- Shopping à Londres
- Sicile
- Toscane Ombrie
- Tunisie
- Venise

● **AUTEURS**
GEOPANORAMA Faouzia Zouari *sauf* Milieux et paysage, Histoire, Architecture : **Vincent Noyoux**.
GEOPRATIQUE Vincent Noyoux, *sauf* Désert : **Pierre-Yves Mercier**
GEORÉGIONS Tunis et ses environs, Hammamet, Djerba et le Sud-Est : **Vincent Noyoux** ; Le cap Bon, la Côte de Corail, le Tell, le Sahel, le Sud-Ouest : **Pierre-Yves Mercier**.
● **CRÉDITS PHOTOGRAPHIQUES** Couverture : © N. Fauqué. 3 : © N. Fauqué. 4 : © Mariwak.
8-9 : © N. Fauqué. 40-41 : ©Stéphane Francès/hemis.fr. 62h : © J-Y. Grégoire/Photononstop. 62b : © P. Frillet/hemis.fr. 82-83 : © P. Seux/hemis.fr. 105 : © N. Fauqué. 112 : © F. Guiziou/hemis.fr. 136-137 : © N. Fauqué.
157 : © J.-D. Sudres/Top. 168-169 : © Mariwak. 190-191 : © Raga Jose Fuste/Age Fotostock.
222-223 : © F. Guiziou/hemis.fr. 249 : © F. Derwal/hemis.fr. 264h&b : © A. Lorgnier/Diaporama.
286-287 : © Jean-DenisJoubert/HoaQui. 326-327 : © R. Mattès. 345 : © B. Descamp/Vu.
360h : © A. Lorgnier/Diaporama. 360b : © T. Rolke/Gazeta/Vu. 386-387 : © J. Sierpenski/Top.
403 : © S. Frances/hemis.fr.
● **CARTOGRAPHIE INFOGRAPHIQUE** Édigraphie.
● **REMERCIEMENTS** Selim Abbes, Nasser Abderahman, Ali Béchir, Jamila Binous, Monsef Benzekri, Rachid Boualeg, Ikram Cheikhrouhou, Nejib Chammakhi, Anne-Charlotte Dommartin, Sidi Ahmed Djellouli, Mohammed El-Sehab, Farouk Ezdeni, Amaury Lussan, Zoubeïr Mouhli, Raed aux Kerkennah, Hassan et Raouf à Tataouine.
● **GALLIMARD LOISIRS** 5, rue Sébastien-Bottin 75328 Paris Cedex 07.
Tél. 01 49 54 42 00 contact@geo-guide.fr www.geo-guide.fr
● **PRISMA PRESSE** **Régie publicitaire** Prisma Presse 6, rue Daru 75379 Paris Cedex 08.
Directeur Pôle Cadres Thierry Dauré. Tél. 01 44 15 35 03.
Responsable de clientèle Évelyne Allain-Tholly. Tél. 01 44 15 32 77 Fax 01 44 15 31 44.

© Gallimard Loisirs / Prisma Presse / GEO, 2009. **Premier dépôt légal** Avril 2005
Dépôt légal Janvier 2010. **Numéro d'édition** 169604. **ISBN** 978-2-74-242637-9.
Photogravure ARG (Gentilly). **Impression** LEGO (Italie).

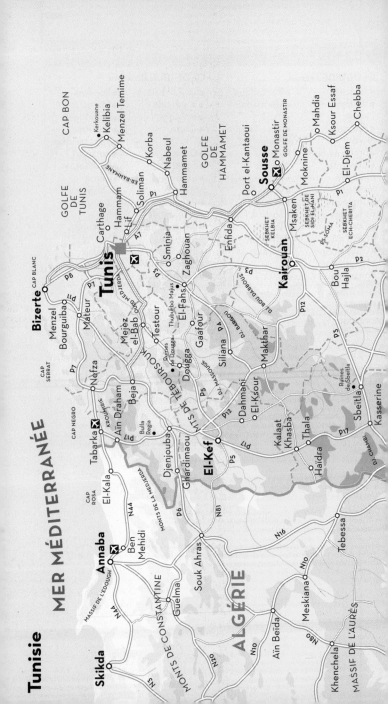